CHARLES IV

DU MÊME AUTEUR

Les Rohrbach de Francfort. Pouvoirs, affaires et parenté à l'aube de la Renaissance, Genève, Droz, 1997.

Présence du féodalisme et présent de la féodalité, Göttingen, Vandenhoeck & Ruprecht, 2002 (avec Otto Gerhard Oexle et Natalie Fryde).

Memoria, communitas, civitas. *Mémoire et conscience urbaines en Occident à la fin du Moyen Âge*, Ostfildern, Thorbecke, 2003 (avec Hanno Brand et Martial Staub).

La Ville et le droit au Moyen Âge, Göttingen, Vandenhoeck & Ruprecht, 2004 (avec Otto Gerhard Oexle).

Villes d'Allemagne au Moyen Âge, Paris, Picard, 2004.

Le Technicien dans la cité en Europe occidentale. 1250-1650, Rome, Collections de l'École française de Rome, 2004 (avec Mathieu Arnoux).

Gebrauch und Missbrauch des Mittelalters, 19.-21. Jahrhundert ; *Uses and Abuses of the Middle Ages: 19th-21th Century* ; *Usages et mésusages du Moyen Âge du XIXe au XXIe siècle*, Munich, Wilhelm Fink, 2009 (avec Janos Bak, Jörg Jarnut et Bernd Schneidmüller).

La Vita *de Charles IV de Bohême (1316-1378)*, Paris, Les Belles Lettres, 2010 (avec Jean-Claude Schmitt).

Les Autobiographies souveraines de l'Antiquité aux Temps modernes, Paris, Publications de la Sorbonne, 2012 (avec Jean-Claude Schmitt).

Bouvines 1214-2014. Histoire et mémoire d'une bataille/Eine Schlacht zwischen Geschichte und Erinnerung. Approches et comparaisons franco-allemandes/Deutsch-französische Ansätze und Vergleiche, Bochum, Winkler Verlag, 2016.

1414-2014 : le Concile de Constance, un regard franco-allemand, Rome, AHC, 2016 (avec Heribert Müller).

Europa. Notre histoire. Vol. 2 : *Les Europes* (avec Olaf Rader, sous la direction de Thomas Serrier et Etienne François), Paris, Les Arènes, 2017.

Les Usages de la temporalité dans les sciences sociales/Vom Umgang mit Temporalität in den Geistes- und Sozialwissenschaften, Bochum, Winkler Verlag, 2019 (avec Thomas Maissen et Barbara Mittler).

Pierre Monnet

CHARLES IV

Un empereur en Europe

Fayard

Ouvrage publié sous la direction d'Antoine Lilti

En couverture : Charles IV, détail d'un tableau votif peint pour l'archevêque
de Prague Jan Očko de Vlasim, 1371, Prag, Narodni Galerie Prag, inv. 84
(181 cm x 96 cm)
© Galerie nationale de Prague / CZE_NG.0_84

Création graphique : Antoine du Payrat

Cartographie : Philippe Paraire

ISBN : 978-2-213-69923-3

Pour Viktoria et Jean-Baptiste,
enfants d'Europe

Introduction

Le songe d'une nuit d'été

Un roi rêve. Le songe survient à Terenzo, à quelques lieues au sud-ouest de Parme, le 15 août 1333, fête de l'Assomption de la Vierge. L'auteur du récit, chroniqueur de soi puisqu'il le transcrit à la première personne, est le sujet de ce livre. À la date de sa vision, âgé de dix-sept ans, il n'est rien encore, pas même margrave de la lointaine Moravie. Mais au temps de la relation du souvenir, sans doute vers 1350, il est depuis plus de trois ans déjà roi de Bohême et roi des Romains, autrement dit promis à l'Empire.

« Or cette même nuit, alors que le sommeil nous envahissait, une vision nous apparut, dans laquelle l'ange du Seigneur se tenait à côté de nous en disant : "Lève-toi et viens avec nous !" […] Et nous saisissant par les cheveux du devant de la tête, il nous transporta en l'air jusqu'à une grande armée de chevaliers en armure […] et nous dit : "Regarde et vois." Et voici qu'un autre ange descendant du ciel et tenant un glaive de feu dans la main, frappa quelqu'un au milieu de l'armée et lui trancha de ce même glaive les parties génitales […]. "Tu dois savoir que celui-ci est le Dauphin du Viennois, qui a été ainsi frappé par Dieu pour son péché de luxure. Maintenant prenez donc garde, et vous pouvez dire à votre père qu'il se préserve de semblables péchés." […] Et soudain, nous fûmes rendus à notre lieu tandis que l'aube commençait à poindre […]. Alors notre père nous appela pour nous demander si c'était bien ce que nous avions vu. Et nous lui répondîmes : "Parfaitement, Seigneur, soyez bien sûr que le Dauphin est mort." Le père nous dit d'un ton de reproche : "Ne croyez pas aux rêves !" [...] Après quelques jours, un messager arriva portant des lettres disant que le Dauphin [...] était mort [...]. Alors notre père dit : "Qu'il est admirable pour nous de voir que notre fils nous a prédit cette mort à l'avance[1]." »

Pour l'historien, le récit d'un rêve[2] est à la fois une aubaine et un piège, encore plus s'il s'agit d'un rêve d'auto-confession. La tentation d'atteindre au sujet s'y trouve en effet redoublée[3] : par l'accès apparent à une conscience intérieure que révélerait, mieux que tout autre événement d'une vie, le songe ; par la parole de soi et sur soi que semble d'autre part comporter tout témoignage « autobiographique ». Car c'est ainsi qu'avec toutes les précautions d'usage il est permis de qualifier le texte de Charles IV, né en 1316, mort en 1378, maître du Luxembourg, de la Bohême, de la Moravie, du Brandebourg, couronné des Romains, des Lombards et de Bourgogne, empereur auguste[4]. Le rêve de 1333 n'échappe sans doute pas à cette séduisante quoiqu'improbable proximité. Ne comporte-t-il pas des éléments dont une analyse freudienne se régalerait ? Une lecture moderne soulignerait en effet l'obsession de la mort (celle du Dauphin) et du sexe (l'ablation des parties génitales) aussi bien que la dimension du conflit entre père et fils, la dissociation apparente entre le corps et l'esprit, la prémonition. Mais une telle (psych)analyse méconnaîtrait profondément la nature de la société médiévale au regard de la place qu'y occupent l'individu et plus spécialement le roi, et gommerait l'effet de reconstruction du récit par la mémoire et par sa transcription écrite. Car si la *Vita* date bien des années 1349-1350, son rédacteur est alors âgé de trente-trois ans, l'âge du Christ à sa mort.

Toutefois, se préserver des anachronismes ne signifie pas que ce songe royal ne puisse servir de révélateur. Son agencement repose sur un triple travail : celui du rêve, celui de la mémoire, celui de l'écriture. Tout d'abord, le rêve de Charles IV « parle », instaurant un dialogue direct entre l'ange et le rêveur, entre le père et le fils ensuite. En second lieu, ce rêve « voit » et suscite une séquence de tableaux animés. Enfin, à l'ordre du rêve correspond un ordre du récit décliné en trois temps : ascension, vision, parole. Sous la plume de Charles IV, ou de celui auquel il dicte son récit, le rêve n'est ni tromperie ni mensonge, mais manifeste la reconnaissance que Dieu s'est ouvert par le songe. Voilà sans doute la différence fondamentale qui sépare le rêve moderne « psychanalysé » du rêve médiéval. Pour les contemporains du XIVe siècle, le songe ne révèle pas la face cachée ou refoulée de l'âme mais porte un message reçu d'ailleurs qui dévoile et indique la voie à suivre, à la fois chrétienne et royale. Chrétienne en cela que le texte est empli de citations tirées des Saintes Écritures. Royale, car la confession du rêve prend l'allure d'une conversion, bien signalée par l'aller puis le retour de la terre vers le ciel et du ciel vers la terre.

Finalement, n'est-ce pas dans cet intermédiaire entre ciel et terre, entre adolescence et âge d'homme, entre jeune prince et futur roi, entre sujet individuel et personne royale, dans un provisoire qui renvoie au modèle si bien étudié du purgatoire[5], que se déploie la part de liberté du sujet, retranscrite ici dans une autobiographie onirique ? Cet entre-deux, c'est aussi l'espace qui sépare et relie le sujet chrétien et le sujet royal. Dans la tradition biblique, le rêve qui dit la vérité est l'attribut d'un personnage revêtu d'une autorité suprême et, dans la tradition médiévale, de Constantin à Charlemagne, le rêve d'un roi demeure un signe de puissance. La conscience de soi devient dès lors une vertu royale en même temps que s'affirme le principe suivant lequel le gouvernement de son corps reflète celui du royaume. Dans le monde où grandit et règne Charles IV, le rêve relie les vivants et les morts, le ciel et la terre, les pères et les fils, et produit un discours politique sur la royauté. Ici réside peut-être la grande nouveauté de ce récit : Charles est roi non pas en dépit mais à cause du rêve. Peut-être fallait-il attendre ce siècle-là, et ce roi-là pour en entendre ainsi parler. Mais quel siècle ?

Traverser le siècle

Le XIVe siècle, si tant est que cette découpe persuade encore les historiens[6], n'a pas bonne presse. Coincé entre un beau XIIIe siècle de la croissance urbaine, démographique et économique et un xvᵉ siècle présageant les promesses renaissantes de la modernité, il est synonyme d'épidémie, de disette et de conflits[7]. Il semble incarner les angoisses contenues dans une litanie venue de la nuit des temps : « De la peste, de la faim et de la guerre délivre-nous Seigneur. » En effet, aux premières crises frumentaires perceptibles dès 1318 et annonciatrices du petit âge glaciaire, à la guerre ouverte entre les deux plus grands royaumes d'Occident, de France et d'Angleterre, au tremblement de terre affectant tout l'arc alpin et ressenti jusqu'à Venise en janvier 1348, aux nuages de sauterelles observés en 1338 et en 1346, à la pandémie de peste noire qui fauche en quelques années, à compter de 1347, de 30 % à 40 % de la population et provoque le massacre de centaines de communautés juives, au dérèglement des monnaies, s'ajoutent en 1378 un schisme pontifical qui déchire la robe sans couture du Christ, une vague de commotions qui, pendant une décennie, frappent les grandes villes et, pour finir, la défaite de Nicopolis en 1396 qui signale l'installation longue de la présence ottomane au cœur de la chrétienté[8]. Ce temps imprégné du parfum de la mort, lointain miroir[9] de nos propres peurs, a inspiré dès la Renaissance aux historiens de grandes et sombres fresques auxquelles les dérèglements annoncés de l'anthropocène semblent conférer une actualité prémonitoire. Et pourtant, dans son *Automne du Moyen Âge*, qui ne fut pas rédigé par hasard en 1919, au lendemain du cataclysme de la Première Guerre mondiale, Johan Huizinga évoquait déjà l'odeur mêlée du sang et des roses[10]. Car ce siècle fut aussi celui de la bibliothèque du sage Charles V, de Pétrarque et de Dante, de Froissart et de Christine de Pizan, des fresques dites du *Bon Gouvernement* de Sienne[11], du *Livre des merveilles du monde* de Jean de Mandeville, du palais des papes à Avignon, de la première bourse à Bruges et du démarrage de l'économie-monde vénitienne.

Ce siècle, ce fut aussi celui de Charles IV, situé au cœur d'un grand glissement, ou plutôt d'un vaste rééquilibrage entre l'ouest et l'est du continent. Il en fut à la fois le témoin et l'acteur, par quoi peut-être ce morceau d'Europe commence à se concevoir comme toute l'Europe[12]. Les plus grandes foires, en effet, ne sont plus en Champagne mais dans les Flandres, le long du Rhin, à Francfort et à Leipzig ; l'argent extrait des mines de Kuttenberg, de Freiberg et d'Iglau inonde les ateliers monétaires européens ; la métallurgie de Nuremberg, approvisionnée par les loupes extraites des fourneaux du Haut-Palatinat, de la forêt bavaroise, de l'Autriche intérieure et des Monts métallifères, s'impose sur les places d'Occident ; l'Allemagne méridionale assure sa connexion avec le dynamisme et les nouveautés de l'Italie du Nord ; la Hanse se dote d'une véritable structure en 1358 et domine le commerce pendulaire entre Angleterre et Russie ; en Prusse et au-delà, l'Ordre teutonique continue sa progression territoriale et poursuit l'évangélisation des derniers « païens » du continent ; en Pologne, en Bohême, en Hongrie enfin se construisent de nouvelles capitales, s'érigent de nouvelles cathédrales et se fondent de nouvelles universités.

Grande était donc la tentation de prendre seulement prétexte d'un homme, aussi éminent fût-il, pour ne brosser que le tableau d'un temps miroitant de l'âpre chatoiement des crises. Mais tout aussi grand était le danger de ne s'en tenir qu'au récit coloré de la vie d'un roi, du berceau à la tombe. L'un ou l'autre choix aurait pu rassurer. C'est cependant le croisement des deux perspectives qui, semble-t-il, peut d'une part assurer une mise en tension de l'individu Charles IV et, de l'autre, ménager une mise à l'épreuve de la méthode historique. En effet, c'est moins l'histoire particulière d'un homme qui a retenu ici l'attention que les questions que la traversée de son temps soulève au prisme des représentations et de la conscience que ce roi précisément s'en fit. Parmi ces nouveautés – gouverner par l'écrit et par l'image, administrer la diversité des territoires et des cultures, réformer l'Empire, rapprocher les périphéries du centre, resserrer l'est et l'ouest du continent ou façonner une tradition –, se pose aux contemporains de l'empereur et aux historiens d'aujourd'hui un problème que Charles IV a sans doute ressenti et reflété plus qu'un autre : la question de la personne et de son avènement, en l'occurrence celle de la définition et de la représentation de l'individu royal dont tout indique, entre portraits, signatures, sceaux et écriture de soi, que le XIVe siècle lui confère une nouvelle dimension, en dépit – ou plus sûrement à cause – des convulsions du temps[13]. C'est donc, entre autres, sur une forme de fabrique de soi que le présent exercice biographique voudrait insister.

Pour autant, ce genre, au moment où semble triompher une histoire de grand vent élargie à l'ensemble du monde et de ses millénaires, est-il encore bien raisonnable ? La question suggère en vérité deux approches, l'une qui relève de la mémoire, l'autre qui ressort de l'histoire, inséparables quoique distinctes, mais dont l'articulation justement définit ce que peut être l'utilité de l'historien.

Mémoires

La mémoire d'abord. Pour ce qui concerne le sujet de ce livre, pris au double sens d'objet et d'individu, c'est-à-dire Charles IV de Luxembourg (1316-1378), la réponse d'un lecteur tchèque à la question posée serait rapide et limpide. Chaque enquête réalisée ici sur les héros de la mémoire nationale place ce souverain du XIVe siècle, *Pater Bohemiae* ou *Pater patriae*, au sommet du souvenir et de l'identité collectifs[14]. Il s'agit là sans doute du produit encore actif d'une nationalisation de cette figure au XIXe siècle[15]. L'intégration de la Bohême dans l'Empire austro-hongrois des Habsbourg jusqu'en 1918, la difficile construction de la République tchèque entre les deux guerres, l'annexion par l'Allemagne nazie en 1939 n'ont pas émoussé, loin s'en faut, cette construction mémorielle. La République socialiste de Tchécoslovaquie (1948-1989) n'a pas davantage éliminé un souvenir d'ailleurs très habilement instrumentalisé au moment de la prise de pouvoir par les communistes lors du « coup de Prague » de 1948. C'est ce réservoir mémoriel et symbolique du grand homme Charles IV, à l'égal du réformateur Jan Hus brûlé par le concile de Constance en 1415, érigé en fondateur de l'État de Bohême et en protecteur de la langue tchèque au Moyen Âge, que purent également réactiver et mobiliser tant la « révolution de velours » de 1989 que la « partition de velours » de 1993, aboutissant à la séparation entre République tchèque et Slovaquie.

Il suffit de se promener, aujourd'hui encore, dans Prague, pour réaliser à quel point la figure de Charles IV sature la ville : le pont Charles et ses statues, les mosaïques et les bustes de la cathédrale Saint-Guy, l'université qui porte son nom, les toponymes et noms de rue, l'appellation des hôtels et jusqu'aux menus des restaurants ; tout semble rappeler et exhiber la signature et l'empreinte du grand roi. Il existe également peu de monuments en Europe qui aujourd'hui encore, sont aussi consubstantiellement confondus, fusionnés avec la mémoire d'un seul homme que peut l'être, à quelque vingt kilomètres à l'ouest de Prague, le château éponyme de Karlstein, le roc de Charles, à la fois résidence, reliquaire, retraite, vitrine, bref « image » d'un seul règne, d'un seul roi et de ses passions.

Mais au-delà ? Même si l'on peut sans doute supposer que le souvenir de ce roi s'estompe assez rapidement dès les frontières franchies, les traces restent vivantes et entretenues au sein de l'espace du royaume historique de Bohême. Reste que Charles IV, c'est là le point important, symbolise l'un des grands rois de ce que notre modernité appelle l'« Europe centrale », une notion encore étrangère aux hommes de la fin du Moyen Âge, et qui connut au cours du dernier millénaire, sans doute plus que d'autres parties du continent, des glissements frontaliers de grande envergure[16]. La remarque vaut d'ailleurs pour l'Allemagne, le grand voisin où le souvenir de Charles IV résiste. Il fut d'abord souverain du Saint-Empire, et s'inscrit donc dans la longue chaîne des rois et des empereurs qui, jusqu'en 1806, gouvernèrent un ensemble deux fois plus étendu que l'actuelle Allemagne. Il en parlait la langue, y résida de nombreuses fois, y fit construire résidences, palais, châteaux et monuments, dont certains existent encore, tandis que par épouses et alliances dynastiques interposées, des liens étroits s'étaient noués avec les maisons de Bavière, de Brandebourg et d'Autriche. Surtout, il donna à cette construction territoriale si complexe, faite de villes, de principautés, de royaumes, sa seule et durable « Constitution » de la fin du Moyen Âge : la Bulle d'Or proclamée en 1356, qui organise jusqu'à la mort de cet Empire au début du XIXe siècle l'élection par des princes allemands à Francfort et le couronnement à Aix-la-Chapelle du roi des Romains, appelé à ceindre la couronne impériale[17]. Le texte, inachevé, est d'importance : il forme l'ordre de succession le plus ancien et durable d'Occident et introduit, à côté de l'hérédité, un principe de désignation élective qui non seulement caractérise la pensée politique européenne sur la longue durée, mais produit en Allemagne même une structuration territoriale synonyme d'équilibre, de compromis et de fédération.

Enfin, il serait évidemment injuste de ne pas inclure dans ce panorama des mémoires européennes de Charles IV le Luxembourg, puisque telles étaient sa maison et sa famille, un comté puis un duché qui, pour l'époque que nous décrivons, couvrait une région stratégique et riche située entre Flandres, royaume de France et pays germaniques. La fortune des comtes de Luxembourg connaît un tournant décisif avec l'élection, en 1308, du grand-père de Charles IV, Henri VII, comme roi des Romains, puis son couronnement comme empereur, à Rome, en 1312. Charles IV est donc l'héritier d'une principauté qui, dans la première moitié du XIVᵉ siècle, est en position d'assembler trois morceaux capables de relier l'est et l'ouest de l'Europe : le Luxembourg, le Saint-Empire et la Bohême. Telle est l'ambition, tel est le défi, telle est aussi la mémoire luxembourgeoise d'une dynastie qui, après la mort de Sigismond, deuxième fils de Charles IV, ne donnera plus aucun souverain à l'Europe. Mais il n'est pas interdit d'imaginer ce qu'aurait été une Europe des Luxembourg jusqu'à la Révolution française, en lieu et place de celle des Habsbourg[18]. Les relations entre France et Allemagne aux temps modernes en eussent été à tout le moins sensiblement modifiées, de même que le visage du continent[19].

Et la France justement ? Il est à peu près certain que le roi de ce livre ne compte pas ici parmi les grandes figures médiévales de la mémoire collective. On verra pourtant combien, au XIVᵉ siècle notamment, l'alliance entre les Luxembourg et les Capétiens puis les Valois formait une constante de la diplomatie du royaume et du duché, notamment dans la première phase de la guerre dite de Cent Ans. Charles lui-même doit son prénom au roi Charles IV de France, passa sept ans à Paris, épousa dans la foulée une princesse française et remodela sa capitale, Prague, à l'image de celle du royaume de France. Sur le plan culturel et artistique, il est également permis de parler d'un véritable axe d'échanges et de transferts entre les deux cours, et c'est à Paris que Charles IV consacre en 1377-1378 son dernier voyage pour y revoir une fois encore les palais, les églises, les reliques et les châteaux de son enfance. Et pourtant, en dépit de ces connexions étroites et fécondes, rien ou si peu ne s'est conservé aujourd'hui, chez nous, de ce « moment ». Alors pourquoi le ressusciter ?

Histoires : (d)écrire une vie

L'histoire maintenant. La réponse des historiens à la question de l'utilité d'une « biographie » est elle-même historique[20]. Le romantisme, et plus généralement l'histoire positiviste du XIXe siècle, ont eu la passion des biographies, pas seulement parce qu'elles intéressaient le grand public et la presse, flattaient l'orgueil national, justifiaient la place et le rôle de l'historien. Elles correspondaient aussi à une manière de fabriquer et d'écrire le passé, et de découper le temps cyclique en règnes et en empires successifs. Le grand homme incarnait une époque, un siècle, l'esprit de son temps : ses heurs et malheurs parlaient pour tous et disaient la geste collective que son action d'ailleurs contribuait à façonner. Tels furent, pour le Moyen Âge, Charlemagne, Saint Louis, Jeanne d'Arc, Frédéric II…

Pour ces mêmes raisons, le renouvellement historiographique et épistémologique, incarné entre autres, en France, par l'école dite des *Annales*, a fustigé le genre biographique : trop étroit, trop émotionnel, trop incarné[21]. Depuis quelques décennies, la fin des grandes idéologies systémiques du XXe siècle, le retour du sujet et de l'acteur, la description dense et rapprochée, un nouveau travail entre les disciplines, notamment avec l'art et la littérature, la nécessaire mise en intrigue, et enfin ce que l'on a pu appeler la micro-histoire ont rendu au projet biographique la capacité interprétative qui lui avait un temps été déniée, non plus au motif du triomphe de la volonté du grand homme sur le cours des événements, mais en raison de son caractère hybride, transversal, expérimental[22].

Telle voudrait être l'ambition de ce livre : non pas seulement la traque de l'intime d'un roi, ni le dévoilement complet d'un règne, encore moins la restauration d'une gloire, mais la saisie d'un moment à travers un individu érigé en lieu d'observation[23]. Lorsque Jacques Le Goff avait entrepris en 1996 la rédaction d'une biographie consacrée à Saint Louis, il avait méthodo-logiquement assigné plusieurs conditions à l'écriture d'un tel exercice : que le personnage ait laissé suffisamment de traces documentaires (par lui ou bien sur lui) pour pouvoir poser à son propos des problèmes d'une grande ampleur ; qu'il ait transmis une mémoire dont les jeux et enjeux restent significatifs pour notre temps ; que l'historien soit en mesure de mettre au jour les interactions entre individu et société ; que l'écrivain éprouve enfin une certaine « sympathie » envers son sujet[24]. Ainsi entendait-il la tentative d'une « biographie totale ». Dans le cas de Charles IV, la plupart de ces conditions sont réunies, à quoi s'ajoute une dimension que Saint Louis n'eut pas, celle de l'autobiographie[25], renforçant l'idée que ce personnage avait conscience de former un individu, ou en tout cas de correspondre à l'image que son temps pouvait s'en faire.

Une fois ces objectifs affichés et ces précautions prises, il convient de souligner que la biographie que l'on va lire ne sera sans doute pas assez tchèque, faute pour son auteur d'en connaître la langue[26]. Le présent Charles IV se veut en revanche, du moins le souhaite-t-on, plus français, plus allemand aussi, et – s'il est permis – le plus européen possible, non par souci politiquement correct et convenu mais suivant une double conviction. La pre-mière tient à la croyance selon laquelle ce souverain, maniant et écrivant cinq idiomes, coagulant en son temps un duché, plu-sieurs margraviats, quatre royaumes et un empire où se parlaient dix à vingt langues ou dialectes différents, sous quatre régimes climatiques divers, alternant bordures de mers chaudes et froides, massifs montagnards et plaines, grands fleuves et longues routes, eut une manière de gouverner et de faire tenir ensemble le dispa-rate suivant une logique qui reste aujourd'hui bonne à penser.

La seconde est liée à la certitude suivant laquelle, puisqu'il existe en effet plusieurs Charles IV, français, italien, allemand, tchèque, luxembourgeois, cette pluralité de perspectives n'est pas un obstacle mais la condition de sa compréhension. Manière de dire aussi combien funeste et scientifiquement peu recommandable serait le retour d'un seul point de vue réducteur et national sur l'événement.

C'est pourquoi, quitte à dérouter, le récit ne s'alignera pas exclusivement sur le déroulement traditionnel d'une existence allant de la jeunesse à la mort, mais variera chaque fois les perspectives et les temps afin de cerner non pas un seul mais plusieurs Charles IV. Il se déroulera donc en trois actes, qui sont comme trois modalités d'une vie vouée à gouverner, trois étagements de la saisie du temps et, ce faisant, comme trois respirations de l'écriture historique. Conquérir, tout d'abord, quand se construisent les figures d'un prince, d'un roi, puis d'un empereur. Régner, ensuite, alors que sont mises en œuvre des façons inédites d'être roi. Faire trace, enfin, entre portraits, reliques, écrits et mémoires. Parmi ces approches, mêlant l'événement, la structure et le souvenir, aucune ne nous semble plus vraie ou plus légitime qu'une autre. Mais chacune voudrait contribuer à expliquer les potentialités et les impasses d'une époque, à éclairer les choix et les indécisions ou hésitations d'un homme que ses couronnes obligent, à démêler les entrelacements et les contradictions d'une histoire devenue mémoire.

PREMIÈRE PARTIE
CONQUÉRIR

Le futur Charles IV mit trente ans à être roi. Le fait n'est pas rare dans l'Europe du temps, et même dans les monarchies où l'hérédité commençait à régler strictement la succession, bien des princes durent attendre, parfois longtemps, la mort du père pour monter sur le trône. Mais compte tenu de la modestie initiale de sa maison et du principe électif qui commandait la transmission du titre royal dans l'Empire, le couronnement de ce jeune Luxembourg fut un processus lent, opiniâtre et parfois dominé par le hasard. Pour parvenir à ceindre en quelques mois la couronne des Romains et celle de Bohême, en 1346 puis en 1347, Charles ne négligea aucune des armes à la disposition d'un prince pour arriver à ses fins : la bataille, la négociation, le mariage, l'argent, la loi, le sens dynastique, le retournement d'alliance, l'apprentissage du savoir et du gouvernement, l'appui de plus grands que lui – à commencer par le roi de France, le pape et les grands princes allemands – et, osons le dire, une conception précoce de son destin, de ses titres et de sa personne.

Mais là encore rien d'exceptionnel tant d'autres princes peuvent témoigner d'un parcours semblable. Plus originale est en revanche la manière dont cette ascension puis le déploiement de son pouvoir ont chaque fois été pensés, réfléchis par une pleine conscience du chemin déjà parcouru et restant à franchir.

De ce point de vue, la *Vita* rédigée à la première personne par Charles IV vers 1350 peut être lue à bon droit comme le signal et en même temps le support d'un art de s'expliquer, de se déclarer et de se justifier que l'écrit, le portrait, la relique, le monument viendront toujours relayer. Bref, une façon bien à lui et peu fréquente pour un roi en exercice de penser le lien intime entre l'homme et le pouvoir, entre la dimension privée de sa personne et la mesure publique de sa charge. *Via est vita,* comme l'exprime une locution latine : la voie c'est la vie. Peu de rois au XIVe siècle ont sans doute autant médité le sens d'une telle formule mêlant destin individuel, prédestination et salut au service d'un gouvernement royal puis impérial, conscient de devoir, sans doute pour la dernière fois, entrelacer l'universel et le céleste avec les aléas disparates du terrestre, et cela dans un temps de crise qui put faire croire que la fin des temps était proche.

C'est à cette aune que l'on souhaiterait relire et relier les trois temps d'une vie de prince, de roi et d'empereur consacrée à réconcilier les opposés : le père avec le fils, le royaume avec l'Empire, le roi avec la personne, l'Est avec l'Ouest, le Nord avec le Sud, et *in fine* soi-même avec soi-même. Cette dynamique des contraires définit ce que l'on peut appeler un processus d'individuation, à tout le moins l'affirmation d'un homme et d'un souverain dotés d'un nom, d'une conscience, d'un objectif, d'une mémoire, et d'une image de soi dont Charles eut la passion à la fois visuelle, écrite et symbolique.

CHAPITRE PREMIER

Le prince : 1316-1346

Un futur roi voit le jour.

« Ce même Jean, roi de Bohême, a engendré de la reine Élisabeth son fils premier né, Wenceslas, l'an du Seigneur 1316, la veille des Ides de mai, à la première heure, à Prague[1]. » Ainsi Charles relate-t-il sa propre naissance dans le récit personnel de sa vie. Au-delà du soin porté à l'enregistrement du jour et de l'heure précis de l'accouchement, conforme à l'attention nouvelle accordée à la constellation astrologique des planètes[2] et au retournement commémoratif récent qui insistera désormais sur l'anniversaire de la naissance et non de la mort[3], la mention inscrit la venue au monde de Wenceslas/Charles au terme d'un paragraphe qui installe la maison des Luxembourg au cœur d'un ensemble dont il finira par hériter : le comté éponyme des Luxembourg par son père, le royaume de Bohême par sa mère, la promesse de l'Empire par son grand-père. Bien entendu, celui qui rédige ces lignes au milieu du siècle est déjà roi et connaît son destin. Telle n'était pourtant pas la situation à sa naissance.

Comme bon nombre de ses contemporains princiers et royaux, Charles IV est le produit de croisements dynastiques et de logiques matrimoniales dont le succès ou l'échec dépendent non seulement de facteurs démographiques et territoriaux ou politiques, mais aussi de conjonctions aléatoires. Il n'était en effet pas évident, vu de loin, qu'un lignage comtal aussi relativement modeste que celui des Luxembourg finisse par s'imposer jusqu'en 1437 sur la scène européenne au point de donner, toutes branches généalogiques et toutes couronnes confondues, un total de treize rois, douze reines et trois empereurs. Et qui aurait pu prétendre en 1316 qu'après la perte de deux enfants mort-nés, le fils de Jean de Luxembourg et d'Élisabeth de Bohême allait incarner l'un des règnes les plus marquants du XIVe siècle ?

Dans cette aventure, deux « boucles » méritent d'être détachées. La première voit le grand-père de Charles IV, Henri VII (1274-1313), comte de Luxembourg, épouser Marguerite de Brabant en 1292. Sous son règne se produit la vertigineuse ascension dont Charles récolta les fruits : stabilisation du comté patrimonial par un mariage qui met fin à une longue inimitié avec le proche et puissant duché de Brabant, élection royale germanique puis couronnement impérial, et enfin mariage de ses trois enfants avec les plus influentes dynasties royales du continent. Jean épouse en 1310 Élisabeth, la dernière descendante et l'héritière depuis 1306 du trône bohémien des Přemyslides, Béatrice en 1318 le roi de Hongrie Charles-Robert d'Anjou, Marie en 1322 le roi Charles IV « le Bel » de France. Si la mort brutale d'Henri VII en 1313 à Buonconvento près de Sienne, interrompt pour un temps cette *success story* et empêche le père d'assister aux mariages royaux de ses deux filles, il conviendrait de ne pas lire son règne à la seule lumière de ce drame italien, comme l'ont montré les publications récentes des diplômes de son gouvernement[4]. C'est bien Henri VII qui catapulte les Luxembourg au sommet du plus grand ensemble territorial, politique et symbolique de l'Occident[5]. Dante, inconditionnel soutien du parti gibelin et impérial, ne s'y trompe pas, qui réserve au seul Henri VII une place au paradis dans le trentième chant de la *Divine Comédie* : « Et sur le grand siège où tes yeux sont fixés / à cause de la couronne qui déjà s'y trouve, / avant que tu dînes à ces noces / siégera l'âme, qui sur la terre sera auguste, / du grand Henri qui viendra redresser / l'Italie avant qu'elle y soit disposée[6]. »

La deuxième boucle est celle qui unit en 1310 les parents de Charles IV, Jean et Élisabeth, dans la cathédrale de Spire, après une demande officielle portée par une ambassade de douze Bohémiens : mariage entre jeunes comme c'est fréquent alors, Jean a quatorze ans, et Élisabeth dix-huit[7]. Ce n'est pas l'effet du hasard si la scène est placée par l'oncle de Jean, Baudoin, en très bonne place dans sa chronique illustrée du couronnement romain de son frère Henri VII, ou *Codex Balduini*. L'épisode est situé à dessein juste sous une image représentant l'adoration vouée par Henri et Marguerite aux Rois mages à Cologne, comme si cette addition de trois couronnes (avec celles du roi et de la reine on en voit cinq sur la miniature…) portait en elle la promesse d'une accumulation de royaumes[8]. Ce n'est pas non plus par accident que la première grande chronique rédigée en langue tchèque, dite de Dalimil, s'achève en 1326 par un chapitre consacré au mariage puis au règne de Jean : « Puis quand les Tchèques virent / qu'ils n'avaient pas d'allié en la personne du Carinthien / ils marièrent Élisabeth à Jean, le fils de l'empereur / et invitèrent le comte de Luxembourg à s'asseoir sur le trône. / Ils expulsèrent le Carinthien à cause des Misniens et couronnèrent Jean de Luxembourg roi de Bohême. / Mon Dieu, pourvu que ça dure[9] ! » Ici encore, le règne et l'action de Jean ont fait l'objet d'une réévaluation récente. Certes il fut un chevalier bouillonnant, toujours à l'affût de champs de bataille propres à relever la gloire de son nom. Certes il ne fut pas le roi de Bohême le plus assidu ni le mieux organisé. Certes il ne fut pas le plus heureux dans ses entreprises italiennes. Mais il consolida l'alliance avec la France, sut garder la Bohême sous contrôle et l'agrandir de la Silésie, et louvoya habilement entre les deux grandes dynasties germaniques du temps, les Wittelsbach de Bavière et les Habsbourg d'Autriche, pour préparer l'élection de son fils Charles en 1346.

Une naissance

La naissance de Wenceslas de Bohême (Charles), le 14 mai 1316 à Prague, n'a pas seulement fait l'objet de la mention de l'auteur dans sa propre *Vita*. Un autre chroniqueur important du règne a également consigné l'événement. Peter von Zittau était originaire de Bohême et entra en 1305 dans le couvent cistercien de Königsaal dont il devint abbé en 1316[10]. Cet établissement situé à quelques kilomètres au sud de Prague avait été fondé en 1292 par Wenceslas II pour devenir un véritable monastère royal et dynastique, en même temps qu'une nécropole des Přemyslides. C'est là que son fondateur fut enterré, aux côtés de sa fille Élisabeth, la mère de Charles IV, mais aussi de plusieurs Luxembourg qui eurent l'idée d'en faire un lieu bohémien de la continuité dynastique (notamment Margarete, une sœur de Charles IV, et Jeanne de Bavière, l'épouse de Wenceslas IV). Un peu comme Saint-Denis en France, Königsaal abritait des sépultures royales et se proposait d'être le dépositaire de la mémoire du royaume. Une chronique mêlant l'histoire du couvent, de la Bohême et du Saint-Empire à partir de 1253 y fut ainsi commencée en latin sous le titre de *Chronicon Aulae Regiae*[11] dans les années 1290 par l'abbé Otton de Thuringe, et continuée par Peter von Zittau jusqu'à sa mort en 1339. Ce dernier était particulièrement bien informé : il avait accompagné l'agonie de Wenceslas II en 1305, enregistré les débuts de la nouvelle dynastie des Luxembourg en Bohême, escorté Henri VII en Italie lors de son couronnement impérial à Rome[12], et était devenu le confesseur de la reine Élisabeth. Le texte de Zittau avait une telle valeur historique et littéraire qu'il servit de matrice aux grandes chroniques de Bohême de la fin du Moyen Âge. Au chapitre 127 du premier livre, le chroniqueur note qu'en 1316, « au *premier* jour des Ides de Mai, à la *première* heure, naquit à Prague Wenceslas, le *premier* né du seigneur et roi Jean de Bohême et de Pologne, et de la reine Élisabeth. En ce lieu de la naissance se déroulèrent force festivités et bals, en signe de prospérité pour le roi et le royaume. Cet enfant fut baptisé le troisième jour des calendes de juin, c'est-à-dire le jour de la Pentecôte, dans l'église cathédrale de Prague, en présence du seigneur Baudouin, archevêque de Trèves, du seigneur Jean évêque de Prague, et du seigneur Hermann, évêque de Prizren, et fut solennellement plongé sous un tonnerre de cris et d'acclamations dans la fontaine sacrée de la renaissance par Pierre l'archevêque de Mayence[13] ».

Outre la répétition des trois adjectifs « premier » qui entend souligner dès l'entame le caractère initial de cette venue au monde, on remarquera l'exacte similitude entre la première phrase de la chronique königsaalienne et celle que composa vers 1350 Charles IV dans le récit de sa vie. On notera également que, de cet événement, seuls deux récits contemporains portent témoignage, les autres histoires se bornant après coup à en recopier la mention[14]. Quelques notations, donc, sur le moment ou peu s'en faut, et toutes de Bohême : la naissance de ce prince héritier ne rencontra pas l'écho que, quelque cinquante ans plus tard, recueillit celle de son premier-né Wenceslas à Nuremberg en 1361. Troisième observation : dans le récit le plus complet que Peter von Zittau a livré de la naissance et du baptême, il convient de relever l'entourage qui, au Moyen Âge et plus tard, comme c'est le cas pour un couronnement, un mariage, des obsèques, trace le périmètre des alliances et des protections. Autour du jeune prince se trouvent, en dehors du père et de la mère, et en présence obligée de l'évêque de Prague, deux archevêques parmi les plus puissants de l'Empire, qui plus est déjà électeurs royaux de fait avant de le devenir de droit en 1356 : ceux de Trèves et de Mayence. Baudouin, le premier nommé d'ailleurs dans la chronique, était le grand-oncle du futur Charles IV et frère du défunt empereur Henri VII. C'est lui qui, jusqu'à sa mort en 1354, fut le chef et artisan principal de la fortune des Luxembourg sur l'échiquier européen. Formé à Paris et à la cour de France, placé à la tête de la puissante province ecclésiastique de Trèves dès 1308, il contribua à faire élire la même année son frère comme roi des Romains, avec le soutien de l'archevêque de Mayence Peter von Aspelt, que l'on retrouve cité lors du baptême de 1316 : un grand électeur ecclésiastique était aussi, et peut-être avant tout, un prince territorial. En dehors de son propre archevêché, qu'il réforma par une série de codifications portant son nom et réunies sous le titre de *Balduineum*[15] – elles ne demeurèrent du reste pas sans influence sur l'œuvre législative de son petit-neveu –, il parvint à devenir l'administrateur de plusieurs autres sièges épiscopaux et archiépiscopaux de l'influente et riche Rhénanie et mourut revêtu du titre d'archichancelier d'Empire[16]. Il inspira assurément Charles IV par sa politique territoriale, sa proximité avec le royaume de France, son goût pour l'éclat impérial, son attention portée aux arts et aux lettres de son temps. Il fut lui-même le commanditaire du célèbre *Codex balduinensis*, manuscrit richement illustré commandé vers 1340 et relatant l'expédition romaine de son frère Henri VII[17]. De même, Baudouin fit l'objet d'une copieuse et élogieuse chronique connue sous le titre de *Gesta Baldewini*[18].

Le baptême de Charles réunissait aux côtés de Baudouin un autre et important archevêque d'Empire, Peter von Aspelt, métropolitain de Mayence de 1306 à sa mort en 1320[19]. Son entrée dans la nébuleuse luxembourgo-bohémienne remontait à sa position de chancelier du roi přemyslide Wenceslas II, un titre qu'il conserva sous Henri VII, tandis que son siège archiépiscopal avait la Bohême pour ressort. D'ailleurs, c'est Peter von Aspelt qui présida aux cérémonies du couronnement de Jean et d'Élisabeth à Prague comme roi et reine de Bohême en 1311. Autrement dit, le cercle des puissants rassemblés autour du berceau du futur Charles IV forme l'assise du socle sur lequel reposaient alors le patrimoine et l'emprise de la maison des Luxembourg.

En 1316, et malgré ses absences notoires du royaume, qui n'étaient d'ailleurs pas pour déplaire à un certain nombre de grands nobles bohémiens, Jean ne rencontrait plus aucun compétiteur ou ennemi déclaré sur le trône de Prague après avoir éliminé son concurrent Henri de Carinthie en 1310. Il dut bien mater la révolte d'une partie de la noblesse du royaume emmenée par Henri de Lipa, peut-être appuyé par sa propre épouse la reine Élisabeth, mais en 1318 un compromis est trouvé, qui signe la préservation des droits féodaux des grands de Bohême. Désormais, tout impôt général devra être soumis à l'approbation des états de Bohême réunis en assemblée, et le ban ne pourra être convoqué que pour défendre le royaume. Ces concessions, prix de l'acceptation définitive d'un Luxembourg sur l'ancien trône des Přemyslides, ne sont pas négligeables car elles touchent au fond aux deux piliers du rapport de domination entre la royauté et la noblesse : l'impôt d'une part et le service armé de l'autre. De ce point de vue, la Bohême ne fait pas exception à une fin du Moyen Âge qui voit les progrès de l'État royal buter un peu partout sur les prérogatives et les résistances des aristocraties traditionnelles[20]. Comme l'on sait, cette opposition a du reste poussé les élites aristocratiques à se muer en noblesse de classe et d'identité[21]. On en retrouvera les échos lors du refus par les états de la noblesse de Bohême de la Constitution proposée par Charles IV à son royaume en 1355 sous le nom de *Majestas Carolina*.

À l'ombre du père

Quoi qu'il en soit, âgé de vingt ans à la naissance de son premier fils, Jean était non seulement roi de Bohême mais aussi margrave de Moravie, comte de Luxembourg et revendiquait le titre de roi de Pologne déjà porté par son beau-père Wenceslas II. Même si Jean avait déjà fort à faire pour stabiliser sa situation en Bohême et consolider ses positions dans l'Empire, il ne renonça pas à réclamer le titre polonais, fidèle à une politique d'union des couronnes qui continuera d'ailleurs à couvrir tout le XIVᵉ siècle et à faire intervenir dans ce jeu aussi bien la Hongrie que l'Empire ou les Habsbourg d'Autriche. En 1320 cependant, la Pologne écarta toute idée d'une double couronne en confiant le trône à Wladislav Iᵉʳ de la maison des Piast[22]. Mais d'autres théâtres d'opérations, dès le milieu des années 1310, requéraient toute l'énergie de Jean. Ainsi, sa participation à plusieurs campagnes menées aux côtés de l'Ordre teutonique en Pologne et jusqu'en Lituanie, de même que ses prétentions jamais abandonnées sur la Silésie, montraient que le jeune Luxembourg entendait conduire une politique de grand vent depuis son royaume de Bohême.

Le premier et plus vaste chantier se situait dans l'Empire lui-même. Comme on l'a dit, Jean fut finalement écarté en 1314 du trône des Romains qu'occupait son père. Un faisceau de raisons peut expliquer cette mésaventure : le prince était jeune ; son royaume de Bohême encore mal assuré ; son père avait montré des ambitions impériales qui avaient pu effrayer ; son oncle Baudouin, puissant gardien et conseiller de la dynastie, pensait qu'il fallait jouer la carte des Wittelsbach contre l'autre prétendant, Frédéric le Beau de Habsbourg[23], plus dangereux à ses yeux pour les territoires occidentaux du Luxembourg et même à terme pour le royaume de Bohême lui-même. À l'instigation de son oncle, Jean pensait pouvoir également tirer profit de la compétition déclarée entre Louis IV de Bavière et le concurrent Habsbourg, entre lesquels se partagèrent en effet les voix des électeurs en 1314. Tous deux se firent couronner le même jour, Frédéric à Aix-la-Chapelle et Louis à Bonn. La place manque pour relater dans le détail les différentes phases des oppositions et des luttes entre les deux compétiteurs. Il suffit de souligner en premier lieu que le pape Clément V, fin tacticien et fidèle à la ligne d'affaiblissement de l'Empire suivie par ses prédécesseurs depuis le XIIIe siècle, décida de ne reconnaître officiellement aucun des deux rois. C'était là sa manière de continuer à diviser les électeurs et à faire pression sur les dynasties royales de Germanie dans la perspective d'un éventuel couronnement impérial à Rome, toujours lié à l'épineux problème des divisions et des inimitiés italiennes. Ces questions péninsulaires étaient d'autant moins démêlées pour la papauté qu'elle résidait depuis 1309 à Avignon, sous quasi-tutelle du roi de France. En second lieu, l'affrontement entre les deux maisons des Habsbourg et des Wittelsbach non seulement permettait aux Luxembourg de jouer l'une contre l'autre et de monnayer leur soutien, mais représentait un soulagement eu égard à la politique que Jean pouvait envisager de mener à l'Est, en France ou en Italie au gré de ses propres intérêts dynastiques. En troisième lieu, les solutions testées dans l'Empire pour résoudre la crise survenue en 1314 poussaient à une inflexion politique et territoriale dont les Luxembourg pourraient percevoir les dividendes le moment venu. En effet, après sa défaite en 1322 sur le champ de bataille de Mühldorf, Frédéric fut emprisonné par Louis IV qui, se considérant désormais comme le seul roi des Romains légitime, affronta le pape d'un côté, perdit de l'autre le soutien de Jean de Bohême qui avait combattu à ses côtés et continua enfin à lutter contre les Habsbourg, désormais conduits par Rodolphe, le frère cadet de Frédéric[24]. En 1325, Louis IV, qui avait été excommunié un an plus tôt par Jean XXII, dut se résoudre à relâcher Frédéric, qu'il reconnut comme co-roi de Germanie, par contrat mais sans couronnement. Cette co-gestion de l'Empire a étonné plus d'un historien et butta en tout cas sur deux problèmes qu'elle ne pouvait régler. En 1328, d'une part, Louis IV s'était fait couronner empereur à Rome des mains d'un anti-pape désigné par ses soins sous le nom de Nicolas V, délégitimant ses autres titres. D'autre part, cette « co-royauté » négociée en 1325 puis de nouveau proclamée en 1326 ne pouvait par essence résoudre la question qui tenaille toute maison princière au Moyen Âge, celle de l'hérédité et de la transmission du royaume, en l'occurrence de l'Empire. Jusqu'à sa mort en 1330, Frédéric, démis de son titre royal, dut se résoudre à ne plus quitter son duché d'Autriche, d'autant qu'il n'avait donné naissance à aucun héritier.

Ce n'était pas le cas de Louis IV, riche de dix enfants nés de deux unions, parmi lesquels son aîné Louis, qui finira par agréger Bavière, Brandebourg et Tyrol. Reste qu'en 1330, et même empereur excommunié, Louis IV n'avait plus à craindre les Habsbourg. Demeuraient donc les Luxembourg, Jean en tête et son fils Charles, entre-temps âgé de quatorze ans. Les Luxembourg avaient depuis 1314 plus ou moins apporté leur soutien au Bavarois, et Jean, qui n'était jamais avare d'une bataille entre chevaliers, s'était illustré aux côtés du roi Wittelsbach lors de la victoire de 1322. Si Louis IV demeurait excommunié, sa position restait solide. Il pouvait d'abord compter en Italie sur le soutien des communes et des principautés « gibelines » demeurées pro-impériales, notamment Vérone, Ferrare et Milan, et sur des théoriciens favorables à sa cause face au pape, tel Marsile de Padoue, l'auteur du *Defensor pacis* composé entre 1324 et 1326. Ensuite, aucun prince-électeur dans l'Empire ne voulait le déposer, d'autant que l'empereur avait déjà publié à Nuremberg et à Francfort en 1323-1324 des « appellations » rappelant le pouvoir et l'autonomie des princes allemands et réclamant la convocation d'un concile contre une papauté jugée corrompue, autocratique et trop soumise au roi de France. Enfin, il choyait l'alliance avec les plus actives et influentes villes de l'Empire, qui lui assuraient fidélité et rentrées fiscales. Il en faudrait donc beaucoup pour le détrôner.

Jean prit le parti de se renforcer en quelque sorte par la périphérie pour mieux cerner ensuite le cœur. Du côté des royaumes orientaux, on l'a vu, il progressa en Silésie et en Lusace incorporées au royaume de Bohême en 1335, année qui le vit assister à la rencontre des rois de Bohême, de Pologne et de Hongrie à Visegrád afin de forger une alliance tournée contre les Habsbourg[25]. À l'instar de ces derniers du reste, dont l'une des devises, *tu nube felix Austria*, « Marie-toi heureuse Autriche », devait augmenter le légendaire dynastique, les Luxembourg déployèrent parallèlement une politique d'alliances matrimoniales tous azimuts : Marie, une sœur de Jean, avait épousé le roi de France Charles IV en 1322 ; une autre, Béatrice, le roi de Hongrie Charles Ier d'Anjou en 1318, tandis qu'il fiança l'une de ses filles, Marguerite, au roi de Pologne Casimir III en 1341 et en maria une autre, Bonne, en 1332 avec le duc de Normandie Jean, futur roi de France. Il réserva son fils Charles à une autre princesse française, Blanche de Valois en 1324. Dans l'Empire, deux autres enfants de Jean étaient placés auprès des princes d'Autriche et de Tyrol, tandis qu'il prenait pied dans le Brandebourg dont une partie lui avait été cédée par Louis IV pour récompenser le soutien accordé en 1322. Alors pourquoi Jean porta-t-il son regard sur l'Italie ? C'est que la péninsule ne disparaît jamais de l'horizon des grandes maisons allemandes qui rêvent un jour de l'Empire. Son père n'avait-il pas réussi le premier depuis le grand Frédéric II à ceindre la couronne à Rome ? C'est aussi que l'Italie du Nord regorge de richesses, de nouveautés, de talents. C'est également que la papauté, pour résider à Avignon, n'en gardait pas moins en permanence un œil sur le patrimoine de saint Pierre et la Ville éternelle. C'est enfin que le pape entendait forcer un empereur excommunié, Louis IV, à la raison. *Nolens volens*, Jean de Luxembourg peut être celui qui à la fois désire l'Italie et pourra ce faisant y gagner en réputation, en richesse, et, qui sait, en appui pontifical.

Si Jean prit en 1330 le « risque » de l'Italie, c'est que le rapport de forces lui semblait favorable : Louis IV demeurait solidement implanté sur son trône germanique mais revenait affaibli de son couronnement douteux et de l'hostilité continue que lui vouait le pape. Jean pouvait au contraire se prévaloir de la Bohême, de l'appui du roi de France, de la bienveillance pontificale. Louis et Jean se rencontrèrent le 6 août 1330 à Haguenau, et le dernier put penser que le premier lui laissait les mains libres pour mener en son nom une action de reconquête et de stabilisation des intérêts germaniques dans le nord du royaume d'Italie, partie intégrante de la triple couronne des Romains.

Sans doute un autre motif a-t-il poussé Jean à passer les Alpes. Son fils Charles, à cette date, était en effet en âge de combattre et de devenir chevalier. Son père l'avait envoyé pendant sept années, de 1323 à 1330, goûter à la culture, au raffinement et à l'alliance traditionnelle de la cour de France, comme d'ailleurs lui-même avait pu en profiter et, avant lui, son père Henri VII, élevé auprès de Philippe le Bel.

Autant la *Vita* autobiographique de Charles ne dit mot de sa première jeunesse passée en Bohême, autant le récit de son séjour parisien s'étend sur plusieurs pages et relate une éducation confirmée par les chroniques françaises. Années de formation avant tout : Charles y apprend à lire, à parler le français, à s'imprégner de liturgie et de prières aux côtés de son précepteur l'abbé Pierre Roger de Fécamp, futur pape Clément VI de 1342 à 1352, « homme éloquent et lettré, pourvu de grandes vertus morales », comme l'écrit Charles[26]. C'est également à Paris qu'il troque son prénom bohémien, Wenceslas, contre le prestigieux et très franc prénom de Charles, donné par le roi de France Charles IV, son parrain de confirmation. C'est à Paris toujours qu'il est marié, à l'âge de huit ans, à une princesse française, Blanche de Valois. Voilà donc pour les entrées parisiennes dans la vie du prince. Temps de la jeunesse et de la nostalgie qu'il aura à cœur de ranimer au soir de son existence, lors du voyage de 1378, quelques mois avant de s'éteindre. Incontestablement la *Vita* résonne de ces souvenirs agréables qui ouvrent la mémoire individuelle : « Et ledit roi m'a fait confirmer par un évêque ; et m'a donné son propre nom, à savoir Charles, et il m'a donné pour épouse la fille de Charles, son oncle, prénommée Marguerite, dite Blanche

[…]. Ledit roi eut beaucoup d'affection pour moi, et il ordonna à mon chapelain de me donner des rudiments d'éducation lettrée, bien que ce roi fût ignorant des lettres[27]. » Mais, pour l'heure, Jean n'allait pas laisser indéfiniment son fils, ce jeune prince de quatorze ans, végéter sur les bords de la Seine « à lire les Écritures Saintes », puisque telle est l'occupation qui revient fréquemment sous la plume du prince/roi en parlant de son séjour parisien. D'ailleurs, le récit autobiographique de Charles ne prend pas de précautions pour consigner que, une fois passé en Italie, « mon père m'envoya chercher dans le comté de Luxembourg », une décision qu'il répète quatre fois en deux pages… Jean y séjournait déjà depuis l'automne 1330 avec un contingent de quelque 400 chevaliers. Charles arriva au mois de mars 1331 et, à peine installé à Pavie, ne put pas plus brutalement faire connaissance avec la réalité cisalpine : « Dès le jour de Pâques, ma suite fut empoisonnée, mais pour ma part j'y échappai[28]. » La suite du récit italien de Charles n'est guère plus réjouissante : ligue secrète contre son père et lui en 1332, sièges et combats peu fructueux devant Modène et Pavie, bataille à Florence, hiver rigoureux, attentat dans une église, rébellion de Crémone, conspiration à Lucques en 1333. Rien ne fut épargné au jeune héritier. Mais Jean pouvait penser qu'ainsi devait s'accomplir l'éducation d'un futur roi sur le terrain. Charles fut d'ailleurs adoubé chevalier à l'âge requis de seize ans. De fait, on a peut-être exagérément peint de Charles IV le portrait d'un roi de la plume, de la robe et de la parole. Au moins jusqu'au champ de bataille de Crécy en 1346, dont il revint durement blessé, et jusqu'à un grave accident de tournoi en 1350, il n'a pas dérogé à la règle d'un roi chevalier, portant les armes quand il le fallait, dirigeant des troupes dont sa *Vita* ne manque jamais de rappeler exactement le nombre et la composition. Force est de reconnaître que les espoirs italiens de Jean n'ont pas été couronnés de succès. L'expédition s'acheva en 1333 sans gain territorial ni subsides, et surtout il ne put faire de l'Italie du Nord une sorte de plate-forme de reconquête ou de résistance ambitieuse face à Louis IV. En revanche, pour Charles, l'expédition ultramontaine aura eu quatre conséquences décisives sur la suite de son action. En premier lieu, il se persuada que combattre sans plan préconçu ni objectifs diplomatiques clairs ne pouvait aboutir. En second lieu, il prit cruellement le pouls de la réalité italienne : au Sud, le royaume stable de Naples gardé par les indélogeables Angevins dont une branche tenait de surcroît le royaume de Hongrie ; au milieu, des territoires où l'influence du parti guelfe et des soutiens pontificaux, même pilotés depuis Avignon, demeurait capitale ; au Nord, la complexité des communes et des principautés ralliées tantôt à la cause de l'empereur et des Allemands, tantôt à celle du pape, tantôt à la leur (ainsi des Visconti), sans parler de l'indépendante Sérénissime vénitienne. Charles IV sut assurément s'en souvenir lors de ses deux expéditions, en 1355 et en 1368. La troisième conclusion que Charles put tirer de ces deux années en Italie tient dans les différends qui ont pu l'opposer à son père : en tout état de cause, Jean dut définitivement quitter la scène en octobre 1333 quand Charles estimait qu'il était grand temps pour lui de rentrer et de s'occuper de la Bohême. Enfin, le jeune prince put conclure de l'issue heureuse de certains événements – tels sa victoire à San Felice près de Modène en novembre 1332 (qu'il attribua à l'intervention de sainte Catherine à qui il voua toute sa vie un culte particulier), ou bien l'érection d'un château portant son nom, « Monte Carlo », pour célébrer sa réussite au combat livré près de Lucques, ou bien encore sa chance d'avoir échappé à un attentat et à une tentative d'empoisonnement – que la providence lui adressait les signes prémonitoires d'un destin royal en gésine.

Si la présentation des débuts du règne et de l'action de Jean jusqu'à sa cécité quasi complète à compter de 1340 était à ce point nécessaire, c'est bien sûr parce que le futur Charles IV dépendait dans sa jeunesse des décisions de son père, mais aussi parce que, une fois sa majorité obtenue, il détermina une partie de ses choix en fonction des lacunes, réelles ou prétendues, qu'il crut identifier dans la conduite paternelle. On y reviendra, l'opposition si souvent dressée entre Charles et son père a sans doute été exagérée, par les historiens en premier lieu, par les contemporains aussi, à commencer par Charles qui, dans sa *Vita*, en fit presque un principe d'écriture et d'émancipation. Quant à sa mère, Charles IV y fait peu allusion, alors que c'est par son sang que lui étaient transmis l'héritage et la tradition des Přemyslides. Il faut dire que l'appui qu'Élisabeth a pu donner à une partie de la noblesse en rébellion contre son époux dans les années 1315-1320 avait définitivement contribué à séparer le couple royal. Dès 1323 elle fut privée de l'éducation du jeune Wenceslas, après avoir perdu en 1320 un autre fils de deux ans et donné naissance en 1323 à des jumelles. L'une ne survécut pas un an tandis que l'autre était élevée en Bavière, comme étaient d'ailleurs éduqués dans des cours étrangères ses trois autres enfants. Elle-même ne put du reste rentrer en Bohême qu'en 1325 et finit sa vie en 1330 dans l'isolement, hors de Prague, loin d'un époux qui courait les champs de bataille d'Occident[29].

Entre Bohême et Empire : l'accession au trône des Romains

La première visite que Charles accomplit d'ailleurs en Bohême après son retour d'Italie fut réservée au tombeau de sa mère enterrée dans le couvent de Königsaal, avant de rejoindre Prague le 30 octobre 1333 et peu après d'être investi du margraviat de Moravie par son père. Charles peint dans sa *Vita* un portrait plutôt sombre des pays que son père lui donnait mission de gouverner en son nom : châteaux à l'abandon, capitale délabrée, villes recroquevillées, droits royaux laissés à l'abandon ou vendus à l'encan… « Comme nous arrivions en Bohême, nous ne trouvâmes ni père, ni mère, ni sœur, ni personne de connu [...]. Quant à la langue de Bohême, nous l'avions totalement oubliée [...]. Nous découvrîmes ce royaume dans un tel état d'abandon que nous ne trouvâmes pas un seul château libre qui n'ait déjà été mis en gage avec tous les biens royaux. Nous n'avions nulle part où loger, si ce n'est dans des maisons de ville, comme n'importe quel bourgeois. Le château de Prague était tout autant désolé, délabré et dégradé[30]. » La situation n'était sans doute pas aussi déprimée que le bilan tracé à dessein par le jeune prince pour mieux mettre en valeur son œuvre de redressement. Toutefois, le royaume qu'il redécouvrait ne lui était pas familier : il l'avait quitté dix ans plus tôt, n'en maîtrisait plus si facilement la langue, en ignorait les équilibres délicats entre grands nobles, n'en connaissait pas encore bien les ressources. À suivre son récit autobiographique, Charles, en quelques années, rétablit là les droits royaux, restaura Prague et les villes, désengagea les biens royaux, affermit la justice, mit les barons au pas... et heurta en cela à tel point la dignité et la fierté sourcilleuse de son père que ce dernier lui retira tous ses droits en Bohême : « C'est ainsi qu'il ne nous resta plus que le titre vidé de toute puissance de margrave de Moravie[31]. » La réalité fut sans doute différente et plus nuancée : les grandes décisions de restauration du pouvoir royal en Bohême se firent en accord entre le père et le fils, l'un et l'autre aidés par les conseillers de France et de Luxembourg qui, dès les années 1330, entouraient le jeune prince à Prague. De même les grands coups diplomatiques furent-ils préparés de concert, notamment l'accord trouvé en 1335 avec le roi de Pologne sur la Silésie et la neutralité conclue entre les trois royaumes de Pologne, de Bohême et de Hongrie à Visegrád en novembre de la même année. Sans cette concertation au sein de la dynastie des Luxembourg, sur laquelle veillait attentivement depuis son archevêché électoral de Trèves l'oncle et grand-oncle Baudouin, on ne comprendrait plus la série d'actions et de pas qui, entre 1340 et 1346, menèrent Charles à se faire élire dans l'Empire contre le puissant Louis de Bavière.

De fait, plusieurs signes commencèrent dès 1340 à manifester l'ambition caressée par la maison des Luxembourg tout entière au profit de Charles. Devenu totalement aveugle, Jean céda l'ensemble de ses droits sur la Bohême à son fils en 1341. Dès 1340, une entrevue avec le pape Benoît XII, préparée par Pierre Roger de Fécamp, l'ancien précepteur de Charles à Paris et successeur de Benoît sur le trône de saint Pierre deux ans plus tard, sembla sceller une entente entre Avignon et Prague pour affaiblir et bientôt remplacer l'empereur excommunié. C'est à cette occasion, si l'on en croit la *Vita*, que Pierre Roger déclara à Charles : « Tu seras encore roi des Romains[32]. » Sur quoi le Luxembourg répondit à son mentor : « Tu seras pape auparavant. » La même année, la fille aînée de Charles, Marguerite, était fiancée à l'âge de cinq ans avec Louis Ier d'Anjou, roi de Hongrie. L'occasion d'une première confrontation entre Charles et Louis IV fut fournie par ce dernier quand il décida en 1342 de déclarer nulle l'union contractée depuis 1330 entre la duchesse Marguerite (plus tard surnommée « Maultasch » ou « gueule de sac »…), l'héritière du Tyrol et de la Carinthie, et Jean-Henri, le frère cadet de Charles. Celle-ci avait en effet chassé son époux, qu'elle haïssait et dont elle prétendait qu'il n'avait jamais pu consommer charnellement le mariage, avec l'aide d'une partie de la noblesse de son duché, et avait épousé Louis Ier de Brandebourg, le fils aîné de l'empereur Louis IV de Bavière. Ce dernier reconnut cette seconde union, alors même que du point de vue du droit canonique la dissolution de la première alliance n'avait pas encore été prononcée. Surtout, il s'agissait pour les Luxembourg, et pour Charles en qualité de jeune chef de cette maison, de laver l'affront et le déshonneur infligés à son frère et donc à la dynastie tout entière, et d'éviter le péril mortel d'un rapprochement entre Bavière et Autriche sur le flanc méridional et oriental de la Bohême. En 1342, le nouveau pape Clément VI excommunia les deux nouveaux époux, une décision essentiellement destinée à contrer l'empereur régnant. En 1344, Louis IV tenta bien d'entamer un procès en cassation de son excommunication prononcée vingt ans plus tôt. En vain, car Clément décidait de s'appuyer sur Charles de Luxembourg dont il espérait une alliance, à tout le moins un soutien lorsque celui-ci serait élu roi, et potentiellement prochain empereur. Pour manifester encore cette préférence, le pape Clément accorda à Jean et à Charles de Bohême un prestigieux privilège : la reconnaissance et l'élévation le 30 avril 1344 du siège épiscopal de Prague, dépendant jusqu'alors de la province métropolitaine de Mayence, en archevêché dont les limites coïncidaient avec le royaume de Bohême puisqu'il recevait les deux diocèses suffragants d'Olmütz et de Leitomischl. Le signal final et décisif adressé par Avignon aux princes d'Empire résida en 1346 dans la destitution de l'archevêque-électeur de la puissante province de Mayence et soutien du Bavarois, Heinrich von Virnenburg, au profit de Gerlach de Nassau, apparenté aux landgraves de Hesse et supporter déclaré de la cause de Charles et de Baudouin. Restait donc à ce dernier à reprendre son bâton de pèlerin faiseur de rois.

Avant d'enclencher la machine d'une contre-élection royale dans l'Empire, le vieil et influent archevêque de Trèves voulut préserver ses arrières envers son propre petit-neveu. Par deux contrats signés les 16 mars et 22 mai 1346, Baudouin força Charles à reconnaître l'intégrité des possessions territoriales de l'archevêché de Trèves et à placer en hypothèque à son profit des terres relevant du comté de Luxembourg à hauteur de 6 000 marcs d'argent (en prévision sans doute de ce qu'allait coûter l'élection). Pour être un Luxembourg et grand-oncle du prochain roi, Baudouin n'en était pas moins et avant tout un prince territorial qui pensait d'abord à ses états et monnayait cher son ralliement. À cette date, comme l'on voit, l'ensemble des protagonistes ne reconnaissait plus déjà que Charles, et non son père Jean encore vivant, comme leur interlocuteur légitime. Entre les deux traités, le 22 avril 1346, Charles et son père avaient conclu une entente, une « amitié » publique et officielle avec le pape devant les douze cardinaux les plus influents de la Curie. Le geste n'était pas sans risque pour Charles : les princes allemands de l'Empire pouvaient y voir une allégeance manifestée par un futur roi et empereur envers le pape, alors que les chroniqueurs partisans de Louis IV dressaient le portrait d'un Luxembourg « roi des curés » et érigeaient leur impérial champion en défenseur de la cause des libertés germaniques et des prérogatives exclusives réservées aux princes allemands de désigner « leur » souverain. Mais c'était pour les Luxembourg le prix à payer en échange d'un soutien capital, celui du pontife appuyé en sous-main par le roi de France. L'adoption dix ans plus tard de la Bulle d'Or réglant l'élection « allemande » du roi des Romains montra que Charles, en 1346, n'était pas dupe de son engagement et calculait plus loin que les quelques mois qui le séparaient de sa possible accession au trône des Romains.

Pour l'heure, plus rien ne s'opposait au dernier acte de la contre-élection. Baudouin, qui savait y faire, prit soin au moins publiquement de ne pas se poser en défenseur des intérêts dynastiques des Luxembourg, mais en prince-électeur ecclésiastique de l'Empire. Il adressa à Louis de Bavière une semonce qui ne lui reconnaissait ni le titre de roi ni celui d'empereur mais le nommait simple « seigneur de haute naissance ». Il l'invitait à renoncer à reconnaître le mariage de la duchesse Marguerite et à se soumettre, en tant qu'hérétique excommunié et mis au ban de l'Église, au pouvoir du pape. Devant le refus prévisible de Louis d'obtempérer, Gerlach de Nassau, le nouvel archevêque de Mayence et protocolairement premier des électeurs en qualité d'archichancelier de l'Empire, invita le 20 mai 1346 les princes suffrageants à se rassembler pour procéder à une nouvelle élection. Parmi eux, seuls cinq firent le déplacement à Rhens, sur les bords du Rhin, dans l'archevêché de Cologne. C'est là, en 1338, que Louis IV avait fait adopter par les électeurs la déclaration du même nom qui leur reconnaissait le privilège et la dignité exclusifs de désigner un roi des Romains hors de toute approbation pontificale préalable. En présence des trois électeurs ecclésiastiques de Trèves, Cologne et Mayence, du duc de Saxe et du roi de Bohême, et en l'absence du comte palatin et du duc de Brandebourg (deux Wittelsbach de Bavière), le margrave de Moravie Charles de Luxembourg (il n'était pas encore roi de Bohême, la précision est d'importance) fut élu roi des Romains par cinq voix sur cinq le 11 juillet. Il semble que Louis de Bavière n'ait pas voulu donner d'importance à ce qu'il devait considérer comme un accident de l'histoire. Son chroniqueur plus ou moins officiel, l'auteur de la *Chronique des ducs de Bavière*, peut-être un moine d'Oberalteich, se contenta de noter : « Comment, où, quand et par quels électeurs il fut désigné, je n'ai jamais pu l'apprendre jusqu'à ce jour[33]. » Peu importait pour Charles : à trente ans, il put penser à bon droit chausser les bottes de son illustre grand-père. Dans l'ambassade qu'il délégua auprès du pape afin de lui communiquer officiellement la bonne nouvelle, Charles montra aussitôt qu'il devait se comporter désormais en défenseur de l'Empire. Contrairement aux engagements pris à Avignon quelques semaines plus tôt, il formulait la demande de reconnaissance de son élection par le Saint Père non pas en termes d'approbation mais de constatation de son nouveau titre. De son côté, le roi de France Philippe VI ne s'embarrassait pas de telles nuances : dès l'élection il appela son parent *Dei gratia rex Romanorum*. Le roi de France avait évidemment de bonnes

raisons de le reconnaître aussi pleinement avant son couronnement : l'alliance entre les deux maisons avait été scellée par le
grand-père Henri VII puis renouvelée par Jean, et Philippe VI
battait le ban et l'arrière-ban de ses soutiens pour grossir la
bataille qu'il préparait contre son ennemi anglais. Jean, du
reste, accompagné d'un contingent de Luxembourgeois que les
sources du temps évaluent à 500 chevaliers, était depuis le mois
de mai auprès du roi de France et en route à ses côtés pour arrêter
Édouard III qui venait de débarquer, le 12 juillet, en Normandie.

Il s'en fallut de peu que toute la construction âprement bâtie
par Jean, Baudouin et Charles lui-même ne s'effondrât à cette
occasion, tout comme autrefois la lignée des Luxembourg avait
failli périr à Worringen en 1288 ou bien près de Sienne en 1313.
Le 26 août 1346, lors de la bataille de Crécy, sans doute l'un
des affrontements les plus décisifs et grandioses de la première
phase de la guerre dite de Cent Ans, et en présence de Philippe VI
et d'Édouard III en personne, la fine fleur de la chevalerie du
royaume de France s'écrasait contre les rangées d'arbalétriers
et d'archers anglais[34]. Parmi les morts de haut rang tombés sur
le champ de bataille figuraient le duc de Lorraine, le frère du
roi Charles II de Valois, Louis de Dampierre, comte de Nevers
et de Flandre, les comtes de Blois, d'Harcourt, de Roucy, de
Sancerre... et Jean l'Aveugle, roi de Bohême et comte de
Luxembourg[35]. Ce n'est pas ici le lieu de relater en détail le combat dont le mythe fut dès l'instant ou peu de temps après popu-
larisé par les chroniqueurs, Jean le Bel en tête, ni la chevauchée
héroïque de Jean immortalisée par Froissart, qui se fit attacher
sur son cheval et escorter par ses chevaliers pour charger à mort
contre les Anglais[36]. Sa dépouille fut retrouvée le lendemain par
le fils d'Édouard III, le célèbre Prince Noir, qui pour l'occasion
adopta la devise de Jean « *ich dien* », « je sers », qui continue
depuis d'orner les armes du prince de Galles. Charles échappa
de peu au sort funeste de son père. Froissart n'évoque pas ses
blessures, mais note qu'il quitta le champ « *quant il vei que la
cause aloit mal pour yaus, il s'en parti : je ne sçai pas quel chemin
il prist*[37] ». La légende noire d'un jeune souverain, à peine élu
roi des Romains, quittant honteusement la bataille sans porter

secours à son propre père n'a pas tardé à être orchestrée par la plume des chroniqueurs acquis à la cause de Louis IV de Bavière. Le reproche dut à ce point toucher au vif que le pape Clément VI se crut obligé de rappeler dans une lettre du 5 novembre 1346 que l'élection de Charles avait placé sur le trône des Romains un *princeps militiae*, un prince combattant apte à conduire les chrétiens au combat… Peut-être Charles lui-même entendit-il corriger après coup cette mauvaise rumeur en insistant dans sa *Vita* sur ses capacités militaires démontrées en Italie.

Toujours est-il que ce funeste 26 août non seulement le privait de son père et de la précieuse et ancienne alliance française, mais tombait également un jour avant son couronnement initialement fixé au 27. Charles commença par se réfugier dans son comté du Luxembourg : la Bohême était trop éloignée et séparée par des terres dont certaines étaient tenues par des partisans de Louis IV. De surcroît, il fallait accomplir la procédure jusqu'au bout et opérer le couronnement, sans quoi l'élection risquait de demeurer une vaine cérémonie. L'empereur en titre ne s'y trompait pas, qui continuait d'appeler Charles « celui qui se dit margrave de Moravie », manière de lui faire comprendre qu'il n'avait ceint aucune couronne sur sa tête, pas même celle de Bohême. Le pape aussi comprenait qu'il fallait faire vite. Dans un premier temps, on s'accorda sur un couronnement de circonstance, à Bonn, le 26 novembre 1346, car Aix-la-Chapelle, le lieu adéquat, impérial, sacré, orné du trône et du sépulcre de Charlemagne, était demeurée fidèle au Bavarois et avait refusé d'ouvrir ses portes, comme Francfort, lieu coutumier de l'élection, avait barricadé les siennes en mai.

Après les heureux présages que Charles crut entrevoir lors de son aventure italienne, après son émancipation à l'égard de son père, après des premiers pas politiques plutôt habilement conduits dans le royaume de Bohême et jusqu'aux marches du trône des Romains, le sort venait brutalement rappeler que la roue de fortune pouvait tourner en quelques heures. Charles en conçut sans doute le dessein de stabiliser au plus vite la fragile constellation dont il héritait à la mort de son père : un comté et un royaume certes ; un trône des Romains sans doute, mais acquis contre un empereur en titre ; une lointaine promesse impériale, mais point d'héritier mâle encore. S'ouvre alors une décennie décisive, entre 1346 et 1356, qui voit Charles triompher de son rival en Allemagne, accumuler couronnes et ambitions, fixer la constitution de l'Empire, ceindre le diadème impérial à Rome, agrandir et embellir sa capitale, Prague, y fonder une université, enchaîner deux mariages, réorganiser la Bohême, s'imposer comme l'arbitre d'un Occident saigné par la peste et déchiré par la lutte des rois français et anglais.

CHAPITRE II

Le roi : 1346-1355

Un roi trône.

Officiellement élu *Rex Romanorum* depuis le 11 juillet 1346, couronné à Bonn le 26 novembre de la même année, Charles achevait à dessein sa *Vita* par le rappel de cet événement si capital à ses yeux : « Aussitôt, les électeurs, procédant à l'élection, élurent Charles, margrave de Moravie, comme roi des Romains, sous les plus heureux auspices[1]. » Comme on l'a vu, ces bons augures ont vite été contrariés. Mais il y avait plus : à la fin de l'année 1346, Charles n'était toujours pas roi de Bohême, tandis que Louis IV, qui promettait de l'écraser « comme un ver de terre », était bien vivant et solidement établi dans l'Empire. Allait-il falloir le défier sur le champ de bataille, risquer sa vie comme à Crécy, affronter celui qui, lors d'une bataille décisive en 1322, avait déjà anéanti son compétiteur d'alors ? Quant au pape, son appui restait certes acquis, mais il n'était pas dans les habitudes du pontife de n'avoir qu'un fer au feu. Enfin, la déconfiture de la chevalerie française laissait présager que la guerre contre le roi anglais allait durer et que l'alliance de Charles avec le royaume de France ne rapporterait peut-être plus aussi gros.

S'il fallait donc chercher une ligne directrice dans la politique conduite par le jeune roi jusqu'à son couronnement impérial à Rome en 1355, ce serait celle d'une relative continuité fondée sur la consolidation du seul socle qu'il pouvait maîtriser peu ou prou, son royaume de Bohême. C'est là qu'il rentra dès le 1er janvier 1347, après avoir déposé le cercueil de son père à Luxembourg, pour demeurer à Prague une grande partie de l'année et de manière plus générale dans ses territoires orientaux jusqu'en 1353. Ce choix correspondait au fond à l'analyse qu'il faisait de son époque et de l'état de l'Empire : seul un prince fermement établi dans son domaine dynastique et patrimonial pouvait espérer contrôler cet ensemble. Charles observait aussi combien les difficultés rencontrées par le roi de France affaiblissaient sa position. Il savait pertinemment par ailleurs qu'il se perdrait, comme tous ses prédécesseurs, s'il devait s'opposer à la fois au pape et aux grands princes allemands.

La Bohême : un royaume carolin

En quelques années, Charles adopta une série de mesures visant à renforcer le pouvoir royal et les droits de la dynastie sur la Bohême. Pour cela, il lui fallut d'abord succéder à son père et se faire couronner roi. La cérémonie ne le prit pas au dépourvu. Au cours de l'été 1347, il avait en effet entrepris de rédiger lui-même un nouvel *ordo* du couronnement qui mêlait des éléments et des rituels empruntés au royaume de France, à l'Empire mais surtout à la tradition přemyslide[2]. C'est ainsi qu'il avait introduit la formule du *Kyrie eleison* non plus en grec, en latin ou en allemand, mais en tchèque : « *Hospodine pomiluj nyi* ». Il avait également veillé à faire précéder l'apposition de la couronne sur sa tête d'une acclamation et de la récitation de l'« hymne de Wenceslas » réputé le plus ancien chant connu en vieux-tchèque[3]. Après avoir confirmé aux nobles du royaume les privilèges déjà concédés à l'avènement de Jean en 1311 (limitation de la levée de l'impôt aux cas féodaux, inaliénabilité de la Bohême et de la Moravie, respect des décisions adoptées par les états nobles du royaume), il ceignit l'antique couronne des Přemyslides le 2 septembre 1347, dans la cathédrale de Prague, des mains de l'archevêque, également son proche conseiller, Ernst von Pardubice.

Ce fut lui qui couronna également les trois épouses successives de Charles, baptisa en 1361 Wenceslas, le premier-né de Charles, et le couronnera roi de Bohême en 1363, lui encore qui accompagna son souverain lors du couronnement romain de 1355 et dans toutes les grandes diètes d'Empire jusqu'en 1364, lui aussi qui expédia d'importantes ambassades auprès du pape d'Avignon. Ce n'est donc pas un hasard s'il devint le premier chancelier de l'université nouvellement fondée à Prague en 1348.

En effet, parmi les actions visant à consolider le royaume, la création d'un *studium generale*, le premier dans tout l'Empire, ne doit pas être tenue pour quantité négligeable. En cela, Charles avait en mémoire deux illustres exemples : la fondation en 1224 de l'université de Naples par Frédéric II pour son royaume de Sicile et l'université de Paris établie vers 1200 par Philippe Auguste dont on prétend que son père Jean avait fréquenté les bancs dès l'âge de dix ans. Un peu comme il accumula passionnément les couronnes et les reliques tout au long de son règne, la répétition des rituels venant à ses yeux renforcer la dignité royale, Charles ne se contenta pas de favoriser le *studium* pragois. On lui doit également en Italie, qui demeure toujours d'Empire, la création de l'université de Cividale en 1353, celle de Pavie en 1361, l'élévation des collèges de Pérouse (1355), d'Arezzo (1356), de Sienne (1357), de Florence (1364) et de Lucques (1369) en *studia generalia* impériaux. Lors de son couronnement comme roi d'Arles en 1365, Charles IV ajouta à cette liste la fondation des établissements de Genève et d'Orange[4]. Dix universités à son actif, pourrait-on dire : un record inégalé parmi les rois et les princes d'Occident. Casimir III de Pologne tenta bien de l'imiter mais ne put fonder que Cracovie en 1364 et Louis Iᵉʳ d'Anjou seulement Pecs en 1367. L'université de Prague fut à l'évidence et de loin l'œuvre préférée de Charles. De surcroît, sa fondation devait infirmer la théorie tripartite répandue depuis 1281 par Alexandre de Roes dans son *Memoriale de prerogativa imperii Romani* suivant laquelle l'Empire revenait aux Allemands, le Sacerdoce aux Italiens et le Savoir aux Français. Avec Charles IV, Science et Empire devenaient compatibles. Au demeurant, ce n'est qu'après sa mort que d'autres établissements, à l'exception de l'université de Vienne fondée en 1365, purent voir le jour en terre d'Empire : Erfurt en 1379, Heidelberg en 1386, Cologne en 1388. Aux yeux de Charles, la fondation de l'université de Prague non seulement augmentait le rayonnement de sa capitale, à l'égal de Paris, mais remplissait plus concrètement une fonction intellectuelle et technique précise : former des lettrés aptes à gouverner le royaume et l'Empire, et des administrateurs, des juristes, des théologiens capables de mettre par écrit la geste et l'action politique du règne et du roi[5]. Charles IV, qui prit sans doute lui-même la plume ou contrôla de près son chancelier pour rédiger la demande de fondation adressée au pape, qui seul pouvait la confirmer – il l'autorisa par une bulle du 26 janvier 1347 – motivait ainsi son souhait et ses ambitions [ill. 7] :

> « Pour que les fidèles sujets de notre royaume, toujours avides des fruits du savoir, n'aient pas à demander l'aumône en pays étranger, mais trouvent dans le royaume même une table bien garnie et pour que ceux qui seront honorés d'une sagacité innée et d'autres dons supérieurs deviennent érudits grâce à l'étude des sciences et ne soient plus obligés, et considèrent comme vain, de courir le monde à la recherche du savoir, de s'adresser à des peuples étrangers ou de mendier dans des contrées étrangères pour assouvir leur faim, mais qu'ils aient au contraire l'honneur d'inviter chez eux les étrangers pour les faire participer à ce festin délicieux et s'assurer ainsi leur gratitude. Pour que ce dessein salutaire et louable engendré par notre pensée porte des fruits dignes et pour que la majesté de ce royaume soit multipliée par l'abondance des nouveautés heureuses, nous décidâmes de recréer un *studium generale* dans notre métropole, la si belle ville de Prague qui, par l'opulence des nourritures terrestres ainsi que par la grâce d'un site pourvu de tout ce qui est nécessaire, se trouve plus que propice et digne d'une si grande tâche[6]. »

Au-delà de la métaphore nourricière appliquée communément aux fruits de l'étude, le roi souhaitait une université bien à lui, attractive au dehors, particulièrement au cœur de l'Europe continentale, au service de son royaume, dans sa ville. Le chroniqueur attitré de Charles, Benesch Krabitz von Weitmühl, ne l'a pas compris autrement sur le moment : « On ne trouvait rien de comparable dans les pays d'Allemagne. S'y rendirent

des étudiants originaires de pays étrangers, tels l'Angleterre, la
France, la Lombardie, la Hongrie, la Pologne et d'autres pays
voisins encore […]. Ce faisant, la ville de Prague gagna en réputation et devint célèbre dans les pays étrangers[7]. » Pour ce faire,
Charles et ses conseillers n'allaient pas réinventer la roue mais
entendirent copier le modèle le plus prestigieux qui se présentait
alors, celui de Paris. C'est ainsi que par une Bulle d'Or proclamée le 7 avril 1348, complétée le 14 janvier 1349 et revêtue d'un
sceau de majesté représentant Rome d'un côté et Charles en roi
des Romains et en roi de Bohême de l'autre [ill. 7], la protection
du conduit royal, c'est-à-dire la garantie de la justice royale sur
les routes relevant du tribunal du souverain, fut accordée à tous
les étudiants et tous les maîtres qui souhaiteraient rejoindre le
studium pragois. Il n'est pas indifférent que le rédacteur de la
Bulle, le secrétaire privé de Charles, Nicolas Sortes, se soit directement inspiré du style et du formulaire de l'acte de fondation de
l'université de Naples extrait des épistoles de Pierre de la Vigne,
le chancelier de Frédéric II[8].

Quatre facultés furent érigées par ailleurs, comme sur la rive
gauche de la Seine : théologie, droit, médecine et philosophie.
De même, en 1366, le *Carolinum* fut fondé à l'image du collège
de Sorbonne de 1257, doté des revenus de douze villages de la
campagne pragoise et pourvu d'une bibliothèque de cent quarante manuscrits savants. En 1369, la répartition et l'inscription
des étudiants et des maîtres en quatre nations étaient adoptées,
là encore sur le modèle de l'université de Paris : en l'occurrence
celles de Bohême (incluant la Moravie et la Hongrie), de Pologne,
de Bavière (incluant l'Autriche, la Souabe, la Franconie et la
Rhénanie) et de Saxe (avec la Misnie, le Danemark, l'Angleterre
et la Suède pour ressorts)[9]. À la mort de Charles en 1378, au
plus haut de son prestige, l'université que son fondateur avait
placée sous la protection de saint Wenceslas hébergeait près de
7 000 étudiants enregistrés, soit presqu'autant qu'à Paris, mais
pour une cité qui comptait alors autour de 40 000 habitants.
Dans son oraison funèbre prononcée aux obsèques de l'empereur le 15 décembre 1378, l'archevêque de Prague Jan Očko von
Vlašim fit de l'amour de Charles pour la science et son université

l'une des pierres angulaires de son discours : « Il possédait l'esprit
du savoir. Car, comme chacun sait, il était à ce point cultivé
qu'il pouvait passer pour fin connaisseur et maître en théologie.
Il savait en effet par cœur ses psaumes et ses Évangiles [...] et
conversait souvent avec les maîtres, docteurs et autres lettrés.
C'est la raison pour laquelle il fonda l'université de Prague et de
nombreux collèges. » Quelques années plus tard, le chroniqueur
hessois Tilemann Elhen von Wolfhagen, auteur d'une histoire
de sa ville de Limburg rédigée entre 1378 et 1402[10], reprenait le
motif : « Ce même Charles était sage et à ce point cultivé qu'on
le voyait à Prague disputer avec les lettrés. Il régna comme un
lion pendant plus de trente ans... »

En 1348, cet acte marquant du règne n'arrivait pas seul. Il
avait été précédé en mars par l'édification de la Nouvelle Ville
de Prague qui en triplait la superficie et en faisait, après Rome
et Constantinople, la troisième cité la plus étendue d'Europe.
Parallèlement, les vastes travaux de construction ou de restauration du château, de la résidence de Vyšehrad, de la cathédrale,
de l'hôtel de ville, des fortifications et des églises du Saint-Esprit,
de Saint-Gilles et de Saint-Nicolas tournaient à plein régime.
Cette frénésie architecturale n'était au fond que la manifestation
minérale de la volonté caroline de souder, « à la parisienne »,
le royaume autour d'une métropole que les chroniqueurs dési-
gnaient déjà depuis 1100, Cosmas en tête, comme la « maîtresse
de toute la Bohême », expression devenue vers 1350 « *caput
regni* », « *Behem stul und hoep* », siège et tête du royaume. Incarné
par la sacralité de la couronne, par la centralité d'une capitale
désormais devenue lieu de pouvoir et de savoir tout ensemble, le
pays de Charles se dotait d'une personnalité, la *corona Bohemiae*,
qui dépassait le roi et le seul *regnum*. Cette identité s'enracinait
dans le souvenir des saints de Bohême, Wenceslas en tête, déclaré
propriétaire à perpétuité de la couronne refaite en 1344 et déposée sur son buste, que Charles fit à dessein placer dans la nouvelle cathédrale. C'est ainsi que la Silésie, la Lusace et même la
Moravie furent qualifiées de « fiefs des rois et de la couronne de
Bohême », formule qui introduisait la théorie des deux corps du
roi, l'un mortel et l'autre mystique et immortel[11], dans la culture

politique du royaume. Charles d'ailleurs ne renonça jamais à en mentionner la titulature, *Boemie rex*, à côté du titre de roi des Romains puis d'empereur, dans tous les diplômes émanant de sa chancellerie. Réputée inaliénable par un privilège proclamé, coïncidence voulue, le jour même de la création de l'université de Prague, cette royauté pouvait être transmise par les hommes et par les femmes, selon un principe dynastique et suivant l'ordre de la primogéniture, seulement secondés par le secours des états en cas de déshérence. Dans le même temps, le demi-frère de Charles, Wenceslas, âgé de seulement neuf ans, fut nommé régent du margraviat de Moravie, de la Haute-Lusace et de la Silésie. Il devint plus tard le premier duc de Luxembourg lorsque le comté fut érigé en duché en 1354[12], et c'est un autre frère, Jean-Henri, qui fut investi du margraviat morave à condition que lui-même et sa descendance renoncent à toute prétention sur le trône de Bohême.

Charles IV, à l'instar d'un Philippe Auguste qui reçut ce surnom pour la même raison, pouvait aussi se targuer d'augmenter le royaume et de mériter ainsi une partie de sa titulature qui en faisait un « *Mehrer des Reiches* », c'est-à-dire un souverain « accroissant » ses terres. En 1348 en effet, décidément une année faste, l'incorporation de la Silésie à la Bohême, déjà préparée par Jean en 1335 puis en 1339 par les traités de Trentschin et de Cracovie, était entérinée par le traité de Namslau conclu avec le roi de Pologne. Cet élargissement territorial fut accentué dans la foulée par les gains réalisés dans le Nouveau Palatinat et plus tard, en 1353, par le rattachement des terres de Schweidnitz apportées en dot par sa troisième épouse Anna. Cerise sur le gâteau, si l'on ose dire, Charles put même penser que la providence épargnait miraculeusement le royaume. En effet, tandis que la peste noire dévorait depuis la fin de l'année 1347 les rivages méditerranéens puis gagnait la France et l'Angleterre en 1348, l'Empire en 1349 et les pays scandinaves en 1350[13], elle semblait, pour des raisons encore mal expliquées (effets du climat, d'un compartimentage géographique, d'une moindre mobilité, d'un cheptel animal différent, ou meilleure prophylaxie ?), relativement ménager les pays de Saxe, du Brandebourg, de Pologne et de Bohême qui formèrent comme une poche moindrement ravagée, en certains endroits préservée. Le chroniqueur François de Prague évoquait, pour en expliquer la cause, le souffle vertueux d'un « vent plus frais et plus froid[14] ». Il en résulte que les communautés juives établies en Bohême, notamment celle de Prague, restèrent à peu près épargnées par les pogroms qui touchèrent en revanche durement leurs homologues installées dans les villes allemandes, notamment Bâle, Spire, Mayence, Francfort, Strasbourg, Nuremberg. Ces massacres sanglants aboutirent en bien des endroits, et malgré la protection impériale dont ces communautés jouissaient en droit, à l'éradication complète des quartiers juifs (plus de 600 morts à Nuremberg, plus de 350 à Francfort) dans 300 des 350 établissements juifs alors recensés dans l'Empire. La peste pourtant, qui ne connaissait ni riches ni pauvres, ni citadins ni campagnards, ni manants ni rois ni papes, comme aimaient à le rappeler les contemporains, emporta plusieurs Luxembourg : en 1349 Bonne, la sœur de Charles, qui serait devenue reine de France quelques mois plus tard ; la même année Marguerite, l'une des filles de Charles, devenue reine de Hongrie ; et, perte plus cruelle et dangereuse encore en 1351, le seul enfant mâle de Charles, le jeune Wenceslas, à peine âgé de deux ans, suivi dans la tombe par sa mère, la deuxième épouse du roi, Anne du Palatinat, en 1353.

Même si en 1355 le refus par les états de la noblesse de Bohême des 127 statuts de la Constitution dite *Majestas Carolina,* censée renforcer les droits royaux face aux coutumes féodales, a pu doucher les espoirs de Charles d'avoir su tirer à lui toutes les ficelles du royaume, les progrès de l'État et de la couronne depuis 1346 étaient incontestables. On en voyait, entre autres, les preuves à travers les revenus croissants que la couronne pouvait dégager tant des villes (justices, aides indirectes) que des mines juteuses d'argent de la région de Kuttenberg et des monts métallifères. On en décelait également les signes à travers l'application efficace d'une paix territoriale générale fondée sur un *ordo judicii terrae*, ou bien encore grâce à la reprise en mains des péages fluviaux dressés sur l'Elbe et la Vltava (Moldau). On en percevait enfin les gages par le biais de la vente de privilèges, de lettres d'anoblissement et de diplômes dont le nombre doubla par rapport au règne précédent et sortaient d'une chancellerie dont la cohorte de secrétaires atteignit les quelque deux cents notaires contrôlés par un conseil royal mieux formé et plus efficace. Cette conviction d'un royaume remis en ordre s'était enracinée chez Charles au moins depuis 1350, année de la rédaction de sa *Vita*, sans doute pendant un alitement forcé. Les avis divergent encore sur ce point (accident de tournoi, affection nerveuse ou osseuse ?), les chroniqueurs tombant cependant d'accord pour relever que le roi demeura longtemps absent et retiré dans sa résidence au point que l'on put craindre pour sa vie. Matthias von Neuenburg, dans une chronique écrite pour les évêques de Strasbourg dans les années 1360, nota ainsi que « cette fois, le roi fut si longuement et durement malade que d'aucuns pensèrent qu'il avait été empoisonné[15] ». Un autre historien, dans un livre des empereurs et des papes couvrant les années 1294-1363, Heinrich Taube von Selbach[16], rapporta que « sa maladie s'étendit sur plus d'une année ». Charles en porta quoi qu'il en soit les stigmates tout le reste de son existence : c'est le dos courbé, et sans doute douloureux, que le représentent ensuite tous les portraits prétendant à un certain réalisme. Cette rédaction contrainte de la *Vita* correspondait aussi à un autre moment crucial du règne, la réception à Prague le 12 mars 1350 des insignes et reliques servant depuis la nuit des temps au couronnement du roi des Romains (couronne, lance, clou, épée et morceau du bois de la Croix), apportés par une ambassade déléguée par le margrave Louis de Brandebourg, le fils de Louis IV de Bavière. Que s'était-il donc passé entre-temps sur les terres germaniques pour que Charles IV devienne le gardien des reliques les plus saintes et les plus politiques de l'Empire ?

Dans l'Empire, la fin de la crise

La mort accidentelle de Louis IV pendant une chasse à l'ours dans les forêts profondes de Fürstenfeldbruck, à une vingtaine de lieues de Munich, le 11 octobre 1347, confirma Charles dans sa conviction que la providence divine appuyait son destin. Le parti bavarois tenta d'abord dans l'urgence de trouver parmi les fils du

défunt un Wittelsbach apte à lui succéder. Seul l'aîné de Louis IV,
Louis V, alors âgé de trente-deux ans, margrave de Brandebourg
depuis 1323 et marié à la duchesse Marguerite de Tyrol, pouvait prétendre relever le flambeau[17]. Il était certes devenu duc de
Bavière en titre à la mort de son père, mais cinq autres frères,
qui n'étaient pas aussi bien mariés ou possessionnés que lui,
attendaient également leur part : Louis VI, Othon V, Étienne II,
Guillaume III et Albert Ier. Excommunié, comme l'était son père,
en raison du mariage scandaleux de 1342, Louis V ne pouvait
cependant pas se présenter lui-même à l'élection. On estimait par
ailleurs que ses frères n'étaient pas à la hauteur, ou bien étaient
trop jeunes, de sorte que l'héritier du Bavarois commença par
pousser la candidature du roi anglais Édouard III. Ce dernier fut
bien élu anti-roi le 10 janvier 1348 par quatre princes-électeurs
demeurés fidèles à la cause des Wittelsbach, mais tout à son combat contre le roi de France, il se rétracta dès le 10 mai. Le jeune
duc tenta ensuite sa chance auprès de son beau-frère, Frédéric de
Misnie, qui renonça rapidement, et parvint à reporter les soutiens
bavarois sur un simple comte, Günther de Schwarzbourg, élu
le 30 janvier 1349 à Francfort par le margrave de Brandebourg
(autrement dit Louis V en personne), le comte palatin Rodolphe
(un Wittelsbach), le duc de Saxe Erich que l'on avait grassement
payé et l'archevêque destitué (depuis 1346) de Mayence Heinrich
von Virnenburg. La ville de Francfort avait entre-temps reconnu
Charles IV pour roi légitime, lequel avait rassemblé une armée
que Günther affronta à Eltville sur les bords proches du Rhin
en mai 1349. Sorti vaincu de la bataille, il accepta contre un
dédommagement de 20 000 marcs d'argent de renoncer à son
titre et revint juste à temps à Francfort pour y mourir, le 12 juin,
sans doute de la peste[18]. C'est encore là qu'il repose, seul roi
allemand à y être enterré, dans la collégiale Saint-Barthélemy,
qui avait vu et verra encore tant de rois des Romains s'y faire
élire. Charles IV, dès l'année passée, avait déjà contribué à affaiblir la position de Louis V de Bavière en soutenant contre lui le
« faux Woldemar », peut-être un certain Jeckel Rehbock, affabu-
lateur qui prétendait incarner le vieux margrave Woldemar mort
vingt-neuf ans plus tôt, mais racontait à qui voulait l'entendre

qu'il s'était en fait réfugié pendant toutes ces années en Terre sainte pour y faire pèlerinage et pénitence[19]. Conscient ou non de la supercherie, nourrie par la fascination qu'exerçaient les faux rois et les faux princes et entretenue par le prestige attaché à l'érémitisme et au messianisme, surtout lorsque les faussaires revenaient de Jérusalem, Charles IV le reconnut et lui confia en fief le Brandebourg. L'imposture venait donc fort à propos servir les desseins de Charles, d'autant qu'elle posait des questions de taille sur les tremblements de l'identité et de la légitimité, sur les interstices de la construction étatique[20]. Dès que Charles se fut en 1350 réconcilié avec le parti bavarois par l'accord de Bautzen, il lâcha le faux Woldemar, déclara s'être laissé abuser, et réinféoda le margraviat à Louis V de Wittelsbach qui finit en 1351 par le rétrocéder à deux de ses demi-frères. Quoi qu'il en soit, la disparition du comte de Schwarzbourg sonnait la ruine des espoirs bavarois de contrer la royauté de Charles. Ce dernier avait en effet dans le même temps, et à coups de privilèges et de reconnaissances fiscales, reconquis la faveur des grandes villes d'Empire, Francfort et Nuremberg en tête. Il avait également acheté la neutralité des Habsbourg en concluant en mai 1348 une alliance avec le duc Albert II à qui il promit de marier sa fille de six ans Catherine avec son fils et héritier Rodolphe d'Autriche. Peu après, le jeune Luxembourg conclut l'accord de Namslau avec le roi de Pologne et, par les diètes de Dresde et de Wittenberg tenues en décembre, gagnait le soutien du landgrave de Thuringe et du margrave de Misnie. Comme l'on voit, Charles avait parié sur la diplomatie plus que sur la guerre pour écarter les prétentions bavaroises, une ligne d'action qu'il compléta par une politique matrimoniale jusqu'à la fin de son règne.

En effet, le 1er août 1348, sa première épouse Blanche de Valois mourut. La place devenant « libre », Charles imagina de porter un dernier coup au camp des Wittelsbach en épousant dès le 4 mars 1349 Anne du Palatinat, la fille du comte et prince-électeur Rodolphe qui avait pourtant par deux fois porté sa voix sur les candidats du camp adverse. Il ne restait plus à Charles qu'à se montrer généreux vainqueur envers les six fils de Louis IV en leur concédant la confirmation de la Bavière et du

Brandebourg. Plus rien ne s'opposait donc à la reconnaissance pleine et entière du titre de Charles IV comme roi des Romains. Il aurait pu s'en tenir là. Mais c'était compter sans sa passion pour le respect scrupuleux de la tradition et du prestige royal qui lui était attaché. Élu à Rhens et couronné à Bonn, il lui fallait reproduire les deux rituels aux bons et coutumiers endroits : Francfort pour l'élection le 17 juin 1349, Aix-la-Chapelle pour le couronnement le 25 juillet des mains de son grand-oncle Baudouin de Trèves, ces deux cités entretenant qui plus est un lien étroit avec le souvenir et le culte de « saint » Charlemagne[21].

Charles IV n'en demeura pas pour autant longtemps dans l'Empire, trop pressant était son souhait d'achever la consolidation du royaume de Bohême. Il nomma Baudouin vicaire impérial en Germanie et le chargea de conclure dans les pays méridionaux de l'Empire, notamment en Franconie et en Souabe, des paix territoriales garanties par le roi. Il avait également pour mission d'achever l'œuvre de réconciliation avec le parti bavarois, qui aboutit lors de la paix de Sulzbach signée le 1er août 1354 avec Louis V. Baudouin, mort le 21 janvier, ne put savourer ce retour au calme signant la victoire de la maison qu'il avait portée à bout de bras depuis près de quarante ans. Mais il put avoir le sentiment du devoir accompli en fermant les yeux. Ce que Charles, dans toute cette opération, avait peut-être en revanche sous-évalué, ce fut le coût global de la séquence : 900 000 florins versés aux princes-électeurs, 500 000 à une foule d'autres princes d'Empire, 300 000 à divers barons et nobles, 100 000 aux villes d'Empire. Le roi enfin légitime et reconnu mit longtemps à éponger cette énorme somme, compensée par des crédits d'une part, par l'engagement et la cession massive de biens royaux de l'autre, ou du moins de ce qu'il restait du domaine au milieu du XIVe siècle[22]. La propagande des partisans bavarois, le chroniqueur Matthias von Neuenburg en tête, ajouta au reproche de « roi des curés » attaché à Charles celui d'un roi trafiquant, avare et toujours à court : « Il avait tellement dépensé et gaspillé au-dessus de ses moyens pour l'Empire que dans certaines villes les aubergistes ne voulurent même plus le servir s'il ne leur donnait une hypothèque ou une garantie. Et plusieurs fois on saisit ses biens pour cause de dettes impayées[23]. » La ficelle est grosse, mais là encore la vérité se situe sur un autre plan : si Charles était aussi pressé de rentrer en Bohême, c'est qu'il comptait sur les ressources de son royaume pour éteindre une partie des emprunts contractés afin de consolider son trône. Mais il y a davantage encore. La construction particulière de l'Empire imposait à tout nouveau roi élu et couronné de régler rapidement la question du couronnement impérial, qui ne pouvait s'accomplir qu'à Rome, et constituait l'ultime et décisive étape d'une longue chaîne conduisant au pouvoir universel terrestre de la chrétienté. Or Charles était bien conscient des obstacles qui encombraient la route menant à la Ville éternelle. Il s'agissait là d'une expédition longue, coûteuse (ses caisses étaient déjà vides) et dangereuse (n'avait-il pas en tête la fin tragique de son grand-père Henri VII en 1313 ?). Il savait aussi que la négociation avec le pape serait serrée, d'autant que son fidèle allié Clément VI était mort en 1352 et avait été remplacé par Innocent VI, moins souple et très sourcilleux sur les droits du Saint-Siège[24]. Charles craignait également un retour dans le guêpier italien dont il avait déjà éprouvé les morsures entre 1331 et 1333. Enfin, il serait pour un temps indéterminé loin de ses bases bohémiennes, certes consolidées, et allemandes, moins fermes celles-là. Pourtant, la séduction et l'obligation du voyage italien étaient trop impérieuses : Innocent VI poussait Charles IV à aller au bout du processus. La plume et l'éloquence des Italiens eux-mêmes, Cola di Rienzo et Pétrarque les premiers, l'y incitaient ; l'argent des communes gibelines favorables aux intérêts impériaux (mais surtout ennemies mortelles des guelfes) n'était pas sans attrait ; et les conseillers de Charles enfin le persuadèrent qu'il ne pouvait se dérober à son destin et qu'il y avait plus à gagner qu'à perdre en ceignant la couronne impériale comme Charlemagne l'avait fait avant lui en 800.

1355 : la consécration impériale

Le couronnement d'un empereur n'est pas de nature à laisser les historiens indifférents. Tous les chroniqueurs du temps, italiens de Sienne, de Pise et de Florence, allemands ou tchèques, sans parler de l'entourage du roi et de ses conseillers, en ont fait mention. Des récits particuliers lui ont été dédiés, tel celui que composa sur le vif Jean Porte d'Annonay sous le premier titre de « Voyage romain du seigneur Pierre de Colombier, cardinal d'Ostie, pour le couronnement de l'empereur Charles quatre », devenu au XIXe siècle le *Liber de coronatione Karoli IV. Imperatoris*[25]. Il n'en subsiste aujourd'hui qu'une copie manuscrite complète du XVe siècle, conservée à Prague et, le fait mérite d'être noté, reliée avec une copie de la *Vita* de l'empereur, une de la Bulle d'Or de 1356 et une de la chronique de Bohême de Přibík Pulkavas von Radenin, l'un des historiens les plus officiels du règne de Charles. Secrétaire particulier du cardinal-évêque d'Ostie, Pierre Bertrand le Jeune de Colombier, chargé officiellement depuis le 10 novembre 1354 par Innocent VI de conduire à sa place les opérations du couronnement romain, Jean Porte d'Annonay assista de bout en bout à la cérémonie et la consigna avec un soin d'autant plus méticuleux que le pape avait laissé des instructions précises à son légat. En effet, tout comme le cas s'était déjà présenté pour Henri VII, le pape résidait en Avignon et ne procéderait donc pas en personne à l'apposition de la couronne impériale… De son côté, Charles n'en était pas à sa première cérémonie puisqu'il avait été deux fois couronné roi des Romains et une fois roi de Bohême[26].

Bref, moment de bravoure, acte risqué, accomplissement du plus important rituel que connaisse la chrétienté entre les deux pouvoirs universels, ce jour était attendu autant que redouté. Préparé, cet acte solennel et singulier l'était depuis longtemps, et des deux côtés. Dès 1350 en effet, Charles IV avait adressé une lettre aux Florentins pour leur dire qu'il s'était réconcilié avec le parti des Bavarois et qu'il se trouvait désormais en possession des insignes de l'Empire, couronne, manteau, épée, globe. Dans le même temps, Clément VI invitait ses cardinaux italiens à ne pas aborder la question du couronnement romain sans lui en faire part et surtout avait chargé depuis 1351, et plus encore depuis 1353, son cardinal-légat Gil de Albornoz de reconquérir le patrimoine de Saint-Pierre. Chacun y pensait donc déjà,

sans aborder franchement le sujet. La question s'imposa toutefois d'elle-même par un biais inattendu et pour tout dire quasi
romanesque. En 1347, Cola di Rienzo, de son vrai nom Nicolo
di Lorenzo, avait pris le pouvoir à Rome. Il s'était attribué le
titre de « Candidat du Saint-Esprit, chevalier sévère et miséricor-
dieux, libérateur de la Ville, défenseur de l'Italie, ami de la terre
et honorable tribun » martelé au fronton de la basilique Santa
Maria in Aracoeli au sommet du Capitole, avait chassé les clans
nobiliaires et proclamé la restauration de l'antique République
romaine[27]. Prétendant être un fils illégitime de feu l'empereur
Henri VII, il avait dans un premier temps acquis le soutien du
pape qui voyait peut-être dans cet aventurier, fils d'une lavan-
dière et d'un aubergiste, le moyen un peu improbable de rentrer
à Rome. Mais, dès décembre 1347, Cola fut chassé de Rome, se
réfugia à Prague en 1350, à la cour de Charles IV. Il le conjura
de venir se faire couronner à Rome en convoquant pour l'occasion la mémoire de Dante et de Pétrarque (avec lequel Charles
entretenait d'ailleurs une correspondance) et en agitant devant
lui la perspective prometteuse et eschatologique de l'avènement
du troisième empire du Saint-Esprit prophétisé par Joachim de
Flore. Le roi le garda deux ans en détention et finit par le confier
à un légat du pape chargé de le conduire à Avignon où le nouvel
élu, Innocent VI, décida non seulement de l'absoudre mais de le
renvoyer à Rome rappeler aux clans nobiliaires des Colonna et
des Orsini que leur pouvoir n'était pas éternel. Capturé par ces
derniers, Cola qui avait entre-temps revêtu la charge d'un consul
romain finira décapité et brûlé en 1354. Pour Charles IV, cette
utopie si tragiquement achevée semblait de nouveau interroger
le sort de l'Italie et reposer la question du statut de la Ville éternelle. Mais la dignité impériale l'emportait à ses yeux, tant elle
lui paraissait le seul moyen d'imposer sur terre la paix et le salut
et d'achever la conquête de son pouvoir.

Il partit de Nuremberg à la fin du mois de septembre 1354,
escorté par un contingent de 300 chevaliers et de sa troisième
épouse, car Anne du Palatinat était morte en février 1353, remplacée à peine quatre mois plus tard par Anna de Schweidnitz :
à cette date en effet, et après trois unions, Charles était toujours

sans héritier mâle. Il put emprunter sans danger les cols alpins du Tyrol car il avait auparavant de nouveau solennellement scellé une paix avec les Habsbourg et les Wittelsbach lors de la grande diète de Vienne en mars 1353. Mais il était surtout parvenu à faire nommer en 1351 son demi-frère adultérin Nicolas comme patriarche d'Aquilée. Or ce territoire ecclésiastique situé en plein Frioul, au débouché des passes italo-autrichiennes des Dolomites, était la clé de la redescente vers la plaine du Pô par Udine, Belluno et Feltre et formait donc le verrou qu'il convenait d'ouvrir pour rejoindre ensuite la Toscane puis Rome. Le 5 octobre, l'expédition était à Salzbourg, passait sans obstacle majeur les Alpes et se retrouvait le 13, outre-monts, à Gemona au-dessus d'Udine. Le roi trouvait au nord de la péninsule une situation compliquée par la guerre qui opposait d'un côté une coalition conclue entre Venise et Florence, et de l'autre Milan, dont le chef, l'archevêque Giovanni Visconti, venait de mourir. C'est pourtant là que se rendit Charles en janvier 1355 après un séjour à Mantoue. Milan avait en effet promis son soutien, des soldats et des subsides (150 000 florins en échange du vicariat impérial sur l'Italie), et assurait surtout la garde de la couronne de fer des Lombards, celle du roi d'Italie dont le roi des Romains portait en principe le titre. Il la ceignit dans la cathédrale Saint-Ambroise le jour des Rois mages, exactement heure pour heure quarante-quatre ans après son grand-père. Charles IV confirmait une fois encore sa passion pour les symboles et la tradition. Deux jours plus tard, il accordait sa garantie à la trêve signée entre Milan et la ligue antiviscontienne forgée par Florence et Venise. Après quoi il se rendit à Pise, qui versa 60 000 florins au roi, et où les préparatifs du couronnement furent discutés avec le légat Pierre Bertrand. Ce dernier accéda volontiers au souhait de Charles de prononcer une messe en mémoire de son grand-père Henri VII. En signe de bonne volonté, Innocent VI força la main à Florence, hostile par guelfisme au Luxembourg, et l'invita à lui verser 100 000 florins et à lui fournir 200 chevaliers en échange de la levée de la mise au ban de la ville prononcée autrefois par Henri VII, contre le versement annuel par les Florentins d'un forfait de 4 000 florins pour solde de tout compte fiscal. Ces derniers obtenaient enfin en contrepartie la confirmation des libertés et des privilèges de leur cité. Passant ensuite à Sienne où Charles mit fin à une révolte qui venait de renverser le Conseil, le convoi royal atteignit le 1ᵉʳ avril les frontières de la Ville éternelle.

Le jour du couronnement ne fut pas choisi fortuitement : cette année-là le jour de Pâques tombait le 5 avril. Charles, qui la veille et nuitamment avait fait incognito un tour de la ville caché sous l'habit d'un moine, fit son entrée à Rome en compagnie, disent les chroniques, de 10 000 combattants, c'est-à-dire un grand nombre. Conformément aux instructions laissées par Innocent VI dès le 31 janvier 1355 se déroula ensuite une cérémonie courte et « classique » consistant d'abord, suivant l'*ordo*, à nommer Charles chanoine du chapitre de Saint-Pierre, à entendre le serment par lequel il s'engageait à défendre le pape et la Sainte Église romaine, puis à l'oindre, à le revêtir lui et son épouse des insignes parmi lesquels devait figurer la couronne dite de Charlemagne, et enfin à l'asseoir sur l'autel. Trois fois résonnèrent ensuite dans la basilique les incantations « *Domino Carolo invictissimo Romanorum imperatori et semper augusto salus et victoria* », « Au seigneur Charles, empereur invaincu et toujours auguste des Romains salut et triomphe ! ». En raison de l'absence du pape « seul évêque de Rome », du moins c'est ce que formulaient les instructions officielles du pontife, on avait renoncé au rituel du *Strator* qui obligeait le nouvel *imperator*, tel un écuyer, à tenir l'étrier du pape à cheval. Par le passé, cette position avait toujours posé un problème délicat de subordination symbolique entre les deux pouvoirs[28]. Le récit de d'Annonay, comme du reste celui de Benesch von Weitmühl, n'est curieusement pas très précis sur la composition exacte des insignes qui pourtant jouissent aux yeux des historiens du plus grand prestige. Il faut dire que ces *insignia imperiales*, les *Reichskleinodien*, jalousement enfermés de nos jours dans le Trésor de la *Hofburg* de Vienne, étaient à la fois des ornements du sacre mais aussi des reliques honorées comme telles. Charles, on le sait, en avait reçu la garde dès 1350, et l'on peut supposer qu'il les apporta avec lui jusqu'à Rome, y compris cette couronne qu'un diplôme rédigé de sa main en 1350 décrivait comme « la couronne d'or du susnommé le saint Charlemagne avec son arc fermé et la croix posée dessus, sertie de nombreuses pierres précieuses parmi lesquelles se détache plus particulièrement une pierre que l'on appelle l'orpheline[29] ». Si l'on en croit les récits, après avoir procédé à l'ouverture des portes de la basilique, Charles, portant désormais la couronne impériale, jura devant la foule à haute voix de respecter les antiques libertés de la ville de Rome, puis adouba 1 500 chevaliers sur le Ponte Sant'Angelo « à droite, à gauche, devant, derrière, tantôt avec l'épée, tantôt avec le bâton, tantôt avec le sceptre, tantôt même à main nue[30] ». Enfin, il assista sans s'attarder au banquet puis repartit aussi vite qu'il était arrivé car il avait promis au pape de ne pas coucher à Rome. Dès le 19 avril il atteignait Sienne, contournait ensuite Florence et séjourna trois semaines à Pise où une rébellion faillit le 20 mai lui coûter la vie. Il n'en fallait pas plus pour le décider à mettre le cap sur Crémone puis à rejoindre Augsbourg par Zurich le 3 juillet.

L'aventure avait duré huit mois et demi et, hormis le coup de Pise, n'avait jamais mis l'empereur en danger parce que Charles, tout simplement, n'avait jamais eu en tête de bouleverser l'ordre et le désordre politiques et territoriaux qui affectaient la péninsule toujours partagée entre guelfes et gibelins. Il n'était pas non plus question d'y réaffirmer par la force les droits du roi des Romains sur le royaume d'Italie, ni de s'opposer à la reconquête par le pape et son légat Albornoz de ses États centraux[31]. Quitte à fâcher un Pétrarque qui n'eut pas de mots assez durs envers ce qu'il qualifia de fuite et de démission, « car tu rapportes certes chez toi une couronne de fer, une couronne d'or, et le titre vide d'empereur. Empereur des Romains te feras-tu appeler, mais en vérité tu ne resteras qu'un roi de Bohême », Charles avait déjà depuis longtemps fait le choix d'une politique qui passait par la Bohême et l'Empire, et esquivait donc habilement les affaires italiennes[32]. Surtout, le titre impérial libérait pour un fils à venir le titre et le trône de roi des Romains et faisait donc miroiter au Luxembourg la possibilité d'une politique dynastique que plus aucun souverain de l'Empire n'avait pu oser ni voulu poursuivre depuis Frédéric II avec l'élection royale de son premier fils

Henri (VII) en 1220 puis, après la déposition de ce dernier, d'un second, Conrad IV, en 1237[33].

Au total, Charles IV s'en sortait plutôt bien. Tout d'abord, il était désormais à jamais investi de la dignité impériale et, seul à disposer de ce privilège parmi les souverains d'Occident, autorisé à porter la couronne fermée et à s'intituler « *Karolus quartus divina favente clemencia Romanorum imperator semper augustus et Boemie rex* ». Il était d'autre part parvenu, à la différence de bon nombre de ses devanciers, à ne pas se faire du pape un ennemi. Contrairement à son grand-père, il n'avait pas davantage réveillé de haine mortelle contre lui parmi les seigneuries et les communes italiennes. Il avait réussi à nouer une alliance avec les Visconti et s'était fait reconnaître par les autres principautés. Il n'avait pas osé ou voulu chatouiller l'orgueilleuse indépendance des Angevins de Naples. Enfin, ce qui ne gâtait rien, il rapportait de précieuses reliques et quelques sacs bien remplis de florins d'or, bien que leur nombre finît par être en-deçà des spéculations jalouses forgées par les chroniqueurs guelfes, le Florentin Matteo Villani en tête.

Cette critique ne dut pas beaucoup affecter l'empereur qui, revenu dans ses terres allemandes de l'Empire au milieu de l'année 1355, préparait depuis quelques temps un grand coup susceptible à ses yeux d'affermir l'Empire, de contenter ses princes et d'augmenter sa réputation. Arrivé en effet à Nuremberg le 8 juillet, il convoqua pour le 25 novembre suivant une diète impériale des seigneurs et des villes dont le programme n'annonçait rien moins qu'une réforme des douanes et des monnaies, l'adoption d'une paix générale et la détermination du collège des princes-électeurs habilités à élire, à la majorité, le roi afin que « plus jamais la discorde ne s'empare de l'Empire[34] ».

CHAPITRE III

L'empereur : 1356-1378

Un roi se fait empereur.

L'apogée du règne ? La Bulle de 1356

Dans son autobiographie *Poésie et vérité. Souvenirs de ma vie,* Goethe évoque à plusieurs reprises la Bulle de 1356 si étroitement associée à sa ville natale, Francfort, puisque les rois des Romains y étaient élus puis, à compter du XVIe siècle et jusqu'en 1806, couronnés, d'abord rois et ensuite directement empereurs[1]. La première fois, il la mentionne quand, jeune homme sillonnant les ruelles du centre de la cité, il visite la collégiale Saint-Barthélemy qui abrite aujourd'hui encore la chapelle électorale : « Cette salle, si mémorable dans l'histoire d'Allemagne, où les plus puissants princes avaient coutume de se rassembler pour un acte d'une si grande importance, nous ne la trouvâmes point décorée dignement, et de plus elle était défigurée par des poutres, des perches, des échafaudages et d'autres charpentes, qu'on avait voulu mettre de côté. En revanche, nos imaginations furent animées et nos cœurs exaltés, quand nous obtînmes, peu de temps après, la permission d'assister, dans l'hôtel de ville, à l'exhibition qui fut faite de la Bulle d'Or à quelques étrangers de distinction. » Récit très médiéval en vérité : le texte, les rituels l'emportent sur le lieu même, à peine quelques mètres carrés et deux ou trois bancs, où s'accomplissait officiellement depuis 1356 l'élection royale. Quant au texte justement, voici ce qu'en dit le grand écrivain une centaine de pages plus loin : « J'avais eu dès l'enfance la singulière habitude d'apprendre par cœur les commencements des livres et des divisions d'ouvrages ; d'abord des cinq livres de Moïse, puis de l'*Énéide* et des *Métamorphoses*. J'en fis autant pour la Bulle d'Or, et je faisais souvent rire mon digne ami[2], quand je m'écriais tout à coup, du ton le plus sérieux : "*Omne regnum in se divisum desolabitur, nam principes ejus facti sunt socii furum.*" L'homme sage hochait la tête en souriant et disait d'un air pensif : "Quel temps ce devait être que celui où l'Empereur faisait prononcer en pleine diète de telles paroles à la face de ses princes !"[3]. » Là encore, réflexe plus médiéval que moderne sous la plume de Goethe : c'est l'*incipit* d'un diplôme qui en fixe le ton et l'ambition.

Or, ainsi que l'avait pressenti le grand homme à quatre siècles de distance, la solennité et l'objectif des dispositions adoptées lors des deux diètes de Nuremberg en janvier et de Metz en décembre 1356 sont de si grande portée, aux yeux de l'empereur, qu'ils méritent d'être soulignés par un prologue. Ce *proemium* fait de cette Bulle une source de lumière, de concorde, d'unité, co-portées par l'empereur et les princes-électeurs désignés, la symbolique du nombre importe, comme les « sept candélabres ». Tout avait été fait, depuis le diplôme jusqu'au cadre majestueux et au choix de la date de sa proclamation, pour que Charles IV apparaisse à cette occasion comme un législateur à l'instar d'autres souverains avant lui, Alphonse X le Sage, Saint Louis, Frédéric II… Cette image plaisait particulièrement à l'empereur qui, dans le deuxième chapitre de sa *Vita*, définissait en premier le roi idéal par un extrait du Psaume 98,4 : « L'honneur du roi aime le jugement[4] », une inscription qui décore la plaque de David apposée sur le diadème octogonal avec lequel Charles IV avait été couronné empereur quelques mois plus tôt. La Bulle de 1356 fut justement la première décision d'importance proclamée après le sacre romain[5].

Les trente et une dispositions de ce diplôme solennellement proclamé le jour de la Nativité à Metz, en présence des princes d'Empire, des villes, des abbés (parmi lesquels figure celui de Cluny), du cardinal-légat du pape, de l'impératrice et de Charles « l'illustre duc de Normandie et Dauphin du Viennois, le fils aîné du roi de France », sont simplement qualifiées de « lois » dans le prologue. Elles sont pourtant entrées dans l'histoire de l'Empire comme sa principale et plus importante « Constitution ». Elles forment qui plus est l'arrangement successoral de la plus longue durée dans l'histoire européenne, puisqu'il cesse seulement d'être effectif en même temps que disparaît en 1806 l'ordre impérial ancien qu'il avait contribué à instituer[6]. Du vivant de l'empereur, le diplôme fut bientôt appelé « ordonnance », « loi impériale », « codification de droit impérial ». Le nom que lui donna le plus communément la postérité, celui de « Bulle d'Or », s'est imposé au tout début du xve siècle dans le contexte particulier de la déposition du fils de Charles IV, Wenceslas, en 1400. Ce dernier avait en effet commandé une copie richement enluminée du diplôme paternel, dont la première phrase ajoutée au prologue initial déclarait : « Ici commence la Bulle d'Or des Constitutions impériales[7]. » Un siècle plus tard, en 1519, Charles Quint parla à son propos de « *wichtigstes reichsgesetz* », de « loi d'Empire la plus importante », avant de tenter de fixer, en 1530, le processus et les réunions des diètes de l'Empire dans un diplôme dénommé « *Bulla Aurea Caroli Quinti* ».

Cette opération de canonisation textuelle et législative s'accompagna d'une diffusion assez remarquable du texte puisqu'on en recense 173 copies manuscrites puis incunables au xve siècle. On les trouve insérées dans tout type de littérature et pas seulement des traités juridiques, c'est-à-dire dans des collections de privilèges, des chroniques impériales ou urbaines, des paix territoriales, des traités de droit canon, conciliaire, civil ou coutumier. On ne s'étonnera donc pas de voir les grands traités de réforme des institutions de l'Empire s'y référer. C'est le cas pour le texte connu sous le nom de *Reformatio Sigismundi*, traité anonyme vraisemblablement rédigé en 1439 pendant le concile de Bâle et publié pour la première fois en 1476[8], ainsi que pour la

Concordia catholica de 1433/1434 de Nicolas de Cues[9], de même que pour le *Libellus de cesarea monarchia* de Peter von Andlau de 1460[10]. Il est intéressant de constater que, tout au long du XVe siècle, se produit une sorte de « fabrique constitutionnelle » qui voit la Bulle de 1356 passer du statut d'un privilège accordé aux princes-électeurs à celui de loi fondamentale de l'Empire.

Si les invitations prononcées pour se rendre à la diète de Nuremberg annonçaient la volonté de régler le processus électoral, elles accompagnaient cet ordre du jour d'une réforme classique de la paix territoriale et des péages et monnaies[11]. Notons que, dans l'esprit de Charles IV, l'élection royale et la paix d'Empire sont liées et devaient être arrangées en même temps. Rien cependant ne semblait indiquer un acte imposant et définitif sur la question. Telles sont en tout cas les intentions rapportées dans la relation adressée par les envoyés de la ville de Strasbourg à leur Conseil de ville. À Nuremberg, en l'absence d'une structure comparable à un parlement et de salles suffisamment grandes pour accueillir tous les états et les princes, ce sont plutôt des discussions informelles qui se tiennent et sont notées au jour le jour, sous l'étroit contrôle du chancelier Johannes von Neumarkt, auteur probable, à côté du roi, du prologue. L'essentiel des négociations se déroule avec les sept électeurs, dont les noms sont consignés dans la Bulle, auxquels l'empereur accorde séparément de nombreux privilèges avant ceux que le diplôme mentionnera expressément. Il semble qu'après les vingt-trois chapitres adoptés à Nuremberg le 10 janvier 1356, et fixant l'ordre et les rituels de l'élection ainsi que les privilèges attachés aux principautés des sept grands électeurs, l'empereur n'ait d'ailleurs pas voulu aller plus loin[12]. Mais les demandes de confirmations supplémentaires de privilèges en faveur des électeurs et les précisions souhaitées de leur part sur leurs offices respectifs, ainsi que le nouveau contexte issu des événements de l'automne dans le royaume de France (défaite de Poitiers, capture du roi, réunion des états généraux), en liaison avec la demande du jeune Charles (le futur Charles V de France) sur le Dauphiné, ont conduit à réunir une deuxième diète[13]. Celle-ci s'annonçait plus courte et mieux préparée, car la plupart des

articles avaient déjà été rédigés, en concertation avec les princes,
dès avant décembre.

L'acte en trente et un articles adopté le 25 décembre 1356 est
à proprement parler un diplôme royal et impérial émis en chancellerie et scellé d'or pour authentification et manifestation de
majesté[14]. Parmi les centaines de diplômes bullés émanant de la
chancellerie impériale, seul celui-ci évoque ensuite, sous le nom de
Bulle d'Or, sans ambiguïté ni confusion le célèbre texte de 1356[15].
Il est vrai que le sceau qui l'ornait manifestait avec éclat l'importance que Charles IV entendait lui conférer en dépit de son caractère conjoncturel et inachevé [ill. 8][16]. Il comporte deux faces dont
la dimension retenue, six centimètres de diamètre, permet de bien
détailler sur l'avers l'empereur et sur le revers la ville de Rome.
L'empereur est montré en majesté, trônant, portant couronne,
sceptre et globe. Ces trois insignes, symboles de la sacralité et de
la souveraineté royales, rappellent les chapitres XXVI et XXVII
de la Bulle stipulant dans quel ordre et par quels électeurs ils
doivent être portés, présentés et remis au roi élu, à savoir les
trois archevêques électeurs ecclésiastiques de Trèves, Cologne et
Mayence. À droite de l'empereur a été placé l'écu impérial frappé
de l'aigle à une tête et à sa gauche l'écu royal de Bohême portant
un lion. Le texte de la légende reprend la titulature impériale
au complet : *karolus quartus divina favente clemencia romanorum imperator semper augustus et boemie rex*. Les deux blasons
effleurent les accoudoirs du trône représenté selon le modèle de
la royauté biblique de David que l'on retrouve sur la plaque
précédemment mentionnée de la couronne impériale[17]. Le revers,
qui porte l'inscription *aurea roma* au centre et, tout autour, *roma
caput mundi regit orbis frena rotundi* (« Rome tête du monde tient
les rênes de l'orbe terrestre »), donne à voir une représentation
de la Ville éternelle selon un schéma connu et repris depuis les
bulles de Conrad II (1024-1039). Ici, Charles IV renoue avec une
tradition interrompue par son prédécesseur Louis IV de Bavière
qui avait placé sur ses bulles une image de Rome en opposition à
celles utilisées sur les bulles pontificales, particulièrement depuis
son excommunication en 1328. Le modèle adopté est emprunté à
Frédéric II, Charles IV plaçant sa législation dans le droit fil de

l'héritage des Staufen, et plus spécialement de leur dernier souverain, grande figure de législateur si l'on songe aux Constitutions de Melfi adoptées pour son royaume de Sicile en 1231.

Que disent donc ces trente et un articles ? Ils règlent d'abord le sauf-conduit des princes-électeurs traversant l'Empire pour se rendre à Francfort afin d'y désigner un « roi des Romains appelé à être élevé empereur ». Réunis dans l'église Saint-Barthélemy[18], une collégiale impériale de fondation carolingienne et haut-lieu de l'orchestration du souvenir et du culte de « saint » Charlemagne au XIVᵉ siècle[19], les princes-électeurs doivent d'abord entendre une messe puis jurer de désigner le meilleur candidat au trône. Ils s'enferment ensuite dans la chapelle latérale de l'église, et si aucun candidat n'est désigné au bout de trente jours, ils sont réduits au pain et à l'eau comme pour l'élection pontificale. L'élection se fait à une voix de majorité, chaque électeur pouvant également se présenter et voter pour lui-même. Le roi élu doit aussitôt confirmer tous les privilèges, droits, libertés, coutumes et dignités dont disposent les électeurs désignés comme « les sept piliers et les sept branches du candélabre de l'Empire » et confirmés en collège[20]. Suivent des dispositions très strictes de préséance entre les électeurs lors des diètes, banquets, processions et cours, favorisant notamment le roi de Bohême « parce qu'il est prince couronné et oint[21] ». Ces princes-électeurs laïques, le roi de Bohême, le duc de Saxe, le margrave de Brandebourg et le comte palatin, reçoivent par la Bulle l'hérédité et l'inaliénabilité de la voix et des privilèges qui y sont attachés, au profit de leur premier-né. L'ensemble des princes-électeurs, y compris donc les trois archevêques de Trèves, Cologne et Mayence, jouit des droits régaliens sur les mines et la frappe des monnaies d'or et d'argent et bénéficie des privilèges judiciaires exclusifs de tout appel devant la juridiction royale. Ces princes-électeurs, poursuit la Bulle, doivent tenir une diète annuelle dans un délai de quatre semaines après Pâques dans une ville de leur choix afin d'y discuter les affaires de leurs principautés et de l'Empire. Le texte interdit par ailleurs l'accueil et la régularisation des *Pfahlbürger*, c'est-à-dire des bourgeois horsains, par les villes auxquelles est rappelée l'interdiction de former des ligues[22]. Les deux derniers articles réaffirment que l'élection du « *regis Romanorum futuri imperatoris* » doit se tenir à Francfort, le couronnement à Aix-la-Chapelle et la première diète royale à Nuremberg. Par ailleurs, compte tenu de la diversité des lois, des coutumes, des mœurs, des modes de vie et des langues en usage parmi les différentes nations de l'Empire, les fils des princes-électeurs laïques, à côté de leur langue maternelle allemande, doivent être instruits à compter de leur septième année dans les langues latine, italienne et slave au motif que ces idiomes sont le plus fréquemment utilisés « pour la nécessité et le traitement des affaires du Saint-Empire romain ».

Ni hérédité ni approbation pontificale, une élection « allemande » : voilà bien l'essentiel d'un texte qui combine l'électif et le dynastique, définit la reconnaissance et la distinction honorifique d'un groupe de sept grands électeurs dotés de la plupart des droits et des attributs de la souveraineté dans leurs propres principautés. Leur vote (*Kur*), majoritaire, suffit à faire le roi appelé à devenir empereur sans confirmation pontificale. L'habileté de Charles IV en 1356 avait en effet consisté à ne pas commettre l'erreur de son prédécesseur Louis IV qui, dans le *Licet juris* adopté lors de la diète de Francfort en 1338 rejetait *expressis verbis* le droit d'approbation et de confirmation du pape sur l'élection royale[23]. Charles savait pertinemment qu'agiter ce chiffon rouge au nez et à la barbe du pontife en 1356 était le plus sûr moyen de raviver la querelle entre les deux universaux. Dans un tel cas, le silence est d'or, comme la Bulle : le texte de 1356 décide tout simplement de ne pas même mentionner une fois le pape.

Quant à la liste des sept princes-électeurs retenus, elle signifie tout d'abord que, par rapport au XIIIe siècle, le roi de Bohême y occupe pleinement une place que les deux coutumiers territoriaux allemands les plus répandus, le *Miroir aux Saxons* et le *Miroir aux Souabes*, lui déniaient[24] jusqu'alors. Elle signifie également que les deux dynasties qui disputaient le trône aux Luxembourg, les Wittelsbach de Bavière et les Habsbourg d'Autriche, étaient exclues du jeu dans un premier temps. On a parfois un peu rapidement dit de la Bulle qu'elle réglait ainsi les comptes de Charles avec ces maisons concurrentes. C'est à moitié vrai dans le cas des Wittelsbach dont une branche cadette assise sur le Palatinat rhénan put hériter de la voix et des privilèges attenant. Ce l'est davantage pour les Habsbourg, à telle enseigne que Rodolphe IV, duc d'Autriche, de Styrie et de Carinthie, et comte de Tyrol, incidemment l'époux depuis 1356 de Catherine de Bohême, une fille de Charles IV, commanda en 1358-1359 une contrefaçon du *Privilegium Minus* accordé par Frédéric Ier en 1156 et élevant le margraviat autrichien en duché héréditaire. Dans cette forgerie, portant le titre de *Privilegium Majus*, l'une des plus célèbres et des plus habiles du Moyen Âge car elle prend soin d'enchevêtrer le vrai et le faux en compilant cinq diplômes s'étalant entre 1058 et 1283, le duc d'Autriche est intitulé « archiduc », ce qui le place *de facto* au même rang que les princes-électeurs[25]. Quoique la supercherie ait été dévoilée par Pétrarque dès 1360, ce privilège a été confirmé en 1453 par l'empereur Frédéric III, un Habsbourg. Cette falsification ne faisait pas que rehausser le prestige et le titre des ducs autrichiens, elle leur attribuait aussi un vicariat impérial sur toutes les terres autrichiennes des Habsbourg[26]. L'historiographie a longtemps interprété ce mensonge comme le souhait précoce des Habsbourg de réclamer une position particulière au sein de l'Empire, voire de s'en détacher. C'est bien le contraire qui prévaut : la forgerie de 1358 visait plutôt à renforcer l'intégration des Habsbourg et de l'Autriche dans le cœur impérial. En attendant, l'empereur fit peu de cas de ce « grand privilège » qu'il prit astucieusement pour ce qu'il était : un catalogue de revendications exagérées comme il en avait eu tant sous les yeux durant son règne. Cette habileté rendit possible en 1364 un arrangement de succession (*Erbverbrüderung*)[27] entre les deux maisons qui, sur le moment, parut anodin mais se révéla capital pour l'avenir de l'Empire, et donc de l'Allemagne et de l'Autriche, à compter du XVe siècle. En effet, si l'une des deux dynasties venait à s'éteindre avant l'autre, la survivante devait hériter de tous les biens et terres de la disparue[28]. Au final et par une ironie de l'histoire, c'est exactement la seule grande dynastie germanique écartée de la Bulle au XIVe siècle qui conduisit après 1437 les affaires de l'Empire pendant les quatre à cinq siècles suivants.

Un roi élu par sept électeurs, telle est en tout cas dès 1356 l'incontournable réalité et telle est, en dernier lieu, l'essentielle définition de l'Empire à compter de cette date, son principe organisateur et, par ce biais, fondamental. Désormais, toute une partie de l'histoire de l'Empire (et donc de l'Allemagne) allait dépendre de quatre facteurs mobilisés par le texte. Le premier réside dans le type de relations qu'entretient le roi (et éventuellement empereur) avec les électeurs. Le second repose sur l'attitude des électeurs envers le roi/empereur. Le troisième dépend de l'entente des électeurs entre eux. Le quatrième enfin tient à l'entente des électeurs avec les autres princes et seigneurs de l'Empire. La Bulle se présente donc comme un texte d'équilibre qui installe, de manière constitutionnelle car pérenne, un cadre défini au sein duquel se déploient les rapports de force entre le roi et empereur, lui-même prince-électeur de sa propre désignation, et les autres électeurs. C'est d'ailleurs ce que confirme l'étude sommaire du champ sémantique de la Bulle. Là où la *Vita* de Charles IV parlait de manière très déséquilibrée, à douze reprises, de l'*imperator*, et d'ailleurs par la négative en désignant à huit reprises son opposant et compétiteur Louis IV de Bavière, et au contraire employait cent vingt-huit fois le mot de *rex*[29], la Bulle quant à elle trace un champ sémantique équilibré entre la sphère des princes-électeurs et celle de l'empereur.

Au total, pour Charles IV, le bénéfice de la Bulle n'est pas mince : le cordon est rompu avec la papauté, la possibilité d'une politique dynastique et patrimoniale est préservée, l'articulation est réalisée entre la Bohême et l'Empire. En qualité de roi de Bohême il obtient le premier rang parmi les princes-électeurs laïques en chassant le comte palatin de cette première place, parce qu'il est le seul à être roi couronné et oint parmi eux. À ce titre, il n'a d'ailleurs pas à porter l'un des insignes impériaux. Charles IV récupère du reste par ce biais une partie du prestige et des prérogatives perdus dans ses propres États par le rejet de la *Carolina* en 1355. L'empereur sait en 1356 qu'il ne pourra pas s'imposer dans l'Empire contre les princes, mais la Bulle limite à sept le nombre de ceux qui comptent : il suffit au total que l'opposition résolue d'une partie d'entre eux ne dépasse jamais le nombre de trois. Cette intégration du roi (et donc du royaume) de Bohême dans le dispositif explique toutefois que la Bulle, à la différence d'autres « Constitutions » nationales en Europe, n'ait pas pu déboucher, ou seulement très tardivement, sur la constitution d'une assemblée propre aux pays allemands de l'Empire. Le privilège enregistre par ailleurs le déplacement de gravité de l'Empire de l'ouest vers l'est : trois des électeurs laïques détiennent leurs possessions patrimoniales à l'est et les trois dynasties qui se disputent le trône des Romains aux XIVe et XVe siècles, Luxembourg, Wittelsbach et Habsbourg, regardent vers les territoires, les royaumes et les frontières septentrionaux et orientaux de l'Empire.

La Bulle n'est finalement qu'en apparence un « compromis » avec les électeurs : elle est accordée par l'empereur qui les lie à une règle, faisant d'eux l'incarnation de la formule « *Kaiser und Reich* », « l'empereur et l'Empire », variante impériale de l'antique adage romain *Quod omnes tangit* (ce qui concerne tous doit être approuvé par tous). Seul le sceau impérial est porté sur le diplôme de 1356, et non ceux des électeurs qui l'apposeront seulement sur l'acte de l'élection. C'est dans cette tradition que les juristes, à compter du XVIe siècle, désigneront les sept électeurs comme le *cardo imperii*, les *Vordersten Glieder des Reiches* ou « colonnes de l'Empire ». Le texte permet aussi de sortir par le haut de l'articulation toujours problématique (c'est là sans doute sa spécificité au cœur des constructions étatiques et politiques de l'Europe du temps) entre plusieurs royaumes, un Empire et des principautés en voie de quasi-souveraineté. Les dispositions de la Bulle, sa réception et sa diffusion montrent également combien l'élection se situe au cœur de l'institutionnalité et du pouvoir en Occident, d'autant qu'elle se trouve ici combinée avec un titre impérial qui lui-même ne se confond pas avec le titre royal. Si le texte règle bien la question de l'élection, il n'est pas pour autant une réforme de l'Empire : le chapitre XII prévoyait certes une rencontre annuelle des électeurs, mais la disposition n'aboutit à aucune assemblée générale ou régulière. Seule subsiste la diète royale, devenant peu à peu impériale[30]. La Bulle n'instaure donc pas d'intégration de l'Empire par une politique de coopération,

autrement dit elle n'installe pas de politique impériale capable
de seconder un gouvernement impérial. Là réside sans doute la
principale différence avec la théorie et la pratique politiques en
usage dans le royaume de France[31]. La Bulle, au total, ne peut
pas aller plus loin que la situation prévalant dans l'Empire en
1356 et reposant sur une construction à faible médiation royale.

C'est essentiellement le caractère solennel souligné par la Bulle
qui donne au texte son importance. Si le contenu n'est pas neuf,
le rassemblement des dispositions dans une seule Constitution
de cette nature l'est bien davantage. Certes, comme il vient d'être
rappelé, ce que règle avant tout la Bulle, ce n'est pas le fonctionnement organique ou étatique de l'Empire : il n'y est pas question
d'impôt, ni de parlement, ni d'armée, ni de capitale, ni de gouvernement, ni d'État quelconque, ni même de réforme légère de
l'Empire. En revanche, c'est en matière de rituels (neuf des trente
et un articles s'y rapportent) que le texte est le plus novateur car
on ne disposait pas avant lui de forme écrite aussi précise[32]. Il
serait toutefois inexact d'y voir un effort de rationalisation, c'est
au contraire à un imaginaire renouvelé des signes du pouvoir que
conduit la Bulle : à nouvel ordre, nouveaux rituels et nouvelle
image. La souveraineté médiévale se manifeste et se définit entre
autres par le rituel, le festif et le symbolique, qui ne sont pas
une gêne à la compréhension du politique ou un complément
folklorique et superflu, mais constituent la condition de son existence et de son intelligibilité[33]. Il ne s'agit pas seulement d'éviter
les querelles de préséance, mais aussi d'édicter des règles qui,
rappelons-le, ne seront ni oubliées, ni supprimées, ni remplacées.
C'est également à la naissance d'un nouvel ordre visuel auquel on
assiste, par l'imposition du motif du roi entouré d'un collège de
princes, et par le rejet de la reine à la dernière place de la procession du couronnement puisque ce n'est pas elle qui fait l'héritier
dans une monarchie élective[34]. Surtout, les rituels de la Bulle per-
mettent désormais de mieux répondre, après 1356, à la question
de savoir ce qu'était l'Empire. C'est quand la signification de ce
cérémoniel se sera égarée, comme l'a bien senti Goethe décrivant
au XVIIIe siècle l'état de l'Empire et les couronnements francfortois[35] ; c'est quand on les prendra pour des obligations démodées

que le sens de l'Empire sera perdu, celui d'une construction indissoluble d'un roi et de ses princes-électeurs, celui d'une interaction des électeurs représentant le tout par la partie, comme au demeurant la Bulle de l'empereur s'incarnait dans le tout du texte par la partie du sceau.

Pour l'heure, les dispositions de 1356 laissaient en pratique à l'empereur un champ de possibles relativement ouvert : la concentration sur l'apaisement de l'Empire, le repli sur les terres patrimoniales du Luxembourg et de la Bohême, un équilibre entre l'est et l'ouest, un retour à une politique impériale du grand large notamment tournée vers l'Italie. L'empereur ne négligea ni n'écarta d'emblée aucune de ces options. Il eut la prudence de ne pas s'entêter quand il voyait qu'une direction affaiblissait trop l'ensemble, ainsi de l'Italie ou des bordures occidentales de l'Empire. Pour autant, sa préférence était marquée dès le début et elle ne datait pas de 1356 mais de la décennie antérieure : ce serait la Bohême, base et tremplin servant à installer la dynastie dans la durée.

La consolidation du patrimoine

À l'ouest d'abord, Charles IV avait appuyé autant qu'il pouvait la politique d'expansion territoriale menée par son demi-frère Wenceslas depuis le Luxembourg en direction du Brabant et du Limbourg dont les duchés lui étaient échus par son mariage avec Jeanne de Brabant en 1352. Dans ce mouvement d'expansion, Wenceslas rencontra la résistance du duché voisin de Juliers dont le prince s'allia au duc de Gueldre et défit l'armée luxembourgeoise à la bataille de Baesweiler en 1371 au cours de laquelle Wenceslas fut fait prisonnier. L'empereur dut le « racheter » en versant au duc de Juliers une « compensation » et « protection » de 50 000 florins (le terme injurieux de rançon fut évité) et en acceptant que le jeune fils de Guillaume de Juliers puisse unir son duché avec celui de Gueldre. C'en était en tout cas fini d'une offensive territoriale des Luxembourg dans cette partie de l'Empire. Ils conservaient toutefois le triple duché de Luxembourg, Brabant et Limbourg, désolidarisés à la mort du duc Wenceslas en 1383. De toute façon, chaque fois que Charles IV depuis 1356 avait eu à choisir entre les terres occidentales et les parties orientales de ses États, il avait opté pour les secondes car c'est là que se jouait à ses yeux l'avenir de sa maison.

Comme d'autres avant lui, Charles IV mesura d'emblée combien son royaume, son patrimoine et sa dynastie pouvaient être précieux pour conquérir et conserver la couronne des Romains, mais aussi combien en retour les affaires de l'Empire affectaient en permanence la Bohême. L'une ne pouvait aller sans l'autre, pour le meilleur comme pour le pire. Charles IV en porta toute sa vie la double titulature et ce n'est pas par hasard que les premiers mots de sa *Vita* s'adressent « À ceux qui siégeront après moi sur mon double trône[36] ». Il ne fut pas le premier, loin s'en faut, à cumuler deux couronnes ou même davantage au Moyen Âge, au point que, statistiquement, la double ou triple royauté est même plutôt la règle que l'exception. Mais cet état de fait n'en rend pas pour autant un double ou un triple gouvernement plus aisé. Les intérêts d'un royaume ne coïncident en effet pas nécessairement avec ceux d'un second ou d'un troisième, difficulté augmentée quand il s'agit d'articuler un royaume et un empire[37]. Sous cet angle, il n'est pas étonnant de voir Charles conduire dans et pour son royaume de Bohême une politique qui suit un autre rythme et emprunte d'autres voies que celle menée dans un Empire qui reposait, depuis 1356, sur les princes-électeurs[38].

On a coutume de distinguer deux phases dans la politique d'extension et de consolidation du royaume de Bohême poursuivie depuis le couronnement impérial[39]. La première, qui irait jusqu'à la naissance de l'héritier tant attendu en 1361, consiste à arrimer et à arrondir les acquis déjà largement conquis par le père Jean, à savoir la Haute-Lusace et une grande partie de la Silésie. À quoi s'ajoute la région d'Eger (ou Cheb, à ne pas confondre avec le Eger de Hongrie) non loin de Karlsbad, dont le toponyme rappelle la fondation caroline, et que Jean de Bohême avait déjà recueilli en hypothèque de Louis IV de Bavière dans les années 1320. Une étape décisive fut franchie dès le 7 avril 1348 lorsque, par l'émission de treize diplômes en un seul jour, les principautés de

Lusace et de Silésie furent incorporées au royaume déclaré *corona regni Boemiae*. Le troisième mariage de Charles avec Anna de Schweidnitz en 1353 alla dans le même sens : la jeune princesse, une Anjou de Hongrie par sa mère, était l'héritière du duché de Schweidnitz-Jauer, le seul qui manquait encore à Charles en Silésie. L'union de 1353 fit tomber ce duché dans la mouvance de la Bohême, qui l'incorpora en 1368 à la mort du dernier duc Bolko II. L'autre grande affaire des années 1350 fut l'achèvement, entre 1353 et 1355, de la constitution de l'axe défensif tressé le long de la « route d'or » entre Prague et Nuremberg à travers le Haut-Palatinat ou Nouvelle-Bohême (appellations modernes, les contemporains parlant de « *terra trans silvam Boemicalem in Bavaria* »), entre Lauf et Sulzbach, acquis en 1349 par le deuxième mariage de Charles avec Anne du Palatinat[40]. Rien ne manifesta mieux l'importance accordée par l'empereur à cette charnière stratégique que la nomination de seulement deux capitaines gouverneurs de confiance entre 1357 et 1378. De même, l'incorporation solennelle de ce territoire s'opéra par une bulle d'or impériale qui fut la première à être promulguée directement après le couronnement romain d'avril 1355. Elle énumérait dans le détail les droits de la couronne de Bohême : exclusivité de la justice royale d'appel, exercice de tous les droits régaliens, monopole des douanes, monnayages et péages, de l'exploitation minière et de la protection, contre argent sonnant, des communautés juives. Le recensement de ces droits fut enregistré dans un petit censier (*Salbüchlein*) découpant vingt-quatre districts. Composé en 1366/1368, il fit office de formulaire modèle d'administration royale centralisée en Bohême[41]. Pour couronner le tout, Charles érigea Lauf sur la Pegnitz en ville royale et l'équipa d'une forteresse à laquelle il donna le nom de Wenzel, en hommage au saint de Bohême et à son fils. La salle d'audience qui en formait le centre était recouverte de cent douze écus polychromes ordonnés sur deux rangées et représentant les pays, évêchés, archevêché, villes, barons et chevaliers de Bohême[42]. C'est ce véritable théâtre des armes et du droit qui fut montré pour la première fois au cortège qui accompagnait Charles sur la route du baptême de son premier-né Wenceslas à Nuremberg en 1361.

Cette naissance, promesse d'une transmission des trônes, inaugure une deuxième phase de consolidation qui se concentre cette fois sur le nord du royaume et ses confins. Dans cette entreprise, le dossier le plus long, le plus lourd et le plus coûteux fut l'acquisition du Brandebourg. Rien ne parut trop beau aux yeux de Charles pour le capter, tant cette marche était synonyme de poussée vers le nord le long de l'Elbe et de l'Oder, c'est-à-dire vers la mer, vers la Hanse, vers l'Ordre teutonique. Cette progression présageait également la formation d'un glacis propre à freiner les ambitions du royaume de Pologne, sans oublier que le margrave de Brandebourg, depuis 1356, détenait l'une des sept voix de l'élection royale. L'empereur désirait cette principauté depuis longtemps. Dès 1361 il avait fait nommer un fidèle sur le siège archiépiscopal de Magdebourg dont les suffragants étaient Havelberg, Naumbourg-Zeitz, Mersebourg, Meissen et... Brandebourg. Son achat en 1373 engloutit des tonnes d'or et d'argent, coûta la liberté à des dizaines de villes d'Empire, amputa le si beau et cohérent pays de Nouvelle-Bohême de la moitié de sa superficie, mais porta l'étendue du royaume à un niveau jamais atteint.

Comme toujours avec Charles, les unions indiquent la voie. Un an après la mort de sa troisième épouse Anna de Schweidnitz, Charles se maria en 1363 avec Élisabeth de Poméranie. Ce parti présentait de multiples avantages. Unique héritière de ce duché, ses terres faisaient entrevoir une extension vers un nord situé bien au-delà des limites du Brandebourg tant convoité. De surcroît, petite-fille du roi de Pologne Casimir III, elle venait au bon moment désolidariser une coalition formée par les rois de Hongrie, de Pologne, du Danemark et le duc d'Autriche contre la Bohême. La cérémonie eut lieu à Cracovie : c'était bien dire que la défection du grand-père de la jeune épouse importait à Charles pour briser l'alliance mortelle. Et puis Élisabeth donna en 1368 un second fils à Charles : tel un miracle capétien, la succession semblait assurée. La campagne de Brandebourg pouvait commencer.

On se souvient que Charles avait d'abord appuyé le faux Waldemar de Brandebourg en 1348 contre Louis V, le fils aîné du détesté Louis IV de Bavière, avant de se réconcilier avec lui. Sa mort en 1361, puis celle de son héritier Meinhard en 1363, ouvrit une crise de succession parmi les Wittelsbach, car l'empereur Louis avait connu le malheureux bonheur d'avoir six fils qui eux-mêmes demeurèrent pour partie sans descendance ou dont les descendants ne jouirent pas d'un grand destin. La Bulle de 1356 avait par ailleurs réussi l'exploit de détacher la voix électorale de la branche bavaroise des Wittelsbach en en confiant le privilège à la branche du Palatinat. Quoi qu'il en soit, les six garçons s'étaient partagés l'héritage de Louis IV : à Louis V, Louis VI et Othon V la Haute-Bavière, le Brandebourg et le Tyrol ; à Étienne II, Guillaume Iᵉʳ et Albert Iᵉʳ la Basse-Bavière et le Hainaut-Hollande. Dès 1363, Charles IV offrit ses services, et ses subsides, pour apaiser la querelle et parvint à signer avec les héritiers un accord qui prévoyait que la Bohême pourrait faire l'acquisition du Brandebourg au cas où les trois « co-margraves » Wittelsbach demeuraient sans enfant. Dans le Brandebourg même, c'est Othon V qui assura le gouvernement. Charles usa là encore, comme il savait le faire, de l'arme des mariages en unissant le 19 mars 1366 Othon avec sa fille Catherine, et le même jour le duc d'Autriche Albert III de Habsbourg avec son autre fille Élisabeth, ce que l'on appela le « double mariage de Prague ». Charles fit d'une pierre trois coups : il avançait ses pions vers le Brandebourg, faisait la paix avec les Wittelsbach et les Habsbourg, et écartait la perspective funeste d'une vaste coalition polono-ungaro-austro-bavaroise. Othon vivait d'ailleurs à la cour de Prague, se désintéressait du Brandebourg administré *de facto* par Charles IV qui en profita pour en détacher dès 1364 la Basse-Lusace (d'abord par levée d'hypothèque puis par achat en 1367) avant de l'incorporer en 1370 à la couronne[43]. Othon, rassemblant le parti bavarois, tenta bien en 1371 de soulever une partie de la noblesse brandebourgeoise contre les officiers de Bohême, mais Charles IV fit pénétrer une armée dans le territoire qui calma ses ardeurs. Surtout, l'empereur prit soin dans la foulée de s'assurer de la neutralité de la couronne de Hongrie dont le roi Louis venait de mettre la main sur le trône polonais en 1370. L'empereur lui promit son aide au cas où il rencontrerait des difficultés à gouverner les deux royaumes en même temps et conclut les fiançailles de son fils Sigismond avec Marie, la fille aînée de Louis. Enfin, le double roi angevin sentait déjà les effets de la pression ottomane. Elle pesait en effet plus lourdement après la victoire d'Adrianopolis (Edirne) en 1365 et tutoyait déjà les frontières de la Hongrie depuis la défaite catastrophique et la mort du roi de Serbie sur le champ de bataille de la Maritsa en Thrace en 1371. Bref, entre Pologne et Balkans, le Hongrois avait la tête ailleurs. Pendant ce temps, Othon restait sans enfant et accusa même l'empereur de lui avoir donné à dessein une épouse stérile, de sorte que lorsque Charles IV lui proposa en 1373 par le traité de Fürstenwalde un total ahurissant de 500 000 florins pour prix du margraviat (200 000 florins en liquide, 100 000 en droits et douanes, 100 000 en revenus cédés sur les villes d'Empire, 100 000 en cession de territoires du Haut-Palatinat), il accepta, à condition de garder la voix électorale brandebourgeoise jusqu'à sa mort et d'imposer que le margraviat revienne en fief aux trois fils de Charles, Wenceslas, Sigismond et Jean.

En possession de cette marche très étendue, Charles IV y appliqua des recettes identiques à celles déjà éprouvées lors de la constitution de la Nouvelle-Bohême du Haut-Palatinat : construction de forteresses, nomination de capitaines gouverneurs, érection d'une résidence fortifiée à Tangermünde, elle aussi décorée des nombreux blasons de Bohême et des Luxembourg comme à Lauf, et enfin recensement de tout le pays divisé en trois districts (Altmark autour de Tangermünde, Mittelmark autour de Berlin et Neumark transelbienne). Ce *Landbuch* de 1375, que l'on a pu comparer au *Domesday Book* anglais, passe à juste titre pour l'un des sommets de la statistique territoriale de la fin du Moyen Âge[44]. Munis d'un questionnaire à douze entrées, les enquêteurs ont répertorié 730 000 mesures de grains battues par les moulins, catalogué 72 villes moyennes, 51 cités plus petites, 730 villages, quelque 200 000 habitants, et dénombré toutes les paroisses, tous les couvents, les églises, les auberges, les brasseries, les viviers à poissons, les mines, les forêts, les dîmes, les impôts, les corvées, les ateliers monétaires, les produits de la justice seigneuriale, les douanes et péages, les routes à conduit, les droits de justice, les vassaux du margrave… Les conseillers de Charles IV, à la lecture du document, purent croire que le jeu, pour dispendieux qu'il fût, en valait à moyen terme la chandelle, quitte à subir la révolte de quatorze villes d'Empire liguées le 4 juillet 1376 sous la conduite de Constance et Ulm pour protester contre leur mise en gage. Mais l'objectif essentiel était atteint : après la voix du roi de Bohême, Charles mettait la main sur celle du Brandebourg. C'est là qu'on aperçut combien la Bulle révélait sa souplesse et ménageait des trésors d'interprétation (après tout n'est-ce pas la fonction d'une Constitution, hier comme aujourd'hui ?) : certes elle était électorale dans l'esprit, mais pouvait très bien s'avérer dynastique dans la pratique si l'on savait s'y prendre pour contrôler au moins quatre des sept suffrages majeurs.

Les princes-électeurs ne tardèrent pas à s'en rendre compte. Trois ans après l'acquisition du Brandebourg et en dépit d'une conduite budgétaire menée à tombeau ouvert (il n'était pas le seul dans son cas, le royaume de France en guerre, la papauté… tout le monde vivait à crédit), Charles IV termina la partie ouverte en vérité depuis 1356, et qui consistait à relier avec logique et opiniâtreté l'Empire, la Bohême et le Luxembourg. Les électeurs avaient pu en savourer un avant-goût : l'empereur profita de leur présence à la diète de Nuremberg, seul l'archevêque de Trèves était alors absent, pour célébrer en grande pompe le baptême de son nouveau-né Wenceslas. Dans un geste situé entre superstition, ex-voto et pensée conjuratoire, l'empereur fit apporter au gramme près l'équivalent du poids de l'enfant en or fin et exposa en public les insignes impériaux qu'il avait expressément fait voyager de Prague, manière d'affirmer qu'entre les deux villes et les deux ensembles un seul fil reliait les deux couronnes. Un deuxième signe aurait dû les alarmer : Wenceslas fut couronné en 1363 roi de Bohême et reçut le chiffre « Quatre » dans l'ordre de succession des Přemyslides. Ce numéro, l'empereur l'annonça comme pouvant également se révéler adéquat si ce fils venait un jour à succéder à l'Empire. Quoi qu'il en soit, l'empereur ne pouvait que deviner les préventions que l'élection d'un fils comme roi des Romains du vivant de son père ne manquerait pas d'éveiller chez les princes-électeurs. Le précédent remontait au règne de

Frédéric II, un siècle et demi plus tôt, et les électeurs s'étaient alors fait compenser leur ralliement par des Constitutions qui accordaient à leur principauté la quasi-totalité des droits régaliens. La Bulle ayant en quelque sorte déjà entériné ces concessions, que pouvait encore Charles IV pour les amadouer ?

Comme à son habitude, il ne négligea aucun outil de la boîte impériale : des privilèges au duc de Saxe, un appui à l'archevêque de Mayence qu'un concurrent inquiétait sur son siège, de l'argent enfin à ceux de Cologne et de Trèves, qui reçurent chacun 40 000 florins, la plus grosse somme, 50 000 florins, atterrissant dans les caisses du Palatin. C'était le prix à payer pour obtenir, le 10 juin 1376, non pas la majorité mais l'unanimité des sept voix : il ne fallait pas qu'une telle élection fût entachée du soupçon de la désunion, dont le pape de surcroît aurait pu prendre prétexte pour la contester. Le pontife ne fut en effet pas consulté, la Bulle ne le prévoyant pas. Du reste, la lettre annonçant l'élection de Wenceslas intitulait déjà ce dernier pleinement roi des Romains. Quant au couronnement du jeune élu à Aix-la-Chapelle, il fut accompli en un temps record, à peine un mois plus tard, sans doute pour ne pas laisser le temps au Saint-Siège de réagir. Charles IV semblait avoir atteint ses objectifs sans soulever de protestation massive du côté du pape ni chez les électeurs, une prouesse. Cet acte eut tout de même un désavantage de taille, il contraignait l'empereur à clarifier par testament la répartition de son héritage[45]. À Wenceslas, aîné et désormais roi des Romains, revint la part du lion avec la Bohême et ses extensions de Moravie, de Lusace, de Silésie et du Haut-Palatinat. Au puîné, Sigismond, le Brandebourg, et au cadet Jean le duché de Görlitz. Deux dimensions échappèrent peut-être un peu à la perspicacité des chroniqueurs et des historiens. En premier lieu, Sigismond devait hériter du tout au cas où Wenceslas viendrait à mourir sans héritier, ce qui arriva. Ensuite, par son mariage avec Marie d'Anjou se dessinait la perspective d'unir sur sa tête les couronnes de Pologne et de Hongrie qui, ajoutées à celles de Bohême et des Romains, aboutirait à le voir surpasser son propre père, ce qui arriva aussi. Le second désavantage du couronnement de 1376 est mieux connu : après le rachat de captivité du demi-frère

Wenceslas de Luxembourg en 1372, après l'achat du Brandebourg en 1373, les caisses étaient définitivement vides. Les historiens allemands du XIXe siècle n'ont guère pardonné à Charles IV ces dépenses, l'accusant d'avoir vendu les terres et les villes de l'Empire au seul profit des Tchèques. À l'inverse, une partie des historiens tchèques, et plusieurs spécialistes aujourd'hui encore, virent dans cet appauvrissement massif du trésor royal l'une des origines des crises structurelles qui affectèrent la Bohême dans le dernier tiers du XIVe siècle et accouchèrent des crises hussites au siècle suivant. Pourtant, rien n'indique que la désignation de Wenceslas n'aurait pas été moins onéreuse deux ans plus tard à la mort de son père : on peut même supposer qu'une fois disparu cet empereur respecté et imposant, les enchères auraient sûrement grimpé. D'autre part, les Wittelsbach et les Habsbourg n'ont pas agi autrement : augmenter son patrimoine dynastique n'était pas incompatible avec les intérêts de l'Empire, le premier étant désormais le gage de la force du second si on lisait correctement le texte de la Constitution de 1356.

L'Italie, toujours et encore…

La Bulle justement… De la papauté, on se le rappelle, le texte de 1356 ne disait mot. Mais il n'en disait pas davantage sur le royaume d'Arles ni sur l'Italie, partant du principe que le roi élu des Romains était *de facto* triple roi de Germanie, de Bourgogne et d'Italie. L'empereur, une fois la dignité impériale obtenue en 1355, une fois la Bulle proclamée en 1356 sans déclencher l'ire ou l'anathème du Saint-Siège, se garda bien de remettre les pieds dans la péninsule. La guerre de tous contre tous semblait continuer d'y régner : Milan contre Florence, Gênes contre Venise, les guelfes contre les gibelins, les villes contre les seigneuries, les Anjou de Naples en embuscade depuis leur royaume méridional. Et au centre, le cardinal Gil de Albornoz qui achevait la reconquête et la réorganisation des États pontificaux[46]. Milan, dont l'expansion avait eu raison en deux décennies de Bergame, Crémone, Pise, Parme, Pistoia, Gênes et Bologne, devenait sous Galeazzo II l'acteur principal dans le nord de la péninsule, au cœur de ce qui restait du *regnum Italiae* relevant du roi des Romains. Cette puissance montante ne pouvait que gêner Florence d'une part, le pape de l'autre, et l'empereur enfin. Celui-ci non seulement prononça la mise au ban de l'Empire de la fière cité d'Ambroise mais, de concert avec le pape, déclencha à distance plusieurs expéditions contre la seigneurie viscontienne. Il ne connut pas que des succès. En novembre 1356, un contingent levé par le vicaire impérial fut écrasé par les troupes milanaises. Cependant bon an mal an on parvint, avec l'aide d'une ligue plus large qui incluait Florence, à détacher Gênes, Asti et Bologne de l'emprise des Visconti.

La plus conséquente de ces campagnes « au-delà des montagnes » fut conduite en 1366 à l'initiative de Charles IV, sorte de prélude au retour de la papauté à Rome. Le pape Urbain V en avait manifesté l'ardent désir et s'était entendu dès 1365 avec l'empereur, sans doute en échange de son accord à voir ce dernier couronné roi de Bourgogne à Arles la même année. C'est qu'Avignon devenait un séjour de moins en moins sûr depuis que les désordres de la guerre de Cent Ans avaient jeté sur les chemins des compagnies désœuvrées et désargentées de routiers et de mercenaires anglais, bretons, français. Parallèlement, le légat Albornoz avait reconstitué autour de Rome un glacis défensif bien plus efficace, achevant de persuader Urbain qu'un retour dans la Ville de saint Pierre devenait non seulement possible mais souhaitable. Parti des bords du Rhône le 30 avril 1367 pour atteindre Viterbe le 9 juin, le pontife y forgea une vaste coalition contre Milan, dans l'attente de la descente de l'empereur en Italie. Pour la financer, le pape avait accordé à Charles une année de dîmes prélevées sur tous les biens ecclésiastiques situés en Bohême et dans l'Empire. Urbain V fit son entrée solennelle dans la Ville éternelle le 16 octobre, mais Charles IV n'y était pas. Ce n'est qu'en mai 1368 que l'empereur parvint d'abord à Padoue. Urbain V, entre-temps, avait en quelque sorte brûlé ses vaisseaux puisque son départ d'Avignon avait laissé la Provence en proie aux ravages si dévastateurs des routiers qu'un de leurs capitaines, le célèbre Bertrand du Guesclin, fut excommunié en septembre 1368. Il avait aussi pu humer le climat délétère et dangereux de Rome, toujours dominée par les luttes de clans, les rivalités entre cardinaux, l'entrisme de tout ce que la péninsule comptait de seigneurs, de ducs, d'abbés et de rois. Englué dans ce bourbier, il en était venu à envisager de retourner à Avignon quand Charles IV fit enfin son entrée à Rome le 20 octobre 1368. Il n'était alors plus ce roi de trente-neuf ans que le pontife d'alors n'avait autorisé à séjourner que vingt-quatre heures sur les bords du Tibre. Il entra en ville revêtu de tous les ornements de sa dignité, fut accueilli par le pape, dont il tint le cheval par la bride, tel un « *alter Constantinus* » ramenant le successeur de Pierre dans son siège naturel. « Quel spectacle que d'apercevoir ces deux plus hauts princes, ces deux seuls monarques de toute la terre, le maître des âmes d'un côté, celui des corps de l'autre, dans un tel acte de paix et de concorde, liés par les attaches de la bonne volonté et de la sérénité des cœurs[47] ! » C'est ainsi du moins que l'interpréta de manière optimiste le grand humaniste Florentin Coluccio Salutati, chancelier et donc le plus haut personnage politique de sa cité, dans une lettre adressée à Boccace[48]. À quoi répondit de manière bien plus amère Ulman Stromer, échevin et patricien influent de la ville de Nuremberg[49] : « L'empereur se tenait là, devant les portes de Rome, descendu de sa monture, et il accompagna le pape en tenant son cheval par la bride à travers la ville de Rome jusqu'à l'église de Pierre et Paul, quelle injure faite ainsi à l'Empire[50]. » Quoi qu'il en soit, la quatrième épouse de Charles, Élisabeth de Poméranie, accompagnait son époux, bien décidée à se faire couronner impératrice, ce qui fut fait en grande pompe le 1er novembre. De ses premiers séjours italiens en 1331/1333 puis en 1355, Charles avait conservé le sens de la diplomatie et la vertu du pragmatisme. Il n'était pas question pour lui de s'épuiser à écraser Milan ni de bouleverser l'équilibre instable du Nord italien au profit de la papauté. Il ne renonça pas pour autant à monnayer le vicariat d'Empire ou à se passer des subsides des communes, au premier chef de la riche Florence qui dut lui verser 50 000 florins en échange de la promesse impériale de laisser aux Florentins la seigneurie sur Lucques, suivie de Pise délestée de 15 000 autres pièces.

Ce n'est donc que le 20 octobre 1368, douze mois après Urbain, que Charles franchit les murailles de la Ville pour y demeurer jusqu'en décembre et négocier l'appui du pape dans deux affaires qui lui tenaient à cœur : désolidariser l'alliance qui se nouait entre les rois de Hongrie et de Pologne contre la Bohême, et s'assurer de nominations favorables sur les sièges archiépiscopaux et électoraux de Cologne et de Trèves en vue de la désignation de l'héritier de Charles comme roi des Romains du vivant de son père. En contrepartie, Charles promit son soutien au pape pour assurer sa position à Rome et lui certifia la cession, dès 1369 et à hauteur de 100 000 florins, de plusieurs impôts prélevés sur quelques communes de Toscane. Puis il quitta Rome, séjourna plusieurs mois à Lucques jusqu'en août 1369, franchit les Alpes et ne repassa jamais plus les cols jusqu'à sa mort. Il fit une entrée triomphale à Prague le 6 janvier 1370, jour des Rois mages, et fut célébré par la foule et le clergé comme un *princeps pacis*, un prince de la paix, qui avait rétabli la concorde sur le siège de saint Pierre. La réalité, à quelque 1 400 kilomètres de la capitale de la Bohême, était tout de même un peu différente. Urbain V parvint encore à se maintenir jusqu'à l'été 1370 dans le château Saint-Ange, mais dut reprendre la route du comtat venaissin, non sans avoir déclaré à « ses chers fils [...] qu'après vous être réjouis de notre présence, vos cœurs ne s'attristent sûrement en apprenant l'éloignement de votre père ». Le retour de Rome dans Rome n'avait duré que 33 mois et se soldait par la mort d'Urbain quelques semaines plus tard dans le palais d'Avignon.

Au regard du schisme pontifical qui s'ouvrit huit ans plus tard, les historiens sont aujourd'hui partagés sur la politique menée par Charles IV au cours de ce second séjour italien[51]. Leur interprétation oscille entre un bilan nostalgique des occasions manquées et la reconnaissance réaliste d'une marge de manœuvre limitée. Il était évident en tout cas que Charles IV n'allait pas sacrifier dans un Sud hypothétique le plan dynastique et territorial patiemment forgé depuis 1346 au Nord. Il appartiendrait à son fils Sigismond, quarante ans plus tard, de tenter en 1412-1414 une politique de nouveau plus offensive en Italie. En attendant, *nolens volens*, Charles IV demeura un spectateur des affaires italiennes, et partant avignonnaises. De cette prudente retenue peut-être n'a-t-il pas assez tôt évalué le coût. Le successeur d'Urbain V en 1370, Grégoire XI, entreprit avec plus de succès une offensive tournée contre Milan qui se résolut à conclure en 1374 une paix que le pape interpréta comme le signe favorable à un nouveau retour dans Rome. Ce projet fut cependant contrarié dès 1375 par l'opposition de Florence qui parvint à soulever l'ensemble des États pontificaux, en vertu de quoi Grégoire prononça l'excommunication et l'interdit sur la métropole de Toscane. Mais en janvier 1377 le pontife finit tout de même par rallier Rome, alors en pleine ébullition. La succession quasi continue d'émeutes qui agitaient la cité éternelle contraignit le pape à se réfugier à Anagni dès le mois de mai, d'où il tenta un retour en ville dès novembre. Le séjour ne lui réussit pas davantage qu'à Urbain V : il mourut d'épuisement quelques mois plus tard, le 27 mars 1378[52]. Tout cela s'est décidé et déroulé loin de Prague et de Charles, tout comme il ne recevait que des échos voilés et étouffés des difficultés croissantes éprouvées par l'autre empire, oriental et byzantin, sur lequel se refermait peu à peu l'étau ottoman. Paradoxalement, au moment où Charles IV avait fait ses adieux à Paris et à la cour de France en début d'année, il perdait prise sur une Église d'Avignon, « exilée à Babylone » pour certains penseurs italiens, en tout cas ultra-dominée par la France. Cinq des neuf papes d'Avignon et les trois quarts des cardinaux n'étaient-ils pas natifs de ce royaume ? On comprend bien pourquoi cette papauté réfugiée en Venaissin se trouvait si déboussolée d'avoir retrouvé son giron italien et romain. D'ailleurs, c'est parce que Grégoire XI était mort à Rome, à la différence de ses prédécesseurs, que l'élection à chaud d'un Italien fut cette fois possible et pensable, en la personne de Bartolemeo Prignano, archevêque de Bari, devenu Urbain VI[53]. Une grande partie du collège cardinalice, mécontent des méthodes urbanistes et terrorisé par les milices romaines, reporta ensuite ses suffrages, le 20 septembre 1378, sur le cardinal Robert de Genève qui prit le nom de Clément VII et retourna à Avignon[54]. Urbain VI, aux yeux de Charles IV, présentait tout de même deux avantages. Tout d'abord, il avait reconnu dès le 26 juillet la légitimité de Wenceslas en qualité de roi des Romains, sans doute pour s'assurer du soutien impérial face à l'appui prévisible que la cour de France ne manquerait pas d'apporter à ceux qui contestaient déjà son élection. Ensuite, le pape romain avait nommé le 18 septembre l'archevêque de Prague parmi les vingt-neuf nouveaux cardinaux qu'il désigna. À la date de la contre-élection de Clément, Charles IV, affaibli, empêtré dans des tractations avec les princes d'Empire réunis à la diète de Nuremberg et bientôt cloué au lit par une chute de cheval, n'avait cependant plus la force d'enrayer la mécanique en train d'accoucher du grand schisme dont l'une des origines doit bien être trouvée entre Prague et Rome, et pas seulement entre Paris et Avignon. La France justement...

Charles IV et le royaume de France

Consolidation et extension du royaume de Bohême, arrangement constitutionnel dans l'Empire, prudence pragmatique en Italie : Charles IV avait-il pendant tout ce temps oublié, à l'ouest de son Empire, le royaume de France, par lequel avait commencé et allait s'achever son itinéraire ?

Une solide tradition historiographique, à laquelle ont pu céder quelques raccourcis dans les pages précédentes, a fait de l'alliance entre les maisons de Valois et de Luxembourg le produit d'une évidente continuité, singulièrement sous le règne de Charles IV. Plusieurs études récentes ont souligné à raison que les choses étaient sans doute plus complexes[55]. Comme on l'a vu, la proximité entre les deux dynasties était réelle et s'était avérée profitable des deux côtés, au moins jusqu'au début des années 1340. On ne rappellera pas non plus l'attachement de Jean l'Aveugle à Paris, son remariage avec une princesse française, comme celui de son fils, jusqu'au sacrifice suprême et loyal sur le champ de bataille de Crécy.

Or, justement, c'est bien la guerre franco-anglaise qui, depuis 1337, troublait le jeu, comme du reste l'ensemble de la diplomatie du continent[56]. Pour le roi de France Philippe VI, il s'agissait d'emblée d'éviter une alliance entre Édouard III et

l'empereur Louis IV de Bavière en s'appuyant sur le parti luxembourgeois. Mais la cour de France se méfiait tout de même du fils
de Jean. Sa *Vita* au demeurant ne dresse pas du souverain Valois
un portrait très flatteur : « Ledit Philippe conserva les conseillers de son prédécesseur, mais faisant peu de cas des conseils il
sombra dans l'avarice[57]. » Le pape, qui soutenait Charles dès
avant 1346, n'informa le roi de France de son soutien au candidat de Bohême que le 3 juin, deux bons mois après la visite de
Charles et de Jean à Avignon. Une fois l'élection du jeune héritier
accomplie, le roi de France n'avait que deux options possibles :
ne pas le reconnaître afin de ne pas pousser Louis IV dans les
bras du roi anglais, ou le juger légitime et prendre le risque d'un
rapprochement entre l'empereur en titre et son ennemi. Le sort
des armes, c'est-à-dire la déconfiture de l'ost français à Crécy,
eut au moins le mérite de ne pas prolonger longtemps l'hésitation de Philippe VI qui, affaibli, n'eut pas d'autre choix que de
consolider ses alliances. Toutefois, il s'agit d'un soutien de la
raison et non du cœur : Philippe ne bougea pas quand Charles,
empêtré dans le bourbier tyrolien en 1347, l'appela au secours, ni
quand, pour donner des gages à Louis de Bavière, il concéda à ce
dernier le Hainaut si proche du comté des Luxembourg. La mort
de l'empereur le 11 octobre 1347 leva ces hypothèques, d'autant
que la brève contre-élection d'Édouard III par le parti bavarois
en 1348 contre Charles IV avait agité devant le roi de France le
péril mortel d'un roi anglais occupant également le trône des
Romains. Charles, de son côté, n'avait pas attendu que Philippe
rangeât ses préventions et sa prudence à son égard : dès le retrait
d'Édouard III, il lui avait promis sa neutralité dans la querelle qui
l'opposait à son beau cousin de France. C'est qu'entre-temps, à
la mort de Philippe en 1350, les mariages franco-luxembourgeois
étaient devenus caducs après la double disparition de l'épouse
Valois de Charles suivie de la mort de Bonne, dont les relations
avec le futur Jean II le Bon étaient notoirement exécrables, au
point que l'on accusa un temps l'époux d'avoir empoisonné sa
femme.

   Tout cela explique que les relations entre Jean II le Bon et
Charles furent à peine meilleures que sous le règne précédent :

point hostiles ni détestables, certes, mais marquées par une distance qu'explique au fond la difficulté qu'éprouvait depuis longtemps Charles envers ce voisin si brillant, si puissant et qui, pour tout dire, prenait et le Luxembourg et l'Empire de haut. Charles IV profita donc des difficultés traversées par le royaume de France pour renforcer partout où il le put les droits royaux et impériaux en Lorraine[58]. Il s'appuya pour cela sur les trois évêques de Toul, Metz et Verdun, suffragants de la province de Trèves. Ce n'est ni la première ni la dernière fois que cet ensemble ferait parler de lui entre la France et l'Allemagne. Ces trois cités et sièges épiscopaux étaient en effet d'Empire, mais soumis depuis au moins 1300 à un progrès constant de la langue, du droit et de l'influence du royaume, à partir de la Champagne et du Barrois mouvant placé dans la vassalité du roi de France. Charles IV en 1367 accorda à Toul le statut enviable de ville libre d'Empire pour tenter de garantir son indépendance. Il octroya le même statut à Verdun en 1374. Le sort du Barrois montrait bien par ailleurs que, contrairement au grand récit de l'abandon de l'ouest de l'Empire par Charles IV, ce dernier tenta d'y maintenir les droits impériaux autant qu'il put. Il n'en alla pas autrement avec Metz, cité d'Empire, qui subit un siège et connut entre 1324 et 1326 une véritable guerre, dite des « Quatre Seigneurs », face à une coalition formée par Jean de Luxembourg et de Bohême, l'archevêque de Trèves Baudouin, le comte Édouard Ier de Bar et le duc Ferry IV de Lorraine[59].

Conscient des progrès de l'État royal et de l'influence française aux portes du pays messin, Charles IV ne choisit donc pas par hasard cette cité pour y proclamer la Bulle de 1356 dont l'acte de convocation rappelait en due place qu'elle était *civitas imperii*. On l'oublie peut-être un peu, mais la diète de Metz fut aussi une rencontre diplomatique « franco-allemande », raison pour laquelle le Dauphin était accompagné de son frère Jean, du duc de Bretagne, du comte d'Etampes, du chancelier Pierre de la Forêt et de 2 000 chevaliers et 200 archers : les chroniqueurs parlent d'un camp de 10 000 hommes ! L'empereur demanda à son neveu Charles, qui représentait son père prisonnier des Anglais après la défaite de Poitiers, de renouveler l'hommage dû à l'Empire pour le Dauphiné et d'inviter le duc de Bourgogne à prêter l'hommage pour le comté de Bourgogne (Franche-Comté) par l'intermédiaire de ses ambassadeurs, en sorte que l'un et l'autre, sur le papier, étaient bien des princes d'Empire. Pour prix de cet accord, Charles IV conclut avec le roi de France un traité d'amitié, en vérité un pacte de neutralité. L'arrangement écartait pour le Valois le danger d'une alliance de revers de l'Empire avec l'Angleterre, mais reconnaissait *de facto* les positions peu à peu grapillées en direction de la Lorraine, de la Bourgogne et du Dauphiné. Ce traité de 1356 a pu être érigé, avec justesse, en matrice de l'alliance et du respect négociés « de dynastie à dynastie et de royaume à royaume » et renouvelés presque mot pour mot jusque dans les années 1410[60]. Il établit en tout cas un engagement mutuel à conserver et à observer l'intégrité territoriale et symbolique du voisin[61]. La plupart des historiens ont noté à juste titre que la relation entre Charles IV et le Dauphin Charles, devenu en 1364 Charles V, était nettement meilleure que celle qu'il put entretenir avec son père et son grand-père. On raconte même que, lors de la crise de l'automne 1355 qui l'opposa durement à son père, le jeune Charles (de France) caressa le projet d'une fugue auprès de son oncle impérial. Il n'y renonça, dit-on, que parce que son père le nomma, enfin, duc de Normandie[62]. À Metz, un an plus tard, le futur Charles V offrit à l'empereur deux épines de la vraie couronne de la Passion du Seigneur : à cette date, tout prince en Europe savait qu'on ne pouvait faire plus grand plaisir au Luxembourg. En échange de quoi, l'empereur accorda à son gentil Dauphin, qu'il avait nommé vicaire impérial, un prêt de 50 000 florins au moment où les caisses du Trésor de France étaient à sec. Chacun put repartir satisfait. Charles de France, à presque dix-neuf ans, avait négocié comme un grand en l'absence de son père et son aura diplomatique s'accrut considérablement ce jour-là. En retour, son oncle Charles IV avait en quelque sorte inversé les rôles depuis un début de siècle où les comtes de Luxembourg faisaient figure de parents de second rang que l'on accueillait et acceptait à la cour de France, parfois avec condescendance. Le voyage de Paris en 1378 sera bien dans cette ligne : neutralité, respect mutuel, reconnaissance apaisée des faits. Le Dauphiné devint à cette occasion un vicariat cédé à vie et héréditairement au fils aîné du roi de France. Le XIXe siècle en a fait un acte de cession honteuse d'une région allemande à la France, injure que le traité de 1871 viendra laver par Alsace-Moselle interposée. Mais c'est oublier que ce type de co-suzeraineté d'un roi et d'un empereur sur un même territoire est monnaie courante au Moyen Âge, on l'a bien vu pour le Barrois, et qu'un roi peut être vassal d'un autre : après tout n'était-ce pas *in fine* le cas pour l'Aquitaine entre le roi de France et celui d'Angleterre ?

Surtout, il faut prendre au sérieux et à la lettre le texte du diplôme, comme savaient très bien le faire les notaires des chancelleries médiévales. Le Dauphin est certes vicaire perpétuel de cette principauté, mais en droit et en titre le Dauphiné demeure d'Empire. Il n'est nulle part question de transferts de propriété, d'annexion ou d'incorporation au royaume de France. De la sorte, l'esprit de l'alliance de 1346 était honoré : sur le papier en tout cas, l'intégrité territoriale du voisin a été respectée. Il fallut un cataclysme de l'ampleur du schisme pontifical pour mettre l'intelligence de ce traité à rude épreuve, sans pour autant provoquer ni guerre ni expédition armée. Certes, dans les années 1360, le roi de France poussa de nouveau ses pions en Lorraine. Mais Charles IV (qui avait enfin un héritier depuis 1361) avait la tête à l'Est, sans totalement négliger les marges occidentales de son empire. On aurait tort en effet de sous-estimer la nature du couronnement de Charles comme roi de Bourgogne ou d'Arélat en 1365. Il tint en effet à suivre à la lettre l'ancien *ordo* du sacre accompli dans la cathédrale Saint-Trophime d'Arles, pour la première fois depuis Frédéric Ier Barberousse en 1178[63]. Il se fit remettre ensuite deux précieuses reliques de saint Maurice prélevées de l'abbaye d'Agaune[64]. Il en profita également pour fonder deux universités. Il fit enfin frapper des monnaies d'argent et d'or à son effigie. On a surtout oublié qu'en 1361 Charles IV avait pris la précaution de détacher la Savoie de l'Arélat et de l'incorporer en qualité de principauté immédiate d'Empire avant d'en confier le gouvernement à Amédée VI, le fameux « comte vert », désigné « vicaire impérial perpétuel et héréditaire dans l'ancien royaume d'Arles »[65]. De la sorte, les affaires du Dauphiné ne toucheraient en rien cette partie du territoire conservée à l'Empire et si capitale pour contrôler les passes alpines. Les contemporains s'y retrouvaient : l'appel en justice des cas du Dauphiné relevait du royaume de France, celui des cas savoyards du tribunal de l'empereur. Au total, il faut bien en arriver à penser que le couronnement d'Arles non seulement était concerté avec la papauté, mais nullement dirigé contre le royaume de France, avec lequel au contraire une sorte de partage d'influence s'établissait dans cette région, à telle enseigne que Charles V y avait dépêché ses trois frères. Tout cela se fit principalement au détriment de la grande absente de la cérémonie, Jeanne, reine de Naples et comtesse de la proche Provence, qui avait épousé en premières noces le roi angevin André de Hongrie[66].

On a pu estimer récemment que le couronnement d'Arles, loin d'être anecdotique, avait pu faire figure de signal adressé sur la scène européenne par la papauté, les Luxembourg et le royaume de France contre un possible expansionnisme angevin au sud et à l'est du continent. Cela n'empêcha nullement les deux maisons, au début des années 1370, de convoiter une alliance avec les filles de Louis Ier de Hongrie, Catherine se fiançant avec un fils de Charles V, et Marie finissant par épouser Sigismond de Luxembourg. Le roi de France n'érigeait donc pas les royaumes orientaux en *casus belli* du moment que les affaires du Dauphiné et des reliquats du royaume d'Arles ne faisaient plus l'objet d'une remise en cause par l'empereur et sa cour. Au total, et même si le schisme provoqua une fracture entre un Empire qui rallia la cause urbaniste de Rome et un royaume de France qui soutint le pape avignonnais, les relations entre les Valois et les Luxembourg demeurèrent empreintes de cet esprit issu de l'accord des années 1349-1356. C'est bien ce que confirma le long séjour parisien de Charles IV en janvier 1378.

Acte I

1378, dernière visite ou revoir Paris

Le célèbre voyage entrepris par Charles IV pour rendre visite à son neveu Charles V à Paris en 1378 constitue l'un des épisodes les plus célèbres du Moyen Âge tardif : le séjour d'un empereur, pendant deux semaines, dans la capitale du roi de France pour une première rencontre au sommet, au sens moderne du terme, a frappé autant les esprits contemporains qu'il a retenu l'attention de tous les historiens. Il s'agit pour ainsi dire d'un *hapax* : hormis les papes qui rencontrent régulièrement les rois et empereurs d'Occident, il est rarissime que deux monarques se fréquentent aussi longtemps. Le caractère unique de l'événement, mais aussi son enjeu, comme on verra, lui a valu d'être magnifiquement consigné. La scène, abondamment illustrée, est rapportée d'un côté dans ce que l'on appelle communément les *Grandes Chroniques de France*[1], et fait par ailleurs l'objet d'un développement long et minutieux dans le *Livre des faits et bonnes mœurs du sage roi Charles V* de Christine de Pizan[2].

En vérité, ce ne sont pas tant la qualité, la précision et l'ampleur de vue de ces deux récits qui, à plus de six siècles de distance, peuvent encore marquer, que leur singulière exceptionnalité. Si ces deux chroniques avaient en effet disparu, nous ne saurions plus grand-chose du dernier voyage en Europe de Charles IV, de la rencontre entre deux des plus éminents souverains d'Occident

du temps, de la débauche de banquets, de processions et d'entre-
vues qui a rythmé ce séjour. Le silence des sources, pour l'interprétation de l'historien, compte autant que leur existence :
l'absence de grands récits allemands ou tchèques capables de
livrer le point de vue de Charles IV ne laisse pas d'étonner et il
conviendra de réserver un sort à ce mutisme.

Quoi qu'il en soit, l'épisode est passé à la postérité du côté
« français » parce qu'il n'occupe pas moins de vingt-huit feuillets
à la fin de l'un des plus riches et célèbres manuscrits des *Grandes
Chroniques de France*, autant dire de la « mémoire nationale du
royaume ». Il s'agit d'un exemplaire composé sous Charles V
dans les années 1377-1379, c'est-à-dire dans la contemporanéité
même de l'événement, et sous l'étroite surveillance du chancelier
du roi, Pierre d'Orgemont[3]. Ce n'est pas seulement le volume de
la description qui a depuis longtemps arrêté le regard des spécialistes[4], mais également son illustration et l'agencement du récit[5].
Cette version appelée *Grandes Chroniques de Charles V*, qui
appartint en propre au roi, a été minutieusement calligraphiée
par deux des meilleurs « écrivains du roi », Henri du Trevou,
responsable de la partie du récit s'étendant jusqu'en 1350, et
Raoulet d'Orléans son continuateur, auteur de la consigna-
tion allant jusqu'aux années 1377 (date de la reliure) puis 1379.
Le manuscrit est également illustré par les quatre peintres (ou
leur atelier) les plus remarquables de l'époque : le maître dit du
Couronnement de Charles VI, le maître dit du *Livre du sacre*, le
maître dit de la *Bible de Jean de Sy*, et Perrin Remiet[6]. Le cycle
de dix-sept miniatures relatant la visite de l'empereur à Paris
apparaît comme un témoignage nouveau du rôle de l'illustration
dans la propagande politique.

Il importe de rappeler la place importante et symbolique
qu'occupaient les *Chroniques de France*, puisqu'elles portent
en vérité ce titre à compter du milieu du XIVe siècle, au sein de
l'appareil mémoriel et politique de la royauté pour se convaincre
de l'intérêt accordé à toute mention consignée dans ce véritable
« Roman aux roys ». Commandée vers 1250 par Saint Louis aux
moines de l'abbaye de Saint-Denis, remise officiellement, dit-on,
en 1274 à Philippe III le Hardi par le moine dionysien Primat,

cette suite de chroniques, règne après règne, ne renferme rien moins que la mémoire centrale, royale, dynastique, et partant la plus précieuse, de la monarchie capétienne, entièrement récupérée par les Valois à partir de 1328. Le nombre de manuscrits conservés des différentes versions, quelque sept cents au total, souligne la portée d'une œuvre consacrée aux vertus, victoires, qualités et saintetés des rois de France. Si l'on ajoute que le texte est entièrement rédigé en français et que l'illustration des manuscrits les plus précieux mobilise les artistes les plus renommés et coûteux, ainsi du manuscrit dont il est ici question[7], on comprend que consacrer en 1378-1379 vingt-huit feuillets à ce qui a été d'emblée conçu et voulu, du moins du côté du roi de France, comme une véritable visite d'État entend marquer un signe. Mais pourquoi ce luxe de détails par la plume et le pinceau ?

Luxe de détails en effet car rien n'est omis. Le projet de visite est relaté par le menu, jour après jour et bientôt heure après heure, depuis les premiers contacts puisque la chronique commence par un chapitre intitulé « *Comment Charles, empereur de Romme escripst au Roy qu'il vouloit venir en France* ». D'après la version dite de Charles V, l'empereur souhaitait « *venir en France veoir le Roy et faire certain pèlerinage* ». Ce voyage, commencé en novembre 1377 et achevé le 19 janvier 1378, a été le tout dernier entrepris par Charles IV à l'étranger. Comme on peut le lire dans le manuscrit, l'empereur poursuivait ce faisant trois objectifs. Il voulait d'abord se rendre dans des lieux saints et riches en reliques, en particulier l'abbaye de Saint-Denis et la Sainte-Chapelle, qu'il avait déjà fréquentés lors de son séjour entre 1323 et 1330, sous les règnes du dernier Capétien et du premier Valois. Pour le collectionneur d'objets de dévotion et de reliques qu'était l'empereur, cette visite revêtait une très grande importance spirituelle. En second lieu, Charles IV espérait guérir de la goutte en faisant un pèlerinage à l'abbaye de Saint-Maur-des-Fossés. C'est d'ailleurs là qu'il réside à la fin de son séjour parisien et qu'il rencontre par deux fois son neveu, les 12 et 15 janvier 1378. La troisième raison était d'ordre politique et reposait dans le souci de Charles IV, empereur blanchi et déjà préoccupé de sa succession, de présenter au roi de France son fils Wenceslas[8].

La visite d'un empereur dans le royaume de France avait de quoi frapper. Tout d'abord, en un temps où les transports sont difficiles et risqués, le voyage d'un souverain d'un royaume à l'autre n'est pas si fréquent. Dans ce cas précis, il convient d'ajouter que l'empereur qui se déplace ainsi pendant des semaines, de surcroît en plein hiver, est âgé de soixante et un ans à son départ, et se trouve qui plus est dans un état de santé qui l'incite à vouloir prier pour sa guérison devant des reliques chaudes à son cœur, celles de la Passion conservées à la Sainte-Chapelle. Par ailleurs, dans le contexte de la guerre dite de Cent Ans, l'alliance entre le royaume de France et l'Empire est capitale. En l'absence d'ambassades permanentes, la venue personnelle d'un empereur fait sensation. On en retrouvera l'écho dans la place qu'une continuation des *Chroniques de France* réserve à la visite de Sigismond en 1416 : ce ne sont pas moins de trente feuillets qui lui sont alors consacrés.

Il s'agit, pour l'épisode de 1378, d'une rencontre de marque, conférant aux discussions diplomatiques, aux échanges sur les mariages et les successions entre les deux dynasties un sens enrichi par le dialogue personnel et physique entre les deux monarques qui se connaissaient bien[9]. Car ce séjour était également une visite familiale, entre oncle et neveu. Or les *Chroniques de France* sont un hymne à la gloire de la dynastie, du sang royal de France et donc de tous les membres de l'illustre lignage, cela en un temps où, avec l'oriflamme, les fleurs de lys, les patronages de saint Denis et de la Vierge sur le royaume, la figure de Saint Louis, se forgeait la « naissance de la nation France[10] ». Tout cela restitue assez précisément ce qu'est la diplomatie au XIVe siècle : pour l'essentiel des affaires de dynastie, d'hommage, d'amitié, d'alliance ou au contraire de mésalliance et de trahison entre rois et princes. Or, on le sait, dans une société où certes l'écrit compte mais n'a pas encore chassé, loin s'en faut, le pouvoir du symbole, les relations entre personnes, *a fortiori* entre rois, doivent être manifestées par force gestes, rituels, cadeaux et signes[11]. Dans le cas de Charles IV et de Charles V, cet agencement était délicat et chaque message comptait : l'un était roi, l'autre empereur. Chacun était sacré à sa manière, le roi de France par l'onction reçue lors du sacre à Reims, l'empereur aussi par son couronnement romain qui en fait l'autre pouvoir universel de la chrétienté, le roi des rois, le porteur de la couronne impériale de Charlemagne. Bref, il était *Caesar, Augustus, Imperator*, autant de titres qu'il porta et fit porter sur ses bulles, lettres et diplômes de chancellerie. Dans le même temps, le roi de France, ses conseillers, ses juristes toujours plus nombreux au sein d'un État mieux organisé, n'ont eu cesse de rappeler que, selon la formule consacrée, il était « empereur en son royaume[12] ». Alliés et parents, Charles IV et Charles V n'en étaient pas moins engagés, bon gré mal gré, dans un jeu de la préséance, de la reconnaissance et de l'indépendance. C'est pourquoi chaque étape du voyage fut étudiée, au grand bonheur des chroniqueurs puis des historiens mais aussi pour le plus grand intérêt des deux protagonistes, car Charles IV avait derrière lui une longue carrière de séjours, d'itinéraires, de vie de cour et de rencontres princières et royales qui en faisaient un parfait connaisseur des rituels, du protocole et du cérémonial. Mais puisque c'est Charles V qui recevait, c'était à lui que revenait le privilège de les fixer, sachant que s'ils ne créent pas le pouvoir et ne bouleversent en rien la dignité des titres et des personnes, ils en manifestent l'existence et l'éclat[14].

Tout fut donc réglé au plus près. Charles IV entra d'abord dans le royaume depuis Cambrai, évêché alors situé en terre d'Empire, où il célébra les fêtes de la Nativité, sans doute par respect pour l'indépendance du royaume, afin de ne pas apparaître en empereur, à Noël, proclamant le récit de la Nativité en plein office, sur les terres de Charles V[15]. Puis il parvint par Senlis jusqu'à Saint-Denis, où il visita les tombeaux des rois dont la disposition avait été réordonnée par Saint Louis. Un passage fort émouvant des *Chroniques* insiste sur l'attention particulière accordée par Charles IV aux tombeaux royaux de Charles IV le Bel et de Philippe VI de Valois qui l'avaient accueilli en France « *qu'il disoit que en leurs hostelz il avoit esté nourris en sa jonesce et que moult de biens li avoient faiz* ». Le lendemain, il vint en litière jusqu'à la chapelle Saint-Denis où les échevins et le prévôt

de Paris le reçurent. Il monta alors, non sans difficulté, sur un
cheval noir pour aller à la rencontre de Charles V juché pour
sa part sur un cheval blanc, couleur du pouvoir réservée au roi,
ainsi que le pointent les *Chroniques de Charles V* : « *Pour ce que,
es coutumes d'Empire, les empereurs ont accoustumé de entrer
es bonnes villes de leur empire, et qui sont de leur seigneurie, sur
cheval blanc. Si ne vouloit pas le Roy que, en son roiaume, le feist
ainsi, afin que il ne peust estre noté aucun signe de dominacion.* »
Ce passage ne prend aucune précaution pour souligner le cœur
du problème : c'est bien d'un rapport de domination et de préséance qu'il s'agit entre ces deux têtes couronnées. La scène fait la
première fois l'objet d'une grande miniature de pleine page dans
les *Chroniques de France* de Charles V. Si le détail, la couleur
de la robe du cheval, peut paraître mineur, il est en vérité d'une
extrême importance. Lors de la visite de Charles IV au pape en
Avignon le 23 mai 1365, le pontife Urbain V n'avait pas osé
refuser à l'empereur le privilège et le prestige de son pouvoir, un
cheval blanc « recouvert de soie, équipé d'un harnais d'or, décoré
d'une aigle et des insignes de l'Empire », comme le note alors la
Chronique de Jan Neplach, conseiller de Charles IV. Pour l'occasion, les ducs de Berry et de Bourbon étaient présents, ceux que
l'on retrouve à Paris en 1378 aux côtés des deux Charles... Cette
fois, en présence du roi, l'empereur dut se contenter d'un cheval
« *morel* », c'est-à-dire sombre : à Paris, il ne pouvait en être autrement. L'oncle et le neveu firent alors côte à côte une entrée dans
Paris (dont l'enceinte dite de Charles V passait alors par la porte
Saint-Denis, la porte Saint-Martin et le Temple sur son versant
Nord) et rejoignirent le palais de la Cité[16]. Là encore, cette entrée
fait l'objet d'une grande miniature richement enluminée dans le
manuscrit. C'est ici que l'empereur commença par vouloir toucher les reliques de la Sainte-Chapelle. Le récit des *Chroniques*
insiste alors à la fois sur la dévotion de l'empereur mais aussi sur
sa faiblesse physique, qui ne fait que mieux ressortir la robustesse et la solidité de Charles V et, partant, de son royaume[17].
Le jour de l'Épiphanie, un banquet solennel de trente mets et
deux entremets (des spectacles, dont une prise de Jérusalem par
les croisés...) fut offert aux trois rois Wenceslas, Charles V et

Charles IV, incarnant les Rois mages fêtés le 6 janvier et assis à la même table de marbre surmontée d'un dais [ill. 1][18]. De nouveau, le manuscrit distingue cet épisode par une enluminure de pleine page qui met en valeur trois rois côte à côte réunis le jour de l'Épiphanie. Trois séjours suivent : au Louvre où une alliance fut scellée entre les deux rois, puis à l'hôtel Saint-Pol pour y rencontrer la reine et enfin au château de Vincennes où le jeune Wenceslas jura fidélité au roi de France. Pour finir, l'empereur prit le chemin de Saint-Maur-des-Fossés puis regagna l'Empire par Meaux, Château-Thierry et Reims. Les enlumineurs et les rédacteurs du manuscrit des *Chroniques* ne s'y sont pas trompés : ils ont mis en scène une suite d'épisodes, rythmés, scandés dans le temps et l'espace, qui s'organisent autour d'un triptyque central de trois grandes miniatures représentant la rencontre, l'entrée puis le banquet au cours desquels chaque fois les trois rois sont montrés ensemble.

Un tel agencement textuel et visuel manifeste bien qu'en dépit des progrès de l'écrit, dont ce manuscrit est aussi un puissant témoignage, la communication orale, gestuelle et interpersonnelle conserve tous ses droits, et cela en un temps où chaque traité de paix, juré par les parties pour durer une éternité, était remis en cause peu après. La guerre de Cent Ans, que l'on pourrait aussi bien appeler la recherche de la paix de cent ans, n'est-elle pas qu'une suite de trêves, traités, négociations dénoncés à date régulière ? Dans ce contexte, l'échange concret, charnel, de paroles et d'engagements entre deux rois reste un temps fort de la vie politique, d'autant que la royauté ne dispose d'aucun protocole fixe pour recevoir un empereur. Le film des miniatures de la visite de l'empereur en France en 1378 en rend compte et doit en quelque sorte fixer cette mémoire et son exceptionnalité, tout en enregistrant l'innovation en train de se façonner. Certes des ajustements de préséance et de hiérarchie sont sensibles, ils sont cependant réglés sur le moment, par le déroulement rituel et protocolaire d'une part et, pour la postérité, par le texte et l'image du manuscrit de l'autre, afin que le souvenir demeure que l'empereur « *n'a esté receu en quelque église à procession, ne cloches sonnans, ne fait aucun signe de quelconques dominacion*

ne seigneurie, comme à nul autre que au Roy, ou à ceuls qui ont
la cause de lui, n'appartiengne à estre fait, en tout le royaume de
France ». Surtout, c'est une image biblique de concorde et d'amitié entre trois rois qui est mise en exergue, en même temps qu'une
belle opération de propagande pour Charles V[19].

Telle est l'impression que renvoie à son tour le récit de l'épisode dans le *Livre des faits et bonnes mœurs du sage roi Charles V*
de Christine de Pizan. Ici, le style, l'auteur, la confection de l'ouvrage sont tout différents : il est l'œuvre d'une femme, cela vaut
d'être noté, et fait preuve d'une certaine invention « littéraire »,
lors même que le texte des *Grandes Chroniques de Charles V* a
servi de modèle. Les dix-sept chapitres consacrés à la visite de
1378 appartiennent à la troisième partie d'un ouvrage entièrement dédié à grandir la personnalité et le règne du roi sur commande du duc de Bourgogne, Philippe le Hardi, son frère, pour
servir à l'éducation du dauphin. Cette troisième partie exposant
la « sagesse » de Charles V est de tout le livre la moins attachée à
la personne morale et physique du roi, au contraire entièrement
tournée vers une analyse politique de son gouvernement et des
vertus du bien commun. Le bon roi fait construire, protège l'université, soutient les gens de lettres, s'adonne à l'astrologie, aime la
philosophie… et sait recevoir les princes étrangers. « *Il est impos-*
sible de tout relater », écrit Christine de Pizan à la fin de son récit,
et pourtant rien ne lui échappe. Là encore, la débauche de détails
(taille des poissons servis à table, coût exact de chaque présent
donné à l'empereur, à son fils, à sa suite, description minutieuse
des coiffes et des robes, etc.) finit par interroger. L'auteure, à la
différence des écrivains des *Grandes Chroniques*, ne fut pas témoin
de l'événement. Le décalage du temps aidant, car le texte est composé en 1404, la relation prend presque la couleur de l'histoire :
la mémoire en est filtrée et modélisée. Sous la plume de Christine,
en effet, la rencontre entre les deux Charles revêt un caractère
exemplaire que les *Grandes Chroniques* ne pouvaient pas encore
lui conférer dans une rédaction couchée quasiment sur le vif.
Malgré les images et l'intention évidente de faire œuvre de propagande, les *Grandes Chroniques* se ressentent encore d'une forme
de bricolage. En 1378, entre l'empereur et le roi, il fallait encore

presque tout inventer en matière de préséance, de protocole, de hiérarchie et de dignité des coiffes, des couleurs et des costumes. En 1404, en revanche, en dépit ou plutôt en raison des difficultés que traverse le royaume, gouverné par un roi fou, déchiré par les appétits et les compétitions entre ses oncles, le même récit fait mine de restituer un ordre protocolaire fixe et rôdé[20]. Voilà la véritable invention, la véritable intention de Christine de Pizan, qui parvient à faire croire en 1404 que le cérémonial de 1378 était déjà très formalisé, et donc accepté comme tel par l'empereur et son entourage. Et ce déroulement dit bien que Charles IV aurait consenti à la totale indépendance, et pour partie à une forme de supériorité, du roi de France. Or ce qui selon Christine de Pizan valait en 1378 pour Charles V devait valoir encore davantage pour son fils bien affaibli, Charles VI. Telle semble au total la profonde vérité de ces deux textes, de ces deux points de vue français sur la visite de 1378 : la reconnaissance d'un régime et d'un statut particuliers du roi de France. Et cela paraissait davantage compter que les résultats concrets, nous dirions aujourd'hui les « avancées diplomatiques », de ce sommet. Car, à y regarder de près, ils sont finalement bien modestes[21].

Charles IV, quoique pressé par le roi, ses frères, et toute la cour, ne s'est pas engagé concrètement à épauler Charles V dans sa guerre contre le roi anglais, et encore moins à lui fournir des subsides ou une armée. Tempérons cependant le jugement : cette abstention bien disposée de l'empereur envers son beau neveu de France dans les affaires de la querelle franco-anglaise n'était pas de mince importance si l'on songe à l'appui que Louis IV de Bavière avait naguère apporté à Édouard III. Il n'est pas dit qu'une intervention impériale en 1378 eût modifié le cours du conflit ni débrouillé l'imbroglio de l'hommage dû par le roi d'Angleterre au roi de France pour l'Aquitaine. Mais la prudente abstention de Charles IV ne créa aucune rupture et a sans doute déçu en secret les attentes du roi de France. Au demeurant, Charles IV n'innovait pas, il restait dans la ligne de bienveillante neutralité déjà formulée dans le traité de respect et d'amour mutuels proclamé en 1356[22]. Second sujet, l'Aré-lat ou royaume de Bourgogne, et particulièrement le sort du

Dauphiné[23]. D'abord, Charles IV n'était pas homme à renoncer à un titre, une dignité et une couronne : en 1365, il avait ceint le diadème dans la cathédrale Saint-Trophime d'Arles[24]. Réveil symbolique de courte durée pour l'Empire : l'année suivante, c'est à Louis d'Anjou, propre neveu de Charles IV, que les droits à la couronne avaient été cédés. Mais quel rapport avec le royaume de France, et plus précisément avec la visite de 1378 ? Il saute aux yeux dès que l'on considère une carte. C'est par la Savoie, dont l'appartenance à l'Empire avait été réaffirmée en 1361, que passent les routes qui mènent en Italie ; c'est pour partie le long du Rhône et de la Saône que court la frontière entre le royaume de France et l'Empire ; c'est à cette exacte jonction que se situe Avignon, résidence des papes depuis 1316, dans une ville que la comtesse de Provence Jeanne d'Anjou (également reine de Naples) avait vendue aux pontifes en 1348, mais qui relevait aussi du comté de Provence et, à ce titre, en droit de l'Empire. Cependant, l'actualité de la visite de 1378 touchant cette région concerne surtout le Dauphiné dont le sort remonte à 1349. À cette date en effet, le dernier Dauphin Humbert II avait cédé par le traité de Romans ses droits personnels au jeune Charles (le futur roi Charles V), que l'on prit dès lors l'habitude d'appeler Dauphin comme le furent ensuite les fils aînés des rois de France, héritiers présomptifs de la couronne. Mais ce transport de droits n'annulait pas l'hommage dû par le Dauphiné de Viennois à l'empereur duquel la seigneurie relevait. Le futur Charles V prêta bien l'hommage à Charles IV à Metz en 1356, en échange de quoi il fut nommé vicaire impérial pour les terres delphinales. Comme l'on voit, Charles IV n'était pas encore prêt à tout céder de « son » royaume d'Arles. Les envoyés du roi de France, conduits par Jean de Berry[25], auraient bien aimé régler dès le couronnement de 1365 le sort du Dauphiné, mais le statu quo fut simplement confirmé et prolongé : droits personnels pour le Dauphin mais hommage dû à l'Empire et à l'empereur. Ce fut donc le grand mérite du voyage de 1378 que d'avoir pu avancer significativement sur la question puisque le 7 janvier les droits étaient cédés à perpétuité (donc sans renouvellement de l'hommage) au dauphin de France, nommé dans la foulée vicaire impérial non seulement sur ces terres, mais également sur les comtés de Provence, de Forcalquier, de Bourgogne et de Piémont, à l'exception de la Savoie et du Venaissin pontifical. Les chroniqueurs et juristes français ont bien entendu célébré à l'envi cet avantage, quand leurs homologues allemands, et plusieurs princes avec eux, firent reproche à l'empereur d'avoir bradé ce qui restait de l'Empire aux confins du puissant royaume français. Mais, en dehors d'un hommage tout théorique, qui pouvait seulement servir de monnaie d'échange et d'alliance à l'occasion, que restait-il du pouvoir effectif de l'empereur et surtout de l'Empire dans des contrées qui n'en parlaient pas la langue, ne versaient pas de tribut, faisaient à peine appel à sa justice, et étaient administrés par des maisons qui ne se reconnaissaient que vaguement comme princes germaniques ? Toutefois, derrière la réprobation pointe une vérité géo-politique indéniable : vue du côté impérial et luxembourgeois, cette visite signifie que l'empereur a les mains libres pour mener une politique « orientale » (Hongrie, Pologne, Bohême) en faveur de sa dynastie. Il est possible que Charles IV ait cru lui-même à l'opportunité d'une alliance de dimension « européenne » entre les Valois et les Luxembourg[26]. Dans les faits et les engagements cependant, cette rencontre ne modifie rien au basculement progressif mais inexorable de l'Empire vers l'est, que les affaires franco-anglaises confortent. L'essentiel a été dit et sauvé : Charles IV a respecté l'indépendance de son neveu, « empereur en son royaume », tandis que le dauphin, le futur Charles VI, recevait le Dauphiné *ad vitam eternam*.

À tout prendre, cette visite est moins la fin d'une époque, celle que pourraient suggérer l'âge canonique de l'empereur, le schisme près de s'ouvrir et deux ans plus tard la mort de Charles V, que le début d'une autre, du moins au regard des affaires de l'Empire : l'arrimage du destin impérial aux confins et royaumes de l'est dans une relative indifférence vis-à-vis du royaume de France. D'une certaine façon, c'est déjà le temps des Habsbourg qui s'annonce. Une telle façon de voir invite donc à faire toute sa place à la perspective du voyageur bohémo-allemand et pas seulement de son hôte français. Or, par rapport à la prolixité des récits français, c'est le relatif silence des sources allemandes, impériales et bohémiennes qui doit retenir l'attention. Seul fut rédigé une sorte de *memorandum*, composé en français et peu de temps après, peut-être dans l'entourage du comte de Flandre, avec l'accord du chancelier de l'empereur, lui aussi présent à Paris, Nikolaus von Riesenburg. Il ne revêt toutefois aucun caractère officiel et n'était surtout pas destiné à être enrichi ou enluminé[27]. La comparaison entre ce bref mémoire et les *Chroniques de France* fait d'ailleurs souvent apparaître une divergence qui ne doit rien au hasard : là où les secondes assurent que l'empereur chevauchait à la gauche du roi, le premier prétend le contraire. Même chose quand il s'agit de savoir qui a découvert son chapeau en premier : « *Et quant le roy l'encontra il osta son chapel et l'empereur osta son aumuche qu'il auoit sur sa teste* », dit le mémoire, à l'exact inverse de la version propagée par les *Grandes Chroniques*. C'est bien d'ailleurs faire justice à cette discrétion documentaire, après coup, que de noter que finalement Charles V, disons ses conseillers, avait dans cette affaire moins en tête l'Empire et ses intérêts propres que la recherche passionnée d'une supériorité sur le royaume d'Angleterre par empereur interposé. Charles IV n'a sans doute pas été dupe. Lui qui était si attaché aux formes, à la mémoire de son règne, il n'a pas pris la peine de faire mettre par écrit sa visite dans le royaume ni de créer un précédent qui aurait eu le mérite de fixer des règles pour l'avenir, entre roi de France et empereur. Lorsqu'il s'est agi, entre les deux monarques, d'en venir réellement au fond des choses, les *Grandes Chroniques de France* ne poussent pas jusqu'à torturer la réalité. Elles constatent, sobrement, que des pourparlers, comme feignait de le croire Christine de Pizan, « *on ne sait rien* ». De même, lorsque Charles V essaie, dans les jours qui suivent le banquet, d'obtenir au Louvre en bonne et due forme un traité d'alliance avec son oncle, ce dernier, après avoir entendu tous les arguments des Français (le manuscrit des *Chroniques* leur consacre trois feuillets, rappelant chaque traité, chaque hommage, chaque lettre, chaque traîtrise des « *ennemis d'Engleterre* »), les assure simplement de sa bonne foi[28]. Bref, Charles IV ne promet rien de plus que d'appuyer la cause du roi du France si d'aventure on venait à en douter en Allemagne, et de la déclarer « *bonne querelle* » à qui voudrait l'entendre... Le texte des *Chroniques* rapporte ensuite que ce service minimal n'avait sans doute pas eu l'heur de plaire à Charles V et que l'empereur vraisemblablement avait dû penser qu'il fallait quand même aller un peu plus loin. Le lendemain, 9 janvier, « *se ad visa l'Empereur que, à la response qu'il avoit faite au Roy, ne s'estoit pas assez offert* [...] *que il se vouloit excuser de ce que plus largement n'avoit offert au Roy* ». Ce n'est donc que dans un second temps, sans doute sur l'avis de ses conseillers et après s'être justifié, que Charles IV alla jusqu'à énumérer les alliés qui défendraient la cause française, souhaitant que « *tous sceussent, et que à tous feust révélé et magnifesté par tout, que lui et son filz, le roy des Romains, que pour celle cause il avoit amené avecques luy, et tous ses autres enfans, ses aliez, subgiez et bien vueillans il vouloit et offroit au Roy estre tous siens, contre toutes personnes, à soustenir et garder son bien et honneur, de son royaume et de ses enfans et de ses frères. Et lui bailla un rolle où estoient desclarez et nommez ses aliez* ». Voilà donc tout ce qu'obtient Charles V après une visite d'État coûteuse et longue : un « rôle » qui rappelle que l'empereur est son allié ; un rôle en effet, c'est-à-dire une « liste », et non un traité.

Il faut aller plus loin pour trouver confirmation de la modestie des résultats obtenus par Charles V auprès de son oncle à Paris, et pour considérer le renversement de perspective que procure la lecture des sources « allemandes » sur un événement si « français ». Il s'agit en l'occurrence de la chronique rédigée entre 1434 et 1438 par Jacques d'Esch, bourgeois de Metz, une ville d'Empire, couvrant l'histoire de la cité de 1308 à 1431 et destinée à honorer la mémoire des Luxembourg[29]. Dans la conclusion du chapitre 42 de son récit, l'auteur prend soin de noter : « *Et au despartir qu'ilz firent l'un de l'autre, le dit empereur demandait ung don audit roy de France que li volxit promettre qu'il n'entreprendroit riens ne soufferoit de riens laissier entreprenre contre son fil Wainchelmat de venir à l'empeire aprez son decept. Lequeil roy li ottriait et le tint. Et se fut la cause pourquoy le dit empereur s'en allait à Sit Mor de Parix*[30]. » On ne peut avoir deux récits plus divergents de la cause profonde de cette entrevue au

sommet de 1378, et cela va bien plus loin qu'un cheval blanc
ou noir, ou que l'ordre dans lequel l'un s'est découvert devant
l'autre. Là où les *Chroniques de France* affirment d'abord qu'on
ne sut rien des négociations, mais finissent par laisser entendre
que l'Angleterre constituait l'essentiel des entretiens, le mémoire,
à demi-mots, et la chronique messine, plus explicitement, disent
que Charles IV tenait avant tout à parler de sa succession et
de son fils Wenceslas, qui ne l'accompagnait pas par hasard.
Le chroniqueur messin, qui rédige dans les années 1430-1435,
quand tous les témoins potentiels sont déjà morts, ne peut que
s'appuyer sur d'autres sources écrites. La première est sans doute
le mémoire rédigé dans l'entourage du comte de Flandre et passé
ensuite dans la bibliothèque des ducs de Bourgogne. Et ce que
disent le mémoire et Jacques d'Esch, c'est que Charles IV avait
alors moins en tête la guerre franco-anglaise que de s'assurer de
la neutralité du royaume de France quand son fils Wenceslas
recueillerait l'Empire à sa place. Et qu'il voulait assurer à la maison des Luxembourg une passation dynastique de pouvoir royal
et impérial de père en fils. Charles IV, en 1378, est donc en décalage de pensée et d'objectif par rapport à son neveu Charles V,
ce que les *Grandes Chroniques de France* non seulement passent
sous silence mais ne pouvaient tout simplement pas soupçon-
ner. L'empereur menait au demeurant depuis longtemps déjà une
politique dynastique et patrimoniale qui tendait à arrimer solidement l'Empire à la Bohême au profit d'une politique d'expansion
et de consolidation orientales.

Peut-être peut-on finalement voir là l'une des raisons pour
lesquelles, en dépit du caractère exceptionnel de l'événement,
les sources françaises après les *Chroniques de Charles V* n'ont
pas accordé à l'épisode la place que sa signification immédiate
et symbolique aurait pu, aurait dû lui réserver. Les copies ulté-
rieures des *Grandes Chroniques* sous le règne de Charles VI et de
ses successeurs n'en comportent qu'une version très succincte.
Le grand témoin Froissart, pourtant si disert et dont les milliers de feuillets couvrent les années 1325-1400, n'en dit rien,
Charles IV ne surgissant dans ses *Chroniques* qu'au moment de
sa mort à Prague en novembre 1378. La *Chronique des quatre*

premiers Valois, œuvre anonyme conservée en un seul manuscrit, qui concerne les années 1327 à 1393, ne consacre qu'une page à la visite, tirée pour l'essentiel des *Grandes Chroniques.*

Mais cette rencontre a marqué les mémoires et les esprits. Elle venait couronner un long règne et un style de royauté dont l'empereur voulait à dessein renvoyer une puissante et ultime image à Paris, au cœur de la capitale la plus politique de tout l'Occident du temps.

DEUXIÈME PARTIE

RÉGNER

L'image si richement immortalisée d'un empereur redevenu parisien entendait refléter une manière d'être roi et de gouverner qui tranchât par rapport aux précédents souverains de l'Empire et à bien d'autres rois du continent. Ce système mêlant pratique, propagande et construction symbolique finit par accoler au « moment » Charles IV l'épithète de « carolin », qui dit, aujourd'hui encore, combien ce roi et ce règne surent semble-t-il marquer un tournant et constituer un « style » particulier. La signature de Charles IV sur ses états, ses territoires, ses populations, ses villes, ses possessions et leur administration combinait plusieurs caractères. Tout d'abord une sorte de lenteur, ou en tout cas de patiente réflexion, à l'opposé de la précipitation supposée de son père. La volonté ensuite d'apparaître comme un roi sage et législateur, un roi pieux, un roi mesuré, préférant notamment le compromis et la négociation à la guerre. La claire conscience également de devoir inventer, sur la base de traditions parfois contradictoires – romaine, chrétienne, française, germanique, impériale, bohémienne –, de nouveaux modes d'action accordés à la variété des états, des pays, des langues et des coutumes qui constituaient son empire. Et, lié à cela, un équilibre enfin entre présence et absence, entre exercice direct et délégué du pouvoir au sein d'une dynamique nouant une itinérance remarquable et un alourdissement capital et résidentiel.

Ce fut interprété, sur le moment et bien davantage encore après le naufrage de Wenceslas et l'accumulation des défis et des conflits sous le règne de Sigismond, comme une réponse de paix et d'efficacité à un temps de crise, de guerre et de maladie. Il n'est pas interdit d'y voir aussi la réussite d'une patiente construction du personnage politique, de sa renommée et de son honneur, par l'empereur lui-même. Tout le montre en effet, il ne se contenta pas d'agir mais persévéra à réfléchir, par écrits et gestes interposés, sur la nature de ses titres, de ses charges et des devoirs qui leur étaient liés. De ce point de vue, cette façon d'être roi correspond bien à un temps où le procès d'individuation touche également le pouvoir en réagençant personnalité, autorité, postérité et identité. À défaut d'être devenu saint, et osons dire parce qu'il ne l'est pas devenu, Charles IV aura peut-être été l'un des rois les plus personnellement accessibles et lisibles de son siècle.

CHAPITRE IV

Noms de pays

Même si la diversité des pays et des cultures continue de caractériser la plupart des royaumes et des principautés de ce temps, peu de souverains auront dû régner sur des ensembles aussi étendus et disparates. Le style de son gouvernement s'en ressent incontestablement, tant dans la pratique que dans la théorie. C'est pourquoi il convient d'abord de mettre en place les territoires qui formèrent jusqu'à sa mort le socle de ses États et de sa maison dont justement la notion s'affirme au XIVe siècle[1]. Dans sa *Vita*, Charles IV en faisait déjà un tour narratif en privilégiant parmi les occurrences géographiques la Bohême et la Moravie (68 emplois), l'Italie (57 mentions différentes de villes et de régions), la France (26), la Hongrie (15), la Silésie (4 fois, mais Cracovie est mentionnée à 17 reprises), et un ensemble coagulant le Tyrol (26 mentions), l'Autriche (24), la Bavière (18), la Carinthie (13), et enfin le Luxembourg (10 fois)[2].

Le Luxembourg des Luxembourg

Charles IV, comme ses prédécesseurs, est d'abord issu d'une principauté territoriale, et les intérêts de sa maison n'ont pas été abandonnés au profit de son royaume de Bohême ni de l'Empire.

Il porte le nom de la dynastie des Luxembourg, il éleva le comté en duché en 1354, prit soin d'en préserver l'unité et l'originalité lors même que cet espace était situé entre royaume de France et Empire, aux confins de la Champagne, de la Lorraine, de la Bourgogne, du Palatinat, à proximité des puissants princes ecclésiastiques de Trèves et de Cologne, qui plus est électeurs, sans oublier les autres voisinages du duché de Brabant et de l'évêché de Liège. Comme l'aventure bourguignonne le prouvera au XVᵉ siècle et comme les destins lotharingiens l'avaient montré depuis les partages du IXᵉ siècle, il n'est pas facile de vivre et de survivre dans ces régions si disputées de l'Entre-Deux[3]. Par chance, le titre comtal put se transmettre sans discontinuité de Henri VII à Jean l'Aveugle puis à Charles IV qui dota son demi-frère Wenceslas du nouveau duché en 1354. Marié à une princesse de Brabant, il gouverna le duché jusqu'à sa mort en 1383, dont héritera Wenceslas, le fils de Charles IV.

Ce territoire relève en droit depuis 925 de l'Empire. Les comtes, dont le titre officiel semble s'établir dans les années 1080 (au moment, révélateur, où se fonde une nécropole comtale en 1083 et où surgit le premier sceau comtal), sont alors très liés aux Ottoniens. Comme un peu partout, une ville finit par se développer autour du château, comprenant des « bourgeois » mentionnés comme tels pour la première fois en 1175 et pourvus en 1244 de privilèges de type communal. À la suite des conflits territoriaux ouverts par la guerre de succession du Limbourg, la bataille de Worringen en 1288 voit périr le comte de Luxembourg, Henri VI, ses frères et la grande chevalerie du comté. La maison a donc manqué de s'éteindre, comme ce sera de nouveau le cas en 1313 à la mort de l'empereur Henri VII, puis en 1346 avec celle de Jean l'Aveugle à la bataille de Crécy. La défaite de 1288 a provoqué d'autre part un glissement des influences que signalent le rapprochement entre Luxembourg et Brabant et l'esquisse d'une alliance entre les Luxembourg et le roi de France. Henri VII épouse la fille du duc de Brabant en 1292 tandis qu'il prête hommage en 1294 au roi de France, selon un mécanisme de double ligesse courant dans les territoires en situation limitrophe de deux royaumes. À compter de l'élection de Henri VII comme roi des Romains en 1308, les destinées du Luxembourg se confondent avec celles de l'Empire mais aussi du royaume de France et croisent celles du royaume de Bohême dès que Jean épouse l'héritière des Přemyslides en 1310. Par ce saut quantitatif et qualitatif, la maison des Luxembourg est dès lors propulsée pour près d'un siècle et demi au cœur d'une histoire continentale unissant l'Empire et la Bohême. Elle porte désormais une triple dignité, électorale, royale et impériale, et étend loin vers l'est l'espace de son patrimoine. Dans cet attelage, le comté de Luxembourg ne compte pas pour quantité négligeable. Jean l'Aveugle y séjourna une cinquantaine de fois, bien davantage au total que son fils Charles, et y laissa s'épanouir une activité économique favorisée par la réforme des douanes et de la monnaie dont il put tirer assez de revenus pour financer en partie sa vie de cour et de chevalerie et, plus tard, l'élection royale de son fils[4]. C'est au demeurant dans son comté qu'il fut enterré. Transmis à son fils, le Luxembourg est d'abord gouverné par son grand-oncle, Baudouin de Luxembourg, puis confié dès son élévation en duché en 1354 à son demi-frère Wenceslas, devenu également duc de Brabant et de Limbourg. De la sorte, la rivalité ouverte depuis les années 1280 entre Luxembourg et Brabant était réglée[5], tandis que le comté/duché demeurait autonome et ne fut jamais administré depuis la Bohême.

La Bohême : un duché devenu royaume

Il existe un royaume de Bohême bien avant l'accession au trône de Jean. Sur ses origines, sur la dynastie des ducs puis des rois Přemyslides qui régnèrent sur le pays, nous disposons par bonheur d'une masse documentaire plus importante que pour les royaumes voisins de Hongrie et de Pologne[6]. Certes, beaucoup a disparu lors des guerres hussites du XVe siècle puis des destructions consécutives à la guerre de Trente Ans au XVIIe siècle, mais une tradition historiographique solide s'était établie suffisamment tôt pour que les manuscrits des grandes chroniques aient été copiés et mis à l'abri[7]. Il convient donc

de souligner la précocité et la continuité d'une écriture « générale » de Bohême, des fragments circulant d'une œuvre à l'autre.
L'établissement d'une telle tradition participe d'une symbolique de la pérennité des origines bohémiennes[8] que Charles IV
pourra précisément utiliser à son profit et faire culminer dans
la notion de *corona et regnum Boemie*. Celle-ci se fonde sur une
continuité avec les Přemyslides descendant du premier d'entre
eux, Přemysl le Laboureur, et de son épouse Libuše, tous issus
d'un ancêtre commun et mythique, *Čech*. C'est d'ailleurs au
seul titre atavique et légendaire que les auteurs médiévaux
parlent de « Tchèques » et non au sens moderne que l'histoire
nationale des XIXe et XXe siècles a fini par lui conférer, quand le
Moyen Âge emploie presque toujours le terme latin de Bohême
(*Boemia*) et de Bohêmes (*Boemi*). Cette permanence chronistique, mi-historique mi-légendaire, réalise du XIIe au XVe siècle la
performance d'aligner très tôt, en tout cas sur le papier, un pays,
un duché, une dynastie, une ville centrale (Prague), des saints
protecteurs (Wenceslas, Adalbert et Ludmilla) et une langue
(tchèque). Cette agrégation n'exclut pas que la *Bohemia* puisse
appartenir à l'Empire. Le roi de Bohême n'était-il pas en pratique depuis le XIIIe siècle l'un des sept princes-électeurs du roi
des Romains ? Les limites des provinces ecclésiastiques n'ont-
elles pas longtemps inclus la Bohême dans les circonscriptions
de la *Germania* ? Une telle vision n'empêche pas par ailleurs le
duché, puis le royaume, de se considérer comme un élément du
peuple slave, même si la conscience de former une entité propre
et géographiquement bien délimitée des autres Slaves et des
Hongrois se répand assez tôt. Il est certain d'autre part que les
habitants de la Bohême se reconnaissent comme chrétiens depuis
l'évangélisation de ces terres entamée vers le milieu du IXe siècle.
De plus, il est indéniable qu'un mélange se produit ici avec des
populations venues de Germanie, et que les Luxembourg puis
les Habsbourg qui occupèrent le trône aux XIVe et XVe siècles
ne furent que rarement considérés comme des étrangers, sinon
à des fins plus politiques et polémiques qu'identitaires. Bref,
comme c'est le cas dans la plupart des régions et principautés
d'Europe au Moyen Âge, la définition communautaire, voire

« nationale », d'un royaume, de sa dynastie et de ses terres est plus cumulative et plurielle qu'exclusive et unique[9].

Du premier duc Přemyslide connu Bořivoj Ier, vers 870, jusqu'au dernier roi Wenceslas III en 1306, la dynastie connut pendant plus de quatre siècles un « miracle » de succession peu ou prou comparable à celui des Capétiens. La transmission du titre s'y opère de père en fils, parfois d'oncle en neveu ou de frère en frère, sans discontinuité et sur une entité territoriale toujours centrée sur la Bohême. Celle-ci fut bientôt augmentée de la Moravie. On se dispute encore aujourd'hui pour savoir si l'existence précoce d'une « personnalité » relativement bien définie de la Bohême a favorisé ou non le rapprochement puis l'insertion dans l'Empire, par tribut, investiture et hommage interposés au début du XIe siècle. Cette fidélité relative à l'Empire, facilitée par le fait que l'empereur ne disposait d'aucun bien propre en Bohême, fut récompensée par l'élévation du duché en royaume en mai 1085, et la concession héréditaire de la couronne en 1198. Le roi de Bohême est alors non seulement conforté dans sa qualité de prince d'Empire, mais il fait désormais partie intégrante de la cour impériale et exerce, en qualité d'échanson, l'une des quatre prestigieuses charges auliques. Il revint à Frédéric II, par une bulle d'or de 1212, de préciser les choses : le roi de Bohême était couronné à Prague des mains de l'archevêque de Mayence, mais il restait l'élu de ses états et les frontières du royaume demeuraient intangibles. Des privilèges proclamés en 1216 achevèrent de faire du royaume une monarchie héréditaire fondée sur le droit de succession par primogéniture masculine, tandis que la haute justice du roi demeurait exclusive de tout appel à l'empereur. Ces règles de la masculinité et du séniorat ne permirent pas toujours d'esquiver des crises, mais elles présentaient au moins l'avantage de donner au duc puis au roi les moyens de s'attacher une partie de la noblesse par des réseaux de fidélité que ne viendrait pas troubler la tentation de la concurrence sur le trône. Le pouvoir des Grands ne diminua pas pour autant, loin s'en faut. Cette évolution est d'ailleurs conforme à l'affirmation politique, mais aussi sociale et culturelle de la noblesse, tant ecclésiastique que laïque, au sein de nombreux royaumes. Dans le cas de la Bohême, le conseil de la noblesse s'institutionnalise sous la forme d'une assemblée réunie quasi annuellement au cours du XIIIe siècle, qui se conçoit comme un instrument destiné à entourer, voire à limiter le gouvernement royal au-dedans, mais à le soutenir au dehors. En la matière, il convient de souligner une relative continuité des lignes de force « extérieures » des ambitions royales des Přemyslides. Elles ne cessèrent de se tourner essentiellement en direction du contrôle de la Moravie d'une part (dont l'union perpétuelle avec la Bohême est scellée par confirmation impériale en 1186), d'une expansion territoriale vers la Pologne et le nord du royaume de l'autre, une constante que l'on retrouve sous le règne de Charles IV en direction de la Silésie et du Brandebourg. À l'égard de l'Empire, il s'agissait pour les rois de Bohême de gagner du terrain en fonction de la force ou de la faiblesse des règnes successifs et de construire des alliances permettant d'affermir des positions d'influence dans les principautés limitrophes de l'Empire. La vacance royale et impériale ouverte par la mort de Frédéric II en 1250 ménagea un espace dans lequel s'engouffra le roi Ottokar II (1253-1278) en direction de l'Autriche, de la Hongrie (il avait épousé la petite-fille du roi Béla) et de la Pologne. Ce rêve d'une grande expansion de la Bohême sur tous les fronts culmina avec l'ambition caressée par Ottokar II de devenir lui-même roi des Romains puis empereur en 1273. Non seulement les électeurs lui préférèrent un Habsbourg, mais la défaite de Dürnkrut, près de Vienne, en 1278, lors de la bataille dite du Champ morave, emporta le roi de Bohême. La leçon fut sévère mais porta ses fruits à terme. Au siècle suivant, Charles IV, devenu roi de Bohême en 1347, comprit que c'est par les jeux de l'alliance matrimoniale, de l'équilibre entre les intérêts opposés des grands princes-électeurs de l'Empire et par une politique de privilèges et de dédommagements financiers qu'il pourrait obtenir des gains territoriaux. Il aperçut également, à l'exemple malheureux d'Ottokar II, que les appétits d'un roi de Bohême en Empire ne pourraient se concrétiser qu'à partir d'un royaume patrimonial fort et bien organisé. Pour cela, Charles IV put en son temps compter sur les indéniables progrès administratifs réalisés dès la seconde moitié du XIIIe siècle, notamment en matière fiscale et judiciaire. Il put cependant aussi nourrir un appétit territorial alimenté par les derniers Přemyslides, en particulier Wenceslas II qui était parvenu à se faire couronner roi de Pologne en 1300 et à obtenir par mariage la couronne de Hongrie pour son fils Wenceslas (III). Ce dernier, à la mort de son père en 1305, héritait ainsi en titre d'une triple couronne hungaro-polono-bohémienne. Son assassinat en 1306 sonna le glas d'une accumulation qui aurait sans doute placé trop vite le royaume de Bohême dans une position de concurrence avec l'Empire alors que c'étaient jusqu'à présent les mécanismes de l'inféodation, de l'alliance et de la cohabitation qui lui avaient assuré sur le long terme sa place et son essor. Là encore, Charles IV put puiser dans la compréhension de cette constellation un certain nombre d'enseignements pour son propre règne. Une rupture avec l'Empire des Allemands était, dans le cas bohémien, d'autant moins envisageable que la proportion de nouveaux arrivants d'origine germanique n'avait cessé de croître au XIIIe siècle pour atteindre une part que les études récentes évaluent à 15 %, voire 20 % d'une population d'ensemble estimée entre un million et demi et deux millions d'habitants vers 1300[10]. L'apport de ce peuplement migratoire – on ne parle plus guère aujourd'hui de colonisation ni de « poussée » vers l'est (*Ostsiedlung*), véritable pomme de discorde lorsqu'éclatèrent les guerres hussites au XVe siècle et dont le legs se fit sentir d'abord avec la crise des Sudètes en 1938 puis avec les expulsions de populations allemandes après 1945 – fut important en termes d'urbanisme, de gestion des villes, de progression d'un droit allemand mâtiné de droit romain. Ces arrivées successives exercèrent aussi une influence notable en matière d'exploitation minière, d'artisanat, de manières de gouverner. Elles favorisèrent également une mixité linguistique synonyme de transfert et de traduction plus que de soumission ou de domination culturelles, comme en témoigne la faveur dont jouissaient les poètes et chantres courtois de langue allemande à la cour des rois de Bohême entre 1250 et 1300. Loin d'imposer exclusivement le moyen-haut allemand à la cour, la présence de ces auteurs a au contraire suscité à la fin du XIIIe siècle un premier mouvement de création et de

transcription littéraires en tchèque. Ce bouillonnement linguistique annonce et rend sans doute possible la rédaction en langue
vernaculaire de la chronique dite de Dalimil qui ne raconte pas
par hasard le changement dynastique de 1310.

Des Přemyslides aux Luxembourg

Toute passation au Moyen Âge, comme à d'autres périodes,
mobilise autant qu'elle révèle les structures territoriales, les mécanismes politiques et la culture du temps. Un faisceau complexe
de relations et de motivations installe toute succession au cœur
d'un processus qui fait intervenir le jeu des alliances, la cascade
des suzerainetés et des vassalités, les appétits économiques et
diplomatiques, la position du pape, de la noblesse et du clergé,
les modes de désignation sur le trône, par l'élection, l'héritage
et l'hérédité. Il est rare que la mutation d'une dynastie à une
autre s'opère sans frottement, sans confrontation, sans guerre.
La succession de Bohême en 1306 n'échappe pas à cette règle,
d'autant que la crise dynastique croise le problème des rapports
entre ce royaume et l'Empire. De surcroît, le changement inter-
venu avec les Luxembourg ajoute aux éléments germaniques déjà
sensibles dans l'organisation du territoire et les pratiques royales
une influence capétienne qui fait de la royauté de Bohême au
XIVᵉ siècle un cas singulier.

À sa mort, Wenceslas II laissait trois enfants. D'abord
Wenceslas III, triple roi de Bohême, de Hongrie et de Pologne,
assassiné dès 1306. Anne ensuite, dont l'époux, Henri de Goritz,
duc de Carinthie et comte de Tyrol, était Bavarois par sa mère
et l'allié des Habsbourg. Et enfin la cadette, Élisabeth, soutenue
par une partie de la noblesse qui prit contact avec le nouveau
roi allemand Henri VII afin de sceller une alliance entre son fils
Jean et Élisabeth[11].

À son arrivée en 1311, Jean Iᵉʳ était considéré comme un roi
étranger, raison pour laquelle la noblesse tchèque le préféra
d'ailleurs à un Habsbourg jugé trop proche. La dynastie des
Luxembourg était alors plutôt tournée vers la cour des Capétiens

de France, et Henri VII avait été élu par des princes qui estimaient que ses modestes qualités, la relative médiocrité de son patrimoine territorial, son tropisme occidental et la jeunesse de son lignage en feraient un souverain de second rang dont les ambitions ne sauraient se comparer avec celles des Staufen, des Wittelsbach ou des Habsbourg. Disons-le tout net : Jean n'eut pas bonne réputation en Bohême, une piètre renommée due aux chroniqueurs tchèques du temps mais aussi, convenons-en, à son propre fils, tant ce dernier ne dresse pas un portrait très flatteur du père dans sa *Vita*. Sans doute ce procédé avait-il l'avantage de mieux se faire accepter en Bohême, toutefois l'image ainsi dessinée laissa des traces et Jean mit longtemps à s'en remettre historiographiquement. Il est vrai qu'il ne fit rien pour corriger sa réputation auprès des sujets de son nouveau royaume, dans lequel il passa le moins de temps possible et dont il ne parlait pas la langue. Sa préférence allait naturellement à la cour de France et à Paris où il trouvait une culture courtoise, une résidence, des champs de bataille qu'il jugeait bien plus à sa hauteur que les contrées de Bohême ou le château de Prague. Dans les affaires de l'Empire, on le verra plus loin, il tenta de jouer partie égale entre les Wittelsbach et les Habsbourg. Longtemps les historiens s'en sont tenus là. Il faut pourtant souligner qu'en dépit d'un changement dynastique brutal, le royaume de Bohême ne s'est pas disloqué et que son influence ne s'est pas effondrée, loin s'en faut, entre gains territoriaux et alliances avantageuses. Le règne de Jean n'a pas non plus amoindri l'autorité royale ni détricoté l'œuvre administrative, fiscale et judiciaire des derniers Přemyslides. Jean mit à profit ses liens étroits avec la France pour laisser s'épanouir à la cour royale et à Prague une vie culturelle sur laquelle Charles IV put s'appuyer dès les années 1340. On peut ici songer aux fondations de Brünn, de Königsaal ou de Vyšehrad à Prague, mais également au projet déjà formé sous son règne de la construction de la future cathédrale Saint-Guy à Prague. Son hôtel privé pragois, la Maison à la cloche de pierre, proche des remparts de la Vieille Ville, fut réaménagé au début des années 1330. Il s'inspirait du palais parisien de la Cité avec son grand escalier, ses statues royales et ses fresques.

Il sut également profiter de l'action patiente et experte de son
oncle Baudouin, conscient du potentiel que pouvait constituer
le royaume de Bohême pour sa maison.

Tel est donc l'héritage paternel, en grande partie fondé sur la
tradition přemyslide, que reçoit Charles IV qui, conformément
à la pratique établie depuis le XIIe siècle, avait été investi en fief
du titre de margrave de Moravie en 1333 puis reconnu, dès 1341,
comme l'héritier futur de la couronne. Les Luxembourg n'eurent
pas ici besoin d'inventer de nouvelles règles de succession royale,
ni de changer la titulature et les rituels qui lui étaient attachés
depuis la dynastie précédente. Les liens entre Bohême et Empire
étaient également définis et à peu près admis : l'empereur était le
seigneur suzerain du roi de Bohême qui, en contrepartie, disposait
d'une voix électorale, était maître en son royaume, contrôlait son
Église, s'y faisait couronner, encaissait les produits des mines, dirigeait l'administration, composait avec la noblesse par assemblée
interposée. Prague bénéficiait du statut incontesté de capitale du
royaume dont la galerie des saintes et saints protecteurs remontait
loin. Quant aux voisins, ils étaient bon gré mal gré tenus à distance
respectueuse des prétentions au trône de Bohême, qu'il s'agisse
de l'Autriche, de la Bavière, de la Hongrie et de la Pologne. Tout
cela ne pouvait se faire contre l'Empire, mais avec lui ou à tout
le moins à côté de lui. En dépit de la touche française que les
Luxembourg apportèrent avec eux, l'équilibre fondamental de
quatre à cinq siècles de cohabitation bohémo-impériale restait la
pierre angulaire de toute la construction, à telle enseigne que le
montage connut précisément son apogée lorsque Charles IV put
ceindre les deux couronnes. Mais quel Empire au juste ?

Trois couronnes pour un Empire

Parmi les quelques quinze monarchies dont se compose alors
l'Europe du XIVe siècle, celle sur laquelle règne le roi élu des
Romains reste assurément la plus grande et la plus honorable
puisqu'elle porte en elle la promesse du titre impérial[12]. Sur elle,
que l'on appelle tantôt pays allemands, Empire ou Saint-Empire

romain sans que le qualificatif de « germanique » n'apparaisse
encore, règne un « roi des Romains », un « roi élu des Romains »,
un « empereur romain », un « auguste de l'Empire ». Ici éclate au
grand jour le premier malentendu : nul ne conteste que ce roi des
Romains règne *de facto* sur le pays et l'Empire des Allemands.
Mais le titre de cette dignité royale ne colle pas à la réalité de
son gouvernement : il forme un programme, mieux un défi, plus
qu'il ne circonscrit un office adossé à un territoire. D'Allemagne
en tant que telle il n'est en effet point encore question, tout au
plus de Germanie : sur le papier, c'est le qualificatif romain qui
l'emporte encore pour englober un groupe de trois royaumes
disposant chacun d'une couronne, celle de Germanie dépositaire de la royauté des Romains, celle d'Italie, et celle d'Arles
dite encore de Bourgogne. Charles IV, passionné de reliques et
d'ornements chargés de souligner sa majesté et son autorité, sera
le premier depuis longtemps, mais aussi le dernier, à les ceindre
toutes. Pour ajouter à la complexité de l'assemblage, dont se
gaussaient parfois les juristes du roi de France, la dignité impériale attachée à la titulature, qui ne pouvait être acquise que par
le couronnement à Rome, continue de demeurer problématique.
Sur tout le siècle en effet, seuls trois empereurs ont été couronnés
à Rome : Henri VII en 1312, Louis IV en 1328 (et encore, par un
anti-pape) et Charles IV en 1355. Si l'on considère de surcroît
que le xive siècle succédait à une période qui, entre 1220 et 1312,
n'avait plus connu aucun empereur, toute la difficulté du problème apparaît en pleine lumière.

Décrire le Saint-Empire au xive siècle se révèle donc une tâche
en vérité ardue[13]. Si ses frontières, dont le mot d'ailleurs n'existe
pas encore au sens moderne du terme[14], ne sont pas disputées, si
le titre impérial demeure auréolé d'un certain prestige, sa superficie et sa structuration étatique ne s'accordent pas, loin s'en
faut. L'appareil gouvernemental est encore très peu développé
et encore moins centralisé. Charles IV en est bien conscient et,
comme on l'a vu, la Bulle d'Or de 1356 fut une manière ambitieuse quoiqu'imparfaite d'y répondre. L'existence d'un lieu central commun à tout l'Empire reste également aléatoire. Même si
Prague, à compter de 1350, est érigée en double capitale factuelle

de la Bohême et de l'Empire, l'itinérance royale demeure plus prononcée qu'ailleurs. Les finances restent indigentes mesurées à l'immensité du territoire ainsi qu'au nombre des sujets, et comparées à ce que rapportent les rentrées fiscales dans les autres royaumes d'Occident. Point de denier commun, par exemple, prélevé régulièrement et uniformément sur les pays d'Empire, pas de Parlement fixe et encore moins de corps constitué de juristes et de conseillers attachés à une telle institution. Une chancellerie certes, et qui travaille, mais sans contrôler de près la mosaïque de bailliages, de sénéchaussées ou de châtellenies éparpillées dans tout l'Empire. Le domaine royal tend par ailleurs à diminuer et, avec lui, le nombre d'avoués et d'écoutètes défendant et représentant sur place les intérêts du roi. De surcroît, le roi/empereur connaît mal ses pays : il n'existe point ici de *Domesday Book* tel qu'établi après la conquête normande de 1066 ni d'état des paroisses et des feux ordonné en 1328 par les Valois qui venaient d'accéder au trône de France. On ne trouverait pas davantage de ces compagnies d'archers ou de sergents qui, à côté des chevaliers, firent l'heur ou le malheur des batailles franco-anglaises. La réunion et la convocation d'une armée royale obéissent donc pour l'essentiel au mécanisme, négocié, de l'aide féodale répartie d'après les matricules impériales, en vérité la seule carte « objective » des forces vives de l'Empire. Sa levée dépend de l'obligation pour les princes d'Empire de participer au contingent accompagnant le roi lors de sa descente en Italie pour son couronnement impérial et du bon vouloir financier des villes impériales mises à contribution. Cela explique en grande partie pourquoi, jusqu'à la fin du XVe siècle, l'essentiel des discussions tenues lors des diètes touchaient aux guerres et au paiement d'une armée, tout particulièrement à la qualification de la campagne militaire projetée : était-elle « guerre du roi » ou « guerre de l'Empire » ?

Il existe bel et bien par ailleurs des villes libres ou impériales, qui ne reconnaissent que la seigneurie royale, mais on hésite à les qualifier de bonnes villes dans la main du roi. Des éléments de droit royal se mettent certes lentement en place, mais sans commune mesure avec les grandes codifications régionales qui, depuis le XIIIe siècle, règlent la vie juridique et coutumière de plusieurs principautés. Car voilà bien le cadre, l'armature véritable de cet Empire. Il n'est pas exagéré de dire que, pour les plus grandes d'entre elles, elles ont abrité des structures étatiques bien plus avancées que celles de l'Empire. Il faut remarquer, à sa défense, que le mouvement avait été enclenché bien avant le règne de Charles IV : dès 1220 par la *Confoederatio cum principibus ecclesiasticis* et dès 1231 par le *Statutum in favorem principum*. Les grands princes ecclésiastiques, dans le premier cas, et laïques, dans le second, avaient reçu du roi confirmation du transfert à leur profit de la plupart des privilèges régaliens en matière d'administration du territoire, d'exercice de la justice, de perception des droits sur les douanes, de même que les frappes monétaires, le conduit des routes et la levée des taxes sur les mines de sel et de minerai. Le roi ne pouvait pas davantage créer de marché, de ville ou de château dans les domaines de ces princes sans leur approbation. On comprend mieux que, pour gérer ces nouveaux droits concédés, l'administration territoriale se soit développée avec près d'un siècle d'avance sur celle du roi. Même les grandes proclamations de paix sont plus efficaces sur le plan territorial que royal.

En second lieu, la pratique, sanctionnée par la coutume, d'une réinféodation obligée, c'est-à-dire d'une réattribution des fiefs tombés en déshérence aux grands seigneurs territoriaux, ne permettait pas au roi d'agrandir son domaine, une contrainte dont la conséquence était aussi financière. Elle obligeait le roi à prélever sur son domaine restant et à hypothéquer les villes impériales et libres, une tendance qui s'accentuera particulièrement sous le règne de Charles IV. Pour autant, il ne s'agit pas d'accuser les dynasties royales, Luxembourg en tête, d'avoir laissé le domaine dépecé par l'appétit des princes et des seigneurs territoriaux. Elles ont elles-mêmes contribué à amoindrir le patrimoine ancien du roi par leur politique d'arrondissement des possessions de leur propre lignée, rendant donc toujours plus impossible la fiction suivant laquelle le roi devait « vivre du sien ». Reste que, pour le seul XIVe siècle, ce ne sont pas moins de 70 % du domaine royal qui se volatilisent par don, vente, prêt, hypothèque, mise en gage ou à ferme.

Donc une monarchie élective, sans centre efficace ou exclusif, ni tradition d'administration. Elle demande finalement beaucoup, tant personnellement que physiquement, à son roi, gouvernant des territoires tantôt proches de lui, tantôt indifférents à lui, et de plus en plus éloignés à mesure que l'on progresse vers le nord. Une royauté en permanence confrontée aux luttes de pouvoir entre les grands électeurs, de plus en plus recentrée sur la partie germanique, en progressif détachement de la tutelle pontificale et, partant, moins offensive dans ses prétentions universelles. Cette évolution, accentuant par contrecoup le poids de la politique patrimoniale des dynasties appelées à régner, renforça encore, en Bavière pour les Wittelsbach, en Autriche pour les Habsbourg, en Bohême pour les Luxembourg, la modernisation et la centralisation de ces principautés. Ces trois dynasties en concurrence pour le trône au XIVe siècle sont en effet toutes princières, mais chacune pouvait aussi se prévaloir d'avoir déjà fourni un ou plusieurs rois à l'Empire. Aucune cependant n'atteignait le rang des Capétiens ou des Valois, et aucune ne pouvait rivaliser avec la fortune des ducs de Brabant, sans même parler du richissime duché de Milan ou de l'opulente république de Venise. Elles ne sont par ailleurs respectivement que l'une des quelque vingt maisons qui se partagent la dignité de princes d'Empire, parmi lesquelles trois sont des princes-électeurs et à ce titre « faiseurs » de roi : le duc de Saxe (Ascaniens), le margrave de Brandebourg (Wittelsbach jusqu'en 1373 puis Luxembourg) et le comte palatin (Wittelsbach).

Faut-il en rester à ce portrait « en creux » de l'Empire au XIVe siècle et entonner de nouveau l'antienne d'un État mal formé, d'une monarchie incomplète, bref d'une construction en retard ? Tentons au contraire de prendre le problème à l'envers. Première remarque, aussi triviale puisse-t-elle sonner : l'Empire existe encore à la fin du Moyen Âge et, plus ou moins sous sa forme fixée entre la Bulle d'Or de 1356 et les grandes réformes de 1495, survivra même à la Révolution française et ne pliera, en 1806, que sous le grand vent de la modernité napoléonienne. Autrement dit, et en dépit des faiblesses et imperfections précédemment mentionnées, malgré les crises multiples qui frappent les royautés d'Occident dans la période, le Saint-Empire ne sombre pas aux XIVe et XVe siècles. Un roi des Romains reste toujours élu et le funeste « Interrègne » des années 1250-1273 ne se reproduit pas.

Ce roi demeure porteur de la promesse impériale, une dignité que l'on ne saurait dévaloriser à l'aube des Temps modernes : cet Empire, romain, chrétien, universel, demeure voulu par Dieu et, tant qu'il persiste, l'Apocalypse pourra attendre. Il a été transféré, translaté comme le disent les sources, des Grecs puis des Romains aux Francs puis aux Allemands. Bien entendu, cette théorie atteint rapidement les limites de son efficacité administrative et fiscale, mais elle demeure vivace : pas un chroniqueur du temps ne saurait passer le *Reich*, l'*imperium* sous silence, pas un théoricien du pouvoir qui ne continue à tenter d'en définir la mission et les contours. D'une certaine manière, les lamentations maintes fois formulées au regard de la faiblesse et du déclin de cet Empire valent reconnaissance d'un appétit impérial qui joue encore un rôle notable dans la pensée politique du temps. Il n'est pas jusqu'aux rois de France qui n'aient toujours veillé attentivement à en limiter l'influence, tant territoriale que symbolique, derrière la bannière d'un roi « empereur en son royaume », quitte même à pousser à plusieurs reprises la candidature d'un prince français sur le trône des Romains. En outre, l'idée impériale continuait de former un creuset où se croisaient les Romains, Charlemagne, les Francs, les Allemands, bref sans doute le seul lieu de synthèse des mémoires constitutives d'une forme d'européanité qui ne dit pas encore son nom[16]. Et puis, le schisme pontifical qui déchire la chrétienté de 1378 à 1417 finira par montrer qu'un Empire trop faible ne rend pas service au Saint-Siège et que la réforme de l'un est liée à la réforme de l'autre.

Le roi/empereur demeure avec son tribunal et sa chancellerie un législateur, le seul qui puisse promulguer des textes fondamentaux intéressant l'ensemble de ses pays sous la forme de bulles d'or par exemple. Certes sa cour, en qualité d'organe de gouvernement, d'administration, de conseil et de justice, est moins développée que celles de Londres ou de Paris, mais elle

existe, et administre aussi bien, par le biais d'une chancellerie d'une quinzaine de personnes, le patrimoine de l'Empire
que celui de l'empereur. En ce sens, le pouvoir impérial n'est
peut-être pas une puissance au sens militaire et contraignant
du terme, mais il est une autorité régulatrice et une instance,
autant qu'un recours, de justice. Il reçoit toujours l'hommage des princes de l'Empire, y compris du roi de Bohême,
et confirme les privilèges de tous ceux qui lui doivent conseil,
secours et fidélité. Que l'empereur se soit comporté comme
un grand prince et un grand noble ne saurait constituer un
argument à charge : tous les rois d'Occident, à commencer par
ceux de France ou d'Angleterre, agissent ainsi, ou alors on ne
comprend plus les origines et l'évolution de la guerre dite de
Cent Ans. Des règles définies fixent d'autre part son élection
(comprise à la fois comme désignation et comme approbation),
selon un principe sur lequel repose en droit toute l'Église, désignation du pape comprise, et que les théoriciens du temps
n'hésitent pas à vanter, notamment au motif qu'elle confère
aux princes-électeurs une co-responsabilité particulière dans les
affaires de l'Empire. On l'a vu, le principe électif n'empêche pas
une succession dynastique et héréditaire qui gagne du terrain
aux XIVe et XVe siècles. L'Empire n'est pas non plus dépourvu
des marqueurs et emblèmes symboliques de sa dignité et de son
autorité, à commencer par les insignes impériaux servant au
couronnement, jouissant du statut de reliques et de trésor tout
à la fois, et dont Charles IV recevra la garde dès 1350.

Par ailleurs, contrairement à ce que pourrait suggérer un
regard jeté sur la marqueterie des centaines de principautés
et seigneuries composant un ensemble abritant quelque 12 à
15 millions d'habitants avant la peste de 1349-1350, multipliant frontières et enclaves, une hiérarchie existe bel et bien
entre les grands princes-électeurs, les autres princes d'Empire,
la quinzaine de grands ducs, les margraves, les landgraves, les
burgraves, les comtes, barons, chevaliers et ministériaux, mais
aussi les archevêques, évêques et abbés d'Empire. À cet effet, la
Herrschildordnung ou code des boucliers de l'Empire que l'on
retrouve décrit puis illustré dès le XIIIe siècle dans le *Miroir aux*

Saxons permettait à chacun de reconnaître les siens, et l'ordre féodal sut, comme tout autre ordre général de la société, introduire, sinon une discipline, du moins un arrangement et une classification. On le vit bien lors de la réunion des diètes royales puis impériales qui rassemblaient à date plus ou moins régulière les états de l'Empire : préséance, ordre des sièges, prestation des serments, proximité avec le roi, protocole de parole et de décision épousaient une échelle des dignités et des rangs que chacun connaissait et respectait[17], de même que cet ordre rituel de l'Empire[18] se vérifiait lors des nombreuses entrées royales[19].

Finalement, c'est la combinaison des dispositifs et des régimes qui paraît le mieux caractériser l'Empire tardo-médiéval : élection et hérédité, royauté et Empire, grandes principautés quasi souveraines et royauté, particularisme et universalisme. Les historiens allemands ont su donner un nom bien trouvé à ce système mixte, celui de « dualisme », complété récemment par le concept précieux de « fractalité » pour qualifier la multiplicité des échelles[20]. Avant d'en souligner les défauts, il serait donc plus convenable de lui reconnaître une place au sein de la pluralité des normes, règles et doctrines qui gouvernent la mise en place des sociétés politiques médiévales.

Comté puis duché compact de Luxembourg, royaume de Bohême, Empire composite et multiforme, tels sont les trois morceaux dont hérite Charles IV par le jeu de la succession dynastique en Bohême et par celui de l'élection dans l'Empire. Justement, tout l'art résidait dans l'articulation réussie entre un royaume dynastique et patrimonial et la double dignité royale et impériale élective des Romains. Il faut porter au crédit de l'inventivité de la pensée politique du milieu du XIVe siècle, et de sa compréhension par Charles IV lui-même, sa capacité à dénouer des problèmes sur lesquels les siècles postérieurs ont souvent buté. En l'occurrence, dès 1348, Charles IV, en qualité de double roi, distingue et noue ensemble les deux titres : le royaume de Bohême fait certes partie de l'Empire, mais c'est son roi en tant que personne et non la couronne intemporelle qui doit l'hommage au maître de l'Empire. Ce roi de Bohême est certes un électeur à part entière et il jouit d'une dignité aulique, mais seule la noblesse de Bohême et non l'Empire peut désigner son successeur. Quant aux nouvelles incorporations au royaume de Bohême, elles passeront directement à la couronne sans inféodation au roi des Romains, c'est-à-dire sans passage par l'hommage lige d'Empire.

Tel est donc le tableau des grandes unités territoriales et politiques sur lesquelles Charles IV finit par régner.

CHAPITRE V

Être roi

Avant même de régner et de gouverner, être roi au Moyen Âge, comme ensuite, se signale par l'exercice et la disposition d'un certain nombre de droits et de symboles qui, ajoutés à la dignité et à la majesté, confèrent au pouvoir et à l'autorité qui en découle un surcroît de légitimité[1]. Parmi ces marqueurs royaux, mêlant le personnel et le transpersonnel et obligeant leur détenteur, figurent le titre et la titulature, le prénom (suivi, s'il le faut, de la numérotation qui le place dans une descendance ou dans une tradition) et le sceau, sans oublier armes et devises.

Identité de soi, identité de roi

Charles IV a prêté une grande attention à la désignation de ses titres et couronnes, pour des motifs classiques liés à la rédaction et à la suscription des diplômes issus de sa chancellerie et frappés de son sceau, mais aussi pour des raisons symboliques qui lui furent propres[2]. Son père porta dès son couronnement le titre de « roi de Bohême par la grâce de Dieu », auquel il accola presque toujours son titre de comte de Luxembourg. Charles IV, quant à lui, commença par être margrave de Moravie, *marchio Moraviae*, titre qu'il abandonna dès qu'il fut élu roi des Romains en 1346, de même qu'il délaissa celui de comte de Luxembourg. À cette date, sa titulature devient « Charles, par la grâce de Dieu roi des Romains toujours auguste et roi de Bohême[3] ». Cette formule non seulement unissait ses deux couronnes mais gommait tout autre titre de moindre importance dans une compétition qui l'opposait à Louis de Bavière, roi des Romains et empereur certes excommunié, mais empereur tout de même. Dès le couronnement romain de 1355 s'imposa la formule impériale « Charles IV, par la faveur de la clémence divine empereur des Romains toujours auguste et roi de Bohême[4] ». On notera que cette titulature adopte aussitôt l'ordinal « quatre » ou « quatrième » afin de souligner l'héritage et la continuité depuis Charlemagne[5], tout comme son grand-père Henri était *septimus*, le septième de la liste des empereurs germaniques prénommés Henri, ainsi que Charles le précise dans sa *Vita*. Suivait le plus souvent la notation des trois millésimes différents de ses règnes : en qualité de roi des Romains, de roi de Bohême et d'empereur. La continuité carolingienne n'était pas moins soulignée par le prénom, autre attribut royal d'importance. Il est d'ailleurs saisissant de constater que, parmi les rois et empereurs germaniques qui pourtant ne cessaient de se prévaloir de l'héritage de Charlemagne[6], plus aucun n'avait porté ce prénom depuis Charles le Gros au IXe siècle, quand on en trouve plus précocement en France et en Hongrie[7].

Comme l'on sait cependant, Charles s'appelait auparavant Wenceslas. Le changement de prénom n'est pas au Moyen Âge une pratique rare : il se rencontre pour les papes, l'entrée dans les ordres monastiques ou une conversion religieuse. Chez les rois, on en possède aussi quelques exemples pour les Mérovingiens, ainsi du clerc Daniel devenu Chilpéric (II), et pour les Carolingiens, tel l'un des fils de Charlemagne Carloman devenu Pépin d'Italie. Plus tard, le cadet de Frédéric Ier Barberousse, prénommé Konrad, devint Frédéric à la mort de son aîné qui portait ce prénom et en quelque sorte le « libérait ». Un changement de prénom n'est donc jamais indifférent, il signale ou symbolise une inflexion politique, liée ou non à une rupture démographique, selon un phénomène anthropologique par ailleurs bien étudié[8]. Cette mutation relève de plusieurs facteurs tels que la tradition dynastique, l'ambition politique, la spécificité géographique, la dimension sacrée, hagiographique et religieuse, la mémoire[9]. Une modification du prénom peut aussi s'expliquer par un changement de couronne, selon un cas de figure fréquent entre les trois royaumes de Bohême, de Pologne et de Hongrie : Wenceslas, le fils du roi přemyslide de Bohême Wenceslas II, devint roi de Hongrie en 1301 sous le nom de Ladislas (V), avant de reprendre son prénom originel après son abdication en 1305. Quoiqu'il en soit, la mutation du prénom très bohémien et přemyslide de baptême de Wenceslas en un prénom de confirmation très franc, très français et très carolingien n'a sans doute pas dû beaucoup plaire aux états et particulièrement à la noblesse de Bohême. Cette prévention était d'autant plus marquée que l'opération s'accompagnait d'un mariage lui aussi français comme le rapporte Charles dans sa *Vita* pour l'année 1323 : « Et ledit roi m'a fait confirmer par un évêque ; et m'a donné son propre nom, à savoir Charles, et il m'a donné pour épouse la fille de Charles, son oncle, prénommée Marguerite, dite Blanche[10]. » À y regarder de plus près, ce passage soulève une question qui n'a peut-être pas été assez approfondie et paraît moins anodine qu'il paraît. C'est le choix de Charles qui doit arrêter. Une explication traditionnelle veut que Charles IV le Bel, le dernier des Capétiens directs, ait donné au jeune prince Luxembourg son propre prénom, en même temps que celui-ci était promis par mariage à Blanche de Valois dont le père s'appelait également Charles, et dont le fils Philippe allait devenir le premier des rois Valois en 1328.

Deux problèmes toutefois se posent. En premier lieu, rien n'interdisait de conférer, même après coup, au jeune Wenceslas un double prénom[11]. En deuxième lieu, il est permis de se demander pourquoi, au fond, la dynastie capétienne prenait la peine en 1323 de faire d'un jeune Wenceslas un nouveau Charles, considérant que la maison française entreprenait depuis le début du XIIIe siècle une opération de captation de l'héritage de Charlemagne à son profit, le fameux « retour à la race de Charles » (*redditus ad stirpem Karoli*). Le dernier Capétien direct, Charles IV, en portait d'ailleurs le plus éclatant témoignage. Fallait-il donc dans ce contexte créer un autre Charles ? Certes, personne en 1323 ne pouvait envisager que des années plus tard non seulement les Capétiens directs se seraient éteints mais surtout que le jeune prince de Luxembourg et de Bohême accumulerait tant de couronnes sur sa tête, à l'instar du grand Charlemagne. Reprenons alors le texte de la *Vita*. De ses propres mots, Charles IV indique que son parrain de France lui a conféré « *nomen suum equivocum* ». L'épithète latine, elle-même « équivoque » si l'on ose dire, peut se comprendre comme « son propre prénom » ou bien « son prénom semblable »[12]. Outre que, par ce biais, Charles IV fait habilement du roi de France l'unique responsable de cette renomination, afin sans doute de faire taire les critiques de Bohême qui ne pardonnaient toujours pas cette « détchéquisation » onomastique, le passage suggère que l'initiative provenait moins du roi de France et de sa cour que de Jean de Luxembourg lui-même. Ce dernier, par une refonte de la prénomination et un mariage français pour son fils, achevait de placer le Luxembourg, terre d'Empire, sous l'influence de la « grande monarchie » de France. La guerre de Cent Ans, en effet, n'avait pas encore débuté en 1323 et aucun royaume ne surpassait alors la France en puissance, en richesse et en hommes. Jean de Bohême caressait sans doute ce faisant le projet d'un vaste axe Paris-Prague prenant en tenaille le Saint-Empire du concurrent Louis de Bavière. Il serait alors plus aisé d'opposer à ce dernier un prince au prénom aussi prestigieux, aussi germano-compatible et aussi prometteur que *Karolus*. Dans un tel cas de figure, on comprend mieux pourquoi le roi et la cour de France ont souhaité fabriquer non pas un Charles concurrent mais un Charles allié et pour ainsi dire « satellisé ». D'ailleurs, la propre sœur de Jean de Bohême, Marie, n'était-elle pas l'épouse de Charles IV le Bel de France ?

   Il suffit d'ailleurs d'écouter sur l'épisode du changement de prénom d'autres témoignages que le récit autobiographique du futur Charles IV. Le chroniqueur tchèque Peter von Zittau écrit ainsi dans son *Chronicon Aula Regiae* : « Wenceslas, le fils premier-né du roi Jean et héritier du royaume de Bohême, sur l'ordre de son père, fut envoyé depuis la Bohême vers le roi de France, où il fut accueilli et éduqué par sa tante, la reine Marie de France[13]. » Comme le font alors la plupart des historiens de

Bohême, l'attention se porte sur le père, qui tient ici le premier rôle dans l'éloignement d'une cour de Bohême dont il craignait la trop grande influence sur son fils. Tout porte à croire que, lors de la naissance de Wenceslas en 1316, Jean avait dû céder aux arguments de son épouse, la dernière descendante des Přemyslides, pour donner à travers le prénom Wenceslas (que portait son beau-père) un gage de fidélité à la noblesse du royaume. Au demeurant, ces chroniqueurs continueront d'employer Wenceslas à la place ou à côté de Charles bien après 1323. En 1332, on trouve encore sous leur plume, ou celle des ambassadeurs de Prague dépêchés à la curie avignonnaise, l'expression courante « *Wenceslaus cognominatus Karolus* » ou « *Karolus, qui et Wenceslaus* », c'est-à-dire Charles « alias » Wenceslas. Un chroniqueur allemand, Heinrich von Herford, ira même plus loin dans son *Liber de rebus memorabilioribus* en consignant cette curieuse notation pour l'année 1346 : « Avant son élection, on l'appelait Wenceslas, et après les Électeurs le nommèrent Charles », comme si l'accession au trône des Romains expliquait ce changement, et surtout pas une intervention de la cour de France[14]. Il est plaisant de constater que le prénom de Wenceslas se « libérant » en 1323, il pourra être réattribué au quatrième fils de Jean, né en 1337, mais de sa seconde épouse Béatrice de Bourbon, une princesse française. La cour et la noblesse tchèques ne se sont d'ailleurs pas laissé berner, reprochant cette fois à Jean d'avoir bradé un prénom typiquement local et saint pour un rejeton dans lequel ne coulait aucune goutte du sang des Přemyslides.

Au total, le passage de Wenceslas à Charles est tout sauf innocent. Il traduit d'abord une claire alliance entre le royaume de France et le Luxembourg, Jean accompagnant ensuite jusqu'à la mort le roi de France dans toutes ses batailles comme un fidèle vassal. Il suggère ensuite sinon une distance, du moins un équilibre stratégiquement trouvé entre la tradition franque/française et la tradition bohémienne dans la perspective d'une « reconquête » du trône germanique des Romains. Il annonce enfin une sorte de programme pour son porteur lui-même, qui a non seulement adopté mais aussi vénéré son nouveau prénom. Dès son arrivée en Italie en 1332, à en croire sa *Vita*, le jeune prince remporta une éclatante victoire près de Modène, en souvenir de laquelle « nous construisîmes une belle forteresse avec un château et une enceinte fortifiée au sommet de la montagne, qui est distante de dix milles de Lucques, et nous lui donnâmes le nom de Monte Carlo[15] ». Le culte de Charlemagne qu'il favorisa à Aix-la-Chapelle en constitue une autre preuve, tout comme la fondation de son château éponyme, Karlstein. Mais il y a plus encore. Lors de sa première élection royale en 1346, Charles dut adresser au pape Clément VI une délégation chargée de recueillir en Avignon l'approbation du pontife. Celui-ci répondit que certes le jeune souverain était « catholique, pieux, protecteur de l'Église », mais que son nouveau prénom Charles le satisfaisait plus encore, *quia Karolus* : « parce que Charles. Or qui fut plus pieux et généreux envers l'Église que Charles le Grand ? » Ce prénom en tout cas a suffi au futur empereur : à la différence de nombreux souverains, Charles IV ne porta de son vivant ou on ne lui attribua après sa mort aucun diminutif, aucun surnom, ni péjoratif ni appréciatif[16]. Après lui, quelques empereurs s'appelèrent bien encore Charles, mais aucun roi de Bohême[17], pas davantage qu'après Wenceslas et Sigismond de Luxembourg, un roi des Romains ne se prénomma comme eux.

Sceaux et couronnes

Tout comme le prénom, le sceau est au Moyen Âge, pour les élites ecclésiastiques, aristocratiques et royales et de plus en plus pour d'autres couches et états de la société, le vecteur et le porteur de signes et d'indicateurs puissants d'identité et de pouvoir[18]. Dans le cas d'un roi, le sceau sert naturellement et avant tout à authentifier un écrit, à faire la démonstration de sa majesté et de sa souveraineté et à manifester l'importance du diplôme délivré par sa chancellerie. Il s'agit donc d'un acte hautement régalien, le roi conservant jalousement sur lui la matrice de son sceau personnel pour prévenir toute falsification ou tout mésusage. À sa mort, le sceau était d'ailleurs brisé en public, puisqu'aussi bien il portait l'image du souverain et sa titulature, et contribuait, comme les pièces de monnaie, à en démultiplier la représentation. Charles IV usa de plusieurs sceaux à la mesure de l'acquisition successive de ses titres puis couronnes[19]. Dans l'ordre, il employa d'abord un sceau en qualité de margrave de Moravie, qui le figure de manière indifférenciée en chevalier, de profil, accompagné des armes au lion et à l'aigle de Bohême, de Luxembourg et de Moravie. L'accession au trône des Romains puis de Bohême s'accompagne d'une véritable accession à l'image, voire au portrait. Le sceau s'agrandit d'abord et atteint dix centimètres de diamètre, ce qui permet de ciseler des détails, voire d'affiner les traits du visage. On voit dès lors nettement surgir l'image imposante d'un roi : il trône, porte et tient les insignes de sa fonction (couronne, sceptre, globe), est surmonté de son titre et flanqué des armes de son royaume. Enfin, le couronnement impérial lui accorde le droit d'user d'un sceau de majesté impériale, plus grand et plus lourd encore que le précédent, dont la cire peut être remplacée par l'or, et qui porte au revers une représentation de la Rome éternelle selon un type emprunté aux Staufen du XIIIe siècle. Le sceau, comme le prénom, a retenu l'attention expresse de Charles IV, une sollicitude qui participe chez lui d'une haute conception de tout ce qui touche au « métier » de roi. Tout d'abord, dans la Bulle d'Or, ainsi dénommée en raison de son sceau, l'empereur ne consacre pas moins de deux articles (XXVI et XXVII) sur trente et un aux sceaux impériaux et royaux dont les différents types, du souverain lui-même ou de son chancelier, doivent être présentés au roi et empereur sur une tablette d'argent par les princes-électeurs ecclésiastiques lors des grandes processions, des diètes et des banquets qui suivent l'élection royale. En deuxième lieu, on perçoit une attention toute particulière prêtée à la représentation plus fidèle du visage et des attributs de Charles IV, non seulement sur les grands sceaux de majesté, ce qui ne saurait surprendre, mais aussi sur les plus petits sceaux, sceau secret et anneau sigillaire, sceau de justice ou de paix territoriale, dont les matrices sont contrôlées, souvent détruites puis refaites, pour s'approcher au plus près du portrait du souverain sigillant.

Enfin, un roi ne devient tel qu'après avoir coiffé sa couronne[20]. Par sa nature et la tradition historique, l'Empire est la seule des monarchies d'Occident au Moyen Âge à offrir l'obligation, ou la possibilité, de ceindre plusieurs couronnes dans un même ensemble : celle des Romains (à laquelle peut s'ajouter celles des Lombards en Italie et de Bourgogne dans l'Arélat) et celle de Rome depuis le couronnement impérial de Charlemagne en 800[21]. On trouve bien sûr ailleurs et dans la période des souverains plusieurs fois couronnés ou plusieurs fois titrés au gré d'un changement dynastique, d'un héritage ou d'une union personnelle : entre le Danemark, la Suède et la Norvège ; entre l'Aragon et la Castille ; entre la Hongrie, la Pologne et la Bohême ; entre la Navarre et la France, mais aussi pour la tentative de double monarchie franco-anglaise dans le contexte de la guerre dite de Cent Ans. On a pu calculer à cet égard que, sur la centaine de successions royales enregistrées en Occident entre 1350 et 1450 et réparties sur seize dynasties différentes, dix-huit rois ceignirent plus d'une couronne. Parmi eux, douze en ont ainsi porté deux, cinq autres en ont porté trois et un seul, Charles IV, a fini par en accumuler quatre. Ce phénomène des couronnes multiples[22] est de grande importance. Tout d'abord il montre la pluralité des règles et des modes de succession dans les monarchies européennes, puisqu'un roi pouvait recueillir une autre couronne par le droit, la guerre, un traité, une disposition dynastique ou l'élection. S'il est bien des rois sans royaume, il n'existe pas à terme de royaume sans roi. Ensuite, les couronnements multiples montrent que si le processus d'alignement entre un roi, un royaume, un peuple et un territoire, au terme duquel la nation surgira[23], se met bien en place à la fin du Moyen Âge, il est loin d'être stabilisé et cohérent. Ce dispositif provoque des conséquences sur lesquelles bien des contemporains instrumentalisant aujourd'hui le Moyen Âge à leurs fins populistes et nationalistes feraient bien de réfléchir : des féodaux pouvaient avoir ainsi plusieurs seigneurs selon le principe encore tardivement documenté de la double vassalité, tandis que des rois pouvaient et même devaient gouverner des communautés de sujets de plusieurs langues, de plusieurs droits, de plusieurs ethnies, et bientôt de plusieurs confessions. L'Occident médiéval, devenu Europe, est bien depuis longtemps une terre de diversité et de pluralité. Enfin, ce processus de l'agrégation de couronnes appartient à une histoire politique européenne de longue durée ainsi que l'Empire des Habsbourg ou le Royaume-Uni de Grande-Bretagne et d'Irlande du Nord l'attestent jusque dans notre plus immédiate contemporanéité. Au Moyen Âge, le cas du Saint-Empire présente cependant cette singularité d'unir sous le titre royal des Romains le triple royaume de Germanie, d'Italie et de Bourgogne, de comporter la promesse de la couronne impériale, et de combiner les principes de l'élection et de l'hérédité. Cette triple conjonction rend donc le trône royal et impérial particulièrement complexe et ardu à conquérir ou à conserver, raison pour laquelle le rituel du couronnement revêt un caractère particulier.

Au Moyen Âge, le couronnement royal peut être qualifié d'événement total. Il suit un *ordo* très précis, de plus en plus fixé par écrit, combine et articule une messe et une liturgie, une cérémonie, des rituels, la remise d'insignes, l'onction, l'intronisation, et se déploie dans un temps et un espace calculés. Il s'agit donc d'un acte à la fois politique, liturgique et sacré. Dans la Bulle d'Or, aux articles IV et XXVI, le couronnement impérial est désigné pour la première fois comme l'imposition conjointe de la couronne, des insignes et des *infulae*, c'est-à-dire des rubans appendus de chaque côté de la couronne comme sur la mitre des évêques[24]. Charles IV, on l'a dit, fut le roi le plus couronné de son temps. L'attention qu'il porta toute sa vie aux couronnes fut précoce. Dès 1341, alors que son père Jean régnait encore mais que l'on craignait pour la santé d'un roi devenu aveugle, Charles fit restaurer la couronne de Bohême et la fit placer en 1346 sur le chef-reliquaire de Wenceslas dans la nouvelle cathédrale de Prague. Ce faisant, il la confiait directement au saint, en signe d'inaliénabilité et de perpétuité d'un objet qui se confondait dès lors avec le royaume lui-même. C'est d'ailleurs de ce moment que date l'usage consistant à parler de *corona Boemie*, de « couronne de Bohême » pour désigner le royaume et ses territoires, en quelque sorte distincts de la personne charnelle du roi[25]. Mais c'est la couronne du roi des Romains que Charles ceignit en premier.

Après son élection à Rhens le 11 juillet 1346, il reçut le diadème à
Bonn le 26 novembre de la même année, soit plus de quatre mois
après sa désignation. Cet intervalle, relativement long, s'explique
non seulement par la bataille de Crécy qui, le 26 août, vit son père
succomber sur le champ et Charles n'échapper que de justesse
au massacre de la chevalerie française, mais aussi par le souhait,
auquel il ne renonça que contraint et forcé, d'être couronné selon
la tradition à Aix-la-Chapelle[26]. Lors de la répétition de l'élection
et du couronnement après la mort de Louis de Bavière, respectivement le 17 juin 1349 à Francfort et le 25 juillet à Aix, seulement trente-huit jours séparèrent les deux actes. L'interprétation
qui prévaut toujours pour qualifier ces deux couronnements met
l'accent sur une première édition mal faite, sous la pression des
événements, que seul l'accomplissement du deuxième en bonne et
due forme pouvait compléter et réparer. Sans remettre en cause
cette opinion, il est également permis d'interpréter l'acte aixois
comme une confirmation et une cérémonie qui amplifient le premier. La chancellerie de Charles IV s'y entendait d'ailleurs bien
en qualifiant différemment l'un puis l'autre, signe d'une compé-
tence très médiévale à distinguer subtilement les faits politiques
et sociaux par un simple déplacement sémantique. Le premier
couronnement de Bonn était ainsi désigné classiquement comme
une *coronatio*, tandis que le deuxième, à Aix-la-Chapelle, était
appelé *coronatio sollempnitas*. De surcroît, les actes et privilèges
issus du *scriptorium* royal puis impérial ont presque toujours été
datés à partir du début du règne véritable de Charles en 1346, ce
qui certes peut se comprendre pour la période qui va jusqu'au
deuxième couronnement de 1349, mais moins ensuite car les actes
n'ont pas été rétro- ni antidatés et l'année 1349 n'a pas servi de
nouvelle année zéro du règne. Quoi qu'il en soit, pour ces deux
couronnements, Charles choisit à dessein de suivre l'*ordo* adopté
pour son grand-père Henri VII[27], et ne change pas un iota au
cérémoniel, comme pour indiquer qu'il était bien question d'une
confirmation/amplification et non d'une refondation ou d'une
remise à zéro des compteurs.

Un an après la première cérémonie germanique de 1346, un
deuxième couronnement installa Charles sur le trône bohémien.

Toutefois, et la différence est parlante, le jeune roi portait dès la mort de son père le titre de *rex Boemie* : ici, l'hérédité fait le roi, que vient seulement confirmer le couronnement, là où dans l'Empire l'élection intronise[28]. Ce n'est pas la seule différence entre les deux actes. Pour la cérémonie de Bohême, Charles n'a pas suivi un *ordo* préexistant mais en a composé ou fait composer un nouveau, qui enrichissait celui des Přemyslides par des emprunts au sacre des rois de France dont il avait pu éprouver en personne le faste et la « magie » en 1328. De toutes les couronnes de Charles IV, la suivante était la plus dangereuse et difficile à obtenir. Tout roi des Romains est en effet un empereur en puissance, sous réserve d'aller quérir à Rome le titre et la couronne fermée[29] des mains du pape ou de son légat. Il faut donc non seulement arracher l'approbation pontificale mais ensuite opérer la descente en Italie[30], qui constitue à la fois une charge et une opportunité. Opportunité parce qu'à cette occasion le futur empereur peut tenter de remettre de l'ordre dans les affaires complexes du royaume d'Italie qui relève de l'Empire, se faire en chemin couronner roi des Lombards, monnayer et distribuer vicariats, privilèges et confirmations pour des sommes qui souvent dépassent de loin ce que les terres germaniques de l'Empire rapportent en une année. Charge cependant car la péninsule depuis le XIIIe siècle au moins est livrée aux conflits entre communes, principautés et partis gibelins et guelfes, originellement favorables ou défavorables à l'empereur ; car Rome n'est jamais une ville sûre ; car le voyage, passant par les cols alpins puis les zones insalubres qui allaient des marécages du Pô aux marais pontins, était synonyme de maladie et d'épuisement. Le refus du pape, le décès brutal du roi, voire sa déposition avant l'heure, le contexte d'insécurité, le coût de l'expédition, le risque d'une absence prolongée du roi dans ses terres germaniques… tout cela peut expliquer que plusieurs souverains n'aient pas pu ou pas voulu entreprendre une telle opération, quitte à en payer le prix. Un roi des Romains sans onction impériale restait en effet incomplet aux yeux des contemporains[31]. Avant Charles IV, aucun des rois élus pendant ce que l'on a fini par appeler le « Grand Interrègne » entre 1250 et 1273 n'a été couronné empereur, pas plus que les trois rois de la fin du

XIIIᵉ siècle, Rodolphe de Habsbourg, Adolphe de Nassau et Albert de Habsbourg. Après Charles IV, son fils Wenceslas n'obtint pas la couronne fermée de Charlemagne, pas davantage que son compétiteur Robert de Palatinat, sans parler des anti-rois Frédéric le Beau, Günther de Schwarzbourg ou Jobst de Moravie. Chez les Luxembourg, enfin, le traumatisme italien restait dans toutes les mémoires : le voyage romain du grand-père Henri VII, qui avait pourtant bien commencé, s'acheva en catastrophe avec la mort de l'empereur, d'un de ses frères et de son épouse.

À la vérité, Charles IV n'avait pas eu initialement l'intention d'attendre six ans après son couronnement « allemand » pour gagner Rome et ceindre la couronne impériale. Comme on l'a vu, le roi fut contraint en 1350 à une longue période d'alitement et dut attendre qu'un nouveau pape fût désigné après la mort de Clément VI en 1352. Dès l'accord obtenu, Charles IV partit en petit équipage, c'est-à-dire accompagné de seulement 300 chevaliers en armes. Il négocia en route avec les Visconti de Milan son couronnement en qualité de roi des Lombards car, ainsi que l'écrivit le roi au cardinal d'Ostie, légat du pape : « Nous avons bien l'intention de nous faire couronner en la cathédrale Saint-Ambroise de Milan avec la couronne de fer qui forme l'une des trois couronnes de l'Empire et avec laquelle nos prédécesseurs ont été accoutumés de se faire couronner une deuxième fois. » Charles IV reprenait ainsi à son compte la « théorie » des trois couronnes et des trois métaux : celle d'argent pour le trône des Romains, celle de fer pour celui des Lombards, celle d'or enfin pour le titre impérial[32]. Cette symbolique lui permit ensuite de jouer sur et avec la métaphore néo-testamentaire des trois Rois mages dont Cologne monopolisait alors le grand pèlerinage. Le choix de la date du couronnement lombard, le 6 janvier 1355, fête de l'Épiphanie, le jour qu'avait également retenu Henri VII quarante-quatre ans plus tôt, ne laisse d'ailleurs planer aucun doute sur le sujet. De même, lors de son séjour parisien en 1378, c'est le 6 janvier qui fut retenu pour réunir les trois rois lors d'un banquet exceptionnel [ill. 1].

Sur le sixième et dernier couronnement de Charles IV en qualité de roi d'Arles ou de Bourgogne, les informations sont moins

riches que pour les précédents. Cet étiage documentaire est un
signe : au XIVe siècle déjà on considérait cette cérémonie comme un
peu obsolète, voire exotique. Pourquoi l'empereur prit-il cependant la peine de recevoir cette couronne le 4 juin 1365 dans la
cathédrale Saint-Trophime d'Arles des mains de l'archevêque
Guillaume de la Garde et de signer plusieurs diplômes du titre
de *rex Arelatensis* ? Outre le culte que Charles prit soin de rendre
aux reliques de Sigismond, roi des Burgondes, il s'agissait de
manifester au moins symboliquement les restes d'une présence
de l'Empire en ces terres. Et puis, la proximité géographique avait
incité le souverain, quelques jours avant le couronnement arélat,
à séjourner à la curie avignonnaise afin d'y discuter avec le pape
Urbain V d'un second séjour à Rome censé préparer le retour des
pontifes dans leur ville légitime et historique[33]. On est au détour
davantage renseigné par les chroniqueurs du temps sur ce séjour
que sur le couronnement : Charles IV apparut dans le palais des
papes « revêtu des insignes impériaux, en habit d'empereur, coiffé
de sa couronne, portant le sceptre dans sa main droite ». Au fond,
tout est dit : à chaque visite, chaque diète, chaque entrée, chaque
rencontre de haut rang, Charles met un point d'honneur, comme
seuls peut-être les rois de France en ont poussé l'usage à l'extrême,
à se montrer paré de tous les insignes de sa charge. Ce topos d'un
roi passionné de couronnes et d'insignes semble s'être à ce point
installé qu'un chroniqueur augsbourgeois, décrivant l'exposition
de la dépouille et la pompe funèbre de l'empereur à Prague en
1378, crut bon de souligner en bonne place que « trois couronnes
entouraient sa tête : à sa droite celle de Milan, au centre celle des
Romains, et à sa gauche celle de Bohême[34] ».

Le roi et ses reines

La haute conception que Charles IV se fit sans doute précocement de la destinée de sa maison et de la continuité puis
de l'accroissement de ses États imposait une politique matrimoniale correspondante, dans un monde où un roi sans épouse ni
descendance évoquait à tout le moins désordre et suspicion, et

finissait par faire scandale ou suggérer la malédiction. Qui plus est, l'alliance constituait toujours, avec la guerre, un élément central des relations diplomatiques. C'est pourquoi la vigilance généalogique commandait non seulement de surveiller en permanence le réservoir des unions favorables et disponibles entre dynasties royales et princières, mais aussi de vérifier les degrés de parenté et de consanguinité en-deçà desquels une dispense pontificale deviendrait nécessaire, et souvent coûteuse. De ce point de vue, en croisant les objectifs territoriaux, diplomatiques et dynastiques, le « marché » matrimonial royal était assez vite balisé, dans un Occident qui de surcroît se détournait de plus en plus du bassin orthodoxe et byzantin. Le choix de sa première épouse relevait encore de la stratégie paternelle et fut placé tout entier sous le toit de l'alliance française. Jean l'Aveugle passait déjà pour un bon artisan des alliances profitables aux Luxembourg, au point que l'historiographie, forgeant plus tard le célèbre adage « *Tu nube felix Austria* », « Marie-toi heureuse Autriche », imputera aux Habsbourg le réflexe de s'être d'abord inspiré des Luxembourg. Sous le règne de Jean, sa maison place des sœurs et des enfants en France, en Hongrie, en Bavière et en Autriche, dessinant ainsi les contours d'une géographie continentale et plutôt septentrionale des mariages dont Charles IV ne déviera pas pour lui-même et sa famille.

Bien évidemment, ces choix sont assez basiquement genrés : tandis qu'il revenait à une fille de consolider l'alliance d'une cour à une autre, le passage direct d'une couronne par les femmes restant minoritaire en Occident, le rôle d'un garçon consistait implicitement et potentiellement à pouvoir agrandir le territoire dynastique par héritage, par succession ou par fondation d'une lignée parallèle. C'est la mission qui fut en quelque sorte dévolue aux trois fils de Jean. Le deuxième, Jean-Henri, épousa Margarethe Maultasch, l'héritière du Tyrol et de la Carinthie, nourrissant ainsi l'espoir d'un renforcement vers le sud de l'Empire. Wenceslas, issu du deuxième mariage de Jean avec Béatrice de Bourbon, se voyait investi, par l'alliance contractée avec Jeanne de Brabant, d'étoffer les domaines du Luxembourg. Pour son premier-né, Jean choisit avec Blanche de Valois de consolider les liens avec une maison princière du royaume de France, sans même savoir que les Valois allaient y succéder aux Capétiens. Pour lui-même, Charles fut également attentif aux conséquences de ses unions. Blanche fut emportée à trente et un ans en 1348. Il lui fallait donc songer à se remarier, d'autant que seule une fille lui restait du premier lit, la jeune Catherine née en 1342. En attendant, la nouvelle alliance avec Anne du Palatinat âgée de vingt ans en 1349, l'année de la consolidation définitive de Charles sur le trône germanique, fut interprétée dans toute l'Europe comme un habile coup diplomatique profitant à la réputation du jeune roi. Ce dernier s'achetait par ce biais la paix, ou du moins la neutralité du camp des Wittelsbach incarné entre autres par le père de la mariée, le comte palatin Rodolphe. Il recevait en outre en héritage un ensemble de terres et de villes du Haut-Palatinat qui permit au roi de cimenter l'axe économique, politique et militaire vital qui reliait Prague à Nuremberg. Un an après, la chance semblait vraiment sourire à Charles puisqu'Anne accouchait d'un héritier mâle, aussitôt pré-nommé Wenceslas. Ce dernier survécut cependant à peine deux ans, tandis que la reine décédait en 1353. Tout, d'une certaine manière, était à refaire. Mais Charles n'avait que trente-sept ans. Après avoir essayé la France puis le parti bavarois, le roi conti-nua de « glisser » vers l'est en épousant la même année Anna de Schweidnitz, âgée de quatorze ans, qui avait été initialement promise au premier fils de Charles. Désormais c'est donc le père qui « remplace » le fils disparu pour sceller une alliance dont il espérait un renforcement géographique du royaume de Bohême vers la Silésie. La nouvelle reine présentait en outre l'avantage d'être la nièce du roi Louis de Hongrie. Ce rapprochement fut symbolisé par la célébration du mariage à Ofen, et matérialisé plus tard par l'union que contracta Marie, devenue reine de Hongrie en 1382, avec Sigismond, fils de Charles IV issu de son quatrième mariage[35]. Anna de Schweidnitz ne fut pas seulement la première reine de Bohême et reine des Romains à devenir impératrice après le couronnement de Charles IV en 1355[36]. Elle donna surtout naissance à l'héritier mâle tant attendu, le jeune Wenceslas né à Nuremberg en février 1361. Elle décéda un an après, conduisant Charles à contracter dès 1363 un quatrième mariage[37]. Il jeta son dévolu sur Élisabeth de Poméranie, alors âgée de dix-huit ans. Comme l'impératrice défunte, elle soulignait l'orientation résolue de Charles IV en direction des terres orientales de l'Empire. Le lieu du mariage, Cracovie, n'était pas anodin et tendait à manifester que l'empereur et roi de Bohême devenait un acteur majeur dans cette partie du continent. Des quatre femmes de Charles, Élisabeth, couronnée impératrice à Rome en 1368, fut celle qui prit le plus part au gouvernement et au règne de son époux, position qui lui vaut de voir son portrait figurer à trois reprises dans la cathédrale de Prague [ill. 4 et 6]. D'une beauté légendaire et d'une robustesse qui frappa tous les contemporains, elle accompagna souvent l'empereur en voyage, ainsi en Italie en 1368-1369, entretint sa propre cour et sa propre chancellerie, donna au roi six enfants, dont deux épousèrent des rois, et survécut de quinze ans à son époux[38].

Au total, la politique matrimoniale de Charles IV traduit admirablement deux lignes fortes de son règne. La première, déjà inaugurée par son père, consistait à préférer le mariage à la guerre pour asseoir la position des Luxembourg. Rien ne l'illustre mieux au fond que la remarquable disposition des souriants bustes de Charles IV et de ses quatre épouses au milieu des Luxembourg dans la cathédrale de Prague [ill. 6]. La deuxième reproduit la grande bascule d'ouest en est qui, au XIVe siècle, caractérisa le gouvernement germano-bohémien du roi et empereur. Si l'on s'en tient aux grandes alliances du premier XIVe siècle, en effet, le tropisme français saute aux yeux. Dès la génération de Charles IV, et après son premier mariage, le paysage des alliances change profondément. Comme on l'a vu, les trois unions du roi regardent toutes vers des principautés de l'Empire, tandis que les alliances de ses frères et sœurs se concentrent sur la Bavière, l'Autriche et la Silésie. Tous forment les terrains matrimoniaux privilégiés des enfants de Charles IV placés à quatre reprises en Bavière, trois fois en Autriche, à deux occasions en Hongrie et une fois en Suède et en Angleterre.

Du trône à la tombe, en passant par l'autel, il s'agissait chaque fois pour Charles IV, au-delà de l'écume des jours et des contingences du temps, de rehausser son prestige et celui de ses États, et de souligner que non seulement un roi sans couronne n'était pas pensable, mais qu'un royaume sans couronne devenait inimaginable, au point de punir de lèse-majesté quiconque se risquerait à aliéner, vendre, emprunter ou déplacer les couronnes qu'il plaça une fois sur sa tête. Rien ne le résume mieux que l'inscription gravée sur l'étui de cuir protégeant la couronne de Bohême posée sur le buste de saint Wenceslas dans la cathédrale de Prague : « Le Seigneur Charles, roi des Romains et roi de Bohême, m'a fait fabriquer. » De tout cela, le roi fit un usage modéré pour les uns, immodéré pour les autres, au service d'un gouvernement qui devait à ses yeux transcender l'échelle du temps.

CHAPITRE VI

Gouverner

« À ceux qui siégeront après moi sur mon double trône... »
Ainsi commence la *Vita* que Charles IV conçut également
comme un traité de gouvernement ou du moins comme un
recueil de maximes, préceptes et réflexions sur l'art de régner
à partir de sa propre accession, ardue, au trône des Romains[1].
Que l'on suive les chroniqueurs critiques ou bienveillants à son
endroit, les rapports des ambassadeurs, du pape et d'autres rois
et princes, ou que l'on examine le personnel de sa chancellerie,
les grands actes et les textes majeurs du règne, il ne fait aucun
doute que les contemporains ont tôt reconnu au roi une stature
et une capacité d'action et d'administration remarquables pour
l'époque. Un narrateur aussi méfiant à ses débuts qu'Heinrich
Taube dut reconnaître que ce roi « était perspicace dans ses
plans, prudent dans ses actions et circonspect en matière de
guerre et de batailles. Par son habileté, la force persuasive de sa
parole et le truchement des contrats il parvint à établir une paix
générale dans tout l'Empire[2] ». Le Florentin Matteo Villani, qui
rencontra Charles en 1355 et se trouvait bien mieux disposé à
son égard, souligne également les mêmes vertus : « Il disposait
d'une grande qualité d'écoute, comprenait vite et formulait, sans
hésiter, des réponses brèves et profondes tout en continuant
à réfléchir. De la sorte, il contrôlait trois choses à la fois sans

amputer son attention : l'acuité du regard, la maîtrise de ses
mains face à ses auditeurs et la profondeur de ses répliques.
Autant de qualités remarquables chez un souverain. Son conseil
était composé d'un petit nombre de barons, mais il prenait sa
décision seul, guidé par son unique et lucide entendement, et
parce que son application bien mesurée lui donnait l'avantage
sur les autres[3]. » Sachons prendre avec précaution ces témoignages souvent biaisés par l'envie ou l'admiration, et déformés
par le réflexe, commun à tous les observateurs du temps, consistant à réduire le gouvernement d'un royaume au tempérament
de son souverain. Mais, même cette correction faite, l'impression demeure d'une politique, voire d'un système, et d'un programme d'action. Pour le conduire, Charles IV ne fut pas seul :
près de deux cents conseillers l'ont entouré sous son règne, une
armée de notaires et de scribes de chancellerie dont sortirent
plusieurs milliers de diplômes, des administrateurs, gouverneurs,
écoutètes, répartis dans des villes plus nombreuses, des châteaux
rénovés, des territoires d'un empire et d'un royaume plus grands
en 1378 qu'en 1346. Sans oublier enfin les instruments usuels
par lesquels un roi gouverne au Moyen Âge : des assemblées,
l'impôt et la justice, la cour, le pouvoir de bâtir, l'image, l'art
et la mémoire, la sacralité, le temps et l'espace, venus s'ajouter
à ces autres outils de pouvoir que représentent les mariages et
la famille[4].

Toute réflexion portant sur l'œuvre gouvernementale de
Charles IV est nécessairement confrontée à un double horizon,
tant géographique qu'historiographique : celui de la comparaison de longue durée avec les autres États monarchiques ou princiers en Occident, celui de la situation de l'Empire tout entier aux
siècles finaux du Moyen Âge jugés à l'ombre d'une modernité
prétendument ratée[5]. Le gouvernement de ce roi s'inscrit, sous cet
angle, dans un ensemble complexe de facteurs liés à la fois à la
vie et à la culture politiques des principautés de la fin du Moyen
Âge, ainsi qu'aux spécificités du royaume de Bohême et à la singularité d'une construction qui articule ce royaume à l'Empire.
L'exercice du pouvoir ne peut par ailleurs se comprendre sans
les conceptions que le roi puis l'empereur se fit de sa charge, et

sans prendre en compte la place singulière qu'occupa Prague dans ce dispositif.

Rappelons d'abord quelques évidences. Tout d'abord, comme tout prince du Moyen Âge accédant au trône, Charles hérite du personnel, des moyens et des territoires de son père , et plus largement de sa dynastie[6]. Ensuite, son règne effectif, trente-deux années, est suffisamment long pour pouvoir imprimer une marque en matière de puissance, d'autorité et d'administration. Et puisque Charles IV porta plus de couronnes qu'aucun autre roi de son temps, il faut distinguer entre ses manières de gouverner son royaume et ses façons d'exercer la charge impériale dans l'Empire. Enfin, Charles IV a formulé ses conceptions politiques dans un certain nombre d'écrits ou de grands textes dont il contrôla la rédaction : citons sa *Vita* de 1350, la *Majestas Carolina* pour ses états de Bohême en 1355, la Bulle d'Or de 1356, et un certain nombre de maximes pour lui-même et ses descendants à l'occasion de sermons et de *Moralitates* ou préceptes moraux.

Mais, au-delà du style, de la philosophie et de la volonté politiques propres à l'empereur, quelques données fondamentales tracent les horizons et les limites de sa capacité de gouvernement. Si en Bohême la fonction royale et le royaume réel coïncident à peu près[7], tel n'est pas le cas dans l'Empire caractérisé par un triple dualisme. Ici, en effet, les sphères de l'État royal/impérial et les sphères de l'Empire ne se recoupent guère, pas plus que ne correspondent les domaines de l'empereur et de l'Empire, ni les périmètres du roi et ceux des princes qui l'élisent[8]. Sa charge est une mission, une ambition, et non un espace de gouvernement, en sorte que l'idéel de l'Empire dépassera toujours le réel de l'Empire[9]. Autrement dit, l'Empire auquel Charles IV articule le royaume de Bohême ne débouche pas par nature sur un État. Avant comme après 1346, aucune guerre d'ampleur, tant dans l'Empire qu'en Bohême, même s'il convient de s'en réjouir, ne servira d'aiguillon à la construction d'un embryon d'État comme la France et l'Angleterre en offrent l'exemple douloureux pendant la guerre dite de Cent Ans[10]. Les principes guidant les actes de gouvernement d'un roi des Romains relèvent donc d'opérations de compensation et de stabilisation d'un dispositif qui excède en permanence les possibilités réelles d'action du souverain. Les princes-électeurs ne s'y trompaient pas, qui choisissaient quand ils le pouvaient un prince plus faible qu'eux, à commencer par le grand-père de Charles, simple comte de Luxembourg, afin de laisser en quelque sorte l'ampleur de la charge impériale écraser ou du moins limiter le gouvernement de son porteur.

Pour autant, l'Empire existe et Charles IV fera de son administration le moyen d'en restaurer sinon les prétentions hégémoniques et universelles, du moins une certaine efficacité propre à susciter le respect. Son acte le plus éminent, la Bulle de 1356 faisant de l'élection royale l'affaire de sept grands princes, constitue d'ailleurs un moment intense de réactivation et de redéfinition de ce qu'est finalement l'Empire : un office impérial et sacré, pourvu d'une capacité juridique et législative. Co-tenu par des princes territoriaux, il est fondé sur une base matérielle composée de trois royaumes sur lesquels s'exercent des droits régaliens. Il repose enfin sur des biens d'Empire dont la liste est fixée depuis 1241 dans une matricule qui recense les villes, états et territoires où se déploie sans autre intermédiaire la seigneurie du roi-empereur et qui lui doivent secours et subside dans les cas féodaux traditionnels (guerre, croisade, mariage du prince, descente à Rome). C'est donc à la fois beaucoup et trop peu, en sorte que tout gouvernement impérial interpelle qui veut administrer un espace riche de quelque quinze millions d'habitants avant la peste, constellé de centaines de territoires aux statuts les plus divers, et que l'on met une trentaine de jours à traverser. Pour compenser ces obstacles et relever ces défis, Charles IV put appuyer son gouvernement sur un ensemble de biens dynastiques et patrimoniaux, le Luxembourg et la Bohême. S'y ajoutent les ressources naturelles d'un roi élu des Romains : la jouissance des biens d'Empire, à commencer par les subsides des villes libres, les biens du domaine royal, l'impôt sur les Juifs qualifiés de serfs de la chambre impériale, les produits des privilèges et de la justice émis par sa cour, l'aide occasionnelle accordée par les diètes. Il faut donc bien comprendre que, pour exercer pleinement la charge royale et impériale, Charles IV dut se comporter avant tout comme un grand seigneur dynastique et princier, avant même de songer à construire un État que des générations d'historiens ont passé leur temps à scruter pour finalement en regretter les carences. De ce point de vue, le choix d'un gouvernement de la Bohême et de l'Empire depuis Prague, puisqu'il eût été impossible de l'exercer depuis un Luxembourg situé en position périphérique et trop proche du royaume de France, suit une relative logique qui d'ailleurs choqua davantage les chroniqueurs que les princes.

Le système du vicariat d'Empire

Reste qu'avec une distance de plusieurs centaines de kilomètres entre la perle du royaume tchèque et le cœur de l'Empire, et cela mesuré aux conditions de voyage du temps, il fallait bien que Charles IV pût compter sur un ou des représentants solides. Comme sous les règnes passés, il put user du mécanisme du vicariat impérial[11]. Pour la partie germanique, il en confia la charge à un fidèle entre tous, qui plus est un parent de sa maison, son grand-oncle Baudouin. Ce dernier, sans doute le plus grand prince ecclésiastique allemand de cette première moitié du siècle, était archevêque de Trèves depuis 1307, exerçait *de facto* l'administration du puissant mais disputé archevêché de Mayence depuis 1320, et depuis 1331 celle des diocèses de Worms et de Spire. Il avait autrement dit à sa main les quatre plus riches et influentes principautés ecclésiastiques rhénanes[12]. Après lui se succédèrent au vicariat le comte palatin Rodolphe II, dont la fille Anne avait épousé Charles IV en deuxièmes noces, puis le frère de Charles IV, le duc Wenceslas de Luxembourg, remplacé par l'archevêque de Cologne Frédéric III de Saarwerden et par le propre fils de l'empereur, Wenceslas. Certes la Bulle de 1356 avait en théorie distribué la répartition des vicariats d'Empire parmi les sept princes-électeurs, à savoir le duc de Saxe pour les pays du nord de la Germanie et le comte palatin pour ceux du sud. Toutefois les alliances matrimoniales et territoriales ainsi que les logiques dynastiques l'emportaient encore. Wenceslas IV poursuivit cette entorse à la Bulle en nommant vicaires d'Empire sous son règne son cousin Jobst de Moravie, margrave de Brandebourg, duc de Luxembourg et élu pour quelques semaines roi des Romains en 1411, puis son demi-frère Sigismond. Mais ce qui fut pardonné au père, trop puissant, ne le fut pas à son faible fils, déposé en 1400.

Quoi qu'il en soit, et même si le domaine royal ne cessait de se réduire dans l'Empire depuis le milieu du XIIIe siècle, le vicaire continuait d'exercer au nom du roi puis de l'empereur les droits de la couronne sur le domaine, de confirmer l'investiture des fiefs royaux ou des prébendes des grandes collégiales royales, et de recevoir l'appel à la juridiction du roi, outre qu'il exerçait la régence pendant la vacance du trône. De moindre importance étaient les vicariats sur ce qui restait des royaumes d'Italie et de Bourgogne. En Italie, l'esprit pragmatique de Charles IV le poussa à régionaliser et à remettre cette charge à la plus puissante seigneurie du moment, celle des Visconti, tant qu'ils payaient régulièrement et maintenaient un semblant d'ordre. En d'autres circonstances, ce furent les Della Scala et les Gonzague qui purent un temps en bénéficier, toujours contre argent sonnant, sans oublier Venise pour certaines contrées réputées impériales de la Terre Ferme continentale[13]. Cependant, dans sa *Vita* déjà, Charles IV, qui passa tout de même un total de quatre ans et demi en Italie, avait déclaré que « l'on ne pouvait guère ici défendre son honneur ». N'avait-il pas entendu dire que son grand-père Henri VII y avait laissé sa santé puis sa vie ? N'avait-il pas vu combien le règne de son compétiteur Louis IV de Bavière s'était épuisé dans les querelles italiennes ? Mieux valait s'en tenir à l'écart, quitte à essuyer les remarques acerbes des auteurs transalpins. Le Florentin Matteo Villani écrit lapidairement de Charles qu'il accomplit son expédition romaine « non comme un empereur mais comme un marchand pressé de se rendre à la prochaine foire ». Le grand Pétrarque, pourtant initialement enthousiasmé par le retour d'un puissant roi des Romains dans la péninsule, finit par dire de lui : « Ce que ton grand-père et d'autres ont conquis au prix de leur sang et de rudes combats, tu l'abandonnes dans l'ingratitude de ton propre destin, et te retires dans tes confins barbares après avoir forcé la porte de l'Italie, franchi le seuil de Rome, tenu le sceptre dans ta main sans avoir dû verser une seule goutte de sang. » Un autre Florentin, Franco Sacchetti, consacre la soixante-troisième de ses *Trois Cents Nouvelles* à l'empereur et achève son chant très boccacien par ces mots : « Toi qui portes le nom d'empereur, je veux te dire que tu es bien différent de celui que nous avions espéré et souhaité... Ton nom, Charles, ne laisse pas de rappeler celui de Charlemagne. Pourtant, n'as-tu pas honte de porter le même prénom que lui ? Toi le quatrième de ce grand nom, quelle taille possède donc le char de tes vertus et de tes hauts faits ? Pourquoi ne se montre en toi que l'esprit d'avidité et de rapine ? » On le voit, l'exercice du vicariat d'Empire en Italie pouvait rapporter autant d'ennuis que de subsides, et raviver de surcroît à tout moment l'opposition du pape qui en réclamait également la charge et l'usage à son profit. Quant au vicariat impérial sur l'ancien royaume de Bourgogne ou d'Arélat, Charles IV n'en avait restauré les droits que dans la perspective de son couronnement à Arles en 1365 en confiant le titre au comte de Savoie et à ses héritiers, une disposition qu'il dénonça dès l'année suivante. Ce n'est pas en tout cas par le biais de cette délégation que Charles IV comptait réellement gouverner, préférant s'appuyer sur un exercice incarné, personnel et localisé du pouvoir.

Chanceliers, conseillers et financiers

Pour cela, il renforça d'abord l'outil principal et commun à l'Empire et au royaume de Bohême qu'était la chancellerie[14]. Elle connut un essor et une organisation remarquables sous son règne, suivant d'ailleurs un modèle très français. Elle travaillait non pas à la place mais à côté de la cour dont les offices auliques, chambellan, écuyer, échanson et camérier, continuant à mêler gouvernement, administration et justice, subsistèrent comme dans la plupart des cours royales européennes. Cet organe était clairement conçu par Charles IV comme un moyen d'intégrer à la cour d'influents seigneurs ecclésiastiques et laïques originaires de Bohême, ou bien issus des principautés limitrophes rattachées à la couronne, ainsi que des territoires de l'Empire encore demeurés proches de la royauté. Pour en mesurer l'activité, rappelons d'abord que l'on conserve aujourd'hui quelque 9 300 actes écrits de toute nature sortis des pupitres de la chancellerie, pour un total d'environ 15 000 pièces que produisirent selon les estimations les scribes de ce bureau sous le règne (soit quelque 500 actes par année de règne). Dans ce massif documentaire en croissance, comme augmente un peu partout en Occident la production écrite des cours pontificale, royales et princières, on peut détacher, à côté des grands textes que furent la *Majestas Carolina* de 1355 ou la Bulle d'Or de 1356, 125 contrats d'alliance ou de vassalité ainsi que 7 500 privilèges et diplômes mêlant affaires de la Bohême, de l'Empire et du Luxembourg. Près de la moitié d'entre eux, 3 200 pour être exact, furent rédigés avant 1358, signe d'une intense activité correspondant au temps d'une stabilisation de ses États et d'une œuvre soutenue de législation par le roi. Les langues de rédaction employées sont presque toujours l'allemand et le latin, maniées comme deux idiomes du droit et du pouvoir, à l'exclusion de l'italien, du tchèque ou du français, alors même que le dernier chapitre de la Bulle d'Or plaidait pour un pluralisme linguistique[15]. Les modèles de formulaires mêlaient des styles empruntés aux Staufen, notamment ceux de Pierre de la Vigne sous Frédéric II[16], et inspirés de la chancellerie française ou des administrations princières, voire urbaines, de l'Empire. Quant à leurs destinataires, ils appartiennent pour 38 % aux régions franconienne, rhénane et souabe de l'Empire encore proches de la royauté et dotées de biens impériaux, tandis que le reste de l'Empire n'en reçoit que 15 %. Un cinquième concerne des correspondants issus des pays patrimoniaux des Luxembourg, Bohême comprise.

Le cercle des conseillers et notaires réunis autour d'un noyau dur d'une quinzaine de rédacteurs, clercs et juristes, se compose dans les premières années de lettrés et juristes hérités de son père, mais aussi attirés du royaume de France, tel Nicolas Sortes. Sous son gouvernement personnel, Charles IV engagea plutôt des fidèles provenant de ses terres patrimoniales et royales puisqu'un peu plus de la moitié des secrétaires et notaires de chancellerie recensés sous le règne proviennent des pays de la maison des Luxembourg et du reste de l'Empire, ou du moins des territoires réputés carolinophiles tels que la Franconie, la Souabe et la région située au croisement du Rhin et du Main. Il en résulte une réduction de la proportion des grands nobles de Bohême présents à la chancellerie par rapport au début du XIVᵉ siècle et un affaissement de la part des clercs au profit des laïcs dont la proportion atteint 53 % dès les années 1360. Parmi les quatre-vingt huit nobles du conseil et de la chancellerie inventoriés de 1346 à 1378, les trois cinquièmes sont originaires de lignages issus des terres dynastiques des Luxembourg avec lesquels le roi entretient des rapports féodaux, matrimoniaux ou politiques de proximité. Quant aux autres conseillers et secrétaires laïques et nobles, ils proviennent pour l'essentiel de régions de l'Empire encore tournées vers la royauté, c'est-à-dire le cœur d'une forme de fidélité au roi des Romains fixée depuis le dernier des Staufen au milieu du XIIIᵉ siècle. Si la part des conseillers et secrétaires laïques et cléricaux s'équilibre tout au long du règne, le cénacle très étroit des proches conseillers et des chanceliers est en revanche formé de grands ecclésiastiques et de sujets de Bohême, à commencer par les archevêques de Prague, l'inlassable Ernst von Pardubice et, à sa mort en 1364, Jan Očko von Vlašim. Parmi eux figurent aussi l'archevêque de Magdebourg, Dietrich von Portitz, et l'évêque d'Augsbourg Markwart von Randeck, sans oublier un haut membre de l'Ordre teutonique, Rudolf von Homburg, commandeur provincial du bailliage de Bohême de 1354 à 1368. On ne saurait s'en étonner, la situation n'est guère différente dans la plupart des royaumes européens du temps et s'explique par la maîtrise du droit canon dont jouissent ces grands ecclésiastiques et leurs propres chancelleries, par l'accès plus ou moins direct dont ils peuvent se prévaloir auprès de la papauté, et par la capacité militaire et fiscale dont font preuve ces évêques et archevêques, qui sont aussi des princes territoriaux. À ce groupe restreint appartiennent également Johannes von Neumarkt, Nikolaus von Riesenburg, Albrecht von Sternberg, Thimo von Kolditz, Sbinko Hase von Hasenburg, Borso von Riesenburg, Peter von

Wartenberg, Bernhard von Zilburg, Wilhelm von Landstein et Lamprecht von Brunn. C'est par le biais de certains d'entre eux, citons ici le réseau des Stromer en raison de la présence et de l'activité des évêques de Franconie et des étroites relations commerciales entretenues entre Prague et la métropole franconienne, que la part des Nurembergeois auprès de Charles IV augmenta dans la seconde partie du règne.

La présence des natifs de la cité des bords de la Pegnitz se fit particulièrement sentir touchant l'organisation de l'administration fiscale et financière dont Charles IV dota son gouvernement[17]. Comparés aux autres grandes monarchies occidentales, la chambre des comptes et le trésor sont certes loin de présenter le même degré d'organisation et de complexité. Mais ces organes gagnent néanmoins en importance, en particulier grâce aux rentrées des impôts prélevés sur les mines de Bohême, sur la frappe monétaire des Gros d'argent de Prague et sur la circulation des métaux. Pour diriger cette administration et tenir les finances royales et impériales, deux hommes se sont imposés. Le premier, un Nurembergeois, portait le nom prédestiné de Wenzel Schatz (Thesaurii, ou « du trésor » en allemand et en latin !), élevé au rang de « secrétaire, familier et notaire des dépenses de la cour impériale ». Il fut vite épaulé par le deuxième grand argentier de cette intendance, le puissant Paul von Jenstein ou Jenzenstein, originaire de Bohême, en charge de ce secteur de 1351 à 1374. Il était parent de trois archevêques de Prague. Son frère n'était autre que l'archevêque de Prague précédemment mentionné, Jan Očko von Vlašim, évêque d'Olmütz, archevêque en 1364, élevé au rang cardinalice en 1378 et l'un des plus proches conseillers de Charles IV. Si la gestion des finances prit une telle importance, c'est que Charles IV compensa par la diplomatie et l'argent ce que d'autres princes accaparèrent par la guerre : citons, parmi les opérations les plus coûteuses, l'acquisition de nouveaux territoires rattachés à la Bohême, ainsi du Brandebourg, ou bien le versement de sommes astronomiques aux princes-électeurs pour placer de son vivant son fils sur le trône des Romains. Comparées aux revenus que pouvaient encaisser les rois de France et d'Angleterre au même moment, sans parler de plusieurs principautés italiennes, les rentrées d'un empereur faisaient pâle figure. Les ressources qu'il pouvait tirer des biens du domaine royal et impérial tournaient autour des 170 000 florins par année ordinaire au milieu du XIVe siècle. Cela ne suffisait jamais et, compte tenu des ambitions du règne, Charles IV fut de tous les rois et empereurs des deux siècles finaux du Moyen Âge celui qui hypothéqua le plus grand nombre de biens d'Empire, son gouvernement totalisant 70 % des biens engagés par la couronne entre 1300 et 1500. Par chance, l'empereur disposait, comme ce fut le cas à partir du XVe siècle pour les Habsbourg, des recettes provenant de ses biens patrimoniaux et dynastiques, à commencer par celles prélevées sur le royaume de Bohême. On en estime le total, vers 1360, à 350 000 ou 400 000 florins, soit le double ou même le triple des revenus perçus dans le reste de l'Empire[18]. Il faut dire que, malgré la puissance de la noblesse tchèque, les domaines royaux en Bohême étaient plus compacts et mieux gérés, et surtout comprenaient les bénéfices extraits de l'exploitation minière particulièrement productive du XIIIe au XVe siècle[19]. La réputation des minerais de Bohême devint proverbiale à la fin du Moyen Âge, comme en témoigne la remarque du voyageur Gilles Le Bouvier, le héraut Berry, au milieu du XVe siècle : « *Les gens de ce royaulme sont moult riches d'argent, pour ce qu'il croist au païs à grant abondance, et le prent-on en mines soubz terre ; a grant multitude de peuple par tout le royaulme minant*[20]. » Dès les années 1230-1240, les Přemyslides pouvaient tirer profit des mines d'argent de Iglau (Jihlava) et de Kuttenberg (Kutná Hora), l'une et l'autre parvenant à fournir dans les dernières décennies du XIIIe siècle, avec une production annuelle de vingt tonnes, près du tiers des livraisons argentifères de l'Europe continentale. Si les rendements ont ensuite faibli sous les Luxembourg, principalement en raison de l'épuisement des gisements, d'un tremblement de terre dévastateur en 1328 et de l'inondation permanente des galeries toujours plus profondes, Kuttenberg restait avec 10 000 habitants la deuxième ville du royaume et continua sous le règne de Charles IV à livrer des quantités appréciables de métal dont la transformation alimentait la frappe du Gros tournois d'argent de Prague, principale monnaie en usage dans tout le cœur central du continent et dont la production était contrôlée par le roi. Cette activité était aux mains des grands monétaires et marchands de Nuremberg[21], les Schlick, Gross et Stromer en tête, qui gravitaient autour de la cour et de la chancellerie et maîtrisaient les techniques toujours plus complexes du crédit, de la banque et du change, mais aussi de la mutation du cours et de la valeur des pièces dont la teneur en argent fin commença à diminuer dans les années 1355-1365.

À côté de l'émission de pièces de moindre poids ou de moindre aloi, la prospection et l'exploitation de nouveaux gisements constituèrent le second moyen employé par le roi et ses conseillers pour remplir les caisses. Ces sites découverts ou développés à partir du milieu du XIVe siècle se trouvaient dans trois régions limitrophes du royaume, dont la localisation explique aussi les extensions territoriales poursuivies par le roi. La première comprenait les filons argentifères de Silberberg et de Frankenstein, aurifères de Reichenstein et ferrifères de Eisenbrod en Basse-Silésie, rattachée au royaume en 1336 puis incorporée à la couronne en 1351. La deuxième incluait les mines d'argent de Mies, de fer d'Auerbach et du triangle Sulzbach-Rosenberg-Amberg, toutes situées en Nouvelle-Bohême, un ensemble acquis patiemment dans le Haut-Palatinat par Charles IV entre 1353 et 1363 pour sécuriser la « route d'or » entre Prague et Nuremberg. Enfin, le troisième secteur enveloppait les nouvelles et prometteuses places des Monts métallifères, aux limites du royaume avec le landgraviat impérial de Thuringe : mines de fer de Berggiesshübel, d'Eibenstock, de Schmiedeberg, mines de cuivre de Kupferberg et mines d'or de Karlsberg ou Bergreichenstein dont la mise en valeur ne cessa de progresser entre 1340 et 1365. Ce n'est pas l'effet du hasard si, précisément au sein de la chancellerie, les deux records ou inventaires de droits et de biens royaux les plus complets, et donc les plus susceptibles de recenser les impôts et revenus, rédigés sous le règne furent ceux de Nouvelle-Bohême en 1366-1368 et de Brandebourg en 1375.

Si la chancellerie pragoise agissait sans distinguer entre les pays placés sous la souveraineté et les titulatures de Charles IV, et s'adressait en priorité aux villes, seigneuries et châtellenies royales par le biais des burgraves en Bohême et en Moravie, en

revanche les principautés rattachées à la couronne de Bohême
bénéficiaient d'une organisation particulière. Il s'agit de la
Moravie d'une part, arrimée à la Bohême depuis 1311, et des
duchés de Silésie de l'autre, rattachés à la couronne de Bohême
après l'acte de renonciation formulé en 1335 par le roi de Pologne
Casimir III lors du traité de Trentschin. Cette cession « en toute
éternité » fut confirmée par Charles IV en 1348 lors du traité de
Namslau puis de nouveau en 1355 et 1358, et augmentée d'une
extension du statut de fiefs du royaume et de la couronne de
Bohême (*regnum et corona Boemiae*) aux marches de Bautzen
et de Görlitz. Dans le même temps, le margraviat de Moravie
se transformait également en fief direct de la couronne et comprenait les deux évêchés d'Olmütz et de Leitomischl devenus
depuis 1344 les suffragants de l'archevêque de Prague au sein
de la province métropolitaine de Bohême. En Moravie, confiée
au frère de Charles IV, Jean-Henri, de 1349 à 1375, puis au fils
de ce dernier Jobst de 1375 à 1411, une chancellerie particulière relayait le travail de celle de Prague depuis la résidence de
Brünn. Le fait que les évêques successifs du diocèse d'Olmütz
ou bien devenaient archevêques de Prague, tels Johannes von
Neumarkt ou Jan Očko von Vlašim, ou bien figuraient parmi
les proches conseillers du roi venait renforcer cette proximité.
Au total, et ce trait caractérise la haute administration lettrée
de la cour de Charles IV tout au long du règne, l'emprise de la
chancellerie demeure une constante qui finit par faire système.
On en veut pour preuve que, même dans le domaine de ce que
l'on peut commencer à appeler la « diplomatie », la proportion
du personnel lié aux cercles étroits de la chancellerie ne cessa
d'augmenter à partir des années 1360. Cette évolution entraîna
d'ailleurs une progression concomitante de la part des ambassadeurs et envoyés originaires des pays de Bohême, de Moravie et
de Silésie au détriment des émissaires majoritairement recrutés
dans l'ouest de l'Empire dans la première décennie du règne,
comme le montre la prosopographie des soixante-huit négocia-
teurs et légats expédiés par le roi à la Curie pontificale[22].
   Un dernier trait doit être relevé quant à la manière dont
Charles IV traitait ses conseillers. Comme on l'a vu, la

particularité de son gouvernement tenait à la permanente articulation qu'il dut assurer entre son royaume de Bohême et les terres du Saint-Empire. De ce qui pouvait devenir un obstacle ou une contradiction, le roi sut faire souvent un avantage en neutralisant l'un par l'autre comme en témoignent ces deux exemples. Originaire de la ville de Stendal dans l'Altmark ou Vieille-Marche de Brandebourg (aujourd'hui Saxe-Anhalt), né dans une famille de marchands drapiers, Dietrich von Portitz fit une brillante et rapide carrière ecclésiastique. Il occupa successivement les sièges épiscopaux de Brandebourg, Olmütz, Schleswig et Minden. Il prépara activement le couronnement impérial de 1355 et, dès 1356, devint un très proche conseiller de Charles IV qui lui confia les finances du royaume de Bohême et de nombreuses ambassades. L'empereur l'éleva enfin au rang de bailli de Vyšehrad, énorme complexe palatial et premier siège des ducs puis rois de Bohême sur la rive droite de la Moldau au sud de la Nouvelle Ville de Prague. À ce titre, ce château abritait l'une des collégiales les plus prestigieuses du royaume. Au sommet de son pouvoir en 1362, Dietrich von Pornitz commençait à projeter une ombre gênante sur l'empereur, qui l'éloigna en assurant sa promotion au rang d'archevêque de Magdebourg où il finit son existence en butte aux attaques d'une coalition de nobles de Saxe réunis autour du duc de Brunswick et de l'évêque de Hildesheim. Sa trajectoire montre que, lorsqu'un conseiller devenait trop puissant, Charles IV cherchait à l'éloigner en utilisant les ressources prestigieuses et nombreuses de l'Empire. Il n'en va pas autrement pour le grand chancelier Johannes von Neumarkt au service du souverain de 1352 à 1373. Tombé en disgrâce, il dut se réfugier dans son évêché d'Olmütz où l'empereur le pourvut de biens et privilèges, pour partie prélevés sur l'Empire, mais sans lui accorder le pouvoir dont il avait pu jouir durant deux décennies.

Ces parcours révèlent que, comme partout ailleurs dans l'Europe du XIVe siècle, ce sont bien encore les réseaux de personnes et leurs connexions régionales qui l'emportent sur la bureaucratie des institutions ou la géopolitique. En d'autres termes c'est la personne qui détermine la fonction et non l'inverse, ce qui explique

que la cour, en tant que centre de gouvernement, était à la fois un instrument au service du roi et un corps social aux règles particulières. Il est facile d'y reconnaître des fonctionnements qui peuvent rappeler ce que l'on dénomme aujourd'hui État, administration, voire fonctionnaires, mais sans toute la rationalisation et la professionnalisation que la modernité attache à ces notions. Cette prudence permet de comprendre que, même si l'on est bien mieux renseigné sur le travail de la chancellerie de Charles IV et sur l'implication de ce dernier dans les grandes décisions politiques, toute une partie du mécanisme, dont ne subsiste aujourd'hui qu'une documentation fragmentaire et déjà normée par l'écrit pragmatique, échappe à notre connaissance. C'est pourquoi d'autres biais interprétatifs doivent être convoqués, tels que les rituels, les images et leur emplacement, l'espace du pouvoir, et plus particulièrement Prague, à la fois capitale, cour et résidence.

Prague, lieu de gouvernement

Le chroniqueur allemand Heinrich Truchsess von Diessenhofen, par ailleurs critique sur bien des points du règne, ne put faire autrement, au sujet de Prague, que de reconnaître que Charles « passa là sa vie, dans ce qui est maintenant la métropole du royaume de Bohême, et où se situe désormais le siège de l'Empire, qui fut autrefois Rome, ensuite Constantinople, et désormais Prague ». On notera certes une pointe d'ironique arrogance dans cette énumération qui voit la Ville éternelle remplacée par ce que nombre de chroniqueurs allemands considéraient comme une ville décentrée et moins prestigieuse que d'antiques cités de l'Empire. Cependant, à l'instar de Paris pour le royaume de France et de Londres pour celui d'Angleterre, on ne saurait comprendre le style et le système politiques du gouvernement de ce roi sans regarder la place que Prague y occupait, et cela sous le triple angle de capitale, de cour et de résidence.

Capitale véritable en effet[23], avec sa Ville Nouvelle, son château, ses monuments, ses palais occupés par les autres rois et princes, tels Waldemar IV de Danemark ou Frédéric III de Misnie, et les Grands, tels les archevêques et évêques de Mayence, ou les puissantes maisons aristocratiques des Sternberg, des Wartenberg et des Riesenburg. Elle brillait également par son université et sa cathédrale d'où rayonnait un véritable culte personnel et dynastique, sans oublier le proche château de Karlstein. À Prague même, la cour présentait tous les caractères de ce que l'on désigne ainsi à la fin du Moyen Âge : la maison du prince et de ses familiers, le lieu de la représentation royale, de l'exposition de son honneur et de ses dignités, l'endroit du gouvernement et de sa chancellerie, un point central de référence au sein et au-dehors du royaume à partir duquel se tissait un réseau de routes et de relations de toute nature, enfin une place à partir de laquelle se déploie une culture curiale mêlant commandes, mécénat, festivités, savoir, bref une courtoisie au sens large[24].

Charles IV nourrissait pour sa capitale l'ambition de créer un centre politique capable de rivaliser avec la Rome des Augustes, avec l'ensemble palatial d'Aix-la-Chapelle au temps de Charlemagne ou avec le Paris des Capétiens et des Valois[25]. Dès le début du règne, deux diplômes du 1er avril 1347 et du 8 mars 1348 donnaient la direction générale de ses aspirations pour en faire le cœur « de notre royaume héréditaire de Bohême afin que, sans regarder à la dépense, les fleurs de la beauté, de la prospérité et de la paix s'y épanouissent ». Pour autant, Charles ne partait pas de rien : Prague avait déjà bénéficié de la sollicitude des derniers Přemyslides, si l'on songe à la présence de grands troubadours à la cour de Wenceslas Ier, à l'énergie constructrice d'Ottokar II ou aux plans de fondation d'une université sous le règne de Wenceslas II. De même que la galerie des bustes des Luxembourg du triforium de Saint-Guy surplombe les tombeaux de ces trois Přemyslides, de même la cathédrale est-elle érigée sur les fondations de la basilique élevée sous le règne du duc de Bohême Spytihněv II de 1055 à 1061, tandis que le nouveau château du Hradschin, dont les travaux sont entrepris dès 1333, s'appuie sur l'ancienne résidence des rois de Bohême. La Prague caroline sera sans doute une véritable et somptueuse mise en scène, mais le décor remploya bien des éléments antérieurs. Il n'empêche, Charles IV voulut que sa résidence royale fût abritée par une ville qui présentât tous les caractères de la majesté et de l'autorité : murailles, palais, églises et chapelles capables d'accueillir les reliques dont il avait la passion, pont majestueux, tours, résidences nobles, université, monastères, ville nouvelle. Rien ne devait manquer à la palette des attributs d'une grande cité. On demeure aujourd'hui encore frappé, compte tenu des moyens dont disposaient les hommes de ce temps, par la rapidité et la simultanéité avec lesquelles tous ces chantiers furent entamés et financés. L'érection de Prague au rang de grande capitale politique et culturelle de l'Europe du XIVe siècle devait, aux yeux de Charles IV, figurer aussi l'image d'un bon et efficace gouvernement. Ce souci revêtait aux yeux du roi un indéniable aspect de propagande et de mise en scène. Dans sa *Vita*, pour l'année 1333, alors qu'il n'était encore investi d'aucun royaume, le jeune Charles notait avec une certaine exagération la situation qu'il trouva lors de son retour en Bohême après onze années d'absence et son empressement à faire table rase d'un passé volontairement noirci : « Le château de Prague était tout autant désolé, délabré et dégradé parce qu'il avait été réduit en ruines du temps du roi Ottokar. À sa place nous fîmes reconstruire entièrement et à grand frais un grand et beau palais, tel qu'il s'offre aujourd'hui aux regards[26]. » Le chroniqueur François de Prague prend soin d'ajouter que cette œuvre de reconstruction fut opérée « à grands frais, sur le modèle de la maison du roi de France ». De fait, l'imposant portail, l'entrée d'honneur, le grand escalier, la salle décorée après 1355 de cent vingt portraits des ancêtres de Charles IV et la chapelle de Tous-les-Saints érigée en 1369 rappellent assurément le palais parisien de la Cité.

Capitale culturelle et politique, convient-il bien de dire tant les deux adjectifs sont liés. L'essor d'une littérature en langue tchèque est ainsi inséparable du mouvement qui voit par exemple la chancellerie rédiger les actes en allemand et en latin. De même, le développement de l'université est indissociable de la production d'écrits juridiques d'importance, autant que d'une vaste entreprise de rédaction de chroniques mise au service de l'histoire de la

Bohême. Parmi les conseillers et au sein de la cour de Charles IV on trouve comme ailleurs des juristes, des gradués, des clercs, ainsi que des astronomes, des astrologues, des médecins, des bibliothécaires, des traducteurs et des peintres. Songeons ici à Nicolaus Wurmser de Strasbourg qui apparaît pour la première fois en 1357 dans les sources royales pour ses travaux à Karlstein. On peut également penser à Johannes von Troppau, au Maître Théodoric, « peintre impérial » et « notre peintre et familier » ainsi que Charles le désigne, actif tant à Prague que dans la cha-pelle haute du château de Karlstein de 1359 à 1368, mais sur-tout à Peter Parler qui signa tant de chantiers pragois. Tous, avec les enlumineurs des grands manuscrits royaux que furent Maître Wenceslas, le Frère Andreas ou Jacques de Prague, le joaillier royal Gerhard de Dortmund ou les polisseurs de pierres précieuses, qui couvrent de gemmes les murs des chapelles du château royal, participent, chacun avec son art, d'une manière de gouverner par et pour le roi[27].

Avant l'énorme et permanent chantier que fut Prague sous le règne de Charles IV, la ville était déjà connue pour son emplacement et pour la faveur dont elle bénéficia sous le règne des Přemyslides. Abū Ubayd Abd Allāh ibn Abd al-Azīz ibn Muḥammad al-Bakrī, géographe et historien de l'Hispanie musulmane, vantait l'avantage de la position dans sa *Kitāb al-Masālik wa-al-Mamālik* ou *Livre des Routes et des Royaumes* rédigé en 1068 : « De Cracovie arrivent en ce lieu les Russes et les Slaves avec leurs marchandises. Mais les Musulmans, les Juifs et les Turcs apportent ici argent et produits et en repartent avec des esclaves, de l'étain et diverses sortes de fourrures. » La topographie urbaine que Charles IV trouva lors de son retour en 1333 avait été dessinée par la dynastie précédente et se com-posait de trois villes séparées et de deux châteaux. Sur la rive gauche de la Moldau se tenait le Hradschin, le château dévasté par un incendie en 1303 mais dont le prestige persistait en qualité d'abri initial des reliques des saints Wenceslas, Guy et Adalbert transférés ensuite dans la cathédrale proche. Au pied du Hrad s'étendait une installation urbaine que jouxtait, vers la rive, une seconde « ville », le Petit Côté (Malá Strana), essentiellement

peuplé d'Allemands auxquels le roi Ottokar II avait conféré
le droit urbain de Magdebourg. Sur la rive droite du fleuve se
déployait la Vieille Ville (Staré Město), abritant notamment le
quartier juif et, après un espace en friche, plus au sud, le château
historique des Přemyslides, Vyšehrad, dont les ducs avaient fait
leur résidence dès le Xe siècle. On en attribuait la création aux
fondateurs de la dynastie, Přemysl le Laboureur et son épouse
la prophétesse Libuše. C'est là, entre la Vieille Ville et Vyšehrad,
que Charles IV conçut un immense chantier urbain sous la forme
d'une Nouvelle Ville (Nové Město) dont la taille, 360 hectares,
représentait plus de trois fois la superficie de la Vieille Ville [voir
plan en annexe]. Décidée en 1346, sa construction fut symboliquement lancée le 25 avril 1348, jour de Saint-Marc et année
de la fondation de l'université et du lancement des travaux de
Karlstein, en présence des princes et de la noblesse de Bohême et
de l'Empire. Cette extension conséquente fit de Prague la ville la
plus étendue au nord des Alpes et, avec quelque 40 000 habitants
en 1378, la troisième ville cisalpine la plus peuplée après Paris et
Gand, la première dans l'Empire, dépassant de peu Cologne et
Nuremberg. L'agrandissement ainsi opéré était tel que la superficie urbaine suffit à contenir sa croissance jusqu'au XIXe siècle.
Cette cité neuve sortie de terre en quelques années était articulée
autour de trois grandes places de marché, dont les deux plus
vastes – le marché aux chevaux, aujourd'hui la place Wenceslas,
et le marché aux bestiaux, ou place Charles – ne faisaient respectivement pas moins de 800 mètres et de 550 mètres de long. Elles
constituaient alors l'ensemble le plus large de places urbaines
d'Europe. La Nouvelle Ville était par ailleurs quadrillée par un
chevelu de rues pavées ordonné à la romaine, équipée d'un hôtel
de ville dès 1367, couverte d'un treillis de 1 780 parcelles de logements à construire, et fut entourée d'une gigantesque muraille
de 3,5 kilomètres de longueur et de 5 à 10 mètres de hauteur,
pourvue de doubles tours fortifiées tous les 100 mètres. Avec
quarante églises, parmi lesquelles neuf fondations directes du
roi, elle devait rivaliser avec Rome et Constantinople. En peu
de temps, le panorama offert par cette métropole surgie à la
force du poignet frappa tous les esprits. Benesch Krabitz von

Weitmühl écrit que Charles IV avait bien en tête de « montrer la grandeur et l'honneur de son royaume de Bohême, en un lieu où se rendraient princes, envoyés et nobles de tous les seigneurs et de tous les pays. C'est pourquoi il fit recouvrir deux tours du château de Prague avec une toiture en plomb dont la surface fut recouverte d'or, en sorte que par temps clair ces tours brillaient et flamboyaient de tout leur éclat ». Même les auteurs de langue française, peu enclins à faire l'éloge d'une ville qui prétendait rivaliser avec Paris, durent reconnaître le tour de force et applaudir. « Maitresse cité nommée Prague » confessa Gilles Le Bouvier vers 1450 dans sa *Description des pays*[28]. Guillebert de Lannoy, voyageur flamand, diplomate et chambellan du duc de Bourgogne dans la première moitié du XVe siècle, ne manqua pas non plus d'encenser la cité : « *La ville de Praghes, qui est la maistre ville du royaume de Behaigne, assisqe sur une rivière. A praghes y a deux villes, la vielle et la nouvelle, et est moult grand et moult riche. Et en la nouvelle, y a une grosse tour sur laquel je vëy, en la compagnie et avecq le roy, les reliques très dignes que on monstre au pœuple une fois l'an*[29]. »

Dans cette symbolique du royaume tout entière concentrée à Prague, la cathédrale Saint-Guy occupait assurément une place de choix. Le chantier avait déjà été évoqué par Jean de Luxembourg en 1341 mais prit véritablement forme lorsque le siège de Prague fut élevé au rang d'archevêché en 1344. La première pierre du nouvel édifice destiné à s'élever sur la base de l'ancienne basilique romane et de la rotonde de Saint-Wenceslas fut posée le 21 novembre, lorsque le premier archevêque Ernst von Pardubice revêtit le *pallium* archiépiscopal. Dès le début elle fut conçue comme lieu du couronnement royal, trésor des couronnes et des reliques, vitrine de l'histoire sacrée de Bohême et église-mausolée des dynasties des Přemyslides puis des Luxembourg. Pour Charles IV, rien ne fut trop beau ni trop cher pour « sa » cathédrale. Dès 1344, il fit appel aux services de Mathieu d'Arras, qui s'inspira pour le plan de construction de Narbonne, passant alors pour l'église archiépiscopale la plus moderne d'Occident avec ses chapelles polygonales, son style rayonnant, sa triple galerie. À sa mort en 1352, c'est Peter Parler qui prit sa succession et, en charge du bâtiment jusqu'en 1399, s'inspira pour l'aménagement intérieur du modèle rémois afin d'accentuer le caractère royal et sacré de l'édifice. Il ne manqua pas d'y intégrer les éléments d'une nécropole royale telle que la basilique de Saint-Denis pouvait en montrer l'exemple, afin d'accueillir les tombes des Přemyslides puis des Luxembourg[30]. Une telle inspiration montre combien les modèles architecturaux et culturels circulaient en Europe, plus particulièrement entre les royaumes de France et de Bohême[31]. Le programme intérieur n'est pas davantage laissé au hasard : tandis que le rez-de-chaussée est occupé par les tombeaux des grands ducs et rois Přemyslides, l'étage supérieur du triforium est tout entier consacré aux Luxembourg dont la série de bustes est surmontée, un degré plus haut, d'une galerie des saints de Bohême [ill. 6]. Parmi eux, Wenceslas, le nom de baptême de Charles IV et celui de ses deux fils premiers nés, occupe une place de choix. Son buste, placé au cœur de l'édifice, porte une couronne élevée au rang d'insigne royal afin de matérialiser la notion de *corona Boemie*. Doublement consacrée à Dieu et Wenceslas, elle devait être conservée dans le trésor de la cathédrale. L'édifice fut d'ailleurs sans cesse enrichi de dons et reliques offerts par Charles IV : entre 1354 et 1378, pas moins de trois cents textiles précieux, cent cinquante joyaux dont treize statuettes reliquaires en argent et vingt-sept bustes reliquaires en or, à quoi s'ajoutent deux cents manuscrits précieux, viennent augmenter le trésor de Saint-Guy. C'est dans la cathédrale toujours que, pour la première fois en 1347, Charles IV prit en main l'office de Noël et déclama à haute voix, privilège insigne de quasi roi-prêtre, le célèbre passage de l'évangile de la Nativité selon saint Luc (2, 1-14). Afin de souligner la dimension royale et impériale du bâtiment, une mosaïque, « composée à la manière grecque et irradiant de ses feux avivés par le soleil à très grande distance » ainsi que le rapporte Benesch Krabitz von Weitmühl pour l'année 1370, fut placée à destination des visiteurs empruntant le portail sud de la nef [ill. 4]. Cette fresque flamboyante, qui finit par donner au porche le nom de « Porte d'or », entrait en résonance évidente avec les pierres précieuses qui tapissaient les murs des deux chapelles de Saint-Wenceslas et de Saint-Sigismond de part et d'autre du chœur.

Rien n'illustre mieux la portée symbolique et politique de cet ensemble monumental et urbain nouvellement façonné que le parcours emprunté par la procession du couronnement royal, selon l'ordre des rois de Bohême (*Ordo ad coronandum regem Boemorum*) rédigé par Charles en personne peu après 1344 et décrit à la fin du XIVe siècle par le chroniqueur Přibík Pulkavas von Radenin. La veille du sacre, l'itinéraire devait partir du Hradschin pour rejoindre le château de Vyšehrad où le futur roi devait baiser la chaussure de Přemysl le Laboureur, avant de repartir vers la cathédrale, portant devant lui une cassette d'argent sertie d'améthystes contenant les reliques de saint Guy. Ses pas le conduisaient ensuite vers le couvent aux Slavons, la place Charles de la Nouvelle Ville, avant de traverser la Vieille Ville puis de franchir le pont. Le cortège funèbre accompagnant la dépouille de l'empereur suivit au demeurant le même tracé. Ce trajet constituait comme un résumé du règne mais aussi de l'histoire de la Bohême, l'un et l'autre en quelque sorte comprimés et condensés dans la chair minérale de Prague : le couvent Emmaüs rappelant les origines slaves du christianisme de Bohême, la Nouvelle Ville manifestant le geste romain et auguste d'un évergète impérial, la Vieille Ville abritant l'université, la tour et le pont indiquant la voie triomphale d'un grand règne reliant plusieurs rives, la cathédrale enfin, réceptacle de la gloire éternelle des souverains de Bohême.

Nuremberg, seconde capitale

Il était cependant dans la nature de la double couronne caroline d'essaimer les places de pouvoir, et Charles IV n'aurait pas pu diriger tout l'Empire depuis un point aussi décentré et bohémien que Prague. L'Empire disposait certes de lieux centraux, à commencer par Aix-la-Chapelle. Le changement fréquent de dynasties sur le trône a ensuite réparti les centres sur des régions chaque fois différentes : Ottoniens de Saxe, Saliens de Franconie,

Staufen de Souabe, Habsbourg d'Autriche, Wittelsbach de Bavière[32]. Bref, le modèle français d'une mono-capitalité précoce au service d'une seule dynastie se révèle là aussi moins la règle que l'exception. Le Saint-Empire correspond davantage à la tradition médiévale, du moins dans l'Occident latin, d'une capitalité nomade, multiple et successive, distribuant spatialement la centralité à la mesure d'un pouvoir royal en constant déplacement[33]. Si Aix-la-Chapelle est bien le lieu du couronnement, Francfort détient l'usage puis le privilège de l'élection, tandis que depuis le XIIᵉ siècle les diètes royales puis impériales se réunissent dans plus d'une vingtaine de villes, certaines de grande et ancienne importance telles que Ratisbonne, Nuremberg, Mayence, Francfort, Spire, Augsbourg, Wurtzbourg ou Worms, d'autres plus confidentielles comme Gelnhausen, Eger, Bacharach, Rhens ou Mergentheim[34]. Mais rien de tout cela ne pouvait toutefois rivaliser avec Paris, qui compta jusqu'à 200 000 habitants, voire davantage avant la peste, ni avec Venise, Milan, Florence, Gênes dont les populations respectives approchaient les 100 000 habitants entre 1300 et 1350. Il n'est pas difficile d'imaginer d'ailleurs la forte impression que firent ces cités sur le jeune Charles dans les années 1320-1330.

En l'absence de capitale fixe et traditionnelle de l'Empire en pays allemand, Charles IV, pour administrer les territoires germaniques, prit appui comme ses prédécesseurs sur un réseau de villes dont il pouvait employer les conseillers, tirer des impôts, négocier les privilèges, acheter les productions, habiter les palais ou les hôtels. Pour la plupart, ces cités proches de la royauté, dont elles formaient en quelque sorte l'armature économique, administrative et urbaine, avaient obtenu au XIVᵉ siècle un fort degré d'autonomie juridique, judiciaire et fiscale[35]. Parmi ces quelques cent à cent vingt villes privilégiées, dont l'écrasante majorité se situait dans l'Allemagne moyenne et méridionale, et qui siégeaient d'ailleurs régulièrement dans les diètes et assemblées royales, Charles IV en détacha plus particulièrement une, Nuremberg, qui jouait déjà et continua longtemps de tenir le rôle de « capitale cachée » de l'Empire. Un seul chiffre peut en donner la mesure : avec cinquante-deux séjours et neuf diètes

sur l'ensemble du règne, Charles IV y résida plus que dans toute
autre ville allemande. Jouissant du privilège de liberté et d'immédiateté d'Empire depuis 1219, c'est-à-dire du statut de ville ne
reconnaissant que la seigneurie directe du roi/empereur, la ville
s'était dotée entre 1285 et 1320 d'institutions municipales diri-
gées par un conseil étroit dominé par quelques grandes familles
patriciennes et marchandes proches de la cour, tels les Muffel,
Gross, Haller et Stromer[36]. Admirablement située au croisement
des grandes routes du commerce continental entre haute et basse
Allemagne, entre Balkans, Bohême et Italie du Nord (notamment
Venise)[37], la métropole franconienne était devenue dès la fin du
XIIe siècle un centre névralgique de la finance, de la métallurgie
et des métaux, ainsi que des produits transformés à haute valeur
ajoutée. Cette stabilité politique, ce dynamisme financier et com-
mercial et la faveur dont jouissait la ville auprès des différents
rois, qu'elle alimentait il est vrai en conseillers, en banquiers, en
articles de luxe et en crédits, lui assurèrent une promotion que
Charles IV ne fit qu'amplifier[38]. L'empereur lui-même manifesta
par un diplôme en date du 5 avril 1355 l'attention particulière
qu'il portait à la protection de la route d'or reliant Prague à
Nuremberg et sillonnant les territoires du Haut-Palatinat fraîchement incorporés au royaume de Bohême : « Afin que les
rois de Bohême puissent traverser en toute sécurité ces pays et
puissent se rendre à l'élection du roi des Romains et assister à la
diète impériale que les rois des Romains ont coutume de réunir
à Nuremberg, et enfin pour que le pouvoir du roi, du royaume
et des nobles seigneurs de Bohême puisse s'exercer en paix et en
sûreté sur ces pays jusqu'à présent livrés au pillage, à l'insécurité,
au meurtre et autres méfaits et dommages, voulons permettre
aux marchands et pèlerins de jouir sur cette route de notre paix
et de notre protection afin de faire prospérer et d'améliorer l'utilité commune de nos royaumes et principautés. » Il est piquant
de rappeler à cet endroit que Charles IV avait fait l'expérience
des périls de cette route lorsqu'il avait dû voyager déguisé en
simple pèlerin, peu après son premier couronnement germanique
en 1346, pour rejoindre Prague depuis Bonn en échappant à la
surveillance vigilante de son compétiteur Louis de Bavière. Quoi

qu'il en soit, cette ligne Prague-Nuremberg, équipée de puissantes forteresses et de douanes prospères telles Lauf, Hersbruck, Sulzbach, Bärnau et Pilsen, toutes jouissant d'exemptions douanières et de la liberté de commerce aux foires de Francfort et à Nuremberg, forma tout au long du règne une dorsale fondamentale de l'articulation entre Bohême et Empire. Ce n'est pas l'effet du hasard si Nuremberg, « la plus remarquable et la mieux située des villes dans l'Empire » selon Charles IV, accueillit en 1356 la diète qui adopta les grands articles de la Bulle d'Or, assurant à la ville le privilège d'héberger la première assemblée d'Empire que tout nouveau roi élu devait tenir après son intronisation.

À l'égale de Prague, Nuremberg connut sous le règne d'importants changements urbanistiques conçus pour faire de la cité une résidence royale alternative. Une nouvelle grande place du marché fut érigée sur les décombres du quartier juif anéanti par le pogrom de 1349, tandis que la célèbre Frauenkirche, « *capella regia* » selon les propres termes du roi, fut construite de 1352 à 1362 sur l'emplacement de l'ancienne synagogue où travailla l'atelier renommé de Peter Parler qui s'inspira pour l'occasion de la cathédrale d'Aix-la-Chapelle. L'église Saint-Sébald fut quant à elle embellie pour le baptême de Wenceslas en 1361. Plus éclatante et rayonnante encore fut l'empreinte que Charles IV laissa au cœur de la ville en lançant à partir de 1370 le projet de construction de la « Belle Fontaine », dont la chronistique nurembergeoise situe les prodromes dès 1362. Érigée entre 1385 et 1396, Charles IV n'en vit jamais la réalisation, mais on suppose à bon droit qu'il en surveilla de près la conception. Placée à l'angle de la nouvelle place du marché et à proximité de l'hôtel du Conseil, ce monument à la fois urbain et impérial de dix-neuf mètres de haut présente une quarantaine de statues peintes qui marient, étage par étage, les sept prophètes de l'Ancien Testament, puis les Neuf Preux parmi lesquels rois et empereurs réels ou légendaires (David, César, Alexandre le Grand, Arthur, Charlemagne...) jouissent d'un traitement particulier. On y trouve ensuite les sept princes-électeurs détachant bien la figure du roi de Bohême, les représentants des sept arts libéraux flanqués de la Philosophie, et les Quatre Évangélistes accompagnés des quatre Pères de l'Église. Rien n'illustre mieux au final le lien particulier noué entre Charles IV et la ville que la construction « mémorielle » entre 1506 et 1509, sur la façade occidentale de la Frauenkirche, d'une horloge mécanique particulièrement complexe et coûteuse, dite Männleinlaufen. En souvenir de la Bulle d'Or, on y voit l'empereur placé au centre, sous le cadran astronomique, assis sur son trône et revêtu de tous les insignes de sa charge, sceptre et globe tenus dans chaque main, couronne fermée sur le chef. À midi, tandis que résonnent les douze coups, les sept princes-électeurs, dans l'ordre de préséance fixé par le diplôme de 1356, sortent d'une porte située à droite et effectuent trois tours de piste autour de l'empereur avant de disparaître par la porte de gauche. Comme Paris où Charles V dès 1370 en avait commandé une pour le palais de la Cité, Prague possédait également son horloge astronomique : un peu partout, le souverain s'y affichait comme maître du Temps[39].

Entre Prague, Nuremberg et les grands territoires des sept princes-électeurs, deux fois commémorés dans la capitale franconienne, se déployait le centre continental de l'influence et du gouvernement carolins. C'est dans ce cœur géographique que Charles IV effectua la plupart de ses nombreux déplacements, qui furent aussi, avec la diplomatie qui leur est si intimement liée[40], un moyen de gouverner ses royaumes. La spécificité du règne et du gouvernement de ce roi tient cependant à l'articulation entre une royauté qui demeure itinérante et la sédentarisation du pouvoir, de la cour et de l'administration à Prague.

Séjours et déplacements

Tout roi au Moyen Âge doit encore se montrer à ses sujets et vassaux et visiter ses territoires pour régler sur place les difficultés, occuper ses résidences, délivrer des privilèges, marquer tout simplement son terrain[41]. Charles IV ne dérogea pas à cette règle et gouverna également par l'itinéraire et l'itinérance, une obligation renforcée par la double couronne qu'il portait. Deux chiffres en donneront la mesure : à partir de son investiture du comté de Luxembourg en 1330 et jusqu'à sa mort en 1378, Charles a effectué 1 227 séjours (dont le tiers en Bohême et en Moravie, et la moitié autour d'un axe reliant Francfort à Breslau) dans 438 lieux différents. Ces voyages incessants, qui parlent en faveur d'une remarquable résistance physique de leur protagoniste, le conduisirent de Rome à Lübeck, de Paris à Cracovie et Budapest, du sud de la France à la Lituanie. Hormis en 1350 et 1351, il ne s'est pas écoulé une année de règne sans un ou plusieurs périples lointains[42]. Il faut remonter loin, jusqu'au règne de Frédéric Barberousse, pour retrouver une comparable activité pérégrinatrice, tant dans son intensité que dans son rayon. Pour mieux interpréter cette arithmétique et ces destinations, il convient de distinguer quatre phases, qui sont autant de temps spécifiques du règne [voir les cartes en annexe]. La première va des débuts politiques de Charles au Luxembourg en 1330 jusqu'à sa première élection comme roi des Romains en 1346. La deuxième s'étend de 1346 au couronnement impérial à Rome en 1355. La troisième va du retour d'Italie aux préparatifs de l'acquisition du Brandebourg par le traité de Fürstenwalde en 1373, c'est-à-dire à un déplacement du centre de gravité vers le nord-est. La quatrième enfin s'achève par le dernier grand voyage à Paris, quelques mois avant de mourir à Prague.

Un premier enseignement délivré par la carte comparée des itinéraires royaux montre sans surprise que les déplacements épousent les temps forts et manifestent les grandes orientations de la trajectoire royale[43]. Les séjours de la première phase révèlent un prince encore tributaire des épicentres politiques dessinés par son père : la proximité avec le royaume de France, l'exercice du pouvoir dans le comté éponyme de Luxembourg, l'entretien de bonnes relations avec la papauté d'Avignon, le règlement de la situation insurrectionnelle en Italie, le renforcement de la position des Luxembourg dans l'Empire en vue d'une candidature contre Louis IV de Bavière, les premiers pas en Bohême. À cet égard, l'itinérance des premières années non seulement s'inscrit dans les pas de Jean l'Aveugle, lui-même infatigable voyageur, mais résulte également d'une géopolitique dynastique qui, du

Luxembourg à la Bohême, s'étire le long d'une chaîne très distendue[44].

La deuxième phase ouverte par les couronnements de 1346 et de 1347 traduit un déplacement naturel de l'axe des séjours vers l'Empire et vers l'est. Depuis Prague, le parcours des destinations détache désormais trois lieux centraux autour desquels s'articule la puissance luxembourgeoise de Bohême : Brünn pour la Moravie, Breslau pour la Silésie et Nuremberg pour le sud de l'Empire le long d'une charnière reliant Nuremberg au Rhin par le Main et par Francfort. La France, l'Italie et la papauté d'Avignon disparaissent quasiment de la carte des séjours. Le tracé des routes empruntées se resserre considérablement autour de la Bohême et des points névralgiques formant les sphères d'influence que Charles IV veut neutraliser, consolider ou gagner à sa cause, entre Pologne, Autriche, Brandebourg et les principautés électorales du Rhin, sans oublier le cœur souabe et franconien de ce qui reste du domaine royal dans l'Empire. Un triple objectif commande alors les déplacements : stabiliser les rapports avec les princes-électeurs, renforcer les droits sur les villes impériales et réaffirmer la paix territoriale. Prague agit alors comme une tête géographique de la carte des itinéraires empruntés tandis que les routes suivies par le roi ne sont pas seulement des voies de communication « politiques » mais servent également d'axes de circulation des nouvelles et des produits, spécialement pour intensifier les liens entre Bohême, Moravie, Silésie et Haute-Allemagne. La fin de cette deuxième phase des séjours du roi témoigne d'une volonté décidée de pousser les feux bohémiens, à partir de la Silésie, en direction de la Lusace, afin de prendre en tenaille le Brandebourg.

Hormis le déploiement d'un axe italien lié au couronnement impérial de 1355 à Rome, la troisième phase accentue en grande partie les évolutions précédemment observées. On y remarque une concentration des voyages vers le nord de la Bohême, liée à l'acquisition de la Basse-Lusace, l'année du quatrième mariage de plus en plus « septentrional » de Charles IV. On y décèle également une attention consacrée au Haut-Palatinat d'Empire, cette Nouvelle-Bohême arrimée au royaume, tandis que se dessine une tentacule plus neuve lancée vers la Hongrie et vers l'Autriche, limitrophes du margraviat morave.

La dernière phase atteste une baisse de fréquence des déplacements, liés d'une part à l'âge plus avancé de l'empereur, à l'alourdissement de l'administration pragoise, moins nomade et plus efficace, et à l'absorption de l'énergie royale par la conquête du margraviat électoral de Brandebourg entre 1370 et 1373. Cela explique en grande partie l'abandon de nombreuses destinations à l'ouest et au centre de l'Empire, tandis que la ligne du Danube au sud ne sera plus jamais franchie. Le tracé signale également la promotion d'une nouvelle résidence, Tangermünde, siège des margraves élevé en cour royale des territoires du Nord. Sous cet angle, le voyage parisien de 1377-1378 n'en apparaît que plus exceptionnel, réanimant un itinéraire quasiment délaissé depuis la première phase des déplacements. Cette destination n'appartient pas, on le sait, au schéma diplomatique, matrimonial et géopolitique précédemment esquissé, mais résulte de la volonté de l'empereur non seulement de revoir ses parents royaux de France, mais de parler des difficultés de la papauté, du conflit franco-anglais et de la reconnaissance de Wenceslas.

Et puis Charles IV voulait revoir Paris. Avec Prague, Rome, Francfort, Nuremberg, Tangermünde, cette ville appartient à un monde urbain qui s'est imposé à l'empereur et a fini par constituer l'horizon politique et culturel du règne et de son gouvernement.

CHAPITRE VII

Charles IV et les villes

En termes d'histoire urbaine, la période couverte par le règne de Charles IV est marquée dans l'Empire par un moment de forte croissance institutionnelle et économique dont le cycle s'achève avec la défaite politique et militaire des villes, lors des batailles de Döffingen et de Worms au cours de la guerre dite des cités, en 1388[1]. Au demeurant, Charles IV avait pu lui-même éprouver la force et le dynamisme des villes dans l'Empire et de l'Empire à travers la résistance coriace que lui opposèrent un grand nombre d'entre elles à partir de sa contre-élection royale de 1346. Elles avaient agi par fidélité envers le roi et l'empereur en titre, Louis IV, réputé urbanophile, malgré l'excommunication qui, pesant sur l'empereur, frappait également plusieurs d'entre elles. Aix-la-Chapelle et Francfort avaient ainsi fermé leurs portes au Luxembourg, obligeant ce dernier à se faire élire à Rhens et couronner à Bonn, avant de reproduire la conformité de ces deux actes au bon endroit trois ans plus tard[2]. Bien des chroniqueurs favorables à Charles, tel Benesch Krabitz von Weitmühl, avaient d'ailleurs dû reconnaître que Louis de Bavière « savait rendre justice à chacun, raison pour laquelle il était particulièrement aimé des bourgeois de l'Empire[3] ».

Cette ascension urbaine caractéristique des années 1320-1380, que vient certes perturber la peste sans pourtant l'enrayer, est attestée aussi bien par le nombre élevé de diplômes accordés aux villes par Louis IV et son successeur, que par la multiplication de foires et de marchés, par la victoire de Lübeck et de la Hanse sur le roi du Danemark en 1370[4], ou l'insistance avec laquelle les princes inquiets obtiennent dans la Bulle l'insertion de chapitres interdisant les ligues urbaines[5]. En témoignent également l'admission toujours plus largement pratiquée par les gouvernements des villes de bourgeois horsains, vivant en dehors de la cité mais jouissant des privilèges urbains[6], et l'extension de l'autonomie douanière, fiscale, juridique ou monétaire des villes[7].

Un réseau constitué

C'est en tout cas un réseau urbain dynamique et désormais bien établi que rencontre Charles IV dans son empire. On concédera bien volontiers que ce monde demeure encore minoritaire, abritant au mieux 15 % de la population dans les régions les plus citadines du sud et de l'ouest des pays germaniques. La majorité des quelque 3 000 villes repérées compte à peine un millier d'habitants, une vingtaine en comprend entre 2 000 et 10 000, seule une douzaine dépassant ce seuil. Ces dernières se trouvent être des sortes de capitales locales au sein de régions territoriales et politiques liées à la royauté dont elles assurent un commandement spatial. Ainsi en va-t-il pour Nuremberg avec la Franconie et le Haut-Palatinat, de Cologne pour la Rhénanie, de Francfort pour le croisement des axes Rhin-Main et la Wetteravie, de Strasbourg pour l'Alsace, d'Ulm pour la Souabe, d'Augsbourg et de Ratisbonne pour la Bavière, de Bâle et de Constance pour la Suisse. Il importe de souligner que Charles IV hérite de cette structuration sans la bouleverser sur le fond.

Pour être minoritaires, les villes, proportionnellement, pèsent culturellement et économiquement bien davantage dans la société et s'imposent au roi lui-même, à commencer par les finances et le mode encore itinérant de son gouvernement[8]. Elles polarisent des fonctions de redistribution, de communication, de production et d'organisation qui en font des têtes de réseau, des animatrices de ligue, des points de ressource pour les princes et le roi, des marchés et des foires, dont la cour, le roi, son administration, les princes, ne peuvent plus se passer. Il n'est pas étonnant que, parmi elles, bon nombre se trouvent être des villes impériales jouissant du privilège d'immédiateté, c'est-à-dire de la protection sans médiation du roi lui-même[9]. Du reste, ce sont elles que l'on retrouve présentes lors des grandes diètes[10]. Ce sont elles encore qui contribueront à financer les grandes opérations budgétivores du règne.

C'est dire si, une fois ce cadre posé, la relation aux villes s'avère cruciale[11]. Précisons d'emblée que la focalisation du roi sur une nouvelle capitale en Bohême est l'une des rares nouveautés de l'histoire urbaine du règne, à quoi s'ajoute la constitution de l'axe haut-palatin reliant Nuremberg à Prague. Prague justement, on l'a vu plus haut, fut certes une capitale du royaume, une résidence royale, le cœur de l'administration et de la chancellerie, un centre dynastique luxembourgeois à l'est. Elle ne parvint pourtant jamais à être la capitale de tout l'Empire, pas davantage qu'elle ne put accaparer seule les fonctions détenues par Nuremberg, Francfort, Aix-la-Chapelle et Cologne. Charles IV, selon sa situation et ses intérêts, a aménagé sa politique envers les villes. Opposé dans un premier temps à Louis IV et aux Wittelsbach, il a d'abord cherché à gagner ou regagner l'appui d'une partie des cités. Gouvernant ensuite seul en roi des Romains puis en empereur, il cala son attitude sur les dispositions plus contraignantes de la Bulle d'Or. Quant à la fin du règne, elle est marquée par une quête effrénée de fonds qui fait peu de cas des engagements précédemment pris. De même, il ne se comporte pas de façon identique selon qu'il gouverne les villes historiques de son royaume, ou bien celles de Moravie, de Silésie, de Lusace ou du Brandebourg nouvellement rattachées à la couronne. Sa politique enfin a différé envers les villes d'Italie et celles, pas bien grandes il est vrai, de son duché dynastique et éponyme.

Une politique à géométrie variable

Dans les espaces bohémien et morave des États de Charles IV, la vague de fondation urbaine est à peu près achevée depuis la fin du

XIIIe siècle[12]. L'empereur agit ici dans la continuité des Přemyslides, essentiellement par la concession de privilèges, l'aménagement de l'assise fiscale, l'octroi de frappes monétaires, de droits de fortification, de marché, de sauf-conduit sur les routes, de libertés ou d'exemptions de nature douanière, commerciale ou artisanale[13]. À la différence cependant de la pratique dont il usa massivement à l'égard des villes allemandes de l'Empire, l'engagement, c'est-à-dire la cession provisoire par hypothèque de l'usufruit d'une ville à un tiers, n'a pas été retenue par la royauté en Bohême, à la notable exception de la ville de Eger, à la fin du règne, la seule à jouir dans le royaume du statut de ville immédiate d'Empire. Ce moyen rapide de faire entrer de l'argent frais dans les caisses royales avait même été expressément interdit par le roi dans le projet de Constitution imaginé en 1355 pour la Bohême. De surcroît, Charles IV, dans la continuité de la politique de son père[14], a presque toujours conçu les villes de son royaume comme un ensemble jouissant des mêmes droits et des mêmes devoirs. Il est vrai que, un peu comme dans le royaume de France, l'objectif consistait à assujettir les villes royales au tribunal de la cour érigé en instance d'appel, et à instaurer une régularité annuelle dans le paiement de l'impôt. Cela n'empêchait pas la plupart des cités de conserver des domaines d'autonomie en matière d'organisation professionnelle, de justice échevinale ou d'urbanisme au sens large, tel que le premier livre de statuts urbains de Prague en porte témoignage en 1310. Pour autant, elles ne parviendront jamais à se hisser au rang de partenaires de négociation ou d'instance institutionnelle intermédiaire entre la royauté et la noblesse.

Cependant, une autre et plus importante spécificité des relations entre le roi et les villes dans le royaume tient pour l'essentiel au fait qu'une grande partie d'entre elles ont été fondées près d'un siècle plus tôt[15]. Il s'agit donc, à l'exception de quelques villes plus anciennes, à commencer par Prague mentionnée pour la première fois en 965 et sans doute dotée dès le XIIe siècle d'une installation proto-urbaine comprenant des artisans et des marchands ainsi qu'un quartier juif, de villes jeunes, sans substrat romain ni même carolingien. La seconde originalité réside dans la présence importante de citadins d'origine germanique, ces nouveaux venus

ayant d'ailleurs contribué de manière décisive à la planification,
à l'administration et à l'élaboration de statuts juridiques. C'est
pourquoi, au XIVᵉ siècle encore, l'élite gouvernante, marchande
et culturelle de ces villes est dominée par ce que les sources et les
contemporains appellent bien des Allemands. On en identifie les
noms dans les listes de nouveaux bourgeois tenues pour la Vieille
Ville de Prague entre 1324 et 1393, la place des citadins proprement tchèques augmentant en revanche dans la Nouvelle Ville
fondée après 1348. On en devine aussi la présence derrière les
grandes familles des Wolfram, Wölflin, Stuck, actives tant auprès
de la cour, de la chancellerie et des finances royales que dans le
grand commerce des monnaies et des métaux[16]. Du reste, la plupart des privilèges accordés par l'empereur aux villes de Bohême
sont rédigés en langue allemande, parfois encore en latin, très
rarement en vieux-tchèque. On trouve les communautés allemandes les plus actives et nombreuses à Prague même, mais aussi
à Brünn, Olmütz, Eger, Budweis et Iglau. Le cas de Brünn est
particulièrement bien attesté, où le droit local enregistré dans le
livre des échevins était directement inspiré de celui de Vienne,
tandis que les secrétaires de ville, tel ce Johannes des années 1350,
provenaient des régions occidentales de l'Empire, en l'occurrence
Gelnhausen. Ces scribes du Conseil avaient de surcroît accompli
le plus clair de leur apprentissage sur les pupitres de la chancellerie royale de Prague dominée par des lettrés et des juristes
d'origine allemande, au point qu'il existait un véritable réseau
des gens de Brünn au sein de la chancellerie pragoise autour de
Nikolaus Eberhard, de Jakob Mauritz et de Nikolaus de Vitis
jusque dans les années 1360. La troisième particularité relative
aux liens entre Charles IV et les villes de Bohême tient au fait que
la dynastie des Luxembourg, à la différence des Wittelsbach ou
des Habsbourg, possédait un comté qui ne comptait pas de villes
importantes ni nombreuses et que leur mode de gouvernement
ne reposait pas sur une longue tradition ou sur une expérience
éprouvée de relations entre un seigneur et ses cités.

Dans ce cadre, les villes principales du royaume sur lesquelles
Charles IV a fait reposer son action et auxquelles il a accordé
le plus grand nombre de privilèges furent, en dehors de Prague,

directement administrée par le souverain, Eger, Budweis, Deutschbrod, Leitmeritz, Pilsen, Kuttenberg, Kolin, Laun, Königgrätz et Brüx. Il s'agit des villes qui déjà avaient bénéficié de près d'une centaine de privilèges sous le règne de Jean. Charles IV en a délivré un total de cent trente-six. La moitié de ces diplômes a été octroyée pendant la première décennie de son règne jusqu'à l'obtention de la couronne impériale tandis qu'un autre temps fort se situe au moment de la crue fiscale de la fin du règne. Prague, Eger puis Budweis forment presque continument le peloton de tête des villes le plus souvent destinataires de privilèges royaux, suivies par un groupe de villes moyennes formant comme l'armature intermédiaire du réseau urbain de Bohême : Brüx, Leitmeritz, Pilsen, Kolin et Laun. On notera dans cet ensemble une exception, la ville d'Olmütz. Charles IV n'y séjourna jamais après 1346 et aucun privilège ne fut rédigé en sa faveur. Il faut sans doute y voir une forme de respect, par la distance, envers ce siège politique et épiscopal important de la Moravie où, dès 1350, Charles IV avait installé son frère cadet en qualité de margrave. Qui plus est, le chancelier de la cour, Johannes von Neumarkt, était évêque de cette cité, ce qui dispensait sans doute le roi d'y exercer un contrôle par résidence interposée, alors qu'il marqua davantage de sa présence les deux autres chefs-lieux moraves qu'étaient Brünn et Znaim.

Au sein de son royaume, Charles IV fut également aussi mobile qu'au-dehors. Si les destinations lointaines vers l'Italie, la France, la Pologne ou la Hongrie ont pu marquer les esprits et tenir en haleine la plume des chroniqueurs, une part importante de ses itinéraires était réservée au royaume de Bohême, y compris la Moravie. Pendant les deux premières décennies, la moitié des séjours se place en Bohême, entre Prague et Budweis, Brünn, Pirna, Pisek, Pürglitz, Königgrätz, Eger et Znaim. Un changement se produit en revanche dans les dix dernières années du règne : la part des séjours dans les villes historiques du royaume représente moins de la moitié du temps total au profit de voyages tournés, depuis sa nouvelle résidence du Nord, Tangermünde, vers le Brandebourg et la Lusace, par Bautzen en particulier, afin de quadriller les nouveaux territoires conquis[17].

L'attitude de Charles IV envers les villes italiennes présente un visage radicalement différent[18]. Sa rencontre avec les grandes métropoles de la péninsule remontait à la campagne militaire des années 1331-1333[19]. Mais Jean et son fils ne pouvaient alors alléguer d'aucun droit particulier à l'égard des riches et remuantes cités du nord de l'Italie, leur objectif se bornant à caresser le projet, un peu irréaliste et porté en sous-main par le pape, de susciter un nouveau royaume d'Italie du Nord contre Louis IV[20]. Très vite, les contingents de Bohême s'épuisèrent en sièges, échauffourées, rançons et levées fiscales qui n'aboutirent qu'à dresser contre Jean et son jeune fils une coalition formée des Visconti de Milan, des Della Scala de Vérone et des Este de Modène. Pour le reste, le jeune prince comprend surtout qu'à persévérer il ne connaîtra là que le sort tragique subi par son grand-père. On conçoit mieux pourquoi il ne fréquentera ensuite qu'avec la plus grande prudence les grandes cités italiennes, notamment pour aller ceindre la couronne impériale à Rome en 1355. C'est un pragmatique qui franchit désormais les Alpes[21]. Une fois la paix réaffirmée avec les Visconti de Milan puis avec les Florentins, la négociation permit à chacun d'obtenir gain de cause : au roi l'accès aux voies conduisant à Rome, l'obtention de la couronne des Lombards et le versement de subsides considérables ; aux cités italiennes la reconnaissance de leurs privilèges, la cession des impôts royaux, la promesse de les laisser vider tranquillement leurs querelles internes, le vicariat d'Empire cédé à Florence. Charles IV put dès lors littéralement fondre vers Rome. Le retour ne fut pas moins rapide, certains chroniqueurs italiens parlant même d'une « fuite à bride abattue ». La seconde descente en Italie de 1368/1369 ne suit pas un autre schéma : on feint de se tourner contre Milan, on négocie, on paye, puis on passe. Toutefois, à la différence notable de 1355, Charles IV reste cette fois deux mois à Rome pour tenter de négocier le retour de la papauté sur les bords du Tibre[22]. Au total, ni en 1355 ni en 1368/1369 l'empereur n'a voulu entreprendre de fédérer l'ensemble des pouvoirs du nord de la péninsule dans une paix territoriale avant tout réclamée par le pape. Trop complexe était la situation, trop étrangères aussi la culture politique et les manières de gouverner de ces étranges corps politiques qu'étaient devenues les villes d'Italie pour un roi de Bohême en charge de l'Empire, trop périlleuse enfin une pacification épuisante et aléatoire.

Cependant, ne croyons pas que ces expériences soient demeurées marginales ou périphériques quand il s'agissait pour Charles IV de gouverner ses villes. Il y a entrevu les nouveautés et les dangers de la vie municipale, la complexité mortifère de la Ville éternelle, l'exubérance et les errances d'une culture citadine portée au paroxysme de ses contradictions, les effets débridés et violents d'une princisation sans contrepoids royal. Il a pu lui-même constater, à Pise en 1355 et de nouveau à Sienne en 1369, combien un tumulte urbain pouvait y naître en quelques heures et se révéler rapidement à ce point dangereux que chaque fois le roi dut être exfiltré en urgence.

Touchant maintenant les terres germaniques de l'Empire, disons d'emblée que Charles IV a usé de tous les moyens dont dispose une royauté en général pour les gérer, les contrôler, les céder, les ponctionner, les visiter, voire les remodeler. Sous cet angle, force est de reconnaître que l'empreinte monumentale et symbolique de la présence et de l'idée royales dans les villes s'est finalement limitée à Prague, bien évidemment, à Nuremberg ensuite et à Aix-la-Chapelle dans une moindre mesure. De cette observation découle une conclusion importante. Que l'on considère la nature des privilèges confirmés ou bien la mise en gage contre argent trébuchant des villes d'Empire, que l'on regarde les déplacements du roi ou l'aménagement de sa résidence, il semble que les éléments de continuité l'emportent entre Louis IV et son successeur, que l'on a pourtant longtemps opposés en la matière. On peut même avancer que Charles IV, du moins dans les premières années, a systématiquement suivi les traces urbaines de Louis IV, monnayant les prestations de fidélité contre une confirmation à l'identique ou peu s'en faut des privilèges ludoviciens. Ce fut notamment le cas après la mort du Bavarois : Ratisbonne obtient des privilèges signés par Charles IV dès 1346, Rothenbourg et Cologne en 1347 et en 1355, Francfort en 1349 et Nuremberg la même année. Les villes d'Alsace[23], de Souabe et de Thuringe suivent de peu[24]. Au total, on dénombre une soixantaine de privilèges accordés dans cette période d'installation sur le trône jusqu'en 1350. Chaque fois, le même mécanisme est à l'œuvre : confirmation de privilèges antérieurs contre argent et fidélité, intégration des villes dans des paix territoriales régionales dont les contours, autre élément de continuité d'un règne à l'autre, avaient déjà été dessinés sous Louis IV[25]. Charles IV aura à cœur de les réactiver, en poussant les villes à s'y insérer : paix territoriale de Souabe dès 1350, élargie à de nombreux nobles en 1353, de Rhénanie moyenne en 1352, étendue à la basse Rhénanie et à la Wetteravie en 1354[26]. C'est cet ensemble de villes en quelque sorte reconquises que le roi privilégiera comme réservoirs et objets de ses prélèvements par impôts et mises en gage interposés.

Un bradeur de cités ?

Touchant ce dernier point, c'est-à-dire l'hypothèque des droits et revenus royaux sur une ville à un tiers contre argent, on aurait tort là encore de trop opposer Charles IV aux autres règnes. En théorie, le roi des Romains doit « vivre du sien » et ne pas aliéner des biens du domaine royal, suivant le principe rappelé au XIIIe siècle par le *Miroir aux Souabes* selon lequel le roi « doit constamment augmenter et non réduire l'Empire », d'où son épithète d'*Augustus* dans la titulature royale et impériale. Mais d'autres rois avant Charles avaient cédé en gage des villes, des châteaux ou des offices dépendant du roi. La mesure présentait l'avantage de faire entrer d'un coup de grosses sommes dans les caisses royales, mais avait l'inconvénient de renvoyer à un avenir incertain leur récupération par le souverain. Chaque fois on prenait soin de rappeler que la disposition était adoptée « pour le bien et l'utile nécessité du maintien du saint Empire », une maxime que l'on retrouve mot pour mot en 1349 dans un privilège d'inaliénabilité et d'inengageabilité concédé à la ville impériale de Gelnhausen en 1349[27]. Mais personne n'était dupe : le roi vivait ainsi à crédit sur des biens prêtés sans garantie de retour. Certes notre empereur détient le record du nombre de villes et des sommes perçues pour la mise en hypothèque des impôts et des offices urbains, totalisant à lui seul le quart de ces opérations entre 1200 et 1450. Mais il est suivi de peu par Louis IV de Bavière, que l'on a pourtant longtemps qualifié d'ami des cités[28]. Pour l'essentiel, il s'agit de villes petites ou moyennes mais à grand potentiel économique et fiscal, situées dans les régions méridionales et médianes du patrimoine royal. Les grandes villes symboliques de l'Empire, telles Nuremberg ou Francfort, restèrent protégées contre un tel mécanisme, en quelque sorte sanctuarisées pour des raisons liées à leur statut au sein de l'Empire. En revanche, et par rupture cette fois avec le règne de Louis IV, les principales innovations introduites en la matière par Charles IV concernent la mise en gage de villes plus importantes et « lisibles » telles que Boppard, Dinkelsbühl, Friedberg, Goslar, Nördlingen. Neuf est également l'engagement, outre celui classique des impôts royaux, des offices royaux (avouerie, écoutèterie, justice) et du produit des impôts sur les juifs. Nouvelle enfin est la concentration de ces *Verpfändungen* ou hypothèques sur une période très ramassée de forte pression sur la fin du règne avec une levée par seize lourdes mises en gage de 334 000 florins en 1373 et de 200 000 florins entre 1375 et 1376, soit la moitié sur trois ans du produit de ces ventes sur tout le règne[29].

Si l'on insiste sur cette question des mises en gage, c'est parce qu'elle a empoisonné le jugement des historiens sur les relations que Charles IV avait pu entretenir avec les villes. On ne minimisera certes pas l'impact des années 1373-1376, marquées comme on l'a vu par de lourdes opérations d'hypothèques mais aussi par la levée record, dès 1373, de sommes sur les rentrées fiscales des grandes villes impériales : Ulm pour 40 000 florins, Augsbourg pour 36 000 et Nuremberg pour 20 000. De surcroît, on put avoir l'impression que Charles IV soldait par grappes entières les joyaux des villes d'Empire aux princes territoriaux : le Palatinat avec Oppenheim, Ingelheim et Kaiserslautern en 1373, la Souabe avec Nördlingen, Dinkelsbühl, Bopfingen, Donauwörth, Weil, Esslingen et Gmünd. Comme l'on sait, ces cités se regroupèrent par réaction dès août 1376 pour former la ligue des villes souabes qui demandèrent une confirmation en bloc de leurs privilèges avant (c'est bien là l'insupportable du défi) de jurer fidélité au nouveau roi élu Wenceslas[30]. Face à cette fronde, Charles IV n'eut pas d'autre choix, lourd de conséquences, que de prononcer la mise au ban de ces villes et de déclarer contre elles la guerre d'Empire[31]. La ville d'Ulm fut même assiégée pendant un temps, mais les milices urbaines purent vaincre une armée du comte Ulrich de Wurtemberg rassemblée au nom du roi, provoquant une médiation de Nuremberg au terme de laquelle les villes s'engagèrent à reconnaître Wenceslas contre la promesse de ce dernier de ne plus les hypothéquer[32]. Il est donc évident qu'à la fin du règne de Charles IV le rapport s'est troublé durablement entre les villes et la royauté[33]. Cependant cette méfiance et ce déséquilibre étaient déjà en germe dans la Bulle d'Or qui consacrait la préférence accordée nécessairement par le roi aux princes et non aux villes dans un empire dualiste et électif. Par ailleurs, touchant la mise en gage des villes et de leurs revenus, il conviendrait de se garder d'un procès rétrospectif en intention. Il s'agit d'un moyen usuel dans toutes les royautés et principautés pour gérer ses finances et son patrimoine et, compte tenu du faible développement de l'administration fiscale de l'Empire, il valait mieux, sous un certain angle d'efficacité, confier à un tiers la levée de l'impôt.

Cette question des hypothèques est en second lieu centrale parce que leur répartition fournit une sorte de chronologie des relations entre le roi et les villes sous le règne. On distinguera en effet de ce point de vue quatre phases. La première, que l'on a déjà rencontrée, est caractérisée par une opération de reconquête des villes restées fidèles à Louis IV. Cet activisme n'avait plus trop à voir avec la stratégie de domestication des années 1346-1350 mais répondait en partie aux bouleversements nés de la pandémie de peste de 1349-1350 au sein des organismes urbains et de plusieurs troubles qui s'ensuivirent. À Nuremberg, Überlingen, Ravensbourg, Memmingen et Sélestat, le roi prit chaque fois soin de rétablir dans leurs fonctions et leurs prérogatives les anciens Conseils renversés. Toutefois, cette forte activité législative envers les villes n'était pas que conjoncturelle. Elle anticipait en quelque sorte, peut-être pour les prémunir, la rupture qu'allait introduire la Bulle de 1356, ouvrant une deuxième phase. En effet, juste avant la première diète de Nuremberg[34], Charles IV vendit assez massivement des privilèges *de non alienando* (protégeant en théorie la cité contre une hypothèque future), notamment à Cologne, Lübeck et Erfurt. Il confirma dans la foulée des privilèges *de non appellando* et *de non evocando* (exclusivité de la justice urbaine en appel, au-dedans comme au-dehors) pour neuf autres cités. Il étendit enfin en faveur de Nordhausen, Mühlhausen, Erfurt, Straubing et Ratisbonne la protection spéciale du roi sur la ville. Au total, cent trente-six diplômes concernant les villes furent rédigés et accordés en 1355 dont la moitié entre le début de la diète le 26 novembre 1355 et sa clôture le 10 janvier 1356. Tout se passe donc comme si Charles IV pourvoyait une ultime fois les cités de privilèges que la Bulle allait point par point limiter, voire vider de leur substance. En effet, sur tous les sujets qui intéressaient les villes, la Constitution donnait systématiquement raison aux princes-électeurs. Il n'y était question ni de de réforme ni d'autonomie monétaire et pas davantage de limitation des douanes qui contrediraient la souveraineté seigneuriale des *Kurfürsten* (articles IX et XIII). La supériorité des justices princières sur les privilèges *de non appellando* et *de non evocando* des villes y était rappelée (XI), de même que l'interdiction des ligues ou des unions qui ne regrouperaient que les cités entre elles (XV). Il était défendu aux villes enfin de continuer à entretenir des bourgeois forains ou *Pfahlbürger* (XVI). Quoi qu'il en soit, le cadre des relations entre le roi et les villes était désormais devenu impensable sans faire intervenir la Bulle de 1356, ce qui ouvre une troisième phase reposant sur l'aménagement et la recherche d'un nouvel équilibre jusqu'à une ultime étape marquée par une pression fiscale massive et véritablement nocive.

Les villes, points d'appui du gouvernement

Comme on l'a vu, Charles IV a étayé ses périples incessants sur les villes[35]. Dans l'Empire, les cités visitées dans la première décennie du règne se concentrent pour l'essentiel le long du Rhin, du Main et du Danube, en Franconie et en Suisse. Sans surprise, ce sont les grandes villes impériales et libres qui dominent le classement : Nuremberg, Spire, Mayence, Trèves, Francfort, Haguenau, Cologne, Ratisbonne, Metz, Ulm, Aix-la-Chapelle et Sélestat. À elles seules, ces douze villes cumulent le quart des séjours royaux. Dans la décennie suivante, Charles IV resserre l'épicentre de ses déplacements autour de l'axe du Main, descend moins loin vers le sud, ignore toujours le nord et, par Franconie interposée, glisse davantage vers les marges orientales de l'Empire. La liste des grandes villes libres et impériales classiques de l'Empire se réduit : si Nuremberg continue d'occuper la deuxième place après Prague, ne se retrouvent de la liste précédente que Metz, Aix-la-Chapelle, Francfort et Mayence pour un total dépassant à peine 5 % des séjours. Une troisième phase, de 1369 à 1378, signale une progression des itinéraires tournés vers le nord, un recul continu des séjours méridionaux et une écrasante domination des voyages orientaux. Des lieux classiques du cœur de l'Empire ne subsistent là encore que Nuremberg, avec un reflux à quelque 11 % des séjours, puis Mayence, Francfort et Aix-la-Chapelle avec 4 % des séjours… Autrement dit, le contact direct du roi avec les villes du cœur traditionnel de l'Empire est au plus haut dans la phase de conquête et de stabilisation du trône des Romains, notamment dans un quadrilatère Rhin-Main-Souabe-Danube qui concentre aussi les possessions des électeurs ecclésiastiques, les riches villes impériales et libres et les villes symboliques d'un accomplissement royal et impérial, Nuremberg, Francfort et Aix-la-Chapelle, auxquelles on peut ajouter Metz pour la diète accouchant de la Bulle, mais que Charles IV ne visitera plus jamais ensuite.

Que conclure au total ? Il serait exagéré et même contreproductif, touchant les rapports de Charles IV avec les villes, de parler d'un plan ou d'un système préconçu. L'appréciation, on l'a vu, serait toutefois différente pour les villes de son royaume de Bohême. Dans les pays germaniques, trop grande est devenue la diversité territoriale et princière de l'Empire ; trop variée la situation de chaque ville en fonction de son statut juridique, de son éloignement vis-à-vis de la cour, de son environnement territorial et régional ; trop disparate la situation politique générale selon les phases du règne. Si l'attitude de Charles IV n'a pas sur le fond et dans la longue durée bridé l'expansion et le dynamisme urbains du XIVe siècle, l'action royale – mais c'était déjà le cas pour son prédécesseur Louis IV de Bavière comme ce le sera pour ses successeurs – a cherché à en tirer le plus grand bénéfice économique, fiscal et militaire possible. Ce profit était cependant subordonné à une ligne d'action marquée avant tout par un principe impérial, royal, princier et dynastique. Le bien de sa maison, la puissance du royaume de Bohême, la stabilité dans l'Empire passaient avant le reste et, pour cela, il fallait la paix avec les électeurs, le compromis avec les princes et la noblesse comme on le vit avec la Bulle d'Or. Certes les dispositions contraignantes de cette dernière au détriment des cités purent être compensées, rachetées, négociées, aménagées, toujours contre argent. Il est même permis de se demander si Charles IV n'a pas à dessein lâché du lest urbain aux électeurs en 1356 pour mieux ensuite marchander l'autonomie et les privilèges des villes et remplir ainsi les caisses royales. Toutefois, dans tous les cas, la ville ne demeure pour le roi rien d'autre que ce qu'elle est par nature au sein d'une société aristocratique : un sujet de la royauté, sans commune mesure avec ce que pouvaient être un prince ou même un noble de moindre rang. En ce sens, les rapports entretenus par Charles IV envers les villes s'insèrent dans une problématique d'ensemble plus large qui touche aux rapports entre la royauté et les villes en Occident. À cet égard, et rapporté au cas plus particulier de l'Empire, Charles IV ne bouleverse en rien un système sur lequel repose l'essence de son pouvoir. Il serait par conséquent vain, et pour tout dire anachronique, de lui faire le reproche de ne pas avoir testé une « alliance » avec les villes ou de ne pas avoir mené de politique économique favorable aux cités. Rien ne serait plus étranger à l'esprit d'un gouvernement royal et impérial du XIVe siècle. Les villes, impériales comme territoriales d'ailleurs, demeurent avant tout aux yeux du roi et de son administration des réservoirs de contributions fiscales. Elles forment également pour lui des points d'appui utiles pour la formation et la conclusion de paix territoriales. Mais elles ne constituèrent jamais des interlocuteurs ou des partenaires à l'égal des électeurs, des princes d'Empire ou des grands nobles territoriaux qui dominent la cour et les diètes. Pour le dire autrement, Charles IV reste pragmatique à leur égard et règle moins son action vis-à-vis des villes sur leur statut juridique ou institutionnel que sur leur capacité contributive, administrative et logistique. Cela explique qu'il accompagna, sans les remettre en cause, les grandes tendances touchant l'évolution du monde urbain en relation avec la royauté au XIVe siècle. Ces rapports sont caractérisés par une progressive territorialisation d'un côté, par une relative autonomie économique de l'autre, et enfin par la répartition des cités et des régions entre des espaces proches du roi, indifférents au roi ou déjà plus éloignés de lui. Cela n'empêche en rien que cette relation obéisse au type de rapports que le roi entretient avec tout autre pouvoir que le sien : un échange de dons, de droits et de devoirs.

C'est bien dans le périmètre de cet échange qu'il faut en dernier lieu juger l'action de Charles IV face aux cités, c'est-à-dire à l'aune d'une politique de reconquête et de faveur dans les dix premières années du règne, puis de nette préférence accordée par la Bulle aux princes, puis de normalisation et d'aménagement de ce déséquilibre jusqu'au début des années 1370, avant une ultime étape de franche exploitation, voire de surexploitation fiscale, dans les dernières années du règne. Force est cependant de constater que, face à des stratégies et à des demandes variables, toutes les villes ne disposaient pas des mêmes armes ni des mêmes atouts. Dès lors, certaines s'imposèrent à la fois comme les agents et les bénéficiaires de cette intermédiation entre le roi et le monde urbain, gagnant ainsi, à la sortie du XIVe siècle, en importance, en centralité et en pouvoir d'influence au sein de ce qui commence à ressembler à un réseau urbain.

Un nom, une réputation, six couronnements, quatre mariages, une descendance assurée, une succession accomplie de son vivant sur ses deux trônes, une capitale rénovée, un accroissement de son royaume, une paix relativement maintenue, une administration plus efficace, des rentrées fiscales accrues, une relation sinon apaisée du moins pragmatique et efficace avec les villes, une Constitution pour l'Empire, une connaissance au plus près des territoires, des conseillers proches et plutôt fidèles, une mise

à bonne distance des dynasties concurrentes... Ainsi peut se résumer le bilan flatteur du roi et du règne. Face à une telle accumulation de réussites, la question se pose toutefois de savoir si
la fortune de Charles IV fut seulement le produit de ses actes,
de son vouloir et de son gouvernement ou si ce succès ne résulte
pas également d'une image patiemment travaillée, ciselée de son
vivant, glorifiée à sa disparition, pérénisée par la suite. De cette
immortalisation témoigne la mort même du souverain.

Acte II

1378, dernière demeure ou mourir à Prague

Charles IV mourut le 29 novembre 1378 des suites d'une pneumonie contractée après une chute qui le cloua au lit trois semaines durant. Sa disparition a pu être interprétée comme la fin d'une époque non seulement dans le royaume de Bohême et dans l'Empire mais aussi parce qu'elle prenait place dans une « série » qui vit succomber la plupart des grands rois contemporains : Waldemar du Danemark en 1375, Édouard III d'Angleterre en 1377, Charles V de France en 1380 et Louis le Grand de Hongrie en 1382, en même temps que le Grand Maître de l'Ordre teutonique. Et comme si cela ne suffisait pas, s'ouvrait en 1378 par la mort de Grégoire XI, le 27 mars, ce que les historiens ont coutume d'appeler le « Grand Schisme », opposant un pape romain, Urbain VI, élu le 8 avril, et un pontife avignonnais, Clément VII, désigné le 20 septembre. Tandis que la « tunique du Christ » se déchirait, que la guerre entre les royaumes de France et d'Angleterre se poursuivait en dépit des trêves, que la peste continuait de sévir de manière endémique, une crise sociale urbaine de grande ampleur agitait parallèlement la plupart des grandes villes d'Occident[1]. Insurrection des Tuchins dans les pays de Languedoc depuis 1363, agitation des Ciompi de Florence en 1378[2], révolte des paysans anglais et émeutes à Londres en 1381, soulèvements des Maillotins à Paris et troubles

de la Harelle à Rouen en 1382[3]. Peu d'années ont sans doute à
ce point livré l'impression de la fin d'un monde, pour ne pas
dire de la fin du monde, tant la pensée eschatologique demeure
ancrée dans l'esprit du temps.

Et pourtant, au moment de fermer les yeux, l'empereur pouvait à bon droit éprouver le sentiment d'avoir fait œuvre utile
pour le bien de ses États, de sa maison et de son office. L'Empire
semblait stabilisé par le mécanisme de la Bulle d'Or. La Bohême
s'était notablement agrandie à l'Est et au Nord. Son fils aîné était
depuis 1376 roi des Romains et la dynastie des Luxembourg,
riche de six enfants survivants sur un total de onze descendants
nés de quatre épouses successives, paraissait assurée d'un long
héritage. Son patrimoine avait été tenu à l'écart des ravages de la
guerre de Cent Ans et les pays tchèques et allemands ne traver-
saient pas de crise économique majeure. Prague enfin rayonnait
dans tout l'Occident à l'égale de Paris, du moins osait-elle le
penser. De fait, au-delà des évocations convenues formulées dans
les trois oraisons funèbres de 1378 et qui comparaient Charles
tantôt à un nouveau Salomon tantôt à un nouveau Constantin,
la sensation prévalait qu'un grand règne s'achevait et que celui-ci
avait plutôt penché vers la paix. C'est pourquoi les funérailles de
l'empereur prirent une ampleur dont on se souviendrait encore
des siècles plus tard[4].

Dès sa mort, survenue « trois heures après le coucher du soleil »
comme le note avec précision la chronique très détaillée d'Augsbourg couvrant les années 1368-1406[5], les préparatifs d'embau-
mement du corps furent entrepris. Il fallait que le corps, auquel
on n'ôta ni le cœur ni les entrailles car il serait enterré en un seul
lieu, pût résister à plusieurs jours de cérémonie et de rituels. Si
Charles IV avait bien préparé l'avenir en faisant de la cathédrale
de Prague la nécropole des rois de Bohême, en revanche rien
n'avait été fixé quant au déroulement de son enterrement et à la
forme de son tombeau. La cour, les conseillers, la famille eurent
donc tout loisir d'imaginer une cérémonie d'une envergure inédite destinée à ne pas durer moins de dix-sept jours[6]. Sa dépouille
fut d'abord exposée onze jours durant dans la salle d'audience
du château royal de Prague. Sur son corps on avait jeté un long

Ill. 1. Banquet de l'Épiphanie en l'honneur de Charles IV (Grande Salle du Palais de la Cité, Paris, 6 janvier 1378). Enluminure des *Grandes Chroniques de France*, *ca.* 1379, BnF fr. 2813, f°473v.

Ill. 2. Enluminure de Charles IV trônant accompagné de ses armoiries de l'Empire et de Bohême et des blasons de ses quatre épouses, Nuremberg, *ca.* 1430. Original conservé dans les *Staatliche Museen Preussischer Kulturbesitz Kupferstichkabinett*, Min. 1748, Berlin.

Ill. 3. Buste de Charles IV. Triforium de la cathédrale Saint-Guy de Prague par Peter Parler (1330/33-1399), *ca.* 1375-1379.

Ill. 4. Mosaïque de la *Porta Aurea* de la Cathédrale Saint-Guy de Prague par Peter Parler (avec Charles IV et Élisabeth de Poméranie), achevée en 1371.

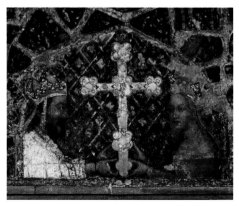

Ill. 5. Peinture de Charles IV et de sa troisième épouse Anne de Schweidnitz (*Exaltatio Crucis*) située au-dessus de la porte d'entrée de l'oratoire de la chapelle Sainte-Catherine. Église Notre-Dame, Karlstein, après 1355.

Jean Ier de Luxembourg

Élisabeth de Přemyslide

Blanche de Valois

Anne du Palatinat

Anne de Schweidnitz

Élisabeth de Poméranie

Ill. 6. Triforium de la Cathédrale
Saint-Guy de Prague par Peter Parler. *Ca.* 1375-1379.

Ill. 7. Charte de la fondation de l'université Charles de Prague, 7 avril 1348. Copie conservée aux archives du Chapitre métropolitain de la cathédrale Saint-Guy de Prague, original perdu pendant l'occupation nazie.

Ill. 8. Bulle d'or de Charles IV, 1356. Exemplaire produit pour le comte palatin, Archives d'État de Munich BayHstA, Kurpfalz Urkunden 1, f° 12-13.

manteau d'or et de pourpre, sur sa tête reposait la couronne impériale fermée, à son flanc droit le sceptre, à son flanc gauche l'épée et le globe des insignes impériaux. À la senestre du cercueil reposait la couronne de Bohême, à la dextre celle des Lombards. Partout des centaines de cierges. Après cette exposition du corps (*ostensio corporis*), le cortège (*pompa funebris*) descendit les pentes de la Vieille Ville, traversa le pont et déambula devant près de 7 000 spectateurs répartis à travers la Nouvelle Ville. Le cata-falque, surmonté d'un baldaquin doré porté par douze chevaliers en armes, entouré des bannières de tous les pays de Bohême et d'Empire et précédé de près de six cents porteurs de cierges vêtus de noir, fut alternativement pris en charge par les différents états de la ville et de la société : clercs réguliers et séculiers, universi-taires, membres de la cour, bourgeois et métiers de la ville... Cinq cents chevaliers, nobles et seigneurs ainsi qu'une cinquantaine de carrosses fermaient la marche aux côtés de l'impératrice et de l'épouse du roi Wenceslas dont les chroniques taisent cependant la présence. Pendant quatre jours, la dépouille impériale reposa dans chacune des grandes églises avant de rejoindre la cathé-drale. Charles IV y fut inhumé aux côtés de ses trois épouses et de trois de ses fils morts avant lui, non loin des tombeaux « nationaux » des saints Guy, Wenceslas, Adalbert et Sigismond et de plusieurs rois přemyslides dont il avait lui-même ordonné l'emplacement. Le cercueil portait la reproduction des insignes royaux et l'oriflamme d'Empire dont l'aigle avait été tournée la tête en bas. L'épitaphe, entre-temps perdue, que l'on avait mar-telée sur la pierre tombale interpelait le visiteur par ces mots : « En l'an mille trois cent soixante-dix-huit, le 29 novembre. Vois, moi Charles IV, autrefois effroi du monde entier, un empereur qui jamais ne connut la défaite, finalement cueilli par la mort, je repose dans ce tombeau. Puisse, Seigneur, mon âme monter au ciel. Je prie pour que tous ceux que j'ai abandonnés par ma mort mais comblés de faveurs de mon vivant intercèdent en ma faveur. Que son esprit repose en paix[7]. »

Il est entendu qu'au Moyen Âge l'enterrement d'un roi, qui plus est d'un empereur, constituait l'une des occasions de manifester publiquement la mémoire et la piété du défunt, de démontrer

la valeur et la vigueur de sa maison, mais aussi de souligner la
force de la souveraineté et de la légitimité de son État[8]. Sans nul
doute Charles, et ses conseillers après lui, avaient-ils été là encore
influencés par les rituels entourant la mise au tombeau du roi de
France[9]. Ce dernier, non sans regarder ce qu'au même moment
la papauté orchestrait pour les pontifes défunts[10] ou l'Angleterre pour ses propres rois[11], avait placé les funérailles au service
d'une idée politique visant à séparer le corps mortel et le corps
politico-mystique[12], particulièrement depuis les ordonnances de
1374 fixant les règles de succession au trône par droit d'aînesse
et de primogéniture. À la différence des rituels observables tant
en France qu'en Angleterre toutefois, la cérémonie pragoise n'a
pas eu recours à la représentation du défunt sous la forme d'effigies doublant en quelque sorte le mort par l'image. Cependant,
comme le consigne la chronique d'Augsbourg, un cavalier
noir semble avoir accompagné en permanence la dépouille de
Charles IV. Cette présence d'un chevalier noir incarnant le roi
mort, une coutume peut-être venue d'Italie, se retrouvera plus
tard dans les monarchies de Pologne et de Hongrie[13]. Le souci
consistant à manifester la continuité de l'office royal était donc
bien présent dans l'esprit de Charles et de son entourage.

Le choix de l'itinéraire du cortège funèbre constitue l'autre
signe d'une idéologie et d'une mémoire royales qui se dévelop-
pèrent particulièrement sous le règne de Charles IV. Le cortège
emprunta en effet le même chemin qui, d'après l'*ordo* du couronnement des rois de Bohême écrit et réagencé par Charles en personne dès 1347, guidait les pas du nouveau roi du château royal
à Vyšehrad, le premier château des ducs puis des rois přemyslides
de Bohême au sud de la Nouvelle Ville. Sous Charles IV, cet itinéraire forma peu à peu comme la voie mémorielle sacrée des rois
de Bohême dans leur capitale, un chemin qu'empruntaient aussi le
souverain lors de ses entrées solennelles en ville et les processions
destinées à montrer les insignes impériaux ou à transférer des
reliques particulièrement précieuses. À cela s'ajoutent les autres
composantes savamment arrangées de la séquence funéraire : la
présence de la dynastie au complet, de toutes les bannières des
pays soumis à l'empire de Charles IV, des conseillers, laïques

comme ecclésiastiques, des insignes impériaux et royaux, des couronnes... Rien ne manquait donc à l'appareil symbolique, rituel et visuel censé souligner les principes de majesté, d'étaticité, de capitalité et d'impérialité qui guidèrent constamment le règne[14]. De la sorte, il n'est pas difficile de constater que le royaume de Bohême, à la mort si bien orchestrée de son prince, n'a plus rien à envier aux grandes monarchies d'Occident et que, d'une certaine façon, ici non plus le roi ne meurt jamais. Preuve en est que le tombeau de Charles IV, ouvert à huit reprises entre 1677 et 1976 pour en inventorier les ossements, finit par devenir, à la manière de Saint-Denis et de la crypte viennoise des Capucins, un lieu de mémoire dynastique et national[15].

Les funérailles et le tombeau placé dans la cathédrale ne furent pas le seul et ultime truchement retenu par Charles IV pour survivre à sa mort. Les hommes de ce temps avaient d'autres moyens à leur disposition pour faire trace : écrire, amasser des objets, se faire peindre, construire. L'empereur ne s'est pas privé d'en user, selon un esprit de collection, d'accumulation et de système qui finirent par former les caractéristiques mêmes de l'homme et du règne.

TROISIÈME PARTIE

DURER

Comme le récit du règne a tenté de le montrer en deux temps, au fil d'une existence d'une part et au regard des moyens de gouvernement de l'autre, Charles IV se situe à un point d'aboutissement et à un moment d'inflexion de l'image du roi et de la conception de la royauté. Cette évolution était sensible dès le siècle précédent, qui vit la souveraineté non seulement s'incarner davantage, mais aussi se nourrir d'une mutation de l'État en gestation, d'une intégration plus poussée de la couronne, du territoire et de la loi, et d'une institutionalisation qui toucha également l'Église.

De ce point de vue, l'empereur Luxembourg est bien le produit d'un temps où se met en place ce que l'on peut désormais appeler le pouvoir monarchique. Il ne cessa pas de vouloir en personnifier tous les sens, à la fois chrétien, messianique et ministériel, dans une combinaison où se fondent et s'articulent le roi et l'empereur au service d'une légitimité, d'une dignité et d'une majesté qu'il voulut irréprochables. Dans cette entreprise, on l'a vu, aucun moyen ne fut négligé et rien ne fut laissé au hasard : couronnement, *regalia*, législation, sacralité, sens dynastique, modèles de sainteté, rituels, éducation, sacerdoce, marquage du temps et de l'espace. À ce socle plus ou moins commun à bien des royautés d'Occident, Charles IV entendit ajouter des instruments dont l'assemblage allait être poussé plus loin qu'ailleurs, à l'exception peut-être du royaume de France où, ce n'est pas un hasard, il grandit et acheva son périple. Ces outils, qu'il s'agisse du pouvoir de l'écrit, de l'efficacité des reliques, de la force des images, de la puissance de la propagande ou de la performance de la mémoire, ne sont pas neufs. Mais leur emploi combiné au service de l'image royale l'est davantage, particulièrement pour un roi et un empereur comme lui, qui éprouva tant le sens de la durée que son souvenir continue d'agir et d'une certaine manière de nous parler. On se gardera pour autant de mêler la mémoire et le souvenir. À travers écrits, reliques et portraits, Charles IV voulut consciemment durer et perdurer et d'une certaine façon modeler et construire une mémoire apte, sur le moment, à épauler par l'image et la réputation son œuvre politique, mais capable aussi de lui survivre. De cette *memoria* royale, combinant le vivant et le mort, se sont dégagés une tradition et un souvenir dont ses contemporains, ses successeurs, puis les historiens se sont emparés et qu'ils ont façonnés pour leurs besoins. Ce sont là deux facettes différentes mais cependant logiquement liées d'une empreinte dans le temps, d'une trace d'abord encadrée et surveillée mais peu à peu autonome et émancipée, et qui n'est rien d'autre que ce que l'on appelle aujourd'hui l'histoire.

CHAPITRE VIII

L'écrit et les reliques

Un roi lettré : la mémoire et l'autorité de l'écrit

À l'image de son contemporain Charles V « le Sage »[1], et un siècle plus tôt d'Alphonse X de Castille et de Saint Louis, Charles IV fit assurément sienne la maxime suivant laquelle un roi illettré n'est qu'un âne couronné. De manière plus générale, le XIVe siècle voit l'écrit, l'art, l'architecture, la librairie, la langue et la science politique devenir pour les princes, les rois, les papes et les villes une vertu, un moyen de gouvernement autant qu'un outil de légitimation et de propagande[2]. Qui plus est, loin de se contenter de laisser parler ses œuvres et ses productions pour lui, ce roi s'est lui-même présenté par l'écrit comme particulièrement sage parce que cultivé[3]. « Quant à la langue de Bohême, nous l'avions totalement oubliée, mais ensuite nous la réapprîmes au point de parler et de comprendre comme n'importe quel autre homme de Bohême. Grâce à Dieu, nous savions parler, comprendre, écrire et lire non seulement la langue de Bohême, mais le français, le lombard, l'allemand et le latin, de telle sorte que nous étions capable d'écrire, lire, parler et comprendre l'une comme l'autre de ces langues. » Ainsi s'exprime Charles dans la première partie de sa *Vita*[4]. Ce texte, dont il a dicté ou composé la plus grande partie et qui constitue un cas rare de parole royale de soi et sur soi à la fin du Moyen Âge[5], suffirait à faire de Charles IV un roi lettré. Cependant bien d'autres éléments militent en faveur d'une véritable politique de l'écrit et de la culture de sa part. On citera, entre autres, la fondation en 1348 de la première université en pays d'Empire[6], sur le modèle avoué de celle de Paris, et celle en 1366 d'un collège, le *Carolinum*, inspiré du collège de Sorbonne. Quant au dernier article de la Bulle d'Or, il recommande aux sept princes-électeurs, désormais détenteurs de la désignation du roi des Romains et futur maître du Saint-Empire, « d'être instruits dans la pluralité des langues et idiomes [..] eu égard à la diversité des mœurs, des modes de vie et des langues en usage parmi les différentes nations de l'Empire [...] et parce que ces langues sont utilisées communément pour l'utilité et la nécessité des affaires particulièrement complexes du saint Empire romain[7] ». Ce passage ne constitue pas seulement la preuve de la reconnaissance du caractère multiculturel et multilinguistique de l'Empire dès le XIVe siècle, à l'exception notable du français, mais témoigne aussi de l'attention soutenue accordée par le législateur à l'éducation des futurs « colonnes et murailles » de l'Empire que constitue le collège électoral princier. Il signale également un haut degré d'innovation pédagogique puisque l'article laisse les princes choisir le moyen le plus efficace pour apprendre ces langues : soit en recourant à des « écoles appropriées », soit en payant des « maîtres et des précepteurs », ou bien en faisant jouer les jeunes héritiers avec des camarades parlant ces langues.

Sous Charles IV, Prague était devenue un haut lieu d'accueil d'artistes, d'écrivains et de poètes tant tchèques qu'allemands, italiens et français, et forma ce faisant un centre important de transferts culturels, littéraires et artistiques à l'échelle européenne[8], suivant un mouvement d'échanges Ouest-Est déjà préparé depuis le Luxembourg par son père Jean. Durant toute la période, la cour ne cessa d'ailleurs de parler et de rédiger en trois langues, latin, allemand et tchèque. Charles lui-même, avec l'aide de ses conseillers et des archevêques successifs de Prague, tous de grands lettrés et commanditaires de manuscrits enluminés et de retables à l'image de son chancelier Johannes von Neumarkt et d'Ernst von Pardubice, garda constamment l'œil sur l'activité de traduction de grands textes latins, allemands et italiens en langue vernaculaire. Songeons ici en premier lieu à la version en tchèque de la Bible façonnée entre 1360 et 1370, aboutissant à l'augmentation par la création de néologismes d'un tiers du stock des mots tchèques en quelques décennies. Ce bond sémantique est attesté par la publication concomitante de trois lexiques latin-tchèque : le *Claret* en 731 vers, le *Bohemar* en 981 rimes et un glossaire bilingue en 2 688 distiques. L'empereur surveilla également la qualité de la production écrite de sa chancellerie et prêta attention à l'acquisition et à la conservation d'ouvrages permettant de fonder une pensée politique de la Couronne. Surtout, il intervint activement dans la formation et l'écriture d'une historiographie de Bohême[9]. Leurs auteurs, souvent favorisés par le roi, ne manquèrent pas de tresser ensemble la dignité du royaume, la grandeur de Charles IV et l'éclat de sa culture, achevant d'en faire un « père de la patrie », expression employée pour la première fois par Adalbert Ranconis de Ericinio, recteur de l'université de Paris puis chanoine du chapitre de la cathédrale de Prague, dans son oraison funèbre de 1378[10]. La figure de Charles IV en roi sage et lettré, à la fois législateur, mécène, lecteur et auteur, devint rapidement un topos de cette littérature mémorielle et historiographique. Cette dernière s'appuyait sur deux « monuments » continûment repris et cités : la chronique des Bohèmes de Cosmas de Prague rédigée vers 1119-1125[11] et celle dite de Dalimil composée vers 1314[12]. Poursuivie dès le milieu du XIVe siècle par les œuvres de Benesch Krabitz von Weitmühl, de François de Prague, de Jan Neplach, abbé du monastère d'Opatovice, et de Přibík Pulkavas von Radenin, et relayée par la chronique universelle rédigée à partir de 1355 par Jean de Marignolli, cette véritable mémoire protonationale de la Bohême installe Charles IV au cœur d'une culture sacrée et lettrée, curiale et royale, de grand rayonnement[13]. L'empereur en exprima d'ailleurs lui-même l'ambition dans la lettre qu'il rédigea en forme de préface pour accompagner le manuscrit de la chronique de son chapelain et familier Jean de Marignolli : « On apprend ici que le peuple requiert de sages gouvernants pour vivre en paix. Suivant l'exemple de David, le plus sage des rois, nous, gardien de l'édifice impérial et roi de Bohême, instruit par la sagesse divine et pénétré de la loi de Dieu, veillons nuit et jour avec la plus grande attention et songeons avec une ferme sollicitude à persuader de la meilleure manière tant les gouverneurs de notre État que les chefs de nos armées à lire et étudier, afin que le savoir, les bonnes mœurs et l'exemple des anciens arment le bras de nos États en temps de guerre comme en temps de paix[14]. » La sagesse et la science du roi furent encore soulignées par les miroirs de prince ou traités politiques de gouvernement rédigés en parallèle aux histoires de Bohême. Le premier, composé en 1377, repose dans l'échange prétendu de deux lettres entre l'empereur et son fils Wenceslas requérant de son père quelques conseils de bon gouvernement. Dans sa réponse, Charles IV fait de la sagesse et de la raison les vertus cardinales du roi juste et légitime. Cette conception sera reprise plus longuement dans un second traité composé moins de dix ans après la mort de l'empereur par un vicaire de la chartreuse de Prague, le moine Michel.

Il faut dire que le roi a lui-même contribué à sa réputation savante en rédigeant ou faisant rédiger des écrits destinés à lui survivre[15]. Alors qu'au Moyen Âge il est possible et même fréquent de savoir lire sans savoir écrire, Charles IV maîtrisait les deux opérations en plusieurs langues. Le fait a suffisamment frappé les esprits pour que le chroniqueur Benesch Krabitz von Weitmühl aille jusqu'à prétendre que le roi avait étudié à l'université de Paris. L'invention n'est pas totalement fausse, car c'est bien à Paris, pendant ses jeunes années, que le futur empereur apprit, à côté du français, le latin avec son précepteur, l'abbé Pierre de Fécamp, futur Clément VI. Il est même cocasse de songer que cette éducation lettrée lui fut fournie sur la recommandation du roi de France Charles IV, dont le prince Luxembourg dit dans sa *Vita* qu'il était lui-même *ignarus litterarum*, « ignorant des lettres[16] ».

On dispose ainsi pour Charles IV de quelques traces de sa propre écriture. On possède en date du 31 octobre 1355 une note autographe d'une douzaine de lignes de sa main, certifiant l'authenticité d'un exemplaire de l'Évangile selon saint Marc qu'il garantit avoir reçu un an plus tôt, à l'instar d'une relique, des mains du patriarche d'Aquilée, Nicolas de Luxembourg, son demi-frère adultérin. Ce manuscrit (en vérité datant du VIᵉ siècle) aurait été donné au premier évêque d'Aquilée martyrisé sous Néron, Hermagoras, par l'Apôtre en personne auquel on attribue la fondation du siège. L'intérêt de cet épisode ne réside pas seulement dans la liaison qu'il ménage entre les deux instruments employés par Charles IV pour inscrire sa mémoire dans la durée, l'écrit et la relique, mais aussi dans le prestige qu'accordent au roi le maniement de l'écrit et la culture d'un véritable clerc. Il existe d'autres témoignages de lettres et documents rédigés de la main du roi. Plusieurs missives échangées en 1349, 1355 et 1376 entre le roi puis l'empereur et le pape attestent que Charles IV rédigeait cette correspondance *regia propria manu*, « de sa propre main royale ». On trouve aussi à plusieurs reprises la signature caroline au bas de chartes scellées de son sceau personnel et validées par un *approbamus* autographe[17].

Bien des signes prouvent donc que ce roi tenait en haute estime le pouvoir politique et symbolique de l'écrit. En témoigne mieux que tout l'impressionnante production qu'il est permis de lui attribuer. Dans cet ensemble, il convient de distinguer les écrits de première main et d'autres dictés ou contrôlés de près, mais qui assurément portent la même marque de fabrique.

La Vita : *écriture de soi sur soi*

Parmi les écrits susceptibles d'être directement imputés à la rédaction du roi, la célèbre *Vita* constitue sans doute le texte le plus abouti, le plus marquant et le plus parlant. Le document a retenu précocement l'attention des historiens parce qu'il sort du commun[18] : peu de rois ont en effet rédigé au Moyen Âge le récit de leur propre vie à la première personne et selon une tonalité aussi individuelle, ne taisant pas les moments de doute, les peurs, les rêves[19], les aspirations, les succès et les échecs, les vicissitudes de la chair. Il a été lu, à bon droit, à la fois comme l'expression d'une forme assez poussée d'individualité, dont les contours prennent forme dans la période[20], et comme un acte de première souveraineté de la part d'un prince qui arrête à dessein son récit de vie en 1346, au moment de ceindre sa première couronne. On a pu lui accoler dès lors, et avec toutes les précautions d'usage, le caractère d'une « autobiographie souveraine », parole de soi sur soi qui met en tension le pouvoir de se gouverner et celui de s'apprêter à gouverner les autres[21]. Elle pose la question du type de souveraineté, et partant du mode d'autorité/auctoria-lité[22], qui se joue pour un roi dans l'acte d'écrire sur lui-même. De cet écrit, on ne dispose d'aucun manuscrit autographe, mais six copies et une traduction en ont été réalisées entre le dernier tiers du XIVe siècle et la première moitié du XVe siècle. Le texte n'était donc pas tombé dans l'oubli, même si Charles IV ne semble pas, sur le moment, avoir voulu en faire un usage public ou politique ni souhaité le transformer en traité de gouvernement[23]. Tout porte à croire que, y compris dans l'hypothèse où le chancelier aurait tenu la plume à sa place, la composition a bénéficié de l'œil direct et de la dictée du roi. Les souvenirs de jeunesse, le détail de la généalogie, la reproduction de « dialogues » réels ou fictifs, le récit des visions nocturnes, la composition de commentaires des Écritures et de longues homélies flanquant les chapitres ; beaucoup parle en faveur d'une rédaction contrôlée, remémorée, personnalisée. Cette écriture de vie entend dès les premiers mots s'adresser « À ceux qui siègeront après moi sur mon double trône » (chapitre I) et dévoile tôt le projet d'écriture. « Je souhaite maintenant vous raconter par écrit ma vie vaine et folle depuis le début de mon passage sur terre, afin de vous servir d'exemple », écrit-il, et cela entre la naissance du narrateur et sa désignation comme roi des Romains trente ans plus tard (chapitre XX). Le sujet du livre est bien de bout en bout le futur roi dont l'existence est enchâssée dans un ensemble composite mêlant chronique, récit personnel, réflexions théologiques, maximes de gouvernement, miroir princier, histoire de sa maison et de ses possessions, hagiographie, portrait de l'Occident du temps. On y trouve tout d'abord une réflexion générale sur la vie et le pouvoir, les devoirs et la piété d'un roi dans les deux premiers chapitres écrits, ce faisant, par un roi sage suivant peu ou prou le modèle d'un miroir de prince adressé à ses successeurs.

Viennent ensuite le rappel de sa naissance, de ses origines, de sa
famille, de ses parents, ainsi que la mention de son séjour à la
cour de France de 1323 à 1330 et enfin le détail de ses aventures et
actions en Italie (1330-1333 et 1337) puis en Bohême (1333-1336)
couvrant les chapitres III à X, rédigés en quelque sorte par un
roi chroniqueur de lui-même. Les commentaires homilétiques
des textes de l'Évangile lus pendant l'office de sainte Ludmilla
aux chapitres XI à XIII introduisent tout à la fois une coupure
et une articulation et renvoient l'image d'un roi prédicateur.
Le chapitre XIV reprend le récit politique et diplomatique des
affaires du jeune prince pour la période 1338-1340 placées sous
le signe de l'apprentissage du métier de prince. Un saut temporel
de deux ans est alors opéré. Le chapitre XV reprend en 1341 et
s'accompagne d'un saut formel car le récit est désormais rédigé
à la troisième personne pour rapporter les affaires de Bohême,
de Lituanie, de Pologne, du Tyrol, jusqu'au chapitre XX qui
s'achève par la désignation royale. Il s'agit là d'une partie tout
entière placée sous le signe de l'accès au trône et de l'exercice
véritable de l'office royal, signalé justement par le passage du
« moi » au « lui ». Le récit des trois premières décennies consi-
gnées dans la *Vita* est d'autant plus précieux que les informations
sont moins riches sur les débuts de sa vie, puisque rien ne le desti-
nait à ceindre plusieurs couronnes. À l'inverse, le silence du texte
sur les succès ultérieurs et les multiples couronnements n'a pas
cessé d'intriguer les historiens. Comment l'autobiographie d'un
roi a-t-elle pu passer sous silence l'épisode impérial et romain
de 1355 qui élevait Charles à la même dignité que son grand-père
et installait au cœur du continent une puissance politique et territoriale de première grandeur ?

Seules des hypothèses émises autant sur la datation que sur
la nature du texte peuvent, sinon résoudre, du moins éclairer
cette apparente contradiction. Ou bien la *Vita* est une œuvre
de jeunesse, finalement de faible importance et vite abandonnée
dès que d'autres supports se chargent de magnifier la majesté
impériale. Ou bien il s'agit d'une œuvre de vieillesse, interrompue
par la mort du souverain en 1378 ou forgée par son entourage
pour alimenter le récit d'un jeune et ardent prince dont le but

était justement de ne fonder son « testament » que sur le premier mouvement de sa vie. Il convient de souligner en premier lieu que le texte ne comporte aucune indication quant aux circonstances et aux motivations de sa rédaction et qu'il souffre à l'évidence d'un manque d'unité. De 1316 à 1340 et sur quatorze chapitres, le fil du récit est bien tenu par un « *ego* » militant et revendiqué, mais s'interrompt brutalement pour reprendre dix-huit mois plus tard sur six chapitres rédigés cette fois à la troisième personne. Ce n'est pas le lieu de présenter ici les termes d'un long et érudit débat sur les interprétations penchant successivement pour une rédaction précoce, entre 1346 et 1350, ou tardive. Seul le retour au texte permet de baliser la discussion. Tout d'abord, la structure du récit parle en faveur du caractère pédagogique de l'œuvre ainsi que d'une sélection significative des faits. D'autre part, aucun des manuscrits conservés ne fait apparaître de lacune ou de variante majeure jusqu'en 1346 et rien dans le texte n'annonce un développement postérieur à 1346 qui se serait perdu. Il faut donc s'en tenir à une cohérence d'ensemble, volontaire, surveillée, œuvre d'un rédacteur qui n'a pas eu pour motivation d'écrire toute sa vie et fut seulement animé du souci de veiller à l'intégrité des éléments filtrés de son existence. Cette organisation relève d'une intrigue qui mêle à dessein le « je » princier du premier mouvement et le « il » royal du second temps, signe d'une forte mise en relation de Charles avec son texte. Un moment doit dès lors être détaché plus qu'un autre, celui que manifeste l'achèvement du récit en 1346. Pour Charles, il s'agit d'un nouveau départ, du temps de la conquête solitaire du pouvoir en Bohême et dans l'Empire alors que son père vient de mourir. Par conséquent, prendre au sérieux la date finale de la *Vita*, c'est inscrire cette dernière dans un projet qui considère cette année comme capitale et situe l'écriture au commencement d'un vaste programme de gouvernement royal. L'hypothèse donnerait ainsi raison à l'auteur de la *Chronique des quatre premiers Valois* rédigée avant 1397 qui disait de Charles IV : « *Et fut cestui empereur ung très grant sages homs et conquist plus l'empire par sens que par armes*[24]. » On veut pour preuve de cette lecture le traité de gouvernement intitulé *Nouveau Conseil*, rédigé peut-être peu après la mort de Charles IV ou dans les années 1390 par Smil Flaška de Pardubice, qui fait de la *Vita* un modèle de didactique royale à placer dans les mains du roi Wenceslas afin de lui montrer l'image d'un roi sage, juste et savant dès la première année de son règne. Il semble donc plausible de retenir l'hypothèse développée par les éditeurs récents de la *Vita* qui mettent en relation la date probable de la rédaction, en 1350, un an après le second couronnement germanique, avec le transfert opéré par Charles des insignes impériaux de Nuremberg à Prague. En outre, les chroniqueurs rapportent qu'en 1350 le jeune roi aurait été frappé d'une paralysie partielle des membres le contraignant à interrompre pendant plusieurs mois tout déplacement, occasion probable d'un repos forcé propice à la rédaction.

Si l'on s'accorde à penser que la *Vita* date de 1350, elle constitue alors un véritable programme idéologique de royauté et de gouvernement, qui recouvre et suggère dans le même temps un rapport de ce roi lettré à la culture et à l'écriture, au cœur d'une trilogie alliant le *sacerdotium*, le *regnum* et le *studium* dont la conjugaison autoproclamée avait valeur d'entrée dans la vie royale. Chacun de ces trois mots figure en bonne place dans le texte rédigé de bout en bout en latin. Si l'on rencontre au Moyen Âge d'autres rois ayant couché par eux-mêmes ou fait rédiger le récit de leur vie à la première personne, ainsi de la *Sverrissaga* du roi Sverre de Norvège (1151-1202), ou bien chez les rois d'Aragon avec le *Livre des faits* de Jacques Ier (1208-1276) et la *Chronique* de Pierre IV le Cérémonieux (1336-1387), aucun en revanche n'a fait le choix du latin comme Charles IV, et aucun n'a autant innové dans la forme comme le suggère la construction du récit. Celui-ci commence par un prologue sur les vertus royales, continue par un récit personnel et chronologique, s'interrompt pour placer une homélie sur un passage de l'Évangile de saint Matthieu et reprend le cours des événements au fil des ans. À la question de savoir à quoi ressemble le bon prince et comment il se doit comporter, Charles IV répond ici d'une manière finalement toute médiévale, c'est-à-dire en variant les facettes, en multipliant les supports et les discours, critique, panégyrique, homilétique, exégétique, onirique, anecdotique, didactique, en reconnaissant pour faire bref son incapacité à brosser le portrait d'un individu parfait et achevé.

La troisième innovation du texte repose dans le choix et l'agencement du vocabulaire, notamment pour ce qui touche à la sémantique politique à travers les termes de *majestas*, d'*imperium*, de *regnum*, de *rex* et d'*imperator*. Une étude lexicale et lexicométrique pionnière[25] a pu ainsi montrer l'unité des deux premiers chapitres introductifs de réflexion théologico-politique. Charles IV s'y adresse à ses descendants, à des rois ou à de futurs rois en employant fréquemment les « vous » et « vôtre ». Les chapitres III à X empruntent un style narratif et descriptif dominé par les « nous » et « nôtre » qui associent le prince à son père. Les chapitres XI à XIII consacrés aux commentaires des lectures de l'office de sainte Ludmilla tranchent sur le reste de la *Vita* et la langue liturgique l'emporte. Le chapitre XIV retrouve des accents beaucoup plus personnels. Le texte indique alors la politique, les choix de Charles, parfois en rupture avec son père. Les six derniers chapitres rédigés à la troisième personne reprennent le vocabulaire plus politique des affaires, des conflits avec l'empereur et des relations diplomatiques. Au total, dans la première partie, la forme personnelle l'emporte avec « *nos* », « *noster* », « *meus* », « *ego* » dont la fréquence progresse du début à la fin de ce mouvement. Un autre terme fait l'objet d'une attention renforcée, celui de « *rex* », dont l'emploi est combiné avec deux autres termes privilégiés, celui de « *Boemia* » d'une part, et celui de « *Karolus* » de l'autre. Au total, il est permis de considérer que la forme personnelle du « je » et de ses variantes est moins tournée vers la personne de Charles qu'associée au père d'abord puis à la fonction de roi ensuite, une dimension transpersonnelle que l'usage du « il » dans les six derniers chapitres va logiquement souligner.

Des écrits souverains

Parmi les autres écrits carolins figurent de grands textes qui encadrent et définissent en quelque sorte l'office royal que Charles IV entendait exercer avec force et constance. Un premier ensemble peut être qualifié, par commodité, de juridique et politique, sans pourtant en sous-estimer le substrat théologique. Il s'agit pour l'essentiel de « Constitutions » rédigées par les clercs et les conseillers de la chancellerie mais dont il est raisonnable de penser qu'elles émanaient de versions élaborées par le roi. Il est entendu que la complicité intellectuelle, savante et politique qui liait le roi à son chancelier et conseiller le plus proche, Johannes von Neumarkt, comte de la chapelle royale de Bohême depuis 1365, interdit la séparation de leurs plumes. Or c'est précisément cette confusion qui rend le dossier royal autographique d'autant plus intéressant. On s'en rend vite compte pour les prologues (*arenga*) placés en introduction aux deux plus grands textes constitutionnels rédigés sous le règne, la *Majestas Carolina* pour le royaume de Bohême en 1355 et la Bulle d'Or de 1356 pour l'Empire. Dans l'exorde de la *Majestas*[26], Charles IV, directement ou par le biais d'une dictée ou d'un échange avec son chancelier, entend pour la première fois dans l'histoire de Bohême définir l'office royal mais aussi formuler le principe d'une inaliénabilité de la couronne et du domaine en assimilant les dépossessions patrimoniales intervenues sous le règne de son père à un véritable crime de « lèse-majesté ». Il s'agit bien aux yeux de Charles IV d'établir un nouvel ordre, raison pour laquelle ce *proemium* confère un second titre à cet ensemble de lois, celui d'*Ordo judicii terrae*, d'ordre de justice de la terre[27].

Un second *proemium* « constitutionnel » de plus grande importance reflète l'intervention directe de la plume et des idées de Charles IV dans un diplôme de chancellerie. Il s'agit du prologue placé en exergue de la Bulle d'Or. Sans revenir sur les dispositions de ce texte précédemment commenté[28], ce sont l'exorde sous forme de prière préliminaire introduite par « *Omnipotens eterne deus…* » (*Dieu éternel et tout-puissant…*) et le préambule ouvert par « *Omne regnum in se ipsum divisum…* » (*Tout royaume déchiré…*) qui doivent ici retenir l'attention. On y retrouve en effet des formules et citations empruntées tant aux Évangiles qu'à plusieurs théologiens classiques et à des auteurs latins. De fait, l'ensemble traduit une culture poussée et singulière pour un roi de son temps : théologique et patristique tant il pouvait

citer les Saintes Écritures ou saint Augustin, épistolaire et rhétorique comme en témoigne sa correspondance avec Pétrarque,
littéraire puisqu'il manie Cicéron ou Sénèque sans difficulté, politique enfin quand il insère dans ses traités la pensée d'Aristote
ou d'autres théoriciens du pouvoir et de l'État. Cette ouverture
de la Bulle d'Or, souvent lue à l'ombre des trente et un articles
organiques de l'élection, renferme en vérité le cœur de la théorie
politique de l'empereur reposant sur l'expression de la sacralité
de son office, de la construction providentielle de l'Empire et
d'une mission divine censée conjurer l'accomplissement de la fin
des temps.

C'est pourquoi il serait vain de séparer ces deux « morceaux »
d'écriture politique d'une entreprise plus théologique qui voit
Charles IV regarder vers la figure complexe, quoique théori-
quement impossible dans la tradition politique d'Occident, du
roi-prêtre. À cet égard, deux autres monuments comparables en
importance doivent encore être cités. Le premier est une nouvelle
version de la légende du martyre et de la translation du corps
de saint Wenceslas dont les premiers mots, fiction ou réalité,
revendiquent clairement l'autorité du savant souverain : « Ici
commence une histoire nouvelle de saint Wenceslas, martyr,
duc des Bohèmes, composée par le seigneur Charles, empereur
des Romains, roi de Bohême[29]. » L'une des premières versions
écrites de ce texte, dont la date de composition se situe entre 1355
et 1361[30], est partiellement conservée dans le *Liber Viaticus* ou
Bréviaire de voyage, l'un des manuscrits précieux détenus par le
chancelier Johannes von Neumarkt, et s'appuie en partie sur plusieurs récits hagiographiques latins et slaves composés depuis les
années 970 ainsi que sur la passion du saint ordonnée autour de
980 par l'empereur Otton II. La première trace écrite remonte au
XIe siècle[31]. La version caroline de ce récit hagiographique court[32]
était conçue pour s'intégrer dans l'office de la messe consacrée
à ce saint le 28 septembre, tandis que la lecture de la translation
était insérée dans l'office du 4 mars. Que Charles ait porté son
choix sur Wenceslas ne surprendra pas. Il s'agit là d'un saint relativement récent dont l'action signale l'évangélisation plus tardive
de cette partie du continent et qui revêt un caractère identitaire

indéniable au point que les Přemyslides étaient honorés comme une « *familia sancti Vencesliai* ». La nouvelle légende du saint par Charles IV, qui portait son prénom à sa naissance, accentue les vertus du prince canonisé : savant (il parlait, dit-on, le slave, le grec et le latin), pieux, convertisseur de païens et fondateur d'églises, pacifique quoique courageux combattant, juste, et tombé en martyr sous les coups de son frère infidèle. Une étroite parenté, matérialisée par la reprise de morceaux de texte, relie cette légende à la *Vita* du roi : on retrouve ici et là la même généalogie de Bohême, les mêmes emprunts à des passages de la chronique ancienne de Cosmas de Prague et les mêmes commentaires sur Ludmilla.

La rédaction de l'office de la Sainte Lance forme un autre exemple de cette veine caroline d'écriture. Nous l'avons vu, Charles IV, après l'accomplissement de la répétition de l'élection et du couronnement germaniques en 1349, avait reçu le 21 mars 1350 à Prague la garde des insignes impériaux venus de Nuremberg (croix-reliquaire, clous et lance de la Passion, couronne, épée, pommeau, anneau et *stola* du couronnement). Dès le 17 août de la même année, à sa demande expresse, il obtint de Clément VI l'institution d'une fête de la Sainte Lance et le 13 février 1354 la fondation d'un office du Clou et de la Sainte Lance qui devait être célébré dans toutes les églises de l'Empire et du royaume de Bohême. Mais à la différence de la légende de Wenceslas, Charles IV et son entourage ecclésiastique ne disposaient pas de matériau important et ancien. Il fallut donc faire preuve d'imagination. Comme l'indiquent les chroniqueurs, le roi s'est directement impliqué dans la composition des hymnes et des antiennes de l'office. L'occasion était trop belle : le service devait célébrer la sainteté des reliques impériales et, en isolant les Clous et la Lance de la Passion, pouvait aisément établir un parallèle entre l'Empire universel et la volonté divine. D'ailleurs, la cinquième strophe du premier hymne des matines débutait par « l'empereur, splendide reflet du Père, lave par les Clous et la Lance les péchés du monde », attribuant donc à l'office impérial la charge de racheter sur terre le martyre de la Passion du Christ. Il n'est pas étonnant, dans ce contexte, de retrouver de

larges passages de cet office dans un autre texte, le nouvel *ordo*
du couronnement des rois et reines de Bohême dont on attribue
l'initiative à l'empereur, quoi qu'une première version manuscrite
ne soit attestée qu'en 1396.

À cet ensemble de deux prologues « laïques » et de deux textes
« ecclésiastiques », on peut ajouter un recueil de maximes et de
préceptes de gouvernement rédigés sous diverses formes et censés résumer la pensée politique du roi et empereur. On attribue
ainsi à ce dernier la rédaction en latin d'un dialogue ou plutôt
d'une sorte de réflexion théologique située à mi-chemin entre
l'homélie et le sermon dont les premiers mots, « Il me presse,
monde tremblant, de témoigner devant tous et contre toi de mes
cruelles lamentations mouillées de pleurs », ouvrent un échange
fictif entre l'Homme et le Monde sur l'instabilité et la misère
de la vie terrestre comparée aux joies et aux intentions de son
Créateur. L'auteur en entreprend la composition « après trente
années passées à servir », notation à la première personne qui pla-
cerait, cependant sans certitude, la rédaction vers 1376. Au-delà
du choix convenu de la forme d'écriture, un échange symbolique
et vivant entre deux principes et deux personnes opposés à dessein, et outre la dimension prophétique et sacrée que l'homme de
la querelle, comprenons Charles IV, souhaite conférer à l'office
royal, retenons du dialogue le ton réaliste, parfois désabusé,
qu'emprunte ce bilan dressé par un empereur vieillissant. On est
également frappé par la parenté de style, de construction et de
références avec d'autres textes attribués à Charles IV : sa *Vita*,
le *proemium* de la Bulle d'Or, l'*Office de la Sainte-Lance* et la
Légende de saint Wenceslas entre autres. On y retrouve en effet,
parfois jusqu'à la pédanterie, le souci insistant de la pédagogie
politique propre à un miroir princier ainsi qu'une accumulation
de citations et de renvois dont le roi se plaisait à cultiver l'exhaus-
tivité comme si le moindre oubli devait le prendre en défaut.
L'Ancien et le Nouveau Testament y côtoient les auteurs latins.
Mais le texte mobilise également les Pères de l'Église, les écrits
des papes et une littérature vernaculaire plus contemporaine, tels
les passages extraits des œuvres du poète, traducteur, conseiller et familier de la cour de Charles IV Heinrich von Mügeln[33].

À plusieurs endroits, la comparaison textuelle fait apparaître des reprises mot à mot du prologue de la *Majestas Carolina*, de passages de lettres adressées par Charles IV au tribun Cola di Rienzo et de digressions insérées dans la *Vita* « autobiographique » du roi. Cette complicité de style, de formule, d'appareil de citation laisse de nouveau penser qu'à côté de l'empereur il convient de reconnaître la marque épistolaire de son plus proche conseiller, Johannes von Neumarkt. Par ailleurs, quoique la question demeure très disputée parmi les spécialistes, on attribue à Charles IV la paternité d'une collection hétéroclite de fragments, qu'une édition de 1897 avait intitulée « *Moralitates* ». Elle regroupait les sermons funèbres et des extraits de la *Vita* et du nouvel *ordo* du couronnement, des passages des homélies insérées dans les prologues de 1355 et de 1356, des proverbes, des passages glosés de la Genèse, plusieurs prières annotées à la Vierge, ainsi que deux lettres prétendument adressées par Charles en 1376 et 1379 à son fils Wenceslas « pour gouverner les royaumes des Romains et de Bohême ». Authentiques ou non, ces pièces n'en sont pas moins révélatrices de l'existence, dès les années 1370, d'une « griffe » de Charles IV, qu'un contrefacteur pouvait aisément imiter, et de la conviction partagée par de nombreux contemporains suivant laquelle le roi et empereur avait pendant tout son règne « pensé » son ministère. Comme l'on voit, écriture, conception sacrée et sacerdotale du pouvoir royal et culte des saints ne sauraient être séparés parmi les écrits de Charles IV, qui entrent ainsi en résonance avec la passion des reliques qu'il ne cessa d'alimenter tout au long de son règne.

La passion des reliques

Comme les ex-voto, auxquels d'ailleurs elles sont intimement liées, les reliques forment au Moyen Âge l'un de ces objets qui parlent non seulement pour la religion et la piété chrétiennes, mais pour une culture dans son ensemble. Elles organisent et marquent en effet le temps et l'espace, elles définissent, légitiment et incarnent l'identité des collectivités et des individus, elles produisent un culte, des rituels, des textes, des pèlerinages, elles agissent au sens apotropaïque du terme (guérison, invocation, protection…), elles structurent enfin les relations entre les vivants et les morts[34]. À la mesure de la construction et de l'extension de l'Église comme institution, eu égard également à la floraison d'une piété urbaine portée par les couvents citadins et des bourgeois en quête de salut individuel, mais aussi dans le prolongement d'une royauté qui se sacralise, le commerce et l'accumulation de reliques de toute taille et de toute nature connaissent à la fin du Moyen Âge un véritable essor.

Charles IV, par inclination et dévotion personnelles, autant que pour appuyer la conception sacrée de son pouvoir et augmenter la légitimité de son royaume, a fait du rassemblement et de la collection de reliques un axe majeur de sa piété, de la sacralité de son office royal et impérial, ainsi que d'une religiosité qu'il n'est sans doute pas exagéré de qualifier d'étatique, à tout le moins de politique[35]. Porté par ce triple impératif de sa personne, de sa charge et de son État, Charles IV fut le plus grand monarque rassembleur de reliques de son temps, dépassant sur ce terrain le roi de France. Ce faisant, il donna prise de son vivant et ultérieurement aux critiques que purent lui adresser ses détracteurs, celles d'un empereur confit en dévotion et soumis à l'Église, « honorant les reliques avec une application exagérée » comme le formula le chroniqueur augsbourgeois Sigismund Meisterlin dans la seconde moitié du XVe siècle. Qu'il s'agisse d'excès ou d'exubérance, il ne fait aucun doute que Charles IV a accordé toute sa vie aux reliques une attention, un amour même, qui ont frappé tous les esprits. Ici encore, c'est le chroniqueur Benesch Krabitz von Weitmühl qui se révèle le mieux informé : « En l'an du Seigneur 1358, l'empereur se rendit en Bohême et pacifia de nombreuses villes en divers endroits […]. La même année, l'empereur et seigneur, en signe particulier de la vénération qu'il lui porte, recouvra entièrement d'or pur le chef de Wenceslas, son patron et protecteur, et fit édifier en son honneur une crypte tout en or. Il la fit à ce point décorer et enrichir des pierres les plus précieuses que l'on chercherait en vain son équivalent dans le monde entier. » Vingt ans plus tard, dans son oraison funèbre, l'archevêque de Prague, qui disait de son empereur « qu'il lisait son livre d'heures comme un clerc (*sacerdos*) », énuméra les sept piliers sur lesquels on pouvait fonder la sainteté de Charles. Il cita ainsi, dans l'ordre : son onction royale et impériale, les événements miraculeux de sa vie et ses visions, la dignité et la piété de son caractère, sa vénération pour l'Eucharistie, sa capacité à accomplir l'office divin, son amour des sept sacrements, et enfin « sa quête inépuisable de toutes les choses saintes : partout où il trouvait des reliques ou des objets sacrés, il lui fallait les acquérir et les sertir ensuite d'or et de pierres précieuses flamboyantes, et tel un second Constantin il les aimait de tout son cœur ».

Dans cette entreprise de tout un règne, on soulignera la persistance, pour ne pas dire l'opiniâtreté, que Charles IV mit à réaliser ses ambitions placées au service d'une piété qui toujours combinait une conviction personnelle et une dimension publique, collective et politique. Un tel surcroît de sacralité importait à ce point au nouveau roi que, aussitôt la couronne impériale obtenue en 1355, sa chancellerie modifia le libellé de sa titulature en substituant à la classique formule « Roi des Romains par la grâce de Dieu », la nouvelle désignation « Empereur des Romains par la gracieuse clémence divine ». Un seul chiffre pourra donner l'ampleur et la mesure de cette « quête des choses saintes » : d'après un double inventaire dressé en 1378 puis en 1673, ce ne sont pas moins de six cent cinq reliques et objets sacrés que le roi acquit par achat, donation, compensation, confirmation de privilège, échange de cadeaux, fondation, offrande d'un reliquaire[36]. Dès 1354, le roi fit dresser à date régulière des listes de reliques dans ses différents trésors : on n'en compte pas moins de cinq pour la cathédrale Saint-Guy à Prague, dont le premier fait état de trente-huit objets sacrés, que viennent enrichir une trentaine de fragments collectés la même année au cours d'un voyage qui le conduisit à Mayence, Augsbourg, Constance et Trèves et qu'augmenta l'année suivante la moisson opérée pendant son expédition italienne. Dès son retour, un nouvel inventaire dénombrait pour la seule cathédrale vingt-six bustes-reliquaires, vingt bras-reliquaires, douze statues-reliquaires, cinq coffres en argent contenant des ossements saints, quatre retables portatifs, huit tableaux votifs et quatorze reliquaires de différentes formes. Les dénombrements suivants, composés en 1365, 1368 et 1374, attestent un quasi-doublement de cette collection. Une frénésie identique s'empara du roi lorsqu'il dota la chapelle du chapitre de son château de Karlstein fondée en 1357. Dès 1369, un répertoire recensait trente-neuf reliques conservées dans l'église[37].

Face à ce qu'ils qualifièrent en son temps d'obsession maladive, mais qui n'était au fond que le reflet d'une religiosité exacerbée et d'une comptabilité cumulative de l'au-delà observables au XIVe siècle dans tous les secteurs de la société chrétienne[38], et portées par le commerce des indulgences, ses détracteurs émirent également la probabilité de « vols » de reliques[39]. Pour leur part, les réformateurs hussites tchèques incriminèrent à travers cette pratique de l'accumulation entêtée un dérèglement du sentiment religieux et du fonctionnement institutionnel de l'Église[40]. Charles IV n'échappa pas à ce reproche qu'il convient cependant de réinterpréter avec le recul du temps. L'empereur ne s'est jamais caché de sa passion et de son adoration des reliques. Il s'en prévalut dans plusieurs de ses écrits, à commencer par sa *Vita*, et n'a jamais perdu une occasion de les exposer ou de se faire représenter en leur présence. Or c'est justement à travers cette revendication affichée qu'il semble opportun de comprendre une telle politique. Elle mêlait en effet dans son esprit la manifestation d'une dévotion profonde, d'un souci de collecter et de sauver de l'oubli ou de la négligence les traces et les vertus du Sauveur et des saints, de marquer l'espace de son pouvoir et de sa domination, d'agencer l'écrit, l'objet, le monument, l'image, la mémoire, le pouvoir charismatique et sacerdotal du roi et de l'Empire. Bref, il s'agissait à ses yeux de nouer tout ensemble sacralisation, légitimation et visualisation de sa mission terrestre au service du ciel et de la Providence. Un siècle après son règne, Enea Silvio Piccolomini put écrire dans son *Histoire de Bohême* : « Il fut un homme des grandes œuvres, qui accrut la notoriété de son royaume par le soin de la religion, l'assurance des lois et le souci des bonnes mœurs. »

En matière de reliques, ces « grandes œuvres » croisent certes les formes et les expressions de la piété flamboyante du siècle de Charles IV, celui de la Grande Peste. Elles rencontrent aussi un sentiment personnel d'intériorisation plus poussée de la croyance et du sacré et un penchant mystique et théologique plaçant très haut le caractère saint et providentiel de son pouvoir et de son royaume. Il n'est évidemment pas le seul à éprouver ou à exprimer publiquement la dimension surnaturelle et quasi thaumaturgique de son mandat royal. C'est un fait que l'ensemble des rois et des princes d'Occident ne cessent de creuser et d'enrichir depuis le XIIIᵉ siècle la nature et les propriétés sacrées, parfois prophétiques, de leur mission et de leur titre. Pierre Roger de Beaufort, abbé de Fécamp et précepteur du jeune Charles lors de son séjour parisien, ne lui avait-il pas déclaré « Tu seras roi », à quoi Charles avait répondu « Tu seras pape »[41] ? De fait, le futur souverain avait pu alors admirer le faste et le déploiement de la providentialité et de la prodigalité d'une royauté sacrée à la cour des derniers Capétiens et des premiers Valois. Mais, couronné empereur en 1355, il se situait symboliquement au-dessus des autres rois et princes de la chrétienté latine : il portait en lui, avec le pape, une part du pouvoir universel que Dieu lui avait confié, et devenait l'égal, sinon le supérieur du *basileus* byzantin. Sa passion pour les reliques servira très vite à en souligner la portée et le dessein, de même qu'elle s'inscrit dans un ensemble de pratiques, monumentales, artistiques, écrites et rituelles, visant à élever son autorité et son empire par la manifestation d'une piété démonstrative, exemplaire et irréprochable apte à compenser le miracle thaumaturgique dont seuls jouissaient les rois de France.

Sa *Vita* écrite en partie à la première personne s'ouvre ainsi par un véritable sermon définissant la mission divine du roi[42], tandis que Charles mit directement la main à la composition d'homélies et de prédications et fonda chapelles, églises, collégiales et sanctuaires. Il pouvait, notèrent les chroniqueurs, citer par cœur de longs passages de la Bible et des Évangiles, ou s'entretenir avec le pape et de grands théologiens. Prague fut dès l'origine de son réaménagement consciemment pensée comme une nouvelle cité sainte, et notamment sa Nouvelle Ville où le roi fonda en quelques années sept couvents comme les sept collines de Rome, comme les sept jours de la semaine, comme les sept vertus cardinales et théologales[43]. Parmi les patronages retenus pour ces établissements, dotés chaque fois de reliques correspondantes, figurent plusieurs saints du royaume : Adalbert et Procope, flanqués des saints slaves Cyrille et Méthode, qui font dès lors une entrée remarquée dans les traductions en vieux-tchèque de la *Légende dorée* de Jacques de Voragine[44]. Dans l'œuvre caroline de consolidation du royaume, les saints locaux et dynastiques de Bohême jouèrent, par reliques interposées, un rôle prépondérant, à commencer par Wenceslas. Ce sont également son culte et sa couronne qui se trouvent placés au cœur du nouvel *ordo* du couronnement des rois de Bohême[45]. Le premier sceau de l'université de Prague fondée en 1348 portait également l'image du saint tandis que le roi lui dédia la reconstruction du château royal de Prague. Charles ne manqua pas non plus d'attribuer son patronyme à ses deux fils aînés. C'est aussi le jour de la saint Wenceslas que Charles célébra son mariage avec sa deuxième épouse, Anne du Palatinat, en 1349. Enfin, comme on l'a vu, c'est en l'honneur de saint Wenceslas que Charles IV rédigea ou fit rédiger sa légende entre 1355 et 1361[46]. Charles lui-même se fit représenter à plusieurs reprises en compagnie du saint comme le montreront les portraits. Le roi fonda également des chapelles dédiées au saint dans la basilique Saint-Pierre à Rome, dans l'église Sainte-Marie de Nuremberg et dans la cathédrale d'Aix-la-Chapelle, afin de relier chaque fois les pèlerinages locaux au patron et protecteur de la Bohême. Quant aux nouvelles acquisitions territoriales dans le Haut-Palatinat et le Brandebourg, elles furent symboliquement marquées par l'érection d'églises et de chapelles placées sous le vocable wenceslasien.

Comme le montrent ces exemples, l'acquisition de reliques par le roi (et pour le seul Wenceslas on en compte une douzaine) n'est pas séparable d'un ensemble de pratiques et de symboles – culte des saints, inventions liturgiques, constructions ecclésiastiques, fondations pieuses, écrits – destinés à magnifier de son vivant son aura, mais surtout à inscrire son règne dans l'éternité. Toutefois, à la différence de bien de ses royaux et princiers contemporains,

Charles IV ne s'est pas concentré sur une seule figure et a précocement diversifié le culte des saints, rendant hommage à Guy et
à Sigismond dont deux de ses fils, après les deux Wenceslas, por-
teront les prénoms respectifs. Cette galerie sainte n'eut pas seulement pour effet de multiplier et d'accélérer les achats et transferts
de leurs reliques vers la Bohême, mais poursuivait également une
sorte de géopolitique répartissant sur les diverses parties de ses
États les références et les identités. Wenceslas (et Guy dont le
pont et la cathédrale de Prague portent la dédicace) valait pour
la Bohême, Sigismond (et incidemment Maurice) pour l'ancien
royaume des Burgondes d'Arles, Charlemagne pour l'Empire.
Charles, en effet, voua à l'empereur canonisé en 1165 un culte
de grande ampleur[47]. Ainsi, après son second couronnement
à Aix-la-Chapelle, le 25 juillet 1349, il resta à dessein jusqu'au
27 juillet, jour de la *Translatio* de Charlemagne accompagnée de
nombreuses monstrations de reliques[48]. Leur conservation était
d'abord prévue dans le couvent nouvellement fondé de Karlshof,
auquel Charles avait offert pour l'occasion trois dents de saint
Charlemagne en provenance du trésor d'Aix. Après le couronnement impérial de 1355 toutefois, c'est à Karlstein que revint ce privilège[49]. Les insignes en étaient extraits une fois par an, quatorze
jours après le vendredi saint, et exhibés en procession à travers les
rues de Prague, en sorte que la ville devint l'un des grands lieux
de pèlerinage de la chrétienté. Le lien avec Aix-la-Chapelle, « la »
ville de Charlemagne, ne se distendit pas pour autant. L'empereur
y résida en effet à plusieurs reprises, en 1357, 1359, 1362, 1376
et 1377. Lors de son premier séjour, il commanda la réfection du
buste-reliquaire du grand empereur qui portait la couronne dite
de Charlemagne et s'ornait de l'aigle impériale, du lion de Bohême
et des fleurs de lys (en mémoire des Capétiens/Valois de France
et des Anjou de Hongrie auxquels les Luxembourg sont apparen-
tés). Il suivait en cela un modèle emprunté au buste-reliquaire de
Wenceslas commandé pour supporter la couronne de Bohême
dans la cathédrale de Prague. Ce n'est pas la seule similitude rattachant les deux lieux : comme Prague puis Karlstein,
Aix-la-Chapelle fut également dotée d'un reliquaire chargé d'accueillir une épine de la Couronne du Christ. Dans l'esprit du roi

étaient ainsi reliés Prague, Karlstein, Aix-la-Chapelle et Paris,
dont la Sainte-Chapelle inspira la construction de la chapelle
de Tous-les-Saints par Peter Parler dans le château castral de
Prague[50] et influença les travaux d'agrandissement de la chapelle
octogonale carolingienne. Ces aménagements furent financés
grâce au don que Charles fit à la collégiale de la cathédrale d'Aix
en lui offrant le poids en or pur de son fils Wenceslas né en 1361,
soit quelque quatre kilos. Cette somme permit aussi la fondation
sur place d'une chapelle de saint Wenceslas dont l'autel principal portait un retable figurant Wenceslas et Charlemagne réunis,
de même que Charles IV avait fondé en 1354, à Ingelheim, où
l'on plaçait la naissance de Charlemagne, une chapelle dédiée
aux deux saints. C'est encore ce même programme rassemblant
sainteté royale, culte des reliques de la Passion et mémoire de
Charlemagne que l'on retrouve dans la décoration des chapelles
de la Passion et de la Sainte-Croix à Karlstein où, aux dires de
Benesch Krabitz von Weitmühl, étaient depuis 1365 conservés « les insignes du pouvoir impérial et le trésor de tout son
royaume ». Dans cette dernière, on rencontre au milieu des cent
trente tableaux couvrant entièrement les murs un portrait idéalisé
de Charlemagne que son peintre, Maître Théodoric, a seul entre
tous représenté de front et couronné, portant le sceptre, le globe
et un bouclier à l'aigle impériale bicéphale[51].

Mais ce ne sont pas seulement le choix des saints honorés ou
la monumentalité accueillant les reliques qui guidèrent l'action
de Charles IV en la matière. Une double géographie apparaît
au détour. Tout d'abord celle des acquisitions, qui privilégie
les espaces moyens et méridionaux des régions germaniques de
l'Empire, notamment la Rhénanie et le quart Sud-Ouest ainsi
que l'Italie du Nord jusqu'à Rome. Ensuite, celle des implanta-
tions et fondations royales et impériales par reliques interposées.
De ce point de vue, si l'Empire historique et germanique n'est
certes pas oublié (on peut notamment songer à Nuremberg[52]), il
ne forme pas l'espace privilégié du territoire carolin accueillant
les reliques. Force est de constater que les destinations préférées
des fondations de chapelles et de services divins ainsi que les
dotations des établissements, églises, monastères et collégiales,

se concentrent de manière écrasante sur Prague et son « satellite » de Karlstein (faisant au passage de Prague l'un des premiers lieux de la joaillerie et de l'orfèvrerie en Occident pour conserver et enchâsser richement ces reliques) et sur des positions stratégiquement choisies en fonction des conquêtes patrimoniales et dynastiques réalisées par l'empereur au profit de son royaume de Bohême. Ce n'est pas l'effet du hasard si les gains territoriaux opérés pour l'essentiel dans le Haut-Palatinat, le Brandebourg et la Lusace ont été en quelque sorte récompensés et symbolisés par des dons et transferts de reliques à Sulzbach, Lauf, Breslau, Luckau, Brandebourg, Tangermünde, Magdebourg et Wittenberg. Brünn s'ajoute à cette liste en qualité de point central du margraviat de Moravie[53]. Pour le dire un peu à la hussarde, la superposition de ces deux cartes, celle des origines des acquisitions d'un côté et celle des lieux d'implantation, de conservation et de culte de l'autre, traduit un transfert des régions anciennes et historiques de l'Empire à l'ouest et au sud au profit des régions orientales commandées par le môle de Bohême. Ce mouvement ne saurait surprendre tant il reflète par ailleurs le déplacement, d'ouest en est, du centre de gravité territorial, politique et économique de l'Empire. Les reliques sont en effet collectées dans un espace classique et traditionnel, on oserait presque dire encore « carolingien » : vallées du Rhin, de la Meuse, du Main et du Danube, qui concentraient de nombreux et anciens monastères ou des collégiales épiscopales et archiépiscopales réputées et bien dotées. Ici, Charles IV se focalisait sur les lieux qu'il contrôlait le mieux, par Luxembourg et princes-électeurs ecclésiastiques interposés, en écumant par ailleurs davantage au sud les territoires des Wittelsbach en Bavière et en épargnant un peu plus les principautés des Habsbourg. En Italie, la Lombardie et la Toscane ne sont pas oubliées, elles font encore partie en théorie de la triple couronne des Romains et de l'Empire, tandis que, depuis le couronnement impérial de 1355, Rome devenait un lieu d'approvisionnement abondamment exploité.

On ne s'étonnera pas de constater par ailleurs que cette géographie des transferts de reliques correspond peu ou prou à la carte des itinéraires et des séjours de Charles IV et de sa cour pendant le règne[54]. Trois cent cinquante des quelque six cents reliques répertoriées ont ainsi été acquises lors de voyages effectués par le roi et empereur entre 1353 et 1369 en Allemagne du Sud et en Italie, et plus spécialement pendant le « pic de collecte » des années 1353-1357. Ce sommet correspond à une phase de très intense acquisition territoriale, de très active diplomatie et d'itinérance maximale du monarque. Les moments de récolte les plus denses ont d'ailleurs souvent correspondu à de grandes et marquantes entrées solennelles en ville : à Rome en 1355 et 1368, à Metz en 1356. On raconte, à ce propos, que les communautés ecclésiastiques se pressaient de cacher leurs trésors et reliques dès qu'elles avaient connaissance de la proche arrivée du souverain. Vraie ou fausse, cette observation montre combien, ainsi que l'attestent tous les chroniqueurs favorables ou défavorables au roi, Charles IV se renseignait au préalable sur les possessions sacrées de chaque lieu qu'il visitait.

La remarque signale aussi l'existence et l'efficacité d'une véritable logistique de repérage et d'appropriation des reliques et des objets sacrés, par le biais de correspondances et de missions exploratoires préalables, de visites ciblées, de négociations serrées établissant un échange entre la confirmation de certains privilèges et la cession de reliques. Il est également avéré que l'on ne pouvait faire davantage plaisir au roi ou gagner sa faveur et son écoute qu'en lui offrant une relique de prix. Bien des princes et des rois, pape et empereur de Constantinople compris, firent usage du procédé qui montre combien, au Moyen Âge, la diplomatie est intimement liée à la religion et au sacré, tant pour garantir l'exécution des accords et des traités que pour accomplir, sur terre, la paix de Dieu[55]. Le Dauphin de France, futur Charles V, ne s'y est pas trompé lorsqu'il vint en 1356 rencontrer à Metz son oncle impérial et lui offrit deux épines de la Couronne de la Passion afin de sceller une alliance avec les Luxembourg, une scène reproduite peu de temps après sur les murs de la chapelle de la Passion à Karlstein. À la toute fin du règne, en 1378, le 8 janvier, comme le rapportent les *Grandes Chroniques de France,* « au matin, Charles [V] vint visiter personnellement l'empereur et lui offrit un magnifique coffret en jaspe, ferré d'or et de pierres précieuses et contenant une épine de la couronne sacrée et un os de saint Martin ». En 1360, Charles IV reçut à Prague de l'empereur byzantin Jean V Paléologue une cargaison embarquée depuis Constantinople contenant un morceau de la Croix et un fragment de l'Éponge de la Passion, les crânes de sainte Hélène, de saint Philippe et de saint Zacharie, des ossements de saint Matthieu, de saint Georges, de saint Lucas et de « six autres saintes et saints ». Cette livraison devait servir à préparer une entrevue entre les deux empereurs, qui n'eut finalement jamais lieu.

Pour l'empereur, tout pouvait donc « faire ventre » : Moïse, la Vierge ou Marie-Madeleine, saints anciens ou récents, locaux et « nationaux » ou de portée bien plus universelle, slaves ou latins, ainsi que les évangélistes, apôtres, archanges ou martyrs, femmes ou hommes, Rois mages, saints empereurs comme Charlemagne ou Henri II ou saintes impératrices, papes, abbés, évêques ou rois canonisés, objets de la Passion, mais aussi saints collectifs comme la Légion Thébaine de saint Maurice, les Onze Mille Vierges de Cologne, les Dix Mille martyrs ou les Quatre-Vingt-Dix martyrs romains... Tout pouvait donc servir, à la condition que l'identité et l'authenticité des reliques fussent bien attestées et garanties par écrit en bonne et due forme. Il est également remarquable que cette politique de collecte des reliques ait toujours été conçue par le roi non seulement comme l'un des principes guidant ses choix architecturaux et monumentaux, mais aussi comme l'occasion d'enrichir une liturgie dédiée à l'augmentation de sa gloire impériale et de la sainteté de son royaume. De la sorte, le culte des reliques contrôlé par Charles IV en personne s'inscrivait dans une conscience aiguë de la fonction sacerdotale occupée par le roi, qui tenait à donner tout son lustre au privilège, dont seul le roi et empereur des Romains jouissait, de pouvoir directement célébrer, tel un roi-prêtre, l'office de la Nativité.

Par les reliques et leur culte calculé, Charles IV finit par inventer une véritable tradition. Il ajoute ce faisant à la palette des instruments déjà à la disposition d'un roi de Bohême d'une part, d'un empereur germanique de l'autre, une sacralisation long-temps située à l'ombre de la « *grant monarchie de France* » des rois thaumaturges, mais qui gagne avec l'empereur Luxembourg une ampleur inédite. C'est dans cet esprit qu'il achève de faire des insignes impériaux une collection de reliques saintes, ce qu'atteste à partir de 1357 l'usage consistant à les désigner sous le nom de *reliquiae imperiales*, « reliques impériales », conservées à Karlstein en même temps que le *preciosissimum jocale regum et regni Bohemia*, le « plus précieux trésor de joyaux des rois et du royaume de Bohême ». Il s'agit là, sans conteste, d'une grande victoire symbolique et politique. Elle ne protégera certes pas les Luxembourg d'une progressive éviction de leurs trônes dans les décennies qui suivirent la mort de Charles IV. Toutes les dynasties ne peuvent pas jouir du miracle de succession dont profita la maison de France. Mais elle octroya à l'Empire et aux royaumes d'Europe centrale un surcroît de sacralité royale dont les Habsbourg ne se privèrent pas de profiter. On notera à cet endroit que les royaumes de Pologne, de Hongrie et de Bohême, tout comme l'Empire, ont construit leur sacralité autour d'un roi saint originel, songeons à Charlemagne ou à Étienne, le plus souvent acteur de la conversion de ces pays au christianisme, là où les royaumes de plus vieille chrétienté, telle la France, n'ont pas connu cette tradition : saint Denis ne fut jamais roi de France.

Quoi qu'il en soit, le seul échec notable de cette politique sacrée de l'écrit et de la relique par Charles IV réside dans son propre destin. Il n'est pas improbable de penser en effet qu'il se rêvait lui-même en futur saint et que ses descendants, animés de la même piété et des mêmes ambitions, auraient patiemment et jalousement rassemblé les reliques de son corps pour les placer auprès des objets qu'il mit tant de peine, et d'argent, à regrouper. Seulement voilà, le XIVe siècle, bientôt coupé en deux par des papes concurrents, n'était plus propice à fabriquer de saints rois. Il préférait multiplier les images.

CHAPITRE IX

Charles IV en ses portraits

À la différence des autres rois d'Occident contemporains de son temps, pour lesquels on ne dispose au mieux que d'un ou deux portraits reconnaissables, même si Charles V de France connaît une situation plus favorable, Charles IV souffre d'un embarras de richesses. Quelle effigie choisir en effet parmi les dizaines de représentations dont il fit l'objet au cours de son règne ? Ce pourrait être le buste célébrissime du triforium de la cathédrale Saint-Guy de Prague sculpté par Peter Parler entre 1375 et 1385, qui vous contemple de face pour l'éternité et, de ses yeux profonds et décidés, capte l'attention du visiteur [ill. 3]. Ou bien ce visage de trois-quarts, un peu perdu et nostalgique, placé vers 1371 sur le tableau votif peint pour l'archevêque de Prague Jan Očko de Vlasim et posé en couverture du présent livre. D'autres peuvent être convoqués, et le seront plus loin, mais tous provoquent un saisissant effet de ressemblance et de séduction tout à la fois. Sensation soulignée par la précision des traits du visage, par le soin accordé au regard pénétrant et à la barbe bien peignée, par la mise en scène des insignes, des joyaux, des couronnes et des blasons, par le lien étroit et indissociable que chaque portrait tisse avec sa ville, Prague, et avec son royaume, la Bohême. Et tout cela sans devoir recourir à quelque inscription, date ou prénom qui identifierait Charles sans confusion.

Charles IV, c'est le moins qu'on puisse dire, et le récit de son règne l'a assez prouvé, ne semble avoir redouté ni son image ni sa renommée. Mieux, il a passé une partie de sa vie et de son gouvernement à les façonner. Non seulement son action participe d'une royauté qui, aux XIVe et XVe siècles, ne cherche pas à se cacher derrière les arcanes du pouvoir, mais elle revendique une notoriété, une publicité qui affichent par force rituels et cérémonies, lieux, symboles et images une incarnation de la souveraineté et de l'État devenue à la fois support et condition de leur exercice. Dans cette aventure, Charles IV n'est pas seul, mais il fut de ceux qui ont utilisé à plein les instruments à sa disposition : sceaux, traités, textes constitutionnels, reliques, monuments et résidences, culte des saints de Bohême et de l'Empire, statues, manuscrits, vie et culture de cour... Rien ne paraît échapper à la politique de l'image et de l'honneur qu'il semble avoir affectionnée, et que condense en quelque sorte le portrait. Le plus remarquable réside d'ailleurs dans le contrôle effectué par le roi sur ses propres images, en sorte que l'on est en droit de parler pour un grand nombre d'entre elles de véritables autoportraits et que, de ce fait, ces derniers entretiennent un lien étroit avec sa *Vita*. Il s'agit là d'un cas absolument unique qui parle en faveur d'un double mouvement : la forte conscience que Charles IV eut de sa personne et de sa charge d'une part, une tendance plus profonde à la réflexivité et à l'individuation qui traverse le siècle de l'autre.

Le portrait peint, ou la face mortuaire posée par exemple sur le gisant d'un tombeau, servant à fixer les traits d'un visage de manière plus individualisée, figure de plus en plus parmi les formes dont les prélats, les princes et les rois, voire des artistes et des universitaires, commencent à faire usage depuis la fin du XIIIe siècle et plus encore au XIVe siècle[1]. Certes, la physionomie propre à une personne ne conquiert pas encore une pleine autonomie : sa représentation, notamment sous la forme du portrait, n'est pas encore autoréférentielle, tant elle demeure liée à la reproduction imagée de l'âme, le plus souvent au moment de la mort, et n'affranchit donc pas le sujet dépeint de l'environnement chrétien et spirituel qui le conditionne[2].

Mais la représentation du visage vise à façonner une image particulière apte à créer un effet de reconnaissance par le tracé de traits (dont provient le mot même de « portrait ») singuliers[3]. Cette évolution s'inscrit dans un triple mouvement qui constitue bien la culture dans laquelle se meut Charles IV : une attention plus grande accordée, d'une part, au corps, et d'abord au corps mort et à sa conservation pour la postérité ; une science politique qui fait du visage le reflet des qualités et des défauts du gouvernant d'autre part ; enfin, une indéniable promotion de marqueurs de l'individuation tels que la signature, le sceau, l'usage du « je » dans les écrits, la promotion de la paternité nommément revendiquée des œuvres par les peintres et les écrivains, les récits de rêve ou le vêtement peuvent en porter témoignage[4].

Comme les portraits du roi et de l'empereur qui vont suivre entendent en donner un aperçu, il semble bien que Charles IV ait éprouvé une conscience aiguë de l'image de sa personne, fondée sur les principes d'une reconnaissance et d'une identification plus aisées. Suivant une logique et une esthétique de l'accumulation, que l'on observe également à travers l'addition des couronnes et la collection des reliques, il a semé ou commandé tout au long de son règne ses portraits par dizaines sur des manuscrits, des monuments, des résidences, des sceaux. Et il n'a surtout renoncé à aucun système de classement ou de représentation, qu'il soit paternel, matrimonial, généalogique, royal, impérial, hagiographique ou électoral. Ce pouvoir du portrait, niché au croisement de la parenté, de la sainteté et de la souveraineté répond ainsi doublement à la question de savoir qui fut Charles IV, c'est-à-dire non seulement à quoi il ressemblait mais quelle conception de soi, comme roi et comme sujet, cette série de représentations reflétait. En dernier lieu, cette série d'effigies, et notamment de visages, ne peut être séparée d'un souci traversant également les écrits et les reliques, celui de durer et d'inscrire sa postérité et son souvenir pour les siècles suivants.

Montrer le roi

Au Moyen Âge, comme aujourd'hui, un portrait est d'abord une image. Et toute image, en dehors de ce qu'elle entend montrer, occupe une fonction sociale tout autant que spatiale, qui fait d'elle une représentation au triple sens du terme. Elle est ainsi à la fois une figure et une description plus ou moins réelle de la chose désignée et reproduite, mais aussi une idée et un symbole, une actualisation enfin qui réactive une mémoire pour le présent et l'avenir[5]. Comme toute image, en particulier médiévale, le portrait ne saurait renvoyer à lui-même. S'il porte ou manifeste un visage, un corps et ses attributs, par exemple les insignes royaux et impériaux de Charles IV, il parle aussi pour une fonction, en l'occurrence royale, pour le lieu et pour les groupes sociaux commanditaires, destinataires et bénéficiaires de la représentation. En cela, le portrait s'inscrit dans un système de signes plus vaste qui tient à la fois de la communication symbolique, de la pensée politique et des rapports de pouvoir, ainsi que de la multiplicité des supports censés représenter le souverain[6].

Pour autant, un portrait désigne aussi, du moins en droit, un individu en principe à nul autre pareil. Et ce processus de désignation et de reconnaissance est lui-même historique[7]. L'intérêt des portraits de Charles IV ne repose pas seulement sur leur nombre, leur emplacement ou leur fabrication, mais aussi sur la manière dont ils soulèvent, précisément dans le siècle de leur production, la question de la personne, de la ressemblance, de l'individualisation. L'image que renvoient les portraits du roi et empereur Charles doit aussi être lue et comprise au prisme de la tradition, par essence chrétienne, de la représentation royale, toujours vivifiée par la généalogie d'un côté et par le culte des saints de l'autre. Ce dernier connaît dans la Bohême de Charles IV une remarquable renaissance et un très vif essor autour de saints « nationaux ». Le portrait royal, au XIVe siècle notamment, instaure également la ressemblance physique comme une catégorie nouvelle de la représentation politique[8], faisant des traits corporels le signe ou l'annonce des vertus ou des défauts du prince.

De la sorte, c'est sans doute moins une poussée générale d'individualité qu'un changement dans le système politique et symbolique de la représentation royale qui explique la plus grande ressemblance des portraits de rois à leurs modèles aux XIVe et XVe siècles. Il n'est pas indifférent que, dans la pensée politique telle qu'elle s'exprime depuis le XIIIe siècle, la physiognomie, ou science de l'interprétation des traits du visage[9], vienne compléter l'astrologie pour caractériser la nature du bon ou du mauvais monarque. À quoi vient s'ajouter une pathognomonie, ou science des gestes, qui participe d'une culture du corps profondément ancrée dans l'être chrétien et assure en même temps le trait d'union entre le visible et l'invisible[10]. Physiognomie et pathognomonie se rencontrent pour partie dans la littérature politique des XIIIe-XVe siècles, notamment dans les Miroirs de prince. Elles sont, entre autres, fondées sur la théorie des humeurs et des tempéraments héritée de la médecine et des traités aristotéliciens ou pseudo-aristotéliciens largement traduits par la scolastique du XIIIe siècle. Transposée dans de nombreuses langues vernaculaires à partir du XIVe siècle (notamment en vieux-tchèque), cette lecture du caractère humain par les traits physiques, spécialement du visage, subit avec le portrait du XIVe siècle une véritable « politisation » et devient un élément central des traités de bon gouvernement de la fin du Moyen Âge. Pour autant, cette politisation ne laïcise pas le portrait royal, loin s'en faut. Montrer le roi demeure une opération complexe, et pour partie magique, ainsi que Marc Bloch l'avait parfaitement montré, pour les rois de France, dès les *Rois thaumaturges*[11]. Désigner et identifier le roi, au Moyen Âge, comme longtemps encore aux siècles suivants, n'est jamais une simple opération « cognitive ». La contre-épreuve en est d'ailleurs fournie par le danger qu'ont toujours représenté les faux rois, tant au Moyen Âge qu'à l'époque moderne[12]. La vérification ou la confusion d'identités sont évidemment pour un roi un moment politique de la plus haute importance : c'est en reconnaissant le Dauphin Charles (VII) parmi une foule de gens de cour que, dit-on, Jeanne d'Arc éprouva la véracité et la légitimité de sa mission divine, un argument qui fut d'ailleurs retourné contre elle lors de son procès en sorcellerie.

Voir, montrer le roi reste donc une action lourde de sens, heureuse ou dangereuse, mais jamais neutre, ce que soulignent bien par ailleurs les tours de France royaux opérés par le roi en personne[13]. Face au double défi consistant à révéler le roi et son pouvoir dans une dialectique des contradictions ou des cohérences entre singularité de la personne et universalité de la fonction, l'image-portrait doit développer un système complexe de signes et de références articulant couleurs, traits du visage et éventuelles spécificités, voire imperfections physiques. Pour ce faire, elle manie et croise l'inscription, la devise, la titulature, la date, les insignes royaux, la couronne, le costume, la position du corps (seul ou non, trônant ou non...), la direction du regard ou l'orientation du profil. Chacun de ces repères sert à nommer la personne mais installe également des contextes de perception et d'appropriation de l'image dans un temps et dans un espace donnés.

Ainsi fonctionnent les images peintes, gravées, martelées ou ciselées de Charles IV, désignant un individu, reconnaissable d'ailleurs d'un portrait à l'autre, mais portant en et sur lui des marques qui le dépassent, tantôt la barbe d'un Charlemagne, tantôt l'habit d'un saint, tantôt les attributs d'un prophète ou les insignes d'un roi biblique.

(Dé)peindre Charles IV

Dans cette entreprise, Charles IV a pu puiser idées et inspirations auprès de la cour royale française, comme il le fit dans d'autres domaines. On sait qu'il rapporta de Paris certains manuscrits comportant des décors et des monuments du style alors en usage dans la capitale royale. Ici, les premiers portraits de roi apparaissent dans les années 1330 sous la forme de médaillons servant à illustrer des généalogies, suivant un modèle encore influencé par la numismatique antique. Jean II le Bon est le premier à bénéficier d'un portrait peint sur bois, sinon réaliste du moins identifiable. Ce célébrissime portrait français, et le premier sans doute de ce genre au nord des Alpes, représente le roi désigné par son prénom, Jean, dont l'inscription indique qu'il est « roy de France »[14]. Il ne porte pas de couronne, une absence qui laisse, aujourd'hui encore, ouvert le problème de la datation : portrait peint de son vivant, encore jeune prince, roi déjà couronné mais si légitime qu'il peut se passer d'un attribut royal, ou bien encore – hypothèse aujourd'hui retenue – ajout postérieur, voire posthume, de l'inscription ? Le milieu du XIVe siècle correspond en tout cas à un moment où le roi entend affirmer son identité et son pouvoir par l'image de soi, une distinction dans le geste, le vêtement, la posture. Certes, le portrait ne vise pas encore à personnaliser complètement, tant le personnage peint demeure relié à des modèles tandis que l'on travaille sur la ressemblance en relation avec des types établis. Cependant, cette forme de représentation rend le roi reconnaissable, identifiable et entend propager son image au sein des espaces publics ou privés, de son vivant, mais tout autant et peut-être surtout après sa mort.

Charles IV a sans doute d'ailleurs pu en mesurer l'efficacité en Italie pendant ses années de jeunesse : on sait, ne serait-ce qu'à lire le récit personnel de sa vie, qu'il y noua des contacts avec les humanistes et les peintres du temps, et qu'il put y admirer l'art des mosaïques. On en trouve les traces dans un manuscrit enluminé, réalisé pour Charles au début des années 1330 lorsqu'il séjournait en Italie, et comportant une traduction latine partielle de la Chronique dite de Dalimil[15]. Ce texte rimé en 103 chapitres, fondé pour partie sur la *Cronica Boemorum* rédigée par Cosmas de Prague en 1125, et injustement nommé tel car l'attribution à un prétendu Dalimil est une forgerie du milieu du XVIe siècle, forme la première chronique écrite en langue vulgaire tchèque, sans doute entre 1309 et 1314[16]. Elle contient notamment des informations très précieuses sur le passage de la dynastie des Přemyslides à celle des Luxembourg sous le règne de Jean Ier, avec lequel d'ailleurs le texte s'achève en 1326. Bien que la chronique ne rapporte que des éléments de l'ancienne histoire de Bohême et insiste d'ailleurs sur l'originalité et la supériorité de l'histoire et de la culture « tchèques », le décor des images peintes rappelle sans hésitation l'architecture des villes italiennes et une forme de monumentalisation au service de l'image travaillée du prince.

Ce commerce des motifs et des influences entre France, Bohême et Italie ne s'arrêta pas au retour du jeune Charles en Bohême, et continua jusqu'à la fin de son règne. Pour autant, et c'est ce qu'entend signifier l'emploi certes problématique mais révélateur du terme de « style », l'art sous Charles IV, et donc aussi l'art du portrait, n'est pas seulement à la remorque d'influences extérieures. Il intègre et ressource des traditions proprement tchèques, puisées notamment dans la dynastie přemyslide, tout en les reliant à une tradition luxembourgeoise[17]. L'art du portrait sous Charles IV partage donc des caractères avec la représentation d'autres rois dans différentes aires politiques et territoriales de ce temps : le mélange entre le privé et le public, le souci de la représentation de l'autorité royale, l'attention accordée à l'histoire et à la généalogie, la mise en place d'une théologie politique, l'engagement d'artisans et d'artistes fidélisés auprès de la cour.

Peu de rois ont fait l'objet, au XIVᵉ siècle, d'un aussi grand nombre de portraits ressemblants, c'est-à-dire intentionnellement destinés à l'identifier et à le distinguer de ses semblables, que Charles IV[18]. On estime, en dehors des sceaux et des monnaies, à quelque soixante les œuvres diverses portant une image du roi, dont près de la moitié ont été réalisées de son vivant, à son initiative, sur sa commande ou à l'inspiration d'un proche conseiller. Mais ce n'est pas tout : la plupart de ces portraits portent la marque d'une volonté politique, la claire représentation de son gouvernement et la dimension surnaturelle de sa charge. C'est sans doute parce que, aux yeux du roi, ils étaient chargés d'un message politique important qu'il est permis de distinguer entre deux périodes. La première, qui correspondrait d'ailleurs au temps de la jeunesse couvert par la *Vita*[19], comporte peu d'images, sinon celles que renvoient les sceaux, et montre un Charles en jeune prince idéal, peu individualisé, d'autant que rien dans les années 1330-1340 ne le prédestine à devenir plusieurs fois roi et empereur. Le contexte évolue avec l'accumulation rapide de couronnes sur sa tête et l'exercice du gouvernement. Tout se passe comme si le portrait changeait de fonction, de modèle, et se personnalisait dès lors que la dignité royale faisait de son porteur un être unique. Ses portraits ressemblent alors davantage à la relation physique que donnent de lui les chroniqueurs. On dispose, de ce point de vue, de la description assez fidèle qu'en fit le Florentin Matteo Villani : « Il était de taille moyenne, mais assez petit pour un Allemand, légèrement voûté, le cou et la tête penchant vers l'avant, mais point trop cependant ; il avait la chevelure noire, le visage assez large, les yeux un peu exorbités, les joues pleines, la barbe noire et le front dégagé[20]. » Pétrarque, qui rencontra Charles IV à Mantoue en 1355, semble confirmer ce qui deviendra un topos : une stature moyenne mais des qualités de grand homme, tous traits que soulignent également plus tard les miniatures et descriptions des *Grandes chroniques de Fran*ce relatant le voyage de Charles IV en 1377-1378 à Paris. Le chroniqueur allemand Thomas Ebendorfer, qui n'a pas connu Charles IV mais le mentionne dans sa *Chronica regum Romanorum*, reprend le trait, qui semble s'être inscrit désormais dans les esprits : « Ledit Charles était petit, mais le sens habile et aigu en toutes choses, et il fit tout pour augmenter son pouvoir et la gloire de la ville de Prague[21]. »

Ce dernier historien a peut-être tout dit : la description physique, et le portrait en est une, sans renier la relative médiocrité de la carrure du roi (que confirmèrent d'ailleurs deux exhumations et analyses ostéologiques menées en 1928 et 1976 et concluant à une taille proche de 1,73 m), est bien là pour accroître son prestige et sa renommée. De fait, tous les portraits réalisés après 1350 montrent un Charles IV qui s'impose non par sa grandeur ou le rayonnement physique de sa personne, encore moins par la force de son glaive ou la puissance de son armure, mais par la présence quasi continue d'éléments et d'attributs de majesté, de dévotion et de sagesse : la couronne, les insignes royaux et/ou impériaux, la barbe « carolingienne », le geste pieux (en position agenouillée d'orant, en présence de saints ou de reliques). L'absence de motifs traditionnels ou attendus est également parlante : peu ou pas d'inscription, utilisation fréquente mais non systématique des écus armoriés des Luxembourg, de l'Empire ou de la Bohême, rareté de l'apposition du prénom. À cela s'ajoute un art certain de la combinaison. Une image fidèle de Charles IV arrive en effet rarement seule et sur un support unique. Dans « son » château de Karlstein[22], on le trouve à la fois debout, agenouillé, en pied ou bien seulement en buste, et placé sur plusieurs murs de l'église Sainte-Marie et des chapelles Sainte-Catherine et de la Sainte-Croix. Dans « sa » ville de Prague, on le voit de face, de profil, debout, agenouillé ou trônant à divers endroits de la cathédrale (chapelle Saint-Wenceslas, triforium, ornementation de la croix-reliquaire et mosaïques de la *Porta Aurea*) et de la ville (relief sculpté du tympan de Notre-Dame-des-Neiges, pont Charles, crypto-portrait du couvent d'Emmaüs). Il convient enfin de relever que Charles IV n'est pratiquement jamais représenté seul, mais toujours en compagnie de saints, de membres de sa famille (père, épouses et fils), d'autres rois ou encore de ses conseillers. Telles peuvent être, résumées, les constantes de longue durée d'un art qui crée sa propre tradition, du vivant même du roi.

Portraits et crypto-portraits au service de plusieurs traditions

Les circonstances de la création de ces œuvres sont également intéressantes. Il n'est pas difficile de retrouver les mécanismes d'une commande devenue moyen de propagande royale (au sens étymologique latin du terme, c'est-à-dire « ce qui doit être propagé ») tel que Charles IV avait pu en observer la fécondité lors de son séjour parisien ou de ses voyages italiens. Mais une telle pratique n'avait pas encore trouvé d'équivalent, du moins à ce niveau, dans les royaumes ou les principautés d'Europe centrale[23]. En même temps, Charles IV n'importe pas en Bohême une tradition qu'il imposerait du dehors et sans relation avec les référents locaux. La dynastie des Přemyslides offrait de ce point de vue des points d'accroche et d'ancrage idéaux. C'est à Karlstein, dans son château éponyme, que Charles IV fit l'expérience d'un tel syncrétisme représentatif et idéologique en apposant sur les murs, les chapelles et les plafonds un total de dix portraits ou crypto-portraits de lui. Dès lors, cette série prend place dans un plan plus général de propagande dynastique, royale et caroline portée par l'architecture et par la collection de reliques dont le château devient l'abri. Les figures bohémiennes des saints Wenceslas, Guy et Adalbert, mais aussi celle de Charlemagne, un autre saint de l'Empire cette fois, serviront parallèlement, aux yeux du roi, de modèle pour croiser les exemples de sainteté, de royauté et d'Empire. Il serait déplacé d'y voir une forme d'orgueil ou de démesure : se faire représenter en saint au Moyen Âge, ou bien comme l'un des Rois mages, n'est en rien une usurpation d'identité ou un quelconque mésusage de la figure sacrée. C'est avant tout une façon de s'approprier une histoire, alors forcément vétéro- et néotestamentaire, et de se présenter comme un rénovateur. De ce point de vue on rencontre Charles IV en nouveau David, en nouveau Salomon, en nouveau Constantin, une assimilation que l'on retrouve ailleurs, mais aussi en nouveau Melchisédech, ce qui est moins fréquent et fait écho à l'attrait que la figure du roi-prêtre a pu exercer sur lui. Au total, il s'agit là d'écraser l'échelle du temps en incorporant deux figures distantes de plusieurs siècles, d'idéaliser la fonction royale et même de renforcer sa propre identité plutôt que de la diluer.

La multiplication des portraits de Charles IV ne peut donc pas se comprendre sans évoquer parallèlement celle des saints invoqués et honorés par le roi et qui l'accompagnent en image. Au lieu d'une indécision, d'une simple accumulation, il convient d'y voir le souci d'adapter le nombre de référents aux espaces et aux histoires que Charles entend rapprocher et raconter. Au-delà d'une efficacité religieuse des saints, il existe aussi pour le roi une efficacité politique et territoriale de leur culte et de leur mémoire[24]. Face aux traditions de Bohême, de France, d'Italie et de l'Empire, face aux charges et aux ambitions de la couronne impériale, Charles IV ne choisit pas mais cumule et articule. Il le fait en fonction d'un double impératif, celui de sa maison et de son patrimoine d'une part, celui de ses couronnes de l'autre. L'union des deux devait conférer un caractère universel et légitime à l'ensemble et offrir une large palette de référents dans laquelle le roi-empereur pouvait puiser[25]. Cette addition est également opérée par le biais des crypto-portraits[26], c'est-à-dire de représentations qui montrent une personne réelle, ici Charles IV selon une physionomie bien à lui, sous les traits d'un saint ou d'un autre personnage mythique ou légendaire visant à souligner une vertu, un aspect de sa vie, son état, son prestige ou l'origine de son nom, de son rang ou de son sang. Cette tradition des crypto-portraits royaux, à la différence d'une pratique byzantine qui a continué tout au long du Moyen Âge à représenter les empereurs sur des icônes et sous les traits de saints, a connu en Occident une éclipse qui ne prend fin qu'au tournant des XIIᵉ-XIIIᵉ siècles. Que l'on songe à la représentation probable de Frédéric Iᵉʳ Barberousse sur le célèbre buste-reliquaire de bronze de Cappenberg réalisé vers 1160, ou bien aux seize rois et empereurs germaniques placés sur le reliquaire de Charlemagne conservé à Aix-la-Chapelle et achevé en 1215 par Frédéric II, le petit-fils de Barberousse, dont on retrouve peut-être les traits sur le visage de Charlemagne trônant.

Quoi qu'il en soit, au milieu du XIVᵉ siècle, le procédé associatif du crypto-portrait s'est désormais répandu et Charles IV ne se prive pas d'en user. Un exemple accompli en est donné sur les fresques des murs du cloître du couvent d'Emmaüs consacré en 1372 et portant alternativement des scènes de l'Ancien et du Nouveau Testament. Le passage rapportant la rencontre de Jésus avec la Samaritaine près d'un puits (Jean 4, 4-29) est accompagné d'un motif correspondant dans l'Ancien Testament où Rebecca donne à boire au serviteur et aux chameaux d'Abraham (Genèse 24, 11-20). Cette scène est accompagnée d'un autre épisode vétéro-testamentaire, dans lequel Élie reçoit de l'eau que lui donne la veuve de Sarepta (Rois 17, 8-16). Or la figure du prophète Élie est peinte à l'identique des portraits de Charles IV sur les fresques de l'église Sainte-Marie du château de Karlstein. La ressemblance est soulignée par la position du corps penché de Charles introduisant une relique dans la croix-reliquaire à Karlstein. Elle l'est également par la contenance d'Élie recevant de l'eau de la cruche de la veuve. Elle l'est enfin par la posture de la veuve elle-même, représentée dans une attitude analogue à celle du Dauphin Charles de France (le futur Charles V) remettant une relique à son oncle Charles IV sur la première scène des mêmes fresques de Karlstein. On ne saurait aujourd'hui encore établir avec certitude si l'analogie entre Charles IV et le prophète

Élie est une œuvre spontanée réalisée au sein du couvent, ou bien le produit d'une commande ou d'une incitation du roi ou de l'un de ses proches. La relation entre les deux scènes et les deux personnages peut en tout cas s'expliquer par l'implication directe de Charles IV dans la fondation et la construction du couvent d'Emmaüs auquel il avait donné pour mission de rétablir et de propager la liturgie en vieux-slavon créée par Cyrille et Méthode. Le roi institua en effet cet établissement bénédictin sous le vocable de Notre-Dame et des Saints-Patrons-Slaves, surnommé « Na Slovanech », « chez les Slavons », le 21 novembre 1347. L'église du cloître, vouée à Marie de Nazareth, à saint Jérôme de Stridon, aux saints apôtres des Slaves, Cyrille et Méthode, et aux saints tchèques Adalbert de Prague et Procope de Sázava, fut consacrée le 29 mars 1372 par l'archevêque de Prague, Jan Očko de Vlasim, en présence de l'empereur, de deux princes-électeurs, de plusieurs évêques et de Wenceslas. Le rapprochement entre Charles et Élie suggéré par les fresques du couvent commençait quoi qu'il en soit à courir à la fin du long règne de Charles IV, et l'archevêque inséra clairement cette comparaison dans l'oraison funèbre qu'il prononça dans la cathédrale de Prague à la mort de l'empereur. Il y dressa d'ailleurs une double comparaison si l'on songe que le même orateur rapprochait Wenceslas, le fils de Charles, et Élisée, désigné par Élie comme son disciple, son successeur et son fils spirituel. La figure d'Élie possédait en outre une dimension apocalyptique et eschatologique qui n'a pas dû échapper à Charles IV et à son entourage puisque ce prophète, tout comme le patriarche Hénoch, est censé ne pas être mort mais était présumé revenir affronter l'Antéchrist à la fin des temps. Enfin, Élie, comme Élisée, incarnait la mauvaise conscience des rois d'Israël auxquels ils venaient rappeler leur débauche, un peu à la manière du rêve de Terenzo rapporté par la *Vita* pour l'année 1333. Ailleurs, dans deux manuscrits précieux, le Missel de Johannes von Neumarkt (vers 1364) et l'Antiphonaire de Vyšehrad (vers 1360), Charles IV est représenté à deux reprises sous les traits du roi-prêtre couronné Melchisédech, celui qui porte tantôt le calice et tantôt le pain à Abraham, et dont la figure sera reprise pour représenter l'un des Rois mages venus adorer l'Enfant à Bethléem. Or, de fait, on retrouve une scène de l'Épiphanie placée dans la chapelle de la Sainte-Croix du château de Karlstein réalisée entre 1365 et 1367, sur laquelle Charles IV occupe la place de l'un des trois Rois mages, un motif reproduit sur un tableau d'autel, le diptyque dit de Morgan. Avec et après Charles IV, d'autres rois et princes se firent également représenter en Roi mage, Charles V en France, ainsi que Louis d'Orléans et Charles le Téméraire tout comme Richard II d'Angleterre, mais notre empereur en fit un usage important et planifié. Du prophète Élie à l'un des Rois mages, en passant par Constantin, la ligne représentative est claire : elle mobilise des figures de rois-prêtres, de prophètes et de protecteurs de l'Église au service d'une image investie d'une intention publique pensée de bout en bout[27].

Propager l'image dans sa ville : le pont Charles et la cathédrale à Prague

Cette tradition agréable au prince, qui consiste à mêler la tradition locale, l'imitation de modèles extérieurs et le souci de l'universel, se laisse aisément reconnaître à Prague, dont les monuments et les lieux centraux, créés du vivant du roi, le pont, l'université, la cathédrale, la Nouvelle Ville, offrent une série de portraits destinés à frapper[28]. Charles IV posa en personne, le 9 juin 1357, la première pierre du pont qui porte encore son nom et que l'industrie touristique et la publicité contemporaines associent irrémédiablement à la capitale tchèque.

Selon la chronique de François de Prague, le pont précédent avait été emporté en 1342 par une crue dévastatrice de la Vltava. Au Moyen Âge il revient au roi, entre autres, de faire reconstruire un élément aussi important de l'infrastructure urbaine : les rois de France n'ont pas agi autrement à Paris. À l'étage supérieur de la tour gardant le pont, on peut voir un groupe de trois statues : saint Guy, Charles IV surmonté de l'aigle impériale et son fils Wenceslas, coiffé du lion de Bohême. Charles IV y figure avec les attributs du maître de l'Empire : globe et sceptre, couronne impériale fermée. Il est barbu, le geste sage et d'âge mûr. Mais cette décoration de statues, sans doute conçue entre 1376 (année du couronnement de Wenceslas comme roi des Romains) et 1378 (mort de Charles IV) ne fut cependant ajoutée qu'après la disparition de l'empereur. Ce procédé devait sans doute servir à souligner la continuité entre Charles IV vieillissant mais au sommet de sa puissance et son successeur assuré du double trône du royaume et de l'Empire, dans un moment où l'ordre des Luxembourg semblait bien établi en Europe et entendait se montrer apte à gouverner tous les pays rassemblés par Charles. Ce n'est pas par hasard que les écussons des principautés et seigneuries rassemblées par l'empereur sont placés à l'étage inférieur de la tour. Une telle disposition confère d'ailleurs à l'édifice un caractère d'arc de triomphe dont l'effet est assurément calculé, et qui rappelle la tour du pont de Ratisbonne érigée par Philippe de Souabe vers 1207 ou la porte de Capoue bâtie par Frédéric II à partir de 1234. L'allusion au grand empire des Staufen ne reste donc pas lettre morte pour Charles de Luxembourg, tant il est vrai par ailleurs que des mariages avaient autrefois uni les deux maisons de l'Empire et de la Bohême : Cunégonde, une fille du Staufen Philippe de Souabe, avait épousé le roi de Bohême Wenceslas Ier. Quant à la statuaire, elle s'inspire assez directement des figures qui entouraient le tombeau impérial du grand-père de Charles IV, l'empereur Henri VII, mort à Buonconvento dans les environs de Sienne et enterré dans la cathédrale de Pise en 1313, et devant lequel Charles se prosterna en 1355 lorsqu'il alla chercher sa couronne impériale à Rome. L'influence italienne, on le voit, continue d'agir et modèle une ville, Prague, appelée à devenir « la » ville capitale d'une Europe déjà centrale. N'oublions pas enfin que saint Guy, mis à l'honneur sur cette tour, est aussi le patron éponyme de la cathédrale, et que le pont servait justement à relier la rive du château royal et de la cathédrale à la Ville-Nouvelle créée par le roi selon la tradition d'un véritable prince évergète. L'ensemble fait évidemment symboliquement sens : Charles y apparaît comme un passeur de rives, un bâtisseur et un rénovateur. Tel est bien le message adressé au visiteur, sujet et citadin de Prague.

On rencontre à Prague un autre portrait majestueux de
Charles IV, placé sur la mosaïque surmontant la *Porta Aurea*,
le portail sud de la cathédrale Saint-Guy [ill. 4]. Œuvre de Peter
Parler, cette décoration est inaugurée en 1368 pour pénétrer
dans l'édifice abritant les joyaux de la couronne de Bohême
et du couronnement ainsi que les tombeaux de plusieurs rois
Přemyslides[29]. Cette marqueterie dorée constitue en quelque sorte
un pendant aux fresques ornant la chapelle Saint-Wenceslas
(consacrée en 1367) et aux bustes décorant en hauteur le triforium du chœur (1374-1375), chacune des trois réalisations met-
tant en scène Charles IV. Le choix de la mosaïque pour la façade
du portail est une allusion claire aux représentations byzantines
de la majesté impériale. Si Charles IV, pourtant, ne se rendit
jamais à Constantinople, il put en revanche contempler l'art des
mosaïques lors de ses voyages en Italie, à Venise sans doute,
mais plus sûrement encore à Lucques, sur la façade de l'église
San-Frediano datant du XIIIᵉ siècle. À la différence de la statue
du pont qui montre Charles IV en majesté, en sage gouvernant
de son empire, la mosaïque cathédrale le représente aux côtés
du Christ et des anges, dans une composition apocalyptique
du Jugement dernier (elle ferait alors écho à la figure d'Élie),
mobilisant également les saints patrons du royaume de Bohême
agenouillés en orants. Leur nombre correspond aux six apôtres
et aux six anges représentés dans la scène. Charles IV y est également figuré en compagnie de sa quatrième épouse, Élisabeth
de Poméranie, tous deux dans une position, déjà typique pour
l'époque, de commanditaires tels qu'on peut les observer sur les
retables d'autel. C'est encore la chronique de Benesch Krabitz
von Weitmühl qui nous renseigne avec le plus de précision sur
l'épisode : en 1370, écrit-il, l'empereur avait commandé cette
décoration, achevée en 1371, pour orner le portail principal de
l'édifice « en œuvre mosaïque à la grecque[30] ».

Quant au célèbre buste en pierre de Charles IV placé sur l'une
des colonnes du triforium de la cathédrale, il est accompagné de
ceux de dix autres membres de la famille des Luxembourg (ses
parents, son fils et successeur Wenceslas avec son épouse, les
quatre épouses de Charles, ses deux frères), auxquels s'ajoutent

trois archevêques, l'architecte et le sculpteur de la cathédrale, Mathieu d'Arras et Peter Parler, ainsi que cinq maîtres d'œuvre et de chantier [ill. 3 et 6]. La présence de ces derniers ne saurait étonner : l'architecte jouit, auprès des princes et des rois, d'une position de choix, il est l'artisan de la maison de Dieu[31], le maître des chiffres et des proportions, un ordonnateur du cosmos en miniature. Il est en outre celui qui transmet la science du bâtir héritée des Romains, incarne une figure de Dieu *sapiens architectus* ainsi que le qualifient bien des Pères de l'Église, et son métier se professionnalise et gagne en expertise et en savoir depuis les grandes constructions des cathédrales du XIIIe siècle[32].

L'ordre de disposition de ce véritable cycle de pierre est lui aussi calculé. L'ensemble de ces vingt et un bustes, un cas unique à l'échelle européenne, s'organise, tel un système solaire, autour du point central que forme Charles IV situé sur le côté sud, dans l'axe même du soleil, sur le versant masculin et valorisé des églises, flanqué de part et d'autre de l'aigle impériale et du lion de Bohême. Pour le spectateur qui regarde Charles s'aligne sur la droite un groupe rassemblant ses parents [ill. 6] suivis de son fils Wenceslas et de son épouse puis des trois archevêques Ernst von Pardubice, Jan Očko von Vlašim, Johann von Jenstein, placés l'un après l'autre dans l'ordre de leur mandat, du plus ancien au plus contemporain comme l'impose d'ailleurs la règle d'ancienneté dans la préséance des sièges du chœur. Suivent enfin les deux maîtres d'œuvre. À gauche se trouvent les quatre épouses de l'empereur ordonnées suivant la succession du mariage le plus récent au plus ancien : ainsi, c'est l'épouse vivante de Charles qui est au plus proche de lui, suivie, dans le classement de leur décès, des trois autres [ill. 6]. Après elles s'intercalent, dans l'ordre, le frère de Charles, le margrave de Moravie Jean-Henri (le seul encore vivant à la date de confection des bustes), son demi-frère Wenceslas, duc de Luxembourg[33], puis trois maîtres d'œuvre entre lesquels s'insèrent l'architecte et le décorateur de la cathédrale. La cohabitation de deux échelles temporelles et généalogiques, ascendante et descendante, ne fait que renforcer la centralité du buste impérial (qui n'est pas sans rappeler le buste-reliquaire de Charlemagne que Charles IV avait fait restaurer à Aix-la-Chapelle), pivot d'un système allégorique, panégyrique et moral unissant le sacerdoce et l'Empire, où la physionomie esthétique devient un élément central de la mise en scène politique de l'autorité royale.

Cette scénographie de la généalogie royale et impériale des Luxembourg sur la Bohême et l'Empire est aussi le produit d'une sélection, car bien des membres de la famille n'ont pas été retenus : aucune des sœurs de Charles IV n'est présente, pas davantage que ne sont représentés, en dehors de Wenceslas, les dix autres enfants, morts ou encore vivants au moment de la réalisation du cycle, issus des quatre lits royaux. Le cycle privilégie donc le couple royal et impérial, les parents de Charles, les deux frères qui détiennent les joyaux territoriaux les plus importants de la maison des Luxembourg et enfin focalise l'attention, parmi les descendants, sur la succession « à la française » par l'hérédité, la masculinité et la primogéniture en la personne de Wenceslas, déjà roi de Bohême et roi des Romains au moment où la statuaire est décidée. « À la française » (« *ad instar domus regis Francie* » ne cesse de répéter le chroniqueur François de Prague à propos de la volonté de Charles IV d'embellir Prague[34]) est assurément l'expression juste, car l'inspiration parisienne de la statuaire des bustes du triforium ne fait guère de doute[35]. Charles IV s'inspire ici très directement du célèbre cycle de la Grande Vis du Louvre réalisée par Raymond du Temple vers 1365, sous contrôle direct du roi, et dont ne nous ont été transmises que des descriptions du XVIIe siècle (et que seul l'exemple de la Grande Vis du château de Saumur peut aujourd'hui rappeler)[36]. Dix statues en pied et grandeur nature flanquaient le grand escalier qui conduisait aux logements royaux : Charles V et son épouse Jeanne de Bourbon y occupaient la première place, suivis des ducs d'Orléans, d'Anjou, de Berry et de Bourgogne, c'est-à-dire les trois frères du roi et son oncle Orléans. Des statues de Marie et saint Jean-Baptiste complétaient l'ensemble. Influence française encore si l'on songe que la cathédrale de Prague se voulait aussi un Saint-Denis de Bohême : dans les chapelles latérales du chœur sont en effet enterrés six ancêtres et descendants des Přemyslides, parmi lesquels la meilleure place est réservée à Ottokar Ier, le premier roi couronné de Bohême à obtenir l'hérédité du titre royal pour sa dynastie et bénéficiant, à ce titre, d'une tombe sculptée par Peter Parler en personne. Par ailleurs, huit saints patrons des pays de Bohême sont figurés par des bustes dans la cathédrale : Guy, Sigismond, Méthode, Cyrille, Wenceslas, Ludmilla, Adalbert et Procope. C'est donc un total de vingt et un bustes, six tombes et huit saints qui peuplent l'intérieur de l'édifice dans une adroite combinaison mêlant principes royaux, dynastiques, sacrés, généalogiques, mémoriaux et sépulcraux.

En revanche, Charles IV, s'il est bien enterré dans la cathédrale, n'y jouit pas d'un tombeau monumental, contrairement à son proche conseiller, l'archevêque Jan Očko von Vlašim, qui avait ordonné dès 1367 aux artisans de l'atelier de Parler les plans d'un grand monument funéraire à sa gloire. L'empereur n'avait d'ailleurs, semble-t-il, laissé aucune instruction en ce sens. Quant à ses parents, Jean de Bohême fut enterré au Luxembourg et sa mère, Élisabeth, dans le couvent de Königsaal près de Prague. À la différence des rois de France visibles de toute éternité à Saint-Denis, on ne dispose donc pas d'effigie mortuaire pour Charles IV, seulement de ses portraits en gouvernant et en roi vivant. Plus important devait être pour lui le souvenir que laissèrent ses funérailles, comme on l'a vu.

Les portraits et représentations de Charles IV destinés à la ville de Prague ont assurément eu pour fonction première de souligner la dignité et la majesté royales, conférant aux attributs et aux écussons accompagnant le corps et le visage du roi une importance particulière. Cette intention est précoce, car le tympan du portail nord de l'église du couvent des Carmes de Notre-Dame-des-Neiges, dont Charles IV en personne posa la première pierre le 3 septembre 1347, montre un groupe d'orants tournés vers un trône de grâce représentant Dieu assis et tenant un crucifix entre ses jambes, surmonté de la colombe de l'Esprit Saint, et flanqué à droite et à gauche de Jésus et de la Vierge. Parmi les personnages agenouillés on reconnaît selon toute vraisemblance, en dépit des graves dommages que le relief a subis, Jean de Luxembourg d'une part, avec les attributs et les armes au lion de son royaume de Bohême, et son fils Charles, alors encore margrave de Moravie, accompagné de l'écusson à l'aigle morave.

Toutefois, il est possible que cette aigle héraldique désigne aussi l'aigle de l'Empire car, au moment probable de la commande du tympan dès 1346, c'est-à-dire dès la donation par Jean et Charles de terrains situés sur cette partie de la Nouvelle Ville de Prague pour l'établissement, Charles venait d'être élu roi des Romains. Une autre interprétation, tenant pour une réalisation un peu plus tardive, vers 1347, voire 1349, préfère cependant reconnaître à la place du père Jean son fils Charles, et à la place de Charles son épouse Blanche de Valois. D'autres penchent encore pour identifier Charles à la place de Jean accompagné de son propre frère Jean-Henri (margrave de Moravie, mais seulement en 1349). Quoi qu'il en soit, Charles est toujours au cœur de cette représentation royale précoce qui, suivant les hypothèses, le montre associé au lion et à l'aigle, les deux motifs héraldiques les plus fréquents de ses portraits. Il n'est d'ailleurs pas certain que l'emplacement initial du tympan ait même été le portail de l'église, d'autres analyses soutenant la thèse d'un relief placé à l'entrée du cimetière conventuel ou bien au-dessus de la porte principale du palais privé de Jean de Luxembourg à Prague. Peu importe : le groupe demeure en relation avec la fondation du couvent et de son église en 1346-1347 et son motif montre qu'il existait déjà, dès la fin du règne de Jean, une activité de fondation et de représentation qui n'a pas attendu l'atelier des Parler et le « beau style » d'après 1350, mais s'est épanouie dès les années 1340.

Karlstein ou l'obsession de la majesté royale et impériale

Ce souci précoce et continu de la majesté royale, vraisemblablement ancré dans l'esprit de Charles IV depuis ses premières années passées à Paris et nourri par un nombre record de couronnements pour un roi d'Occident, culmine avec le programme iconographique, monumental et représentatif déployé dans le château de Karlstein. Véritable vitrine de son pouvoir, ce lieu de conservation des joyaux et des plus précieuses reliques est le pendant castral de l'entreprise citadine qu'était Prague au même moment, un peu à la manière de Vincennes à côté de Paris.

Il serait difficile de trouver, dans tout l'Occident, l'équivalent d'une telle concentration en un seul lieu de symboles et de représentations volontaires de la part d'un roi : ce château, la « pierre de Charles », ne porte-t-il d'ailleurs pas le nom du roi ? Le mythe de Karlstein a d'ailleurs commencé du vivant de Charles IV et fait sans doute partie de l'intention de son concepteur : il agit encore aujourd'hui[37].

Pour le visiteur contemporain, en effet, s'impose d'abord au loin l'image d'un château à flanc de colline et composé de trois parties ascendantes (en premier lieu le palais, puis l'élément central avec la chapelle Notre-Dame, dite aussi de la Passion, et enfin la tour fortifiée abritant la chapelle de la Sainte-Croix). Elles conduisent, telle une échelle céleste[38], au sommet que constitue la chapelle de la Sainte-Croix dont la décoration (pierres précieuses, portraits, fresques) et le mobilier n'ont peut-être d'équivalent, en richesse et en densité, que la Sainte-Chapelle de Paris dont le modèle a clairement inspiré le projet royal. Charles l'avait d'ailleurs souvent fréquentée pendant ses années de jeunesse et c'est encore là, au soir de sa vie, lors de son voyage de 1378[39], qu'il se fit littéralement hisser et traîner pour contempler une dernière fois les reliques qui y étaient conservées, celles de la Vraie Croix, de la Sainte Couronne et de la Passion acquises par saint Louis en 1239-1241. Si la visite de Karlstein, si cette vision impressionne encore de nos jours à ce point le spectateur, il convient d'imaginer l'effet produit par ce château et ses chapelles sur les contemporains du roi, nobles de passage, membres de la famille royale, ambassadeurs et envoyés de toute la chrétienté. La comparaison avec Versailles serait exagérée et anachronique, d'autant que Karlstein ne fut pas avant tout un lieu de cour ni le siège permanent du gouvernement royal. Pourtant, nous sommes sans doute au début d'un processus qui ne lui est pas tout à fait étranger : montrer son château fait désormais partie, dans les monarchies d'Occident à la fin du Moyen Âge, de la palette des instruments dont use le roi pour augmenter son pouvoir et son prestige[40].

C'est bien ainsi qu'il convient de comprendre Karlstein, dont la première pierre fut posée le 10 juin 1348 et dont la construction

s'étendit, d'étape en étape, jusqu'en 1367. Le complexe ne dit
pas seulement le roi et son pouvoir, en marquant dans la pierre
la fonction de trésor fortifié des insignes impériaux, des joyaux
de la couronne et des archives royales gardés dans l'imposante
et prétendue imprenable tour carrée sommitale de l'ensemble.
Il en démultiplie aussi le corps et le visage distribués sur plusieurs
murs des chapelles. Car le plus travaillé et digne de mémoire dans
ce château, d'une architecture finalement assez conservatrice,
même pour l'époque, est la décoration intérieure, œuvre, comme
l'ensemble du bâtiment, de trois ateliers distincts correspondant
aux trois phases de construction : le palais achevé dès 1355, la
petite tour centrale en 1357, la grande tour en 1361-1365. Le
premier décor du palais inférieur est encore travaillé par des
artistes inspirés par l'Italie, et notamment les productions florentines. Le deuxième atelier, correspondant à la petite tour centrale, s'incarne dans la figure de Nicolaus Wurmser, originaire
de Strasbourg, devenu bourgeois de Prague, et influencé par les
écoles flamandes et françaises. Le troisième et dernier, employé
à la décoration de la grande tour, est plus indigène, plus bohémien, autour de Maître Théodoric, également très engagé dans
les chantiers royaux de Prague. Attesté entre 1359 et 1380, il est
peintre de la cour et appelé en 1367 *pictus noster et familiaris*,
« notre peintre et familier » par Charles IV et, ailleurs, *malerius
imperialis*, « peintre impérial »[41].

Le cœur de cette représentation centrée sur les portraits de
Charles IV se situe au centre, dans l'église castrale et collégiale
Notre-Dame, dite aussi *capella regia*, « chapelle royale », où l'empereur est représenté à six reprises, par cinq portraits aujourd'hui
encore visibles tandis que le dernier s'est perdu. Disons bien l'empereur, car la transformation du château en un véritable complexe
reliquaire dédié à une forme de « piété d'État » date non point
de l'achèvement de la construction du palais mais du couronnement impérial à Rome en 1355, au retour duquel le projet de
Karlstein change de sens pour devenir le signe d'un destin royal
et d'une majesté impériale. L'ensemble des six portraits de l'église
Notre-Dame en porte assurément le témoignage. Ce nombre n'est
sans doute pas dû au hasard. Charles IV, on le sait, fut couronné

au total six fois. Ce dernier n'eut de cesse par ailleurs de montrer qu'il possédait ses royaumes de Dieu seul, mais aussi de Jésus et de la Vierge particulièrement honorés dans le château, suivant un schéma que Saint Louis avait en son temps adopté pour la couronne de France[42]. Dès 1357-1360, pour la chapelle initialement appelée de la Passion, l'empereur commanda à Nicolaus Wurmser un ensemble de fresques murales. Parmi elles, trois scènes juxtaposées montrent l'empereur en pied, portant la couronne impériale fermée, toujours venant de la gauche (pour le spectateur) et se rapprochant, par degré, d'un étroit couloir conduisant à son oratoire privé, la chapelle dite de Sainte-Catherine. Ces trois panneaux furent conçus pour être vus simultanément et consécutivement et pensés dès l'origine pour la consécration, le 27 mars 1357, de l'église initialement destinée à la conservation des insignes royaux et impériaux et des reliques de la Passion dont la thématique est d'ailleurs reprise sur la vaste fresque latérale de l'Apocalypse.

La première des trois images, organisées comme un triptyque d'autel, représente Charles recevant une relique d'un autre roi. On a pu identifier cet épisode comme le don fait à Charles IV, en 1356, par le Dauphin de France, le futur Charles V, d'un fragment de la Vraie Croix et de deux épines de la Couronne du Christ. Si tel est bien le cas, le moment choisi pour figurer sur la première partie de la fresque n'est pas seulement chargé de sacré, mais désigne le jour exact où, à Metz, Charles IV fraîchement couronné empereur proclamait la Bulle d'Or[43]. L'identification du second roi (même si le futur Charles V n'est alors que Dauphin, il incarne la continuité de la couronne qui ne saurait tomber en déshérence) est rendue plausible par le fait que la couronne arbore les fleurs de lys trilobées des rois de France. À cela s'ajoute la ressemblance de ce portrait avec celui, très célèbre, de Charles V sur le parement de l'autel de Narbonne réalisé vers 1373-1378 (conservé aujourd'hui au musée du Louvre) et avec l'effigie du roi sur son tombeau à Saint-Denis. De surcroît, par lettre datée du 6 mai 1356, Jean II le Bon avait émis le souhait de remettre à son beau-frère deux épines conservées jusqu'alors dans le trésor de la Sainte-Chapelle de Paris. Rappelons d'ailleurs que, comme celle de Karlstein, la chapelle basse de ce sanctuaire est consacrée à la Vierge et que cette église, comme à Karlstein encore, occupait une quadruple fonction : écrin pour la conservation des reliques permettant également leur vénération ; chapelle palatine ; siège d'un collège de chanoines ; et lieu de culte[44].

La scène suivante, sur le deuxième panneau de la fresque, est plus ou moins identique à la première. Dans la même posture, selon les mêmes proportions, Charles IV reçoit de nouveau une relique des mains d'un autre roi. Certains historiens associent celui-ci à Pierre de Lusignan, roi de Chypre et de Jérusalem, qui avait offert au roi des Romains un pectoral en argent contenant une relique de la Sainte Croix. D'autres préfèrent identifier là l'empereur Jean V Paléologue. Les derniers enfin songent à Louis de Hongrie, gendre de Charles IV.

Le troisième épisode, comme la suite logique d'un film et par une sorte de plan rapproché, montre l'empereur introduisant les reliques reçues au cours de la première scène dans une croix-reliquaire, celle de Bohême, « le joyau le plus précieux des rois et du royaume de Bohême », enrichi de vingt-quatre perles et de neuf pierres précieuses. La direction de l'action déroulée en trois temps n'est pas indifférente. Elle opère d'ouest en est et conduit de Metz, ville d'Empire, ville carolingienne, lieu de la proclamation de la Bulle de 1356, à Jérusalem si l'hypothèse de Pierre de Lusignan se révèle exacte. L'itinéraire insère de la sorte la Bohême dans un voyage qui, de l'Occident vers l'Orient, conduit le visiteur vers l'oratoire privé du roi consacré à la Passion du Christ et donc regarde encore vers Jérusalem. Ainsi sont reliés d'un portrait royal à l'autre les rois, l'empereur et l'Empire, la croisade, Jérusalem et le Christ.

De l'un des murs latéraux de l'église Notre-Dame s'échappe de fait un étroit couloir, figurant l'entrée dans le paradis marquée par la présence de neuf anges et conduisant dans l'oratoire privé de Charles. Au-dessus de la porte, côté chapelle, on retrouve Charles IV en compagnie de son épouse, Anna de Schweidnitz, tels Constantin et Hélène, tenant dans leurs mains la croix-reliquaire représentée sur la troisième fresque précédemment décrite et assurant un montage visuel très suggestif d'une scène à l'autre, d'un lieu à l'autre [ill. 5]. Le motif célèbre vraisemblablement la naissance de l'héritier mâle tant attendu, Wenceslas, en 1361, selon une composition que l'on trouve reproduite sur les murs de la chapelle Saint-Maurice de Saint-Sébald à Nuremberg aujourd'hui disparue. Le modèle du couple Constantin/Hélène a intéressé Charles IV à plus d'un titre : comme figure impériale, comme tribut payé à l'influence byzantine si présente en Italie, mais aussi parce qu'Hélène avait fait rapporter la Vraie Croix de Jérusalem à Constantinople. Cet épisode a donné naissance dans le monde byzantin et en Occident à un type très répandu de représentation d'un couple mère-fils et impératrice-empereur tenant la Croix. On retrouve d'ailleurs le motif du couple Constantin/Hélène entourant une élévation de la Croix (*exaltatio crucis*[45]) sur la croix-reliquaire de Bohême initialement conservée dans cette petite chapelle avant d'être ensuite placée dans la grande chapelle supérieure de la Sainte-Croix.

Dans son oraison funèbre, Jan Očko von Vlašim désigna Charles IV comme un nouveau Constantin, une comparaison reprise le même jour dans le discours prononcé par le recteur de l'université de Prague, Adalbertus Ranconis de Ericinio. La liaison avait été en quelque sorte préparée par le don que Charles IV avait fait en 1367 à l'archevêque de Trèves, pour sa cathédrale, de la relique du crâne de sainte Hélène que l'empereur avait reçue sept ans plus tôt de l'empereur byzantin. Il est probable que, par ce don, Charles IV ait voulu s'assurer le soutien de l'un des sept grands princes-électeurs de l'Empire, le métropolitain de Trèves, dont le siège avait été occupé par son grand-oncle entre 1307 et 1354. Quant au lien avec Constantin, Charles IV l'avait enrichi de son vivant à plusieurs reprises. Il s'était d'abord inspiré de la décoration et de l'architecture de l'arc de Constantin à Rome pour la tour du pont Charles à Prague. Il admirait également le personnage pour son activité législatrice. Il en vénérait enfin la piété, notamment à travers la passion des reliques que l'un et l'autre partageaient comme l'ont relevé les deux grands chroniqueurs Benesch Krabitz von Weitmühl et Johann von Jenstein[46].

Cette représentation du couple impérial suivant le motif de l'*exaltatio crucis* est redoublée par l'image du même couple, toujours en présence de la croix-reliquaire, reproduit dans une niche surmontant l'autel du mur frontal de cette *capella minor*, autour d'une Vierge à l'enfant, entourée de trente-neuf pierres précieuses incrustées dans l'arc supérieur de la scène. On y voit Jésus tendre la main à l'empereur tandis que la Vierge tend la sienne à l'impératrice, dans un geste de *donatio* qui voit le couple impérial recevoir ses royaumes terrestres de la puissance divine. L'ensemble de cette petite chapelle, exactement comme plus tard la chapelle de la Sainte-Croix, dont elle constitue en vérité la préfiguration miniature, voyait ses murs tapissés de pierres précieuses incrustées réfléchissant une lumière démultipliée censée souligner la « splendeur de l'Empire ».

Charles IV, en effet, n'a pas seulement concentré six représentations de soi dans ces deux église et chapelle de la tour centrale de Karlstein. Il figure à deux autres reprises dans le troisième et dernier bâtiment du château, le plus élevé, le plus fortifié, sorte de saint des saints de l'ensemble. Pour accéder à la chapelle située au dernier degré de cette tour, l'empereur avait fait creuser un escalier monumental dont la montée était accompagnée de fresques sans doute peintes par un certain Oswald, artiste attesté à la cour jusque dans les années 1370. Au terme de ce cycle, on voit Charles IV en présence de son épouse impériale et de l'archevêque de Prague introduire des reliques dans une niche surplombant l'un des trois autels de la chapelle, un motif sans doute conçu en l'honneur de la consécration de l'établissement en 1365. Cet édifice accueillit ensuite les insignes royaux et impériaux transférés depuis l'église de la Passion ou Notre-Dame de la tour centrale, si l'on en croit la chronique de Benesch Krabitz von Weitmühl. Il présentait un programme mobilier et iconographique censé rappeler la Jérusalem céleste, notamment à travers les murs incrustés de pierres précieuses et les voûtes entièrement dorées, selon une iconographie que l'on retrouve sur les mosaïques de Sainte-Marie-Majeure de Rome ou de Saint-Vital à Ravenne pour figurer la Ville Sainte. Certains murs de la chapelle, en dehors des autres décorations précieuses et peintes, abritent des fresques qui portent la signature de Maître Théodoric chargé personnellement du chantier par Charles IV.

À côté des scènes de l'Adoration de l'Agneau de Dieu et d'une Annonciation, on rencontre sur le plafond d'une niche latérale sans doute peint vers 1360 une Adoration des mages offrant au regard l'un des rois prêtant ses traits à Charles IV[47]. Cette fresque complète la collection proprement fantastique des 130 (aujourd'hui 129) tableaux placés par le peintre entre 1360 et 1364 sur les murs de l'oratoire-reliquaire, ce qui en fait l'ensemble gothique peint le plus dense et le mieux conservé au monde. Une telle entreprise, que l'on a pu qualifier à juste titre de véritable mur d'images, n'est pas sans rappeler des influences vénitiennes et byzantines. Elle traduit une culture de l'icône où la lumière se reflète sur les voûtes entièrement dorées de la chapelle et les murs incrustés de pierres précieuses et brillantes, le tout au service d'un souci de *splendor imperii*, de resplendissement de l'Empire. Mais avec la fresque du plafond montrant un crypto-portrait de l'empereur, c'est à un autre motif que nous sommes confrontés. Charles IV y revêt en effet les traits du troisième roi Balthazar, à la différence du deuxième roi Melchior retenu par le peintre du diptyque de Morgan pour incarner l'empereur. Ce choix constitue peut-être une allusion à la légende de la prétendue origine africaine des Slaves, Balthazar étant assimilé par la tradition exégétique à Cham, le deuxième fils de Noé, lui-même associé à l'Afrique. Certes, Charles IV n'est pas représenté en roi noir, ni sur cette scène de Karlstein, ni sur le diptyque de l'Adoration des Mages de Morgan. Toutefois, et même si cette filiation entre l'Afrique et Cham et entre les Slaves et les Hamites (descendants de Cham) prêtait déjà à discussion, le mythe restait actif. Dans sa *Cronica Boemorum*, Jean de Marignolli, un franciscain placé à la tête d'une mission qui atteignit Pékin en 1342 et devint chapelain de Charles IV à partir de 1355, auteur par ailleurs d'une histoire universelle narrant les pays et les peuples rencontrés lors de son périple asiatique, prend soin de rappeler que « Japhet, notre père, fut le troisième fils de Noé, dont descendent les Slaves et les Bohêmes, et non pas de Cham comme le prétendent certains. C'est lui [Japhet] qui reçut l'Europe… ». Dénégation donc, mais contre une version qui semblait encore jouir d'une certaine faveur. Par ailleurs, sur la fresque généalogique, aujourd'hui

disparue, des Luxembourg que Charles IV avait fait placer dans
la grande salle du palais de Karlstein, c'est Cham encore qui, seul
parmi les trois fils de Noé, figure à la suite de son père parmi les
lointains ancêtres de la lignée de Charles.

Il faut considérer combien, au Moyen Âge, l'eschatologie n'est
jamais éloignée d'une pensée du temps exprimée alors essentiellement par la généalogie et la suite des générations : Charles IV
en Roi mage et en lointain fils de Noé annonce peut-être la fin
des temps, en accord avec une conception hautement universelle
et intemporelle qu'il se faisait de son pouvoir impérial. On en
retrouve l'écho dans un autre portrait en Roi mage de Charles IV
sur le célèbre diptyque dit de Morgan[48]. Cette huile sur bois présente elle aussi l'un des portraits les plus célèbres et « fidèles » de
Charles IV. L'œuvre représente deux scènes de la vie de Marie,
l'Adoration des mages d'un côté et la mise au tombeau de la
Vierge de l'autre. Charles IV occupe une place centrale sur le
panneau peignant l'Adoration. Il porte la couronne la plus travaillée des trois rois et est revêtu d'un manteau rouge d'appa-
rat orné de l'aigle impériale. On a également pu identifier sur le
second panneau du diptyque, sous les traits de l'apôtre Pierre qui
bénit le corps de Marie, le pape Innocent VI. Or, c'est sous son
pontificat que Charles IV reçut en 1355 la couronne impériale à
Rome. Le couple pape-empereur permet non seulement de fixer
aux alentours du couronnement romain la date de fabrication des
panneaux mais aussi d'estimer sans trop d'erreur qu'il s'agit là
d'une commande impériale portée à souligner ainsi la concorde
retrouvée entre les deux pouvoirs universels de la chrétienté.
L'auteur du diptyque reste inconnu, on le désigne simplement
sous le nom de « Maître du diptyque Morgan ». Mais le portrait
qu'il peint de Charles IV présente une ressemblance frappante
avec ceux que produit dans le même temps le Maître Théodoric
chargé de la décoration de la haute chapelle de Karlstein. Ce
même peintre, sur l'ordre de Charles IV, introduisit parmi les
nombreux tableaux de la chapelle un saint Maurice représenté
cette fois avec une peau noire, dont Charles IV avait promu le
culte dans tout l'Empire. Cette vénération envers ce saint érigé en
patron de l'Empire trouve son origine dans l'attention portée par

l'empereur à l'abbaye de Saint-Maurice d'Agaune, fondée par Sigismond, roi des Burgondes, sur le lieu des reliques du saint, mort en martyr en 515. Sigismond y fut enterré en 524 puis canonisé au tournant des VIIᵉ-VIIIᵉ siècles. Dès 1354, Charles IV avait acquis une partie du crâne de Sigismond dont il confia la garde à la cathédrale de Prague, puis en 1365 il se rendit à l'abbaye de Saint-Maurice, offrit une châsse en argent dans laquelle fut déposée une autre partie des reliques tirées du tombeau primitif et rapporta le tout en Bohême, achevant de faire de Sigismond l'un des patrons vénérés dans son royaume[49]. C'est Sigismond qui, avec Adalbert, figure aux côtés de Charles IV sur la tour du pont, et c'est encore lui qui figure, avec l'empereur, sur le célèbre tableau votif de Jan Očko von Vlašim. L'un des fils de Charles, issu de son quatrième mariage avec Élisabeth de Poméranie, fut d'ailleurs le roi des Romains, roi de Hongrie et empereur Sigismond (1368-1437), dernière tête couronnée de la dynastie des Luxembourg.

Le lien entre Maurice, Sigismond et la majesté royale et impériale est encore souligné par un autre objet, symbolique et précieux entre tous, la Sainte Lance plongée par le centurion Longinus dans le flanc droit du Christ pendant la Passion. Depuis le Xᵉ siècle, dans l'Empire, la vénération de la Lance était associée à saint Maurice et avait été élevée, sans doute sous le règne de Henri II, au rang d'insigne impérial. Pour Charles IV, elle revêtait plusieurs caractères importants. À ses yeux, elle avait été incorporée parmi les insignes les plus sacrés de l'Empire par un empereur saint (Henri II est canonisé en 1146) dont l'épouse, Cunégonde, était une princesse Luxembourg. Voilà sans doute ce qui intéresse au plus haut point Charles de Luxembourg : le lien établi entre un saint empereur et sa maison dynastique. Ensuite, saint Louis avait acquis en 1244 pour la Sainte-Chapelle une pointe provenant de la Vraie Lance, qui entrait en quelque sorte en concurrence avec la lance « germanique » de saint Maurice. Or Charles n'eut de cesse de faire de Prague et de Karlstein des lieux saints et royaux équivalents et concurrents à ceux qu'il avait tant admirés à Paris. En 1350, il fit transférer la Lance, avec les autres insignes impériaux[50], à Prague où ils furent conservés jusqu'en 1421, tantôt dans la cathédrale, tantôt au château de Karlstein. À partir de 1354, il obtint du pape Innocent VI le droit de faire célébrer dans tout l'Empire le premier vendredi suivant la semaine pascale une Fête de la Sainte Lance et du Saint Clou, qui renforçait en quelque sorte le culte de saint Maurice célébré pour sa part le 22 septembre[51].

Tout cela suffit-il à tirer une droite ligne « africaine » entre Maurice et Charles IV ? Sans doute pas, même si l'on observe une diffusion remarquable des images d'un saint Maurice noir dans les territoires de la couronne de Bohême et dans l'empire du Luxembourg comme en témoignent bustes, statues et tableaux tant à Magdebourg, Brandebourg, Halle ou Halberstadt que dans plusieurs villes de Pologne et jusqu'à Vienne. Préférons peut-être voir dans ce phénomène le souci très carolin d'un élargissement du culte des saints mobilisés dans la promotion de la puissance luxembourgeoise, orchestrée par un prince passionné de reliques et surtout convaincu de la dimension universelle, sur l'ensemble des trois parties du monde, de la mission impériale que Dieu lui a confiée.

L'image du roi au croisement des échelles du temps et de l'espace

Dans la salle principale du palais de Karlstein, on pouvait admirer une *Linea Caroli Quarti*, une lignée de Charles IV. Un peu à la manière des vingt et un bustes de la cathédrale de Prague, une composition généalogique de dimension universelle mais ne retenant que les prétendus ancêtres du roi fut peinte sans doute par Nicolaus Wurmser de Strasbourg[52]. Elle met en scène les origines légendaires des Luxembourg, en commençant par Noé, puis les patriarches de la Bible, les héros et les dieux de l'Antiquité tels Saturne et Jupiter, ainsi que les Troyens avec Priam en tête, suivis de Clovis, Mérovée, Childéric, Pépin, puis de Charlemagne, et des ducs de Brabant-Lotharingie (qui assuraient le lien avec Charlemagne précisément) jusqu'à son grand-père Henri VII, son père Jean et sa mère Élisabeth. Charles IV et ses quatre

épouses venaient clore cette longue cordée de filiation. La fresque
a été détruite à la fin du XVIᵉ siècle, mais des descriptions en
sont parvenues, d'abord par la relation qu'en fit un ambassadeur
du Brabant en 1412, et ensuite par la mention de leur présence
dans le rapport des travaux de restauration du palais entrepris
en 1597. D'autre part, cinquante-huit miniatures[53] en reprodui-
saient les copies dans un manuscrit aujourd'hui conservé à la
Bibliothèque nationale de Vienne (Codex 8330) composé et enluminé vers 1569-1575. Cette représentation généalogique mêlant
des rois saints, des figures vétéro- et néotestamentaires puis la
généalogie « véritable » des ancêtres de Charles IV se retrouvait dans un deuxième cycle dynastique, cette fois consacré aux
Přemyslides, également placé dans une galerie reliant le palais à
la tour centrale de Karlstein. Elle aussi a aujourd'hui disparu,
mais sans avoir laissé de traces ni de descriptions postérieures.
On peut toutefois comparer ces deux cycles à une fresque semblable comportant un total de cent vingt vignettes et contenant,
parmi les fondateurs des quatre empires du monde et un certain
nombre d'empereurs romains et byzantins, les trente-neuf portraits de tous les Přemyslides, parmi lesquels figurent Charles IV
assis sur son trône et précédé de son père Jean. Elle était apposée
sur les murs de la salle des audiences du Hradschin, le château de
Prague. Comme pour toutes les œuvres semblables, et cela vaut
pour le cycle de la vie de saint Wenceslas décorant les degrés de
l'escalier menant à la chapelle de la Sainte-Croix à Karlstein, le
point d'aboutissement de la chaîne généalogique n'était autre
que Charles IV.

Un autre cycle s'inspire directement des enchaînements généalogiques de Prague et de Karlstein, celui que Charles IV fit placer
sur les murs de la salle principale du château de Tangermünde,
palais originel des margraves de Brandebourg situé sur un pro-
montoire dominant l'Elbe à la confluence de la Tanger. Il devint,
de 1373 à 1378, une nouvelle capitale pour gouverner les territoires du Nord récemment acquis par l'empereur et la maison
de Luxembourg[54]. Cet ensemble de fresques a disparu lors de
la prise puis de la destruction du palais en 1640 au cours de la
guerre de Trente Ans. Un inventaire de 1564 en livre par bonheur

une description qui indique que Charles IV était présent à trois reprises sur ces murs, c'est-à-dire selon une sorte de triptyque très proche du motif ternaire visible sur les murs de l'église Notre-Dame de Karlstein. Tout d'abord, on le voyait au milieu des sept princes-électeurs, suivant un motif que l'on peut retrouver sur les fresques exécutées dans les années 1350 pour orner les murs des hôtels du Conseil de plusieurs villes allemandes[55]. Cette fonction et cette position, au cœur du collège électoral princier, revêtent une double signification car, parmi ces sept grands électeurs, figuraient deux Luxembourg : le roi de Bohême et le margrave de Brandebourg. L'acquisition de cette dernière principauté électorale en 1373 marquait donc incontestablement un pas décisif vers la constitution d'un solide ensemble royaume/ Empire tenu à la fois par l'hérédité et par l'élection. Ce dispositif devait être en quelque sorte mis en scène au cœur du palais royal appelé à gouverner le Nord. À l'opposé de ce mur, du côté des fenêtres donnant sur l'Elbe, étaient figurés cinq couples royaux et impériaux représentant les parents, grands-parents et enfants entourant Charles IV et son épouse Élisabeth de Poméranie : Henri VII son impérial grand-père avec son épouse Marguerite de Brabant ; son père Jean de Luxembourg avec Élisabeth de Bohême ; ses deux fils Wenceslas et Sigismond accompagnés de leurs épouses respectives, Jeanne de Wittelsbach et Marie de Hongrie. Un troisième mur portait un autre cycle composé de neuf rois et d'un empereur, tous accompagnés de leurs attributs et écussons, c'est-à-dire neuf ancêtres royaux des Přemyslides depuis Vratislav Ier, rappelant les tombeaux de la cathédrale de Prague. L'importance de Tangermünde est également signalée par l'appellation que Charles IV conféra à sa résidence jusqu'à sa mort : le palais était le seul qui, en dehors de Karlstein, recevait le titre de *domicilium principale*, de « demeure principale » du roi.

Entre Karlstein, le Hradschin à Prague et Tangermünde, ce ne sont donc pas moins de quatorze portraits et crypto-portraits que Charles IV fit composer de son vivant. Tous sont toujours placés et installés dans un contexte complexe faisant intervenir la sainteté royale, la mission impériale, les reliques de la Passion, sa famille, les origines légendaires de sa maison, une pensée eschatologique et hiérosomylitaine, la majesté de son bon, pieux et sage gouvernement. Un portrait magnifique et très élaboré vient en quelque sorte résumer tous ces aspects. Il fut achevé, vers 1371, sous la forme d'un tableau votif, afin d'être placé dans la chapelle de la résidence épiscopale de l'archevêque Jan Očko von Vlašim à Raudnitz[56]. Comme l'indique le chroniqueur Benesch Krabitz von Weitmühl, le tableau est bien achevé pour la consécration du chœur de la chapelle du palais épiscopal en 1371 « en présence de l'archevêque de Prague lui-même, en l'honneur de la sainte Vierge Marie, et des saints patrons de l'église de Prague : Guy, Wenceslas, Adalbert et Sigismond ». Le tableau est divisé en deux moitiés horizontales. La partie basse est occupée par l'archevêque et commanditaire qui, les mains jointes et en génuflexion, reçoit son siège du saint patron de l'archevêché, Adalbert. Cette scène d'investiture, suivant le rite usuel de la *commendatio*, montre le saint assisté de part et d'autre de Guy, patron de la cathédrale de Prague, de Procope le premier saint tchèque reconnu par l'Église romaine en 1204, et de Ludmilla sainte patronne des Přemyslides et grand-mère de saint Wenceslas. Dans la moitié supérieure se trouve une Vierge à l'Enfant baignée d'un voile tenu par deux anges et entourée à sa droite (à la gauche pour le spectateur), c'est-à-dire du côté valorisé où elle tient Jésus, de l'empereur Charles à genoux, portant la couronne impériale fermée, revêtu des insignes-reliques impériaux, maintenu par l'épaule par saint Sigismond, roi des Burgondes. À sa gauche se tient le jeune roi Wenceslas, roi de Bohême déjà mais pas encore roi des Romains, introduit et porté dans la scène par saint Wenceslas, son patron éponyme et le saint protecteur du royaume de Bohême. Cette scène est, à peu de choses près, la reproduction de la fresque d'autel placée, comme on l'a vu, dans l'oratoire privé de Charles IV à Karlstein. Le style du tableau est très proche de la manière employée par le Maître Théodoric, en sorte qu'une attribution de l'œuvre à cet artiste reste probable.

La plupart des personnages, notons-le, sont exclusivement en rapport avec les saints et les rois honorés en Bohême et représentés selon les motifs de circonstance en usage dans la peinture votive du XIVe siècle : cela vaut pour Marie, l'Enfant Jésus, les saints, et pour le jeune Wenceslas, âgé de dix ans à la date du tableau. Il porte tous les attributs du jeune chevalier, sans doute parce qu'il venait d'être adoubé, un rituel précocement accompli pour lui faire franchir toutes les étapes pouvant le conduire à occuper le trône des Romains. Mais justement, cet empressement dynastique et l'idéologie chevaleresque, qui vient en quelque sorte doubler et préparer l'idéologie royale, conduisent à attribuer au jeune Wenceslas les traits assez conventionnels d'un jeune prince. N'oublions pas que la présence, dans une même image, de Charles IV et de son fils Wenceslas n'est pas si fréquente, une relative rareté qui confère à la scène un caractère solennel et exceptionnel. On les retrouve ainsi côte à côte sur la tour du pont de Prague, sur les mosaïques et dans la chapelle Saint-Wenceslas de la cathédrale Saint-Guy, et dans l'une des miniatures de l'exemplaire richement enluminé de la Bulle d'Or de 1400 exécuté pour Wenceslas. La co-présence du père et de son fils, de l'empereur et du roi appelé à lui succéder, accentue la distinction entre un prince jeune encore stéréotypé et un empereur plus sage et âgé, auquel on attribue au contraire des traits plus naturels. L'attention du peintre en effet s'est plutôt concentrée sur la ressemblance physionomique entre deux autres personnages centraux du tableau : l'archevêque, commanditaire de l'œuvre et très proche conseiller et fidèle de l'empereur, et Charles IV lui-même. Le prélat apparaît ici les traits tirés, sérieux, graves, portant les stigmates de l'âge et alourdis par les charges de sa double fonction métropolitaine et curiale.

L'image immobile du roi

L'empereur, sur le tableau de 1371, présente une grande conformité avec les portraits que nous connaissons de lui au même moment, notamment le célèbre buste ornant la galerie du triforium de la cathédrale Saint-Guy réalisé par Peter Parler. Il offre le visage concentré mais sage d'un empereur barbu, choisi de manière quasi messianique par la Providence, au profil aquilin (allusion à l'aigle impériale) et en quelque sorte prédestiné à ses charges. C'est en tout cas ce qu'aimaient à répéter les chroniqueurs de la cour, Benesch Krabitz von Weitmühl ou Heinrich von Mügeln, dressant du roi le portrait idéal d'un monarque dont « la sagesse d'homme fait briller le visage » (Eccl., 8-1). Le commanditaire de l'ex-voto de Raudnitz, Jan Očko von Vlašim, centra d'ailleurs l'oraison funèbre de Charles IV sur les qualités que n'avaient cessé de renvoyer les portraits du roi et empereur. Il portait en lui les huit Béatitudes du Sermon sur la montagne rapporté dans l'Évangile selon Matthieu (V, 3-12), il pratiquait les sept œuvres majeures de miséricorde définies dans la même Parole (XXV, 25 et 34-36), il était empli des sept dons ou charismes de l'Esprit Saint (Paul, Epître aux Corinthiens, 12-14) et rayonnait grâce aux quatre vertus cardinales. Ce sermon comportait à la vérité une double perspective : rétrospective en rassemblant les moments principaux de la vie de l'empereur incarnés dans les traits de son visage, et prospective en préparant de la sorte le terrain pour une possible canonisation. Une telle manière était par ailleurs caractéristique de la pensée médiévale procédant par analogies et par correspondances chiffrées[57]. Cette attention constante accordée du vivant de Charles jusqu'à sa mort à une possible sainteté royale place ses portraits à l'exacte rencontre entre ressemblance et conformité sacrée avec les rois de la Bible ou les saints patrons de ses royaumes. Commandant en 1371 l'ex-voto de Raudnitz, l'archevêque de Prague ne se cachait pas de vouloir aussi montrer son empereur en Salomon, tout comme un fidèle conseiller de ce dernier, le Nurembergeois Conrad Waldstromer, faisait ériger entre 1370 et 1380 un vitrail dans l'église Sainte-Marthe montrant Charles IV en roi David. Cette représentation reproduisait les motifs de la célèbre « Belle Fontaine » de Nuremberg montrant les sept princes-électeurs, entourant Charles IV, les neuf preux, les prophètes, les Pères de l'Église, les Évangélistes. Cette composition sera reprise avec les personnages de la célèbre horloge animée placée à la demande de Charles IV sur l'église Notre-Dame de cette même cité[58]. Enfin, à Nuremberg toujours, une fresque placée sur un mur latéral de la chapelle Saint-Maurice de l'église Saint-Sébald montrait

Charles IV et son fils Wenceslas selon le type du jeune successeur d'un côté et du roi sage et barbu désormais immuable de l'autre. Les images ainsi propagées de Charles IV au-delà de Prague et de la Bohême et après les années 1350-1360 non seulement n'introduisent pas de variante mais contribuent plus encore à figer la représentation, comme l'atteste aussi la statue de Charles IV placée sur la haute tour de la cathédrale Saint-Étienne de Vienne vers 1365.

Elles en figent d'autant plus le type qu'elles reçoivent vite une fonction déjà éprouvée à Karlstein et à Prague, celle d'une propagande mise au service de la majesté et de la piété impériales qui participent de la diplomatie extérieure de l'empereur Luxembourg. L'équipement et l'aménagement de la résidence royale de Tangermünde dans le Brandebourg en ont déjà livré un premier témoignage. On en trouve une confirmation à Mühlhausen, en Thuringe, une ville d'Empire dépendant directement du roi et stratégiquement placée aux confins des nouvelles possessions acquises en direction de la Lusace et du Brandebourg. Ici, le portail sud de la nef de l'église Sainte-Marie offre un tympan représentant une Crucifixion avec quatre anges et quatre prophètes surmontés d'un couple royal sous les traits de l'empereur Charles trônant accompagné de l'impératrice Élisabeth de Poméranie. La représentation de Charles suit assez fidèlement le modèle pragois de la tour du pont de Prague qui, rappelons-le, ne supportait pas par hasard, sous les pieds de Charles et de Wenceslas, les écussons des territoires agrégés au double ensemble constitué du royaume de Bohême et de l'Empire. Cette politique d'essaimage des portraits s'inscrit bien dans une stratégie plus vaste d'occupation du territoire. Ces acquisitions déclenchèrent, procédé fréquent pour une dynastie nouvelle, une monumentalisation concentrée sur quelques grandes églises ou résidences en situation frontalière : ainsi à Magdebourg, à Brandebourg pour l'église Sainte-Catherine, à Oybin à la frontière entre Bohême et Haute-Lusace, ou bien pour l'entreprise exemplaire du palais de Tangermünde. Une telle prise de possession par monuments interposés s'explique à la fois par le caractère récent de ces gains territoriaux, par l'absence d'une grande capitale centrale de l'Empire, ou plutôt par l'obligation faite à Prague d'essaimer sa capitalité, et par l'évergétisme impérial dans le droit fil d'une tradition romaine. Tout cela contribue à pétrifier un peu plus encore l'empereur et son visage, devenu en quelque sorte un « visage d'époque » : l'innovation ici se situe dans le procédé, non dans la variation des traits physiques, comme si l'espace l'emportait finalement sur le temps.

C'est à un type physique semblable, fait de maturité, de sagesse et de majesté, finalement fixé dès les années 1350, que renvoient encore d'autres supports, tels les portraits des miniatures du *Pontifical* d'Albrecht von Sternberg, évêque de Leitomischl (mort en 1380), manuscrit pragois réalisé vers 1380, ou les autres images de Charles contenues dans les manuscrits précieux commandés par ses conseillers les plus proches. On peut ici penser au *Graduale* d'Ernst von Pardubice (1363), au *Liber Viaticus* (vers 1360) et au *Missale* (1364) de Johannes von Neumarkt. Telles sont aussi les seize représentations fort réalistes de Charles IV renvoyées par les dix-sept miniatures du manuscrit des *Grandes chroniques de France* narrant la visite à Paris de 1378[59]. Telles encore apparaissent les images de la Chronique de la ville de Lucques, *Chroniche di parte de' facti di Lucca*, par Giovanni Sercambi qui rapporte en vers rimés accompagnés de 574 vignettes réalisées de la main du chroniqueur le séjour de Charles IV dans la ville en 1368-1369[60]. Telles apparaissent toujours, montrant un empereur sage, barbu et mûr, les 22 images de Charles IV dans le manuscrit enluminé de la Bulle d'Or commandé par Wenceslas vers 1400.

Ensuite, le modèle ne bouge plus vraiment au XVe siècle [ill. 2]. Songeons au portrait de Charles IV trônant « à la Charlemagne » dans un manuscrit (le *Salbuch*) de l'église Notre-Dame de Nuremberg en 1442. On retrouve un procédé identique chez Jean Fouquet qui, dans sa version des *Grandes Chroniques de France*, dépeint Charles IV sous les traits d'un Mathusalem et d'un Charlemagne à la barbe bouclée[61]. La remarque vaut également pour le manuscrit enluminé de la traduction en vieux-tchèque par Johannes de Roudnice de la *Vita* latine de Charles IV réalisée vers 1472[62]. On y rencontre l'empereur à neuf reprises, six fois barbu et toujours orné de la couronne impériale, y compris lorsqu'il porte l'armure de combat, lors de ses séjours à Pavie en 1331, à San Felice en 1332, à Crémone et à Terenzo en 1333, puis à Aquilée en 1337, alors qu'il n'a au moment des faits qu'entre quinze et vingt et un ans et ne porte encore aucune couronne sur la tête. Un second manuscrit tchèque comportant la même traduction est illustré vers 1500 et obéit au principe similaire d'écrasement du temps et des attributs physiques[63]. En l'occurrence, la collision entre l'âge du jeune prince et ses attributs d'empereur, qu'il n'est pas encore, est moins le fait d'une erreur, car aucun enlumineur n'aurait commis une bévue aussi grossière, que d'un jeu sur le temps et le signe d'une anticipation, et donc d'une interprétation de l'œuvre : ce qu'est toujours une traduction, ce qu'est toujours un tableau. Dans le cas précis, la *Vita* autobiographique du jeune Charles était bien ensuite lue et peinte aux XIVe et XVe siècles comme une sorte de prophétie politique, l'annonce d'un destin en train de se réaliser et voulu par la Providence. On touche là, en vérité, à une manière pour les hommes de ce temps d'écrire, de peindre et d'entrevoir l'histoire, en liant d'une autre façon que la nôtre les régimes du passé, du présent et du futur. La remarque vaut d'autant plus pour les représentations de Charles au XVe siècle, une postérité qui rétroprojette sur le XIVe siècle le regard d'un temps marqué depuis les années 1400 par les guerres hussites, la déposition du fils de Charles IV, les vicissitudes du règne de son deuxième fils Sigismond, l'arrivée controversée des Habsbourg, la montée en puissance de la noblesse, de la langue et de la culture tchèques. Cette image nostalgique d'une Bohême conquérante et rayonnante du règne carolin s'incarnait dans un « âge d'or » que les portraits en quelque sorte se devaient de refléter.

Cet art du syncrétisme écrasant les rois bibliques, Melchisédech compris, les Rois mages, Charlemagne, Wenceslas à la fois roi et saint[64], et Charles IV, tous barbus, sous les traits « vrais » et reconnaissables de l'empereur Luxembourg, fixe pour les décennies à venir et le siècle suivant un type appelé à ne plus bouger. Ne sous-estimons pas la performance ainsi opérée au Moyen Âge. Dans la période où il vit, Charles IV a su imposer une association assez directe et immédiate entre sa figure, son portrait, et son identité. Même si sa représentation mêle, comme il se doit, des traditions bibliques, chrétiennes, impériales, hagiographiques et régionales, nul autre que lui n'est représenté de la sorte. C'est ainsi que l'on peut définir l'individualité de son portrait : personnelle mais pas forcément réaliste. Cependant, la précoce immobilité des portraits du vieux et sage Charles IV ne sonne-t-elle pas au fond comme un échec ? Car, tout bien considéré, Karlstein ne fut pas le lieu sacré du couronnement qu'il aurait pu devenir, pas davantage que la cathédrale de Prague ne put devenir sur le temps long le Saint-Denis de Bohême. Charles IV, à son grand dépit posthume sans doute, n'a pas non plus rejoint la galerie des saints rois du Moyen Âge et les reliques et insignes de l'Empire finirent par partir à Nuremberg avant de rejoindre Vienne plus tard, ultime pied de nez victorieux des Habsbourg sur les Luxembourg dont le destin impérial et royal s'écroula avec Sigismond en 1437.

Le portrait, au moment de sa fabrication comme dans la vie postérieure que lui confèrent les regards et les remplois, s'insère dans une culture complexe et multiple qui mobilise bien entendu les référents religieux, mais aussi la médecine, l'astrologie, la physionomie, bref des manières d'être, des positions et des gestes, des modes d'articulation de l'âme et du corps, des emplacements et des supports. C'est de l'agencement de ces éléments qu'émerge la « vérité » du personnage représenté, c'est-à-dire de leurs modes de production et du travail de mémoire ainsi requis et visé. Avec cet ensemble de portraits et de crypto-portraits de Charles IV, une collection imposante, composite, mais cependant homogène et, considérant l'époque de production, remarquablement bien conservée malgré les pertes et les dommages, nous sommes peut-être au bord d'un tournant. On entend par là la mise en place d'une véritable iconologie politique qui voit la figure du prince devenir non seulement une image-monument mais aussi un portrait d'État destiné à magnifier à la fois le « grand homme » et ses possessions, assurant ainsi une densité plus forte des liens noués entre le corps du roi et le corps de son État. Mais il y a plus, car avec et après Charles IV le portrait rend l'absent présent et rend vivant le mort. Bien entendu, la Bohême n'est pas le lieu de naissance ni le lieu exclusif de l'épanouissement de ce procédé, mais elle n'en est pas exclue non plus. C'est là la preuve supplémentaire de la remarquable insertion de ce royaume et de la dynastie des Luxembourg dans une culture politique et représentative qui se déploie à l'échelle européenne, se nourrit précisément de circulations et de transferts à larges rayons, de royaumes en Empire, et s'appuie sur une infrastructure de la représentation qui, dans le cas de Charles IV, par monuments et artistes interposés, traduit une volonté et un investissement royaux de premier ordre[65].

Nous ne sommes certes pas encore parvenus au « portrait du roi » tel qu'il s'installe et fonctionne au XVIIᵉ siècle[66]. La domination de l'Église imposant ses codes et références symboliques sur le visuel est trop forte pour pouvoir en parler. La relation entre l'auteur de l'œuvre (souvent inconnu) et le sujet-portrait est encore trop déséquilibrée, de même que la notion de « portrait » officiel demeure étrangère à la fin du Moyen Âge et n'introduit pas encore la distance nécessaire. Enfin, l'être dont il est question, *exemplum* terrestre de destins et de vertus célestes, reste toujours une personne plus qu'un individu. Mais nous assistons sans doute à la mise en place d'un « pouvoir du portrait » qui dépasse de loin le monarque figuré et nous dit beaucoup de la culture et des structures politiques de son temps. Celles-ci s'offrent désormais au regard, ou plutôt à travers le regard du prince, non seulement dans les églises et les chapelles, mais aussi sur la façade des ponts et dans les salles des châteaux. À la puissance de la suggestion s'ajoute désormais celle de la conviction. Le modèle fonctionne si bien qu'il fait école. Qui ne voit pas que les Habsbourg marcheront sur les brisées des Luxembourg pour porter le portrait royal au sommet de l'art et de la propagande politiques au cœur d'une Europe des XVIᵉ et XVIIᵉ siècles qu'ils occupèrent d'autant mieux que le portrait démultipliait leur présence dans un Empire sur lequel jamais le soleil ne se couchait ?

Quoi qu'il en soit, cette densité exceptionnelle de portraits, comme les écrits composés et rassemblés par Charles IV et à l'instar de sa collection de reliques, contribua à forger une réputation qui commença d'agir de son vivant et lui survécut à travers la mémoire et l'historiographie que les siècles suivants allaient réagencer en fonction des aléas et des usages de chaque moment de réactivation du souvenir.

CHAPITRE X

Le roi des autres

Il n'est pas certain que le visiteur qui, de nos jours, sillonne les rues, traverse les places et emprunte les ponts de Prague sous le regard pétrifié de Charles IV prenne bien la mesure du personnage. Même pour le citoyen tchèque d'aujourd'hui, dont l'histoire nationale apprise dans les manuels repose pour partie sur la figure tutélaire du grand empereur médiéval, Charles IV reste avant tout l'un des siens avant de pouvoir incarner éventuellement un acteur historique d'épaisseur européenne[1]. Cette dimension, on l'a vu, a pourtant marqué son règne, qu'il s'agisse de ses voyages ou de l'ambition dynastique déployée pour asseoir sa maison sur plusieurs royaumes. Hier comme aujourd'hui, pourtant, son empreinte reste brouillée ou du moins fugitive. Plusieurs raisons peuvent en rendre compte. Son long règne, de 1346 à 1378, pâtit tout d'abord de l'ombre portée par les crises du temps : peste de 1349/1350, crises sociales des années 1370, montée des tensions au sein de la papauté « exilée » en Avignon, guerres et luttes d'influence diplomatiques entre la France et l'Angleterre[2]. Mais son image, malgré tous les efforts consentis à coups de portraits, de reliques, de constructions, de traités et de chroniques, est demeurée fragmentée : il est apparu trop allemand pour certains de ses contemporains de Bohême, trop tchèque pour bien des chroniqueurs ou des princes de l'Empire, trop proche du pape pour les uns, trop influencé par le modèle politique français pour les autres[3]. En un mot, Charles IV peut-il former un « lieu de mémoire » européen ?

Mesurer le degré de notoriété d'un roi ou d'un empereur suppose de maîtriser à peu près l'ensemble des sources narratives disponibles de l'époque. Même si l'historien de la fin du Moyen Âge n'est pas confronté, comme son confrère des temps plus récents, à l'impossibilité de pouvoir lire la totalité de la documentation relevant de son champ, il n'en a pas moins affaire aux XIVe et XVe siècles à une production écrite de plus en plus abondante[4]. Elle est d'ailleurs le signe d'une société politique plus complexe, d'un jeu de mémoire et d'identité plus poussé de la part des divers groupes sociaux et d'un sens de l'histoire qui traduit le souci de faire trace, de faire récit et de faire étape au sein d'un enchaînement de plus en plus orienté du passé vers l'avenir[5]. Quand bien même il serait possible de ne rater aucune mention écrite de Charles IV, dans la masse des chroniques, récits, panégyriques, histoires, traités composés au cours des deux siècles finaux du Moyen Âge, sans parler de la documentation normative et pratique des diplômes, ordonnances, décrets et autres décisions de justice publiés, proclamés et émis en son nom, encore faudrait-il en apprécier la fréquence à l'aune de celle d'autres rois et princes de son temps.

Il ne sera donc pas ici question de procéder par une approche statistique des occurrences comportant le nom ou le souvenir de Charles IV, mais bien plutôt, et sans doute de façon plus significative, d'apprécier une présence et une conscience. Tout d'abord importe la durée du règne, c'est une évidence. Roi depuis 1346 puis empereur de 1355 à sa mort en 1378, Charles IV avait tout simplement plus de chance d'être l'objet d'une inscription écrite démultipliée. D'autres n'ont pas eu cette aubaine : à ne regarder que la maison des Luxembourg au XIVe siècle, force est de constater que son grand-père mourut à trente-quatre ans, tandis que son fils Wenceslas fut déposé en 1400[6]. Le destin de ce dernier, débarqué par une partie des princes de l'Empire, emprisonné en Bohême à plusieurs reprises, figure du tyran alcoolique pour la plupart de ses sujets, introduit d'autres facteurs dans cette appréciation des chances et malheurs de la notoriété : la réputation d'une part, l'habileté politique de l'autre, le contrôle de son image en dernier lieu. À la différence de nombre de ses contemporains, Charles IV n'a pas eu à subir de rébellion sérieuse, ni de tentative grave d'assassinat (excepté l'empoisonnement en Italie) ou d'emprisonnement. De son vivant, aucun roi concurrent ne lui fut opposé par une contre-élection, il ne fut pas non plus excommunié par le pape, et ne s'engagea pas en personne dans la mêlée des batailles au point d'y perdre la vie comme son père.

Tel ne fut pas le cas d'autres souverains du XIVe siècle : songeons au prédécesseur de Charles IV, Louis IV de Bavière, excommunié et concurrencé à la fin de son règne par le jeune Luxembourg[7] ; songeons encore aux accidents frappant les derniers rois capétiens « maudits » ; songeons également à la captivité de Jean II le Bon fait prisonnier sur le champ de la défaite de Poitiers ; songeons enfin à la folie de Charles VI[8]. Tout cela fut épargné à Charles, par le hasard de la fortune, sans doute, mais par sa volonté et son attention personnelles plus encore[9].

En dépit de cette conjonction favorable, d'une réelle habileté politique, d'une véritable surveillance de son image et de son honneur par les écrivains et les peintres de sa cour, les avis ont divergé de son vivant même[10]. Le constat ne saurait cependant étonner. Compte tenu de la diversité des auteurs, pour l'essentiel français, italiens, allemands et bien entendu tchèques, l'unanimité eût été étonnante, et peut-être suspecte. Mais, au-delà de la diversité naturelle des opinions, relevant d'ailleurs d'une variété de plus en plus prononcée des langues, des territoires et des cultures aux XIVe et XVe siècles – qui plus est au sein d'une société chrétienne dans laquelle seul Dieu est parfait – la discordance des opinions doit peut-être être recherchée ailleurs. Nous avons en effet écrit plus haut que les jugements portés sur Charles IV divergeaient « en dépit » de son habileté à éviter ruptures et conflits : ne devrait-on pas plutôt dire « à cause » de cette même habileté ?

La question qui est en effet ici posée n'est rien d'autre que celle des attentes formulées envers le « bon » roi à la fin du Moyen Âge[11]. Dans la longue tradition de la pensée politique médiévale, les vertus de tempérance, de sagesse et de prudence prêtées à un roi occupent une place élevée dans les traités et les écrits tant des juristes que des théologiens et des philosophes[12]. Entre traductions d'Aristote, réflexions scolastiques, exégèse des Écritures et expansion du droit romain, les XIIIe-XVe siècles sont bien un temps de valorisation du sage et bon gouvernement royal[13]. De ce point de vue, aucun reproche ne peut être adressé à Charles IV et cette appréciation forme l'une des constantes des jugements portés sur son œuvre. Pour autant, il faut entendre les autres voix, celles qui font de Charles IV un « roi des curés », plus prêtre que souverain, un roi des palais et des livres, plus clerc que chevalier ou héros des batailles, un habile tacticien, plus prince machiavélique qu'empereur universel de la chrétienté. Finalement, que disent ces autres plumes ? Que l'image du roi, aux siècles finaux du Moyen Âge, est peut-être moins consensuelle et pacifiée que l'observation de la genèse des États modernes, des progrès de l'écrit, de la rationalisation des pratiques politiques ne peut dans un premier temps le laisser penser. La culture chevaleresque, la défense passionnée, voire suicidaire, de l'honneur, la passion du beau et haut fait, la gloire des armes, demeurent encore dans toute la société des vertus et des comportements à l'aune desquels un roi, et plus encore un empereur, sont également mesurés[14]. Tout règne est traversé par ces attentes contradictoires adressées au souverain : la paix, le compromis, la négociation, le règne de et par la culture, certes. Ce sont là des valeurs tellement prisées par les historiens des XXe et XXIe siècles qu'elles commandent aujourd'hui leur interprétation. Toutefois demeurent toujours et simultanément la violence, la vengeance, le défi, le rapport de forces. Telles sont aussi, ne le sous-estimons pas, les échelles et les mérites qui guident l'esprit et la plume des chroniqueurs entre 1300 et 1500[15].

Cette ambivalence, sans être le privilège exclusif de Charles IV puisqu'elle caractérise aussi bien l'appréciation d'autres princes, en réservant cependant un sort particulier aux saints rois du Moyen Âge[16], à commencer par Saint Louis[17], s'attache donc également au prince de Bohême, au roi des Romains et à l'empereur. Au héros de l'épanouissement tchèque et au père de la Bohême du XIVe siècle, au sage empereur venant rendre visite à son beau neveu de France en 1378 s'opposent un bradeur d'Empire et une marionnette du pape du côté allemand[18]. Ces jugements contrastés ont la peau dure. Aujourd'hui encore, Charles IV figure en République tchèque parmi les personnalités historiques les plus appréciées, à l'égal d'un Saint Louis pourrait-on dire pour comparer avec la France, et cela essentiellement pour le lien indissolublement noué entre le roi et sa capitale, Prague, tant il est vrai que peu de villes portent en Europe, aujourd'hui encore, l'empreinte monumentale si exclusive d'un seul homme. Cependant, au-delà, non seulement son souvenir s'estompe rapidement, sauf peut-être au Luxembourg, et il ne passe pas forcément, comme en Allemagne dont il fut pourtant une figure impériale, pour un très grand marqueur des temps. Il n'a pas ici le panache d'un Frédéric II de Staufen[19], il fut le roi de la peste et meurt l'année du schisme pontifical, il n'a pas le prestige de la durée habsbourgeoise, il commanda les pays germaniques depuis la Bohême. Ce bilan mitigé agit encore aujourd'hui.

Pour l'historien toutefois, la contradiction a du prix. Non seulement elle ne doit pas être perçue comme un obstacle à la connaissance mais comme sa condition même. En outre, elle suscite, sur le moment comme après, un surcroît d'enregistrement et d'écrit dont le médiéviste ne peut que faire son miel. En effet, et c'est le premier constat par lequel commencer, Charles IV n'a pas laissé ses contemporains indifférents. On le retrouve sous presque toutes les grandes plumes ou dans presque toutes les grandes entreprises de mémoire du XIVᵉ siècle et du siècle suivant. Du côté français, Charles IV ne fait défaut ni chez Jean Froissart ni chez Christine de Pizan. Le premier mentionne sa mort par deux fois et, en forme de bilan, juge que l'empreinte restera : « *En son vivant avoit tant fait par or argent et aliances, que les esliseurs de l'empire d'Alemaigne avoient juré et seëllé à tenir roy son filsz après sa mort… si que tantost après la mort de l'empereur messire Charles, son filsz s'escripsi roy de Behaigne et d'Alemaigne et roy des Rommains*[20]. » Chez les Italiens, le souvenir qu'il laissa chez Pétrarque ou bien chez les frères Villani est resté vivace[21]. Les grands chroniqueurs allemands en parlent également à foison. Il revient à l'humaniste italien Enea Silvio Piccolomini, le pape

Pie II, de prononcer sur Charles IV un jugement qui lui colla longtemps à la peau : « Un grand empereur en vérité, n'eût-il cherché davantage la gloire de son royaume de Bohême plus que celle de l'Empire romain[22]. » Le topos, repris inlassablement aux XVᵉ et XVIᵉ siècles, était à ce point ancré dans les esprits que l'on prête à l'empereur Maximilien d'avoir publiquement déclaré que Charles IV causa plus de dommages à l'Empire que la pire des pandémies de peste[23].

Pour ou contre : l'image contrastée du XIVᵉ siècle

L'entrée de Charles IV dans la mémoire des chroniqueurs date de son élection comme roi des Romains en 1346 et comme roi de Bohême ensuite. Auparavant, il n'existe guère de raisons de le prendre plus qu'un autre en considération. L'enregistrement historique suit donc une chronologie semblable à celle de la confection de ses portraits. Avant son couronnement, il est du côté tchèque margrave de Moravie, régent en Bohême pour son père devenu aveugle. Pour les Français, il fut certes élevé à la cour, mais il est avant tout le fils de son père, un allié du royaume qui figure parmi la chevalerie affrontant les Anglais à Crécy jusqu'à la mort[24]. Pour les Allemands enfin, il est un membre de la maison des Luxembourg, concurrente de celle des Wittelsbach, et tout au plus se souvient-on qu'il est le petit-fils de l'empereur Henri VII. Une place parmi les dynasties princières donc, mais pas la plus éminente[25]. Même la première élection de Charles comme roi des Romains n'est pas perçue en Occident comme un événement extraordinaire. Ce n'était pas la première « anti-élection » royale en Allemagne et ce ne serait pas la dernière. Seule la mort de Louis IV augmenta brutalement les chances de Charles de s'imposer. Un seul auteur fait véritablement mention de l'élection de 1346, mais non des moindres, le grand et controversé philosophe anglais Guillaume d'Ockham, dans son traité *Quia saepe juris ignari*. Or ce premier jugement d'importance par l'un des grands théologiens du temps n'est pas flatteur pour le jeune roi : il ne doit, écrit-il, son élection qu'à la faveur du pape Clément VI, à la protection de l'Église à laquelle il est soumis comme un « roi des prêtres et stipendié par eux[26] ». Ce terme de « stipendiaire » est particulièrement injurieux, car il était réservé aux mercenaires et soudards d'armée et souligne ainsi l'illégitimité de Charles, coupable à ses yeux de parjure envers son naturel seigneur, l'empereur Louis. Il faut certes faire la part des choses : Ockham est un défenseur passionné des droits du trône impérial vis-à-vis du pape et un soutien actif du roi et empereur Wittelsbach[27]. Mais le trait a fait mouche, dans un temps de haute crue de la propagande : l'expression de « roi des curés » restera longtemps attachée à Charles, du moins en terre allemande, et cela dès 1346[28].

La conjoncture change lorsque s'accomplit, en 1349, le deuxième couronnement de Charles IV comme roi des Romains. La concorde est rétablie dans la mesure où n'existe plus cette fois de compétiteur, une situation qui resserre les rangs des juristes et penseurs politiques autour du trône royal, potentiellement impérial. En témoigne le traité rédigé en 1354 par Konrad von Megenberg et consacré, titre révélateur, au *Romanorum Augusto gloriosissimo*[29]. Le point d'appui principal du traité repose dans la reprise du célèbre argument de la *translatio imperii*, du transfert de l'Empire aux Allemands, donnant un avantage au pouvoir impérial sur le pontifical[30]. Charles IV y apparaît comme le candidat conforme, le roi légitime et donc potentiellement comme un empereur désigné. Tel n'est pas l'avis de Matthias von Neuenburg qui fait des Luxembourg les ennemis jurés de Louis IV. Tout, chez ce chroniqueur, parle pour une malice originelle du règne : les électeurs de Saxe et de Cologne ont été soudoyés ; l'archevêque de Mayence a été puni en payant son choix et sa fidélité à Louis de l'amputation du diocèse de Prague ; le pape a menacé tous et chacun ; la ville de Francfort, pour l'élection, celle d'Aix-la-Chapelle, pour le couronnement, ont été contournées en 1346 alors qu'elles avaient eu raison de refuser l'entrée à l'imposteur Charles ; le sort de la bataille de Crécy, où meurt Jean et que fuit « honteusement » Charles, montre bien que Dieu a puni les Français et les Luxembourg leurs alliés ; Charles doit voyager incognito en Allemagne ; il est prétendument reconnu dans une auberge (tel plus tard l'infâme Louis XVI en fuite qui ne se remit jamais de ce faux-pas) et ne doit son salut qu'à des pots-de-vin ; il s'allie au roi d'Angleterre pour lui céder en secret les terres de Zélande et de Hollande ; il épouse la fille du comte palatin au mépris des degrés de parenté ; il n'est ni chevalier ni valeureux à la différence de son contradicteur Günther de Schwarzbourg désigné par le parti bavarois après la mort de Louis et que le chroniqueur accuse Charles d'avoir empoisonné ; il paye ses dettes avec l'argent de juifs sauvés des bûchers et des mains des Flagellants qui pourtant voulaient les exterminer en raison de leur culpabilité dans la propagation de l'épidémie de peste[31]. Bref, ce portrait au vitriol emploie toutes les armes alors en vigueur dans la polémique : le nouveau roi est couard, pourri par l'argent, traître, inféodé au pape, simoniaque, mal marié, étranger à la culture des villes et des principautés allemandes de l'Empire, parjure, infidèle. Rien de véritablement neuf finalement, d'autres rois et princes furent avant et après lui victimes de telles accusations suivant une palette à laquelle ne manque ici que le registre sexuel, celui de la sodomie. Toutefois, un argument nouveau apparaît sous la plume du chroniqueur allemand : le roi Charles est accusé de se réfugier en Bohême, une « terre maudite et pécheresse[32] ». L'argumentation présente une double dimension. Proto-nationale d'abord, elle témoigne du fait que, dans le discours politique et historique, la différence d'identité tant linguistique que naturelle et culturelle entre les espaces allemand et bohémien ne cesse de se creuser aux yeux d'un certain nombre de contemporains, allemands comme tchèques d'ailleurs. Matthias von Neuenburg en veut pour preuve que Charles IV est également coupable d'avoir dépossédé Francfort et Nuremberg de la garde « allemande » des insignes impériaux au profit de Prague. Dimension religieuse, ensuite, Matthias érigeant le royaume de Bohême en terre impie et hérétique, une conviction que la crise puis les guerres hussites du xve siècle s'emploieront à renforcer.

La chronique de Jakob Twinger von Königshofen, chanoine du chapitre de la collégiale Saint-Thomas de Strasbourg, reprend plus ou moins fidèlement la ligne hostile de Matthias von Neuenburg[33]. Il lui ajoute cependant une touche « anti-tchèque », si l'on ose employer l'adjectif. Si la création de l'université de

Prague en 1348 y est certes bien mentionnée, c'est précisément comme la fondation d'une première université en terre d'Empire mais trop éloignée de son cœur, et comme un pur instrument aux mains des clercs d'Église. Königshofen insiste également sur la trop grande faveur que Charles IV accorderait à la langue tchèque et pas assez à la « *dütsche sprache* » pourtant parlée, poursuit-il, par la plupart des gens dans tout le pays de Bohême. Sous sa plume réapparaît le défaut principal d'un roi et empereur pas assez chevalier : ses expéditions italiennes sont un échec ; piètre guerrier, il se laisse corrompre par l'argent des Visconti, un motif d'ailleurs fréquemment employé par les chroniqueurs allemands des XIVe et XVe siècles à propos de la situation italienne, minée par le commerce plus ou moins légal de la finance auquel la papauté est souvent associée[34]. Comme si la critique n'était pas assez sévère, ou trop centrée sur la personne de Charles, Königshofen souligne que tous les défauts et les échecs du père se sont incarnés et amplifiés en la personne de son fils Wenceslas, dont la faiblesse et l'inculture ne pouvaient opposer de résistance à cette corruption du caractère à la deuxième génération.

Une tonalité différente résonne dans la Chronique de Johannes von Winterthur, franciscain et prédicateur actif entre confins suisses et souabes du sud-ouest de l'Empire[35]. Le portrait qu'il dresse de Charles IV n'est guère plus flatteur que les précédents mais suit une ligne argumentative d'une autre et très significative facture. C'est parce que les princes-électeurs s'étaient, selon lui, à ce point lassés et détournés de Louis IV qu'une partie d'entre eux reportèrent leurs suffrages sur Charles IV. À la différence également des témoignages précédents, Winterthur commence par accorder un crédit aux premiers pas du règne de Charles IV en raison des faveurs prodiguées envers un certain nombre d'établissements religieux urbains. Toutefois le chroniqueur déchante vite : Charles IV fait pâle figure sur tous les champs de bataille qu'il fréquente, dont il détale « comme un lapin », et monnaye son besoin permanent d'argent contre la vente et le trafic de biens spirituels. On reconnaît dans ce dernier trait sa culture franciscaine, très critique vis-à-vis d'un clergé séculier que les ordres mendiants estimaient largement corrompu, en tout cas trop réceptif aux offres séduisantes du pouvoir laïque. Si, pour Winterthur, Charles IV fut aussi un roi des curés, c'est bien en accordant à ce dernier terme un sens quelque peu méprisant employé pour qualifier les prêtres paroissiens ordinaires de certaines villes, toujours en quête de la moindre obole.

Chez le théologien et chroniqueur dominicain Heinrich von Herford, le récit composé dans son *Liber de rebus memorabilioribus* peignant un assez sombre Charles IV ne se démarque pas radicalement, sauf sur un point : l'élection puis le couronnement illégitimes de ce roi s'inscrivent dans une ambiance de fin des temps et en sont d'ailleurs l'un des signes annonciateurs avec la guerre franco-anglaise, l'apparition de faux rois, l'irruption de la peste, les cortèges de Flagellants et le massacre des communautés juives, une papauté qui n'est plus dans Rome... La suite confirme ce règne de l'Antéchrist sur la terre : Charles IV ne sera pas couronné empereur à Rome des mains du pape mais par un simple cardinal-légat, il entre nuitamment dans la Ville sainte, par une porte annexe, et la quitte précipitamment dès la couronne obtenue. Herford s'arrête d'ailleurs là, en plein triomphe du malin pendant ce dernier âge du monde auquel appartient résolument le nouvel empereur[36].

D'autres chroniqueurs présentent des trajectoires plus complexes. Tel est le cas de Heinrich Taube von Selbach, l'auteur d'une chronique rédigée après le conflit entre Charles IV et Louis IV, chanoine de la collégiale Saint-Willibald d'Eichstätt, dont le conseil et l'évêque étaient de chauds partisans de l'empereur bavarois[37]. C'est dans cet esprit que, par pente naturelle, commence son récit. Sentant le vent tourner, il préfère opportunément tourner le dos au Wittelsbach et prendre fait et cause pour le roi Luxembourg. S'il ne cache pas pour autant les défaites essuyées par le jeune « anti » roi entre 1346 et 1347, il en fait justement une sorte de baptême du feu trempant le caractère du futur empereur et lui faisant préférer la paix des traités aux éternelles épreuves des armes qui ne décident de rien. Or chacun voyait bien que telle était en train de tourner la guerre des deux rois français et anglais depuis les années 1330. C'est d'ailleurs le même succès que lui attribue le chroniqueur en relatant le séjour italien de Charles IV, ses tractations réussies avec les Visconti pour obtenir la couronne des Lombards ou bien ses efforts diplomatiques pour mettre un terme à la querelle entre la France et l'Angleterre.

Si la chronistique allemande contemporaine de Charles réagit encore à chaud et prend parti, on décèle une plus grande distance mêlée à un régionalisme prononcé dans l'historiographie italienne. À l'exact opposé d'un Heinrich von Herford se situe par exemple la chronique d'un Jean de Marignolli[38]. Ce Toscan, théologien franciscain, est en vérité connu pour bien autre chose : de 1339 à 1348, il est envoyé en mission par le pape à travers l'Orient puis l'Asie, rejoint Pékin en 1342 et y séjourne jusqu'en 1345 ou 1347 avant de regagner l'Europe par Sumatra, Ceylan, l'Inde et le détroit d'Ormuz[39]. Mais l'extraordinaire tient à ce que le récit de ce voyage s'intègre dans une seule et même œuvre capitale pour la connaissance de Charles IV, la *Chronique de Bohême*, rédigée à partir de 1355, lorsque Marignolli rencontre le roi lors du couronnement impérial et le suit à Prague où il le sert comme chapelain de la cour et historiographe. Cet entrelacement entre une histoire du monde et une histoire de la Bohême permet de jeter sur l'empereur pragois un tout autre regard. Regard biaisé et contrôlé cependant : c'est en effet le souverain qui le charge de contrer le modèle de l'histoire universelle déployé par Heinrich von Herford, d'y intégrer une histoire de Bohême et, en son sein, celle de Charles IV dont le règne annoncerait un nouvel âge d'or. L'argumentation de Marignolli repose sans surprise sur le croisement entre des motifs vétéro- et néotestamentaires et généalogiques : la mère de Charles, Élisabeth, porte un nom qui signifie « la maison d'Élias/Élisée » tandis que son père Jean signifie la grâce. C'est dans leur fils Charles que s'incarne par conséquent la conjonction d'un gouvernement providentiel, croisement entre les Přemyslides par sa mère et les Luxembourg rattachés aux Carolingiens par son père, eux-mêmes descendants des Troyens. En Charles se réalise donc la prophétie ancienne de Libuše, l'ancêtre des Přemyslides et de tous les Tchèques, promettant la venue d'un prince de Bohême « vainqueur de la gloire ». Ce panégyrique de la part d'un auteur de culture et d'origine italiennes introduit un autre ton que celui, très critique, des premiers chroniqueurs allemands et, à l'inverse, très enthousiaste des chroniqueurs tchèques. On aurait tort pour autant de vouloir y trouver une voie tiède ou moyenne entre légende noire et légende dorée. Les chroniqueurs italiens sont rompus, d'ailleurs depuis plus longtemps que leurs homologues d'Empire ou de Bohême, aux récits forts et orientés.

C'est dans ce contexte qu'il convient de lire l'un des principaux témoignages italiens contemporains rapporté par Giovanni Villani, suivi de ses frères Matteo et Filippo, grandes plumes de l'histoire de Florence[40]. Or Florence est une ville dont la vie politique, les luttes de parti sont traversées par l'opposition entre Guelfes et Gibelins, c'est-à-dire par des revendications et des attaches initialement rapportées aux défenseurs du pape d'un côté et de l'empereur de l'autre, mais qui ont fini par devenir des référents autonomes des rapports de force locaux. Il n'empêche, chaque passage d'un prince, roi ou empereur allemand fait rejouer l'histoire des origines de ces grands blocs et perturbe ou réorganise l'équilibre complexe des institutions et du gouvernement florentins[41]. Le soupçon de gibellinité pouvait être fatal à Florence et se payer de l'exil ou de la mort. Giovanni Villani n'omet pas de mentionner que Charles IV est d'abord le petit-fils d'Henri VII, que son élection en 1346 porte la marque de l'influence du roi de France sur le pape réfugié en Avignon et emploie à son propos la même expression d'empereur des prêtres, « *omperadore dei preti* ». Chez Matteo Villani[42], le point de vue florentin continue de l'emporter. La relation qu'il livre de l'expédition romaine de Charles IV en Italie pour aller chercher la couronne impériale reprend pour partie des arguments déjà entendus chez les chroniqueurs allemands : venu prétendument mettre un terme à la seigneurie tyrannique des Visconti en Italie (le grand ennemi des libertés florentines), Charles se contente de négocier et de pactiser avec eux, d'empocher l'argent des Florentins et de repartir les poches pleines (« *borsa plena di danari* »). Mais son épée est restée au fourreau. Ici aussi la réputation d'un empereur finalement peu impérial, car souffrant d'un déficit d'honneur par les armes, s'installe dans l'historio-graphie italienne et demeurera un trait marquant du jugement humaniste sur son règne, y compris chez ceux qui lui en font crédit et non grief. À cette vision très florentine des Villani s'ajoute une difficulté, plus proprement italienne cette fois, à juger un prince en qui coulait certes le sang des Luxembourg, une maison que l'on avait appris à connaître en Italie, mais dont les repères étaient un peu brouillés depuis que Jean et surtout Charles avaient lié leur destin à la Bohême, bien plus étrangère aux horizons naturels de la péninsule. Cette relative distance suscite sous la plume de Matteo Villani un portrait de Charles qui échappe aux conventions du temps et n'en possède que plus de prix pour l'historien. Ainsi lorsqu'il rapporte qu'« il avait pour habitude, pendant les audiences qu'il donnait, de tenir en main un canif et un brin d'osier, qu'il taillait avec application pour son plaisir ».

De la ligne florentine, c'est-à-dire très réservée envers Charles IV qui échoua finalement à endiguer l'expansion vis-contienne, Pétrarque ne dévie pas beaucoup, sauf pour accorder à Charles le bénéfice de l'esprit et des lettres : « Un naturel royal, l'intelligence d'un ange, un esprit clair, un regard agile, un œil de lynx, un sens rapide de l'anticipation, une pensée élevée. » Charles IV le rencontra le 15 décembre 1354, au cours de sa des-cente vers Rome[43]. Dans une lettre à son ami Laelius, le poète écrit qu'il offrit pour l'occasion à celui qui n'était pas encore empereur « quelques pièces d'or et d'argent portant les effigies de nos empereurs et accompagnées d'inscriptions en très petits caractères […] pour le don desquelles il me remercia comme s'il n'avait jamais rien reçu de plus beau de toute sa vie ». On ne saurait passer à côté de la pointe d'ironie contenue, *in cauda venenum*, à la fin de son récit, manifestation implicite d'une sorte de supériorité italienne sur l'émerveillement des Allemands, qui plus est mâtinés de Bohême, devant quelques piécettes antiques. Il est toutefois possible que Pétrarque se soit lui-même laissé abuser par un excès de feinte politesse de la part du roi, ce qui à tout prendre pourrait bien aussi être dans sa manière, celle d'un prince machiavélique avant la lettre.

Reste que nous découvrons, avec Pétrarque, un autre motif récurrent des témoignages portés sur Charles IV, y compris lorsqu'ils sont les plus négatifs : nul ne conteste en effet l'éducation lettrée, le goût artistique et les manières éduquées et pacifiques du roi. On en rencontre la trace chez les chroniqueurs allemands, ainsi dans la *Nürnberger Weltchronik*, ou plus tard les chroniques de Sigismund Meisterlin ou de Hartmann Schedel. Le trait est également souligné chez les compilateurs italiens, entre Giacomo Filippo Foresti da Bergamo et Enea Silvio Piccolomini.

À l'opposé des témoignages contrastés des chroniqueurs allemands et des rapports mesurés des annalistes italiens, on rencontre chez les auteurs tchèques un jugement bien plus enthousiaste et positif[44]. Il faut dire que l'entreprise de mémoire au service de Charles IV, qui avait vu et continuait d'observer les chroniqueurs français à la manœuvre sous les Capétiens et les Valois, faisait l'objet d'un étroit contrôle de la part du roi et de ses conseillers. Elle se nourrissait d'une impulsion donnée par le monarque lui-même, à travers sa *Vita* sans doute mais aussi par le biais de ses chantiers de Prague et de Karlstein conçus comme autant de supports d'une image favorable de soi. La cour pragoise devint donc un haut lieu d'élaboration de la réputation et de la mémoire carolines. En cela, Charles IV pouvait s'appuyer sur une tradition historique de Bohême bien ancrée depuis le début du XIIᵉ siècle et portée par deux œuvres majeures : la chronique des Bohèmes de Cosmas de Prague vers 1119-1125[45] et celle dite de Dalimil composée vers 1314[46]. On sait par exemple que Benesch Krabitz von Weitmühl, membre depuis 1341 du chapitre collégial de la cathédrale Saint-Guy dont le triforium affiche le buste en pierre aux côtés de ceux de Charles IV et de sa famille, conçut à l'initiative du roi la tâche de continuer la chronique de Cosmas sous le titre de *Chronica ecclesiae Pragensis*[47], en y intégrant des passages extraits des œuvres de Marignolli, de François de Prague et de Peter von Zittau[48]. Cette ligne plus ou moins continue au service d'une histoire de Bohême du début du XIIᵉ au milieu du XIVᵉ siècle n'est pas sans rappeler l'œuvre de longue haleine des chroniqueurs royaux de Saint-Denis. De même trouverait-on avec difficulté une critique des règnes des Přemyslides puis des Luxembourg ou toute forme de dévaluation de celui de Charles IV sous la plume de Benesch qui eut sans doute sous les yeux l'autobiographie du roi. N'écrit-il pas de son protecteur et souverain seigneur : « Ce roi Charles jouissait d'une telle affection du Très-Puissant que ses ennemis jurés moururent tous l'un après l'autre sans qu'il eût besoin de verser le sang et de partir en campagne. Ainsi se confirmait la parole de l'Écriture déclarant "C'est ma Main qui te protège et je serai l'ennemi de tes ennemis". »

Avec la *Summula cronice tam Romanae quam Boemice* rédigée entre 1355 et 1362 par Jan Neplach, abbé du monastère d'Opatovice (1322-1371)[49], et la *Cronica Boemorum* composée vers 1374 par Přibík Pulkavas von Radenin, l'œuvre contemporaine des chroniqueurs tchèques participe, on le voit, d'une opération qui, avec les reliques et les constructions, avec la fondation de l'université de Prague, commence dès le milieu du siècle à orchestrer un véritable culte royal. En témoignent aussi les portraits du roi présents dans les manuscrits enluminés que possédaient les conseillers de la chancellerie. Johannes von Neumarkt, évêque de Leitomischl et d'Olmütz, commanda vers 1365 un Missel enluminé dont une initiale au folio 184 recto montre un magnifique portrait du souverain trônant, de même que Albrecht von Sternberg fit également fabriquer un somptueux Pontifical pour les services et cérémonies épiscopaux, montrant de nouveau Charles IV au folio 34 verso.

Au fond, ce que les contemporains nous disent de Charles IV finit par former une image dont les siècles postérieurs vont difficilement se débarrasser : un roi lettré et diplomate plus que guerrier, un amoureux de Prague, un collectionneur de reliques, un proche (ou en tout cas pas un ennemi) du pape, un rassembleur de terres par les femmes, un prince hésitant entre la Bohême et l'Allemagne ou l'Empire. Les quatre bassins de mémoire qui alimentent cette figure collective reflètent à tout prendre les tendances lourdes de l'historiographie européenne du XIVe siècle : un relatif silence français (hormis celui de 1378) au cœur d'une chronistique tout entière tournée vers le conflit anglais ; un jugement italien dans le droit fil des témoignages péninsulaires qui voient défiler depuis des siècles des candidats heureux ou malheureux à la couronne impériale, qui passent sans rester pour rejoindre un autre monde cisalpin ; un bouillonnement passionné et passionnel chez les auteurs allemands dont les avis sont les plus tranchés et les plus inquiets, à la mesure même du tremblement de l'Empire sur ses bases ; enfin une historiographie tchèque acquise tôt à la gloire du plus grand de ses rois malgré son « étrangeté » puisqu'il n'était qu'à-demi Přemyslide par sa mère.

Au terme de ces témoignages contemporains, il convient de souligner que tous ces chroniqueurs sont morts ou bien ont arrêté leur livre avant la fin du règne en 1378. Leurs récits des premières années difficiles du règne n'ont donc pas pu être corrigés ou nuancés par la relation finale. Il a manqué à ces grandes œuvres le regard du bilan porté depuis le tombeau de l'empereur. Ce hiatus de la mémoire est d'autant plus dommageable que les continuateurs de la fin du xive et du début du xve siècle vont écrire et décrire un Charles IV à la lumière des malheurs et des errements de son fils Wenceslas. Car sur ce point, celui de l'incapacité et de la nullité du fils impérial, au moins les jugements concordent-ils.

Au xve siècle : l'échec des Luxembourg entache mais rachète Charles IV

Une part importante de la production historiographique allemande du xve siècle reste très critique vis-à-vis du règne de Charles IV, coupable en quelque sorte de ne pas avoir su rénover l'Empire. Dietrich von Nieheim, mort l'année où s'achève le concile de Constance dont il fut le grand représentant allemand, accuse l'empereur d'avoir bradé le Sud aux princes français, les Valois d'un côté, en cédant une partie du royaume d'Arles au Dauphin, les Angevins de l'autre, en renforçant indirectement leurs positions siciliennes[50]. De la sorte, poursuit Nieheim, c'est l'une des quatre roues du carrosse impérial qui se trouve brisée, manière de comprendre que désormais c'est moins l'élément allemand que le facteur français qui est appelé à jouer en

Italie un rôle régulateur ou perturbateur. À ses yeux, le règne de Wenceslas incarne, par sang luxembourgeois interposé, l'affaiblissement de la germanité impériale qui, paradoxalement, avait fait la fortune italienne. Thomas Ebendorfer, recteur de l'université de Vienne et ambassadeur de Frédéric III, à ce titre chaud partisan des Habsbourg, partage envers Charles IV le sentiment de Nieheim et lui ajoute une touche ecclésiastique[51] : seul le parti pris de Charles IV pour Urbain VI, l'année de sa mort en 1378, et cela pour conforter les chances de son fils Wenceslas, peut expliquer la profondeur et la durée du schisme pontifical. Recourant à une identique métaphore du carrosse impérial, Ebendorfer impute à Charles IV d'en avoir cette fois scié les essieux principaux gardant autrefois l'équilibre entre la papauté et l'Empire : l'une ne chuterait pas sans l'autre. Cette antienne d'un affaissement impérial comme conséquence du démembrement pontifical et italien se double tout au long du XVe siècle d'une complainte sur les malheurs germaniques résultant du désintérêt imputé à Charles IV. Rolewinck est sur cette ligne, qui fait explicitement de la Bulle d'Or de 1356 l'une des origines de ce drame germanique, un argument repris par certains humanistes allemands derrière le Nurembergeois Sigismund Meisterlin. Ce dernier considère la Bulle comme un texte profondément anti-urbain et à ce titre anti-impérial, à l'instar de Johannes Trithemius, qui voit l'idée d'Empire sombrer sous les coups des particularismes territoriaux et princiers. Il est intéressant de remarquer que le point de vue adopté ne modifie pas fondamentalement la critique des jugements portés sur Charles IV : on lui fait grief d'avoir bradé l'Empire en affaiblissant tantôt le pape, tantôt l'idée d'Empire, tantôt l'Italie, tantôt les villes, tantôt les territoires eux-mêmes.

On aurait pu en effet attendre que les principautés aient été finalement les seules à se réjouir de l'amoindrissement impérial attribué à Charles. Or les grands chroniqueurs bavarois que furent Andreas von Regensburg puis Veit Arnpeck et Johannes Aventinus ne sauvent pas pour autant sa réputation de fossoyeur du *Reich* en quelque sorte vendu au pouvoir particulier des princes-électeurs dont, il est vrai, les ducs de Bavière ne

faisaient pas partie. À l'opposé géographique, le grand historien des confins hanséatiques et danois Albert Krantz ne prend
pas davantage la défense de Charles IV : « L'aigle impériale a
perdu bien des plumes sous son règne, qui se trouvent maintenant dans les mains des princes-électeurs. Tel est le testament de
Charles IV, éparpilleur des biens de l'Empire[52]. »

C'est bien la résistance de l'image péjorative qui doit frapper au XVe siècle, du moins dans un premier temps. Elle se ren-
force d'ailleurs à la mesure de l'échec et de la déliquescence du
règne de Wenceslas dont la triste réputation dépasse les frontières de l'historiographie impériale. Prenons, parmi d'autres,
le grand Philippe de Mézières, auteur du *Songe du vieux pèlerin*, et assez bon témoin de l'opinion politique au moment du
« redressement » du royaume de France sous Charles V. Le
règne de Wenceslas, pour lui, ne vient que confirmer une déca-
dence déjà en germe dans le gouvernement de son père et contenue dans des institutions qu'il ne sut pas réformer : « *Son père
lui avait acheté avec du bel argent le titre et la couronne de la
monarchie impériale selon la coutume bien connue de ce pays…
Au lieu de gouverner royaumes et villes, il s'occupait à chasser
le gibier avec une poignée de ses gens, ses proches amis. Pis, il
s'était allié sans cause et sans raison valable à ses ennemis naturels, abandonnant complètement ses plus proches parents, surtout
le Blanc Faucon au bec et aux pattes dorés qui aurait pu l'aider
et le soutenir davantage que nul autre en ce monde*[53]. » Ce jugement ne constitue pas seulement un réquisitoire en bonne et due
forme contre l'élection, synonyme pour un penseur français du
pouvoir royal de marchandage de boutiquiers, mais porte aussi
une grave accusation contre l'héritier de Bohême, celle d'avoir
foulé aux pieds l'alliance traditionnelle conclue par Charles IV
et ses prédécesseurs entre le Luxembourg et la France (le « Blanc
Faucon »). La place manque pour dire combien la disgrâce et
la débauche de Wenceslas ont contribué à ruiner la réputation
de Charles IV dans les trois décennies qui suivirent sa mort. Le
correctif vint cependant du truchement italien, dont on avait vu
qu'il restituait sur les affaires allemandes une tonalité décalée, et

bien entendu du biais tchèque, principalement sous le règne du successeur de Wenceslas, son demi-frère Sigismond, le dernier roi Luxembourg[54].

Du côté italien, c'est la matière rédigée au XIVe siècle par les frères Villani qui continue de prévaloir au XVe siècle en focalisant l'attention sur deux aspects du règne de Charles IV : sa propension à ne considérer l'Italie du Nord que des cités, en particulier Florence, aptes à lui donner des subsides ; son faible intérêt à voir la papauté avignonnaise rentrer à Rome. Cette vision prédomine ainsi chez les humanistes italiens, tel Leonardo Bruni dans les douze livres de son *Histoire florentine*[55], tel également Bartolomeo Sacchi dit également Platina dans ses *Vies des papes* rédigées à partir de 1479 quand il dirigeait la bibliothèque vaticane[56]. Mais le témoignage italien le plus influent demeure celui d'Enea Silvio Piccolomini livré dans son *Histoire de Bohême*[57]. Son jugement, formulé dans le 33e chapitre du traité historique publié dès 1475 sous forme d'incunable, possède le grand mérite de reposer sur des sources tchèques, notamment des extraits de la chronique de Benesch Krabitz von Weitmühl. Si Piccolomini ne corrige pas l'impression d'un empereur qui a préféré son royaume de Bohême à l'Empire, il reconnaît à Charles l'amour « des grandes œuvres ». Ce faisant, il admire en bon Italien la figure de bâtisseur qu'il ne peut dénier au roi et empereur : Prague devient ainsi l'archétype d'une construction mémorielle et évergétique dont le pape Pie II ne voit guère l'équivalent, en son siècle, qu'à Paris ou à Rome. Face à cet imposant héritage, Piccolomini regrette surtout un autre legs, moins heureux à ses yeux de curialiste pontifical : le détachement progressif de la Bohême, sous Charles IV, du môle romain et catholique portant en germe la catastrophe de l'hérésie et des guerres hussites qui ensanglantèrent l'Europe centrale tout au long du XVe siècle. Ces misères sonnent aussi, selon lui, le glas de toute entreprise latine de reconquête de la Terre sainte et de toute résistance à la progression du danger turc en plein cœur de la chrétienté, dont la Bohême aurait dû constituer l'un des plus puissants remparts. Charles IV trouve en revanche grâce aux yeux de Piccolomini

pour sa culture et l'appui qu'il ne cessa d'apporter aux lettres de
son temps, qu'il s'agisse de la fondation de l'université de Prague
ou du mécénat royal déployé en faveur des manuscrits, des églises
et des résidences.

Les avis critiques et mitigés exprimés par l'humanisme italien se
situent donc nettement en-dessous des témoignages allemands, et
forment une sorte de point intermédiaire entre ces derniers et les
échos bien plus positifs propagés par l'historiographie tchèque.
Après les récits, chroniques et traités rédigés tout à sa gloire du
vivant de Charles IV par les conseillers de son entourage, les
chroniqueurs du XVe siècle tempèrent un peu leur point de vue.
Selon eux, Charles IV a certes bien œuvré pour sa ville, pour son
royaume et pour les principautés qui lui furent peu à peu rattachées, mais quelque faille interne, peut-être une forme d'épuisement consécutif aux ponctions réalisées sur le royaume, devait
s'être logée dans cette construction si l'on veut bien considérer la
vitesse à laquelle la puissance luxembourgeoise a décliné sous le
règne de Wenceslas puis au cours des guerres hussites. Le cœur
du personnage demeure néanmoins intouchable : Charles IV
reste le « *pater patriae* », protecteur du pays, de ses libertés et,
peut-être surtout, de sa langue dont il devient « la lumière »
sous la plume de nombreux auteurs. Un autre argument, né des
troubles des guerres hussites, fait lentement son chemin dans
les esprits des historiens de Bohême tout au long du XVe siècle :
Charles IV s'était signalé par une piété et une politique reli-
gieuses qui tenaient l'équilibre entre les intérêts spécifiques de
la Bohême et les exigences romaines. En d'autres termes, un
empereur de sa trempe et de sa clairvoyance n'aurait sans doute
pas laissé sombrer le royaume dans des divisions et des hérésies
qui finirent par lui coûter sa prospérité et son indépendance. Le
raisonnement culmine dans le premier tiers du XVIe siècle sous la
plume du grand historien de la Bohême Václav Hájek z Libočan,
auteur d'une magistrale *Kronyka Czeská* publiée en 1541 et traduite en allemand en 1596. Elle couvre l'histoire du pays depuis
l'arrivée prétendue de l'ancêtre Čech en 644 jusqu'au couronnement de Ferdinand Ier comme roi de Bohême en 1526, et devint

rapidement un grand classique de l'histoire tchèque jusqu'au
XIXe siècle. Évidemment, Hájek écrit en auteur catholique, qui
plus est avec la foi des convertis tardifs et, ce faisant, très hostile
au luthéranisme allemand. Mais son interprétation reprend une
partie de la pensée du XVe siècle : Charles IV, tant en Bohême que
dans l'Empire, a su garder la paix. Johannes Dubravius, élève
de Conrad Celtis, évêque d'Olmütz, adaptateur et traducteur de
l'œuvre de Hájek, ne dit pas autre chose dans son *Historia regni
Bohemiae* traduite en allemand en 1587.

Après le XVIe siècle : resserrement géographique et inflexion de la mémoire caroline

À l'aube du XVIe siècle, comme on a pu voir, la figure de
Charles IV demeure encore vivace dans une production historiographique que l'on qualifierait encore volontiers d'européenne.
Il semble bien que les écrits circulent et relaient l'image d'un
empereur qui, défauts et qualités mêlés, a marqué son temps.
Cet horizon se resserre considérablement une fois passées les
années 1500.

Pour les historiens tchèques, Charles IV devient le champion
de leur idiome, qu'il sut ériger au rang de langue scientifique
et universitaire. Prokop Lupáč z Hlaváčova, auteur des *Rerum
Boemicarum Ephemeris, sive kalendarium historicum* publiées à
Nürnberg en 1578 puis à Prague en 1584, fait de cet argument
l'un des fils rouges de la biographie qu'il consacre au souverain et
lui sait gré, tel un nouveau Solon, d'avoir ainsi posé les bases d'un
honneur universitaire tchèque, comparable à celui que pouvaient
éprouver les érudits allemands. Ce motif linguistique et culturel
devient dès lors un véritable topos. Daniel Adam z Veleslavína,
un élève du précédent, ne pense pas se tromper dans le prologue
qu'il rédige à son édition de l'*Histoire de Bohême* d'Enea Silvio
Piccolomini, en prêtant à Charles IV l'intention d'avoir préféré
la Bohême à l'Empire pour éviter une absorption culturelle et
linguistique du tchèque par l'allemand. C'est la même ligne que
suivent des historiens comme David Crinitus z Hlavačova, auteur

de distiques historiques, et Casparus Kropacius, auteur d'un traité sur les *Duces et Reges Bohemiae*. À leurs yeux, la Bulle d'Or de 1356 devient même un traité garantissant la pluralité des cultures formant l'ensemble historique des pays d'Empire. Morts entre 1580 et 1599, ces auteurs ne vécurent pas la « catastrophe » de la Montagne Blanche de 1620, c'est-à-dire la perte de l'indépendance de la Bohême suivie par la période des ténèbres (*temno*). Il est savoureux de penser que leur nationalisme linguistique, pour déformé qu'il fût, avait bien entrevu le lien opéré entre indépendance politique, place de la langue tchèque et articulation entre pays de Bohême et pays allemands de l'Empire.

Jusqu'au XIXe siècle, pour résumer la situation, le souvenir de Charles IV tend pour l'essentiel à devenir l'objet d'une confrontation entre les historiographies tchèque et allemande, mais aussi de manière intéressante française et allemande. Du côté allemand, son image suit quelque peu la pente constitutionnelle qui voit les sphères de l'Empire et de l'empereur se détacher l'une de l'autre suivant le schéma de ce que les historiens allemands ont pu appeler le « dualisme » institutionnalisé. Pour ce qui regarde l'Empire et ses institutions, les grands écrits et récits, à commencer par ceux de Philippe Melanchton ou de ses émules Johannes Carion et Johannes Sleidan[58], détachent la Bulle d'Or de 1356 érigée en matrice garante de la paix intérieure si malmenée ensuite par les guerres des XVIe et XVIIe siècles[59]. Ils soulignent également le resserrement germanique et le déplacement du centre de gravité de l'Empire vers l'est, à distance des affaires italiennes et françaises. Ils insistent enfin sur les orientations diplomatiques en direction du Brandebourg et de la Silésie et réévaluent le soutien apporté par Charles IV aux villes d'Empire. À l'opposé, le caractère de Charles IV, sa dévotion, ses contradictions sont considérés comme des traits qui n'ont pas modifié l'héritage en demi-teinte qu'il lègue à la fin du XIVe siècle : il ne fut certes pas le fossoyeur du *Reich* que les chroniqueurs du XVe siècle l'ont souvent accusé d'incarner, mais il ne fut pas non plus son réformateur ou son sauveur. Une partie de l'historiographie protestante, on ne saurait s'en étonner, ajoute à ce portrait la trop grande indulgence que l'empereur aurait manifestée à l'égard du pape. Cette dépersonnalisation de l'œuvre caroline opérée pour l'essentiel au XVIe siècle, dans un contexte de tension confessionnelle invitant à retenir de l'action des empereurs tardo-médiévaux leur apport en termes institutionnels et territoriaux, construit une sorte de grand récit qui passera tel quel dans les manuels, *compendia* ou traités qui, au XVIIe siècle, dotent l'histoire de références canoniques enseignées dans les universités et les petites écoles. On en veut pour preuve le *Theatrum historico-practicum* rédigé en 1648 (l'année des paix dites de Westphalie) par Christian Matthiae[60].

Dans le contexte de la guerre de Trente Ans, un point commence cependant à se détacher des autres, à savoir l'aliénation de l'Arélat, du Dauphiné, bref du quart sud-ouest du Saint-Empire au royaume de France. La poussée française exercée sous les règnes de Louis XIII puis de Louis XIV en direction de l'Alsace ne pouvait que rendre l'opinion lettrée allemande sensible à une thématique qui devait devenir l'une des constantes de la pensée historique et juridique de ce côté du Rhin. Il n'est pas indifférent que l'on situe alors sous le règne de Charles IV les débuts de ce mouvement. Il faut dire que, du côté français, la confirmation par l'empereur de l'investiture du vicariat d'Empire sur l'Arélat au profit du jeune fils de Charles V, désigné désormais comme le Dauphin, n'avait pas tardé à être interprétée comme une victoire à la gloire du royaume, et cela tant dans les *Grandes Chroniques de France* que dans le célèbre *Compendium de origine et gestis Francorum* de Robert Gaguin édité pour la première fois en 1495[61]. Depuis, les penseurs politiques et les juristes français estiment comme réglée la question des frontières du royaume en cette partie[62] ; ainsi pour Jean Bodin dans les *Six livres de la République* (1576) et, à sa suite, pour les jurisconsultes du XVIIe siècle Pierre Dupuy ou Antoine Aubéry. C'est pour leur répondre, notamment sur le dossier de la Savoie et du Dauphiné, que le médecin, philosophe, juriste et statisticien Hermann Conring, qui passe pour l'inventeur de l'histoire du droit allemande, publie en 1654 son traité *De finibus imperii Germanici*, suivi par son élève Konrad Samuel Schurzfleisch, auteur d'une *Dissertatio* sur le même sujet. C'est sur cette question de la prétendue dilapidation du patrimoine impérial occidental que les juristes allemands du XVIIIᵉ siècle, en s'inspirant particulièrement de l'école catholique italienne incarnée par le jésuite Horatius Tursellinus et l'oratorien Odorico Raynaldi, opèrent une certaine réévaluation de la politique caroline en imputant au séculaire expansionnisme français et non à la faiblesse de Charles IV la « perte » du domaine arélat.

Le XVIIIᵉ siècle hérite d'un tel schéma interprétatif évoluant au sein d'un triangle reliant Bohême, Empire et France. Le grand juriste francfortois Johann Daniel von Olenschlager, par ses études devenues classiques sur la Bulle d'Or présentée en 1766 comme un texte constitutionnel moderne et équilibré fondé sur le consensus et l'élection à l'encontre de la tradition héréditaire et absolutiste de la monarchie française, en vient dès 1753 à proposer une étude plus fouillée de la première moitié du XIVᵉ siècle qui a vu naître le grand texte de 1356[63]. Olenschlager date en effet de cette époque la poussée agressive et autoritaire du royaume de France dont la double politique consistait pour l'essentiel dans l'affaiblissement de l'Empire d'une part et dans la mise sous tutelle de la papauté de l'autre. Seule, explique-t-il, la guerre de Cent Ans parvient à freiner cette stratégie séculaire qui reprit de plus belle aux XVIIᵉ et XVIIIᵉ siècles. Dans cette grande fresque, le rôle de Charles IV est peu glorieux : il ne parvient ni à stopper la décomposition de l'Empire livrée aux princes-électeurs ni à contenir la poussée conjointe de la papauté et de la royauté française occupées à placer l'Empire sous contrôle.

La veine tchèque de son côté continuera pendant la période moderne à creuser le sillon d'un empereur attaché à la Bohême, à sa langue et ses traditions, ainsi qu'irréprochablement pieux. La variation principale d'interprétation tient à la manière dont l'œuvre de Charles IV est considérée comme une étape conciliant les intérêts tchèques et allemands ou, au contraire, accentuant leur opposition. Pour Bohuslaw Balbín, jésuite issu des séminaires de Prague et d'Olmütz, professeur dans les universités de Gratz et de Brünn, auteur d'une *Dissertatio apologetica pro lingua slavonica, praecipue bohemica* rédigée entre 1672 et 1673 mais seulement publiée en 1775, Charles IV constitue un moment culturel décisif pour la promotion de la langue et de la culture tchèques. Il ne voit pas dans son règne un temps d'opposition systématique aux éléments germaniques de l'Empire, qui ne débute à ses yeux qu'avec les guerres hussites. Surtout, il fait de la Bulle d'Or un texte commun aux deux ensembles, les dispositions de 1356 permettant de sauvegarder et d'articuler les intérêts du royaume de Bohême et ceux du Saint-Empire. D'une certaine manière, il ne fait pas des Luxembourg des princes contraires en tout à leurs successeurs Habsbourg. Il voit plutôt dans leurs règnes successifs (à l'exception de celui de Wenceslas) une tentative spécifique d'assemblage entre principes tchèque et allemand au sein d'une construction territoriale originale que seules les guerres hussites, les conflits de la guerre de Trente Ans puis le danger ottoman finiront par mettre à mal.

Il est certain que, dans ce courant historiographique, la guerre de Trente Ans et son règlement par les traités dits de Westphalie constituent une césure vécue par l'ensemble de la Bohême comme un tournant à partir duquel la pression habsbourgeoise ne cesse de s'accentuer au détriment des libertés traditionnelles, dont le point culminant est rétrospectivement placé dans un âge d'or incarné par Charles IV. Cette trame du récit reste globalement identique au cours du XVIIIe siècle et devient un argument de propagande contre l'autoritarisme et la domination des Habsbourg. Chez le jésuite František Pubitschka, désigné officiellement historiographe des États de Bohême en 1767, auteur de très classiques annales de l'histoire du royaume, c'est avant tout la personnalité de Charles IV, « héros de Bohême », qui l'emporte. Tel est aussi le point de départ de la relation de Franz Martin Pelzel, étudiant des universités de Prague et de Vienne et premier titulaire d'une chaire nouvellement créée à Prague sur l'histoire de la langue et de la littérature tchèques. Son œuvre érudite et historique est majoritairement rédigée en allemand et se distingue avant tout par son souci d'écrire en 1780-1781 une première biographie de Charles IV fondée sur l'analyse des documents, suivie d'ailleurs par une biographie dédiée à Wenceslas, mais aussi par ses recherches sur l'installation séculaire des populations de souche allemande dans les pays de Bohême. On peut dater de ses études un premier véritable effort pour fonder sur l'histoire un patriotisme et une conscience nationales tchèques, particulièrement sous le règne centralisateur et pro-germanique du fils de Marie-Thérèse, Joseph II, archiduc d'Autriche, roi de Bohême et de Hongrie, empereur des Romains. Pelzel fait de Charles IV un nouveau Charlemagne et un « génie de la nation », un politicien moderne surtout qui sut allier les intérêts contradictoires de plusieurs couronnes et inventa, avec la Bulle d'Or, une tradition électorale située à l'opposé des absolutismes d'ancien régime. C'est donc la figure d'un roi sage et pacifique, législateur et ordonnateur, qui ressort d'un portrait visant à montrer que Charles IV a refusé de devenir le tyran que sa puissance lui aurait permis d'être, préférant la prospérité économique et la diversité culturelle de ses États composites.

Charles IV, figure nationale et romantique du XIXe siècle

Le terrain était ainsi labouré pour permettre à l'historiographie tchèque de s'emparer de Charles IV afin d'en faire l'un des monuments d'une « invention de la nation » telle qu'elle s'opère dans les historiographies de la plupart des pays européens au XIXe siècle[64]. Cette écriture nationale tend dès lors à dégager la figure du souverain d'une connexion européenne du XIVe siècle qui, jusque-là, arrimait son règne entre Bohême, Hongrie, Empire et France, pour le tourner davantage vers le XVe siècle et la période hussite. C'est ce à quoi s'emploie par exemple le grand František Palacký pour lequel le point de comparaison et d'appréciation de Charles IV doit être cherché postérieurement chez Georges Podiebrad. Entre 1836 et 1867, Palacký publie en allemand et en tchèque sa monumentale *Histoire du peuple tchèque en Bohême et Moravie*, une écriture qui accompagne et inspire l'action de celui qui fut le premier président du parlement slave de Prague pendant le « printemps des peuples » de 1848[65]. Chez ce Michelet tchèque, Charles IV possède l'insigne mérite d'avoir rétabli l'unité de la Bohême sur les bases de l'étaticité et du droit romains, en brisant les tendances féodales que l'installation germanique avait tenté d'imposer dans ces contrées. Même si Palacký, en bon historien protestant, ne fait pas crédit au Luxembourg d'avoir préparé le terrain pour le sursaut hussite du XVe siècle, trop prisonnier qu'il était encore à ses yeux des manœuvres de la politique pontificale appuyée par le royaume de France, il lui sait gré d'avoir donné à la Bohême une université et un archevêché, Prague, qui purent servir de terreau à la grande œuvre réformatrice du hussisme. Le seul reproche véritable adressé par l'historien au roi réside dans la faiblesse de ce dernier à avoir trop sacrifié les intérêts de ses possessions à ceux de sa famille, et notamment de ses épouses et de ses fils. C'est la raison pour laquelle, sous la plume de Palacký, Georges Podiebrad occupe le premier rang parmi les rois nationaux de Bohême, roi national et roi moderne, à l'opposé d'un Charles certes rénovateur mais encore trop soumis aux principes dynastiques et princiers, entendons antimodernes, de son temps. Podiebrad, une sorte de Charles IV qui aurait réussi, est bien la figure parfaite du vieux patriotisme tchèque tardo-médiéval, délivré des obligations d'une dynastie royale dont il n'est pas issu. Hussite modéré bien qu'anticatholique, il est le tenant d'un royaume de Bohême arrimé à une Europe pour laquelle il conçoit, en 1465-1467, le projet d'une fédération des rois et princes chrétiens dotée d'une assemblée permanente et d'une cour internationale de justice[66].

Pendant que Charles IV est érigé en « précurseur » par Palacký et ses émules, les historiens allemands du XIXe siècle en font davantage une figure « passéiste » et « testamentaire » d'un Moyen Âge romantique disparu. Pour Joseph Görres, fondateur du *Rheinische Merkur*, adepte de la Révolution et profondément hostile à Napoléon, Charles IV incarne la dernière figure « majestueuse » d'un Moyen Âge universaliste, inspiré des grands idéaux humains, au-dessus de la mêlée des égoïsmes monarchiques et nationaux. Dans les cinq volumes de son *Histoire des Allemands* publiée entre 1830 et 1835, Johann Christian von Pfister dresse du deuxième empereur Luxembourg le portrait d'un souverain conscient d'incarner la dernière tentative de sauver un Empire carolingien en proie aux attaques des féodaux, des particularismes princiers et des égoïsmes des monarchies occidentales,

tant française que pontificale d'ailleurs. Le double visage de
Charles IV, fossoyeur d'un côté ou porteur de nouveautés de
l'autre, est bien à l'unisson d'un XIXe siècle qui règle une partie
de ses comptes sur l'avènement de la modernité par Moyen Âge
interposé, temps de la nostalgie perdue d'un côté, d'un passé rejeté
de l'autre[67]. Cette dichotomie en engendre une seconde, du moins
côté allemand, l'opposition entre l'ouest et l'est du continent, à
la charnière de laquelle se situe bien Charles IV. Dans ce schéma
d'une histoire européenne portée par la contradiction entre les
principes germanique, roman et slave, Leopold von Ranke, l'inventeur de l'objectivité historique chargée d'écrire « ce qui s'est
réellement passé », dès sa première œuvre en 1824, l'*Histoire des
peuples romans et germaniques*, érige Charles IV en figure un peu
tragique de l'antagonisme entre romanité et germanité, cette dernière appelée à soutenir et à revivifier l'héritage slave. C'est donc
à l'aune de l'affirmation possible d'un nouveau môle allemand,
ancré au mi-temps de l'Europe, dans les décennies qui précèdent
l'unité de 1871, que Ranke et avec lui son élève Heinrich von
Sybel jugent l'œuvre de Charles IV : pour ces deux historiens pro-
testants, partisans d'une solution « petite-allemande » autour de
la Prusse, l'empereur du XIVe siècle avait esquissé un sauvetage du
vieil Empire en privilégiant un resserrement géographique autour
d'un Empire continental comprenant la Silésie, la Lusace et le
Brandebourg. À l'opposé, l'historien austro-allemand, directeur
des *Regesta Imperii* et recteur de l'université de Innsbruck, Julius
von Ficker, dont la querelle avec Sybel constitua l'un des débats
historiographiques majeurs du XIXe siècle, voit en Charles IV
l'initiateur d'une politique dynastique et patrimoniale de grande
ampleur dont les Habsbourg d'Autriche, tenants au XIXe siècle de
la solution d'une unité « grand-allemande », estiment être, à raison, les héritiers en agrégeant Allemagne, Bohême et Hongrie[68].

L'ensemble de ces débats connaît deux moments de cristallisa-
tion : l'un, en 1848, lors du cinquième centenaire de la fondation
de l'université de Prague, l'autre, en 1878, lors du cinq centième
anniversaire de la mort de l'empereur. Le premier jubilé de 1848
se déroula en plein « printemps des peuples », quand Prague
et Vienne étaient en proie à des mouvements révolutionnaires

nationaux et libéraux marqués par des sièges, des insurrections, des batailles et même des bombardements dans les deux capitales. L'inauguration officielle d'une statue tout en gothique du XIXe siècle dut être annulée et ne fut opérée que trente ans plus tard, à l'occasion du cinquième centenaire de la mort de Charles IV. Entre-temps, cependant, bien du sang, des larmes et des discours avaient coulé. Un Empire dominé par la Prusse s'était constitué en Allemagne ; l'Empire des Habsbourg, battu à Sadowa, peinait de plus en plus à gouverner un assemblage multi-ethnique dont la Bohême faisait partie. Cette dernière échouait à se voir appliquer, dans ce qui serait devenu une triple monarchie, les droits et privilèges dont jouissait la Hongrie, se contentant d'une « politique des miettes », avivant les dissensions entre Tchèques et Allemands en Moravie, dans les Sudètes comme à Prague. Que fallait-il donc célébrer au moment où l'on écrasait les deux commémorations en 1848 et 1878 : une université et un empereur « allemands » ou « tchèques », voire « autrichiens » ? En 1878 paraissait, sous la plume de Josef Kalousek, un admirateur de Palacký et de sa thèse d'une opposition séculaire entre Slaves et Germains, une biographie de Charles IV. L'œuvre est entièrement dédiée à l'idée d'un État tchèque souverain séparé de droit de l'Empire austro-hongrois, au motif que, depuis le Moyen Âge, la Bohême n'avait jamais constitué un fief du Saint-Empire romain germanique et que Charles IV avait incarné l'idée d'une fusion entre la nation de Bohême et son roi, entre la couronne et ses « pays ». Dans l'argumentation, le modèle français de construction nationale pluriséculaire servait de référence, et cela au moment où, diplomatiquement, la IIIe République née de la défaite de 1871 avançait les premiers pions d'une alliance de revers avec le monde slave et l'Europe centrale pour contourner la puissance prussienne et l'influence autrichienne. Les festivités de 1878 s'accompagnèrent d'une entrée en force de Charles IV dans la poésie tchèque jusqu'aux fameuses « romances de Charles » publiées en 1883 par Jan Neruda et au drame « Une nuit sur le Karlstein » mis en scène par Jaroslav Vrchlický en 1884[69]. Elles revêtaient donc un tour politique résolument dirigé contre la centrale viennoise, mais aussi contre les communautés allemandes de Bohême. Leurs associations devenaient de plus en plus actives et l'un de leurs porte-parole, l'historien Karl Constantin Höfler, s'entendait à montrer dans son livre, *Le Temps des empereurs luxembourgeois* paru à Vienne en 1867, que la Bohême était dès le XIVe siècle partie intégrante d'un Empire sans lequel ni ce royaume ni le règne de Charles IV n'auraient pu s'épanouir. À sa suite, une tendance récurrente de l'historiographie allemande du dernier tiers du siècle s'employa à démontrer la germanité de Charles IV : ses parents étaient allemands ; sa couronne et son élection étaient allemandes ; sa principale Constitution, la Bulle de 1356, était taillée pour l'Empire ; les institutions et la cour de Bohême étaient d'inspiration allemande ; les principautés arrimées par Charles IV à son royaume, Lusace, Brandebourg, Silésie, étaient historiquement allemandes ; ses épouses étaient allemandes ; ses itinéraires le conduisaient dans l'Empire ; Nuremberg, sa deuxième ville après Prague, était l'incarnation de l'âme germanique ; ses modèles, Charlemagne en tête, étaient allemands... Cette insistance explique peut-être que, du côté germanique, Charles IV n'ait finalement jamais pu devenir l'objet d'une mise en forme ou d'une inspiration littéraire alors que tant de sujets liés à son règne se seraient prêtés au roman historique dont le XIXe siècle eut partout en Europe la passion.

Au total, Charles IV, à l'instar d'autres « moments » ou d'autres figures du Moyen Âge, n'a pas échappé à une instrumentalisation par les historiens du XIXe siècle à des fins nationales. Mais ces inflexions, qu'il s'agisse de la naissance du nationalisme tchèque ou de la construction de l'Empire whilelminien sur des bases tantôt petit-allemandes tantôt grand-allemandes, n'ont pas concerné la France ni l'Italie. C'est que, après le grand remuement révolutionnaire puis napoléonien et la remise en ordre du congrès de Vienne en 1815, la France était occupée par d'autres horizons : l'établissement de la République et l'aventure coloniale extra-européenne. Quant à l'Italie, elle était tout entière absorbée par sa propre unification. Il n'empêche, Charles IV n'a jamais disparu des radars historiographiques continentaux du XIXe siècle, sans doute parce que demeuraient accrochés à son nom des problèmes de longue durée qui ne s'achevaient pas avec 1800, pas davantage qu'ils ne cesseraient avec 1900 : les frontières, l'idée impériale, la pluralité des langues et des cultures au cœur de l'Europe, la place de la religion, les temps de crise. Tels sont finalement les « problèmes du règne » dont l'historiographie du XXe siècle hérite et continuera de traiter.

Charles IV dans les tourments du XXe siècle

Comme on peut s'y attendre, compte tenu de l'existence de deux empires rivaux au cœur du continent, l'Empire prussien et l'Empire austro-hongrois, la Bohême, comme la Hongrie et la Pologne devinrent l'enjeu d'une querelle d'interprétation sur la performance et l'apport civilisationnel « germaniques » en Europe centrale et orientale[70]. Johann Gustav Droysen, tenant d'une histoire didactique tournée vers la compréhension de la formation de l'État, aperçoit dans le règne de Charles IV le crépuscule du Moyen Âge[71]. Mais au lieu de lui en attribuer la faute, il en fait le fondateur d'un État moderne, reposant sur l'économie et la puissance territoriale. Il va de soi que, pour l'historien berlinois, l'entrée du Brandebourg dans l'orbite du royaume de Bohême avait notamment constitué un seuil qualitatif dans cette progression vers un État plus efficace et montré la voie vers la constitution d'un assemblage germano-slave appelé à structurer le cœur du continent. Pour Droysen, les Luxembourg ne sont donc pas tant les devanciers des Habsbourg, trop balkanisés, que des Hohenzollern qui ont désormais la charge, avec le second Empire allemand, de restaurer l'équilibre territorial alors atteint au XIVe siècle. À sa suite, les grands historiens allemands creusent jusque vers 1900 ce sillon et font finalement de Charles IV le représentant d'un empire qui sut alors ériger une barrière territoriale et civilisationnelle face à un monde slave non assimilé et menaçant, notamment russe. Il revient à Karl Lamprecht, dans sa monumentale *Histoire de l'Allemagne* en 14 volumes publiée entre 1891 et 1909, de lier ensemble politique de paix, plan d'expansion et sauvegarde de l'Empire dont il croit reconnaître le parachèvement médiéval sous le règne de Charles IV. Cette réhabilitation caroline sous la plume des historiens allemands du tournant du siècle ne doit toutefois pas aveugler. Elle est au service d'une promotion de la politique wilhelminienne vers l'est, visant à étendre la sphère d'influence germanique et à tenir à distance la France et la papauté. Elle entend aussi appuyer le *Kulturkampf* destiné à affranchir la sphère politique d'une tutelle romaine et religieuse[72].

Quoique fondée sur des paramètres initiaux comparables (nature de l'arrimage des franges orientales à l'Empire), l'historiographie autrichienne insiste dans le même temps sur l'élément dynastique et patrimonial promu par Charles IV dans ses territoires, une dimension qui sert naturellement les intérêts des Habsbourg dignes successeurs des Luxembourg. C'est d'ailleurs ce que déplore Karl Hampe, l'un des médiévistes allemands les plus influents d'avant 1945, grand admirateur de Bismarck et de sa création monarchique dont il regrette le naufrage en 1918. Recteur de l'université de Heidelberg auquel succéda le tristement célèbre nazi Günther Franz, il est l'auteur des classiques incontournables de l'enseignement de l'histoire médiévale dans les universités de la république de Weimar. Ici, la faiblesse du vieil Empire est attribuée à la dispersion territoriale favorisée par les princes et les petits États, une évolution que Charles IV, selon lui, a plus confortée qu'endiguée par la Bulle de 1356. Seules doivent être soulignées à ses yeux la consolidation de l'avancée allemande vers l'est que réalise, presque à son insu, le royaume carolin de Bohême ainsi que la « germanisation » par Charles IV de la figure de Charlemagne[73].

Mais qu'elle soit d'inflexion étatique, comme l'historiographie prussienne, ou d'inflexion dynastique comme l'est l'autrichienne, l'une et l'autre conçoivent le môle bohémo-siléso-brandebourgeois créé par Charles IV comme le berceau d'une nouvelle unité allemande, plus resserrée sur ses intérêts, plus continentalisée aussi. Il devait bien entendu en aller tout autrement sous la plume des historiens tchèques, notamment après la proclamation de la République tchécoslovaque dont les frontières furent fixées par les traités de 1919 et 1920 au détriment d'une partie des territoires prélevés sur l'Allemagne et, pour l'essentiel, sur l'Empire austro-hongrois. Ce remodelage frontalier laisse toutefois en suspens la question des Sudètes dont on sait l'aboutissement funeste lors des accords de Munich en 1938. Josef Pekař et son élève Václav Chaloupecký, tous deux professeurs à l'université Charles de Prague, opèrent alors un puissant correctif historiographique antigermanique en faisant du règne de Charles IV le point d'accomplissement du royaume des Přemyslides. Cette rectification servait trois desseins à la fois. Il s'agissait d'abord de réinscrire la Bohême dans une histoire slave plus ancienne que celle de l'Empire : les ancêtres mythiques Přemysl et Libuše étant situés dans les années 720, soit avant Charlemagne, cette antériorité faisait autorité. Il fallait ensuite restaurer l'influence française à travers Charles IV, tant la modernisation de son royaume, écrivaient-ils, devait tout aux modèles capétien et valois. Il convenait enfin de conférer à la Bohême le rôle historique de centre névralgique de l'Europe centrale, une vision nécessaire au moment où, après 1919-1920, la République depuis Prague devait intégrer et gérer l'ancienne Moravie des Slovaques et les turbulentes minorités allemandes.

Ces différentes visions, prussienne puis allemande, autrichienne et tchèque, pour opposées qu'elles étaient, se rejoignaient cependant sur un point : elles focalisaient le regard sur la nature de l'articulation et de la cohabitation entre éléments de souche et de culture allemandes et tchèques. Ce faisant, elles plaçaient au premier plan la question de la « colonisation » ou de la « poussée » allemande vers l'est, un problème qui empoisonna, avant comme après 1945, les relations entre les trois morceaux allemand, autrichien et tchèque « issus » de l'Empire médiéval. Du côté allemand, cette thématique culmina durant la période nazie avec les études menées par ce que l'on a appelé l'*Ostforschung*, les recherches sur l'Est. Même si ce mouvement combinant l'ethnologie, la linguistique, l'archéologie et l'histoire a pu démarrer dès le milieu du XIXe siècle et prendre son essor après 1871 comme une sorte d'entreprise de légitimation de la germanité conquérante en Europe, ce sont la défaite de 1918 et la perte consécutive de territoires prétendument historiquement

« allemands » qui confèrent à ces enquêtes une dimension nouvelle sous la république de Weimar puis sous le « Troisième »
Reich. Il s'agissait, dans un mélange combinant l'antislavisme,
l'espace vital, le darwinisme, la sémantique, la géographie historique et la statistique, de prouver le caractère irrémédiablement
allemand de territoires situés à l'est des régions germaniques,
notamment en Pologne, en Bohême, en Hongrie et dans les pays
baltes. Dans ce contexte paraît en 1935, sous la plume de Carl
Rothe, une biographie de Charles IV au sein d'une collection
intitulée « *Deutsche Führer im Osten* ». L'empereur y est dépeint
en promoteur insigne de la germanité orientale au sein d'un
« Grand-État » combinant Bohême et Empire germanique et
alignant les principes du peuple, du sang et de l'espace. Bien
entendu, c'est au crédit des conseillers, chanceliers et argentiers
« allemands » du roi qu'il convenait selon lui d'inscrire la réussite
du projet aboutissant notamment à l'annexion de la Silésie, dont
le principal mérite consiste à désolidariser le slavisme polonais
du slavisme tchèque déclaré d'une nature supérieure et donc à
terme plus aisément assimilable à l'élément ariano-allemand. Le
prix de cette priorité orientale poursuivie par Charles IV devait se
payer par une neutralisation des franges occidentales françaises,
par l'abandon de l'Italie et par l'indépendance vis-à-vis du pape,
un coût somme toute peu élevé au regard du bond historique
réalisé par les intérêts allemands depuis le XIVe siècle. Entre 1935
et 1938 parut toute une série d'enquêtes et d'études consacrées
plus spécialement aux colons allemands en Bohême, visant non
seulement à prouver l'apport technologique, linguistique, culturel et urbain de ces derniers au pays, mais tendant également à
montrer le rôle de « forteresse » ou d'avant-poste de la germanité
tenu par ces régions face à un sous-slavisme dégénéré et enva-
hissant. Le terreau était ainsi préparé pour l'annexion de 1938,
l'année où paraît une biographie de Charles IV signée par Josef
Pfitzner, membre éminent du parti des Sudètes, bras droit de
Konrad Henlein, nazi depuis 1939 puis maire de Prague, responsable de nombreuses déportations et à ce titre exécuté en place
publique à Prague en 1945. Pfitzner fut le premier à appliquer à
Charles IV les critères raciaux alors dominants dans l'idéologie

nazie et voyait dans l'empereur moins le représentant d'un Aryen de souche que le produit d'une combinaison « intéressante » entre du sang slave supérieur (par sa mère), du sang germain (par sa grand-mère de Brabant) et du sang franco-allemand (par les Luxembourg...). Cela explique chez Charles IV, selon l'auteur, la justesse « allemande » des idées initiales mais leur imparfaite traduction « slave » et « romane » en actes.

Curieusement, l'historiographie tchèque des années vingt et trente, tant qu'elle put encore s'exprimer jusqu'en 1938 puis pendant l'occupation nazie, a simplement tenté de prendre le contre-pied de l'*Ostforschung* allemande sans développer de nouveaux modèles historiographiques. Oui la Bohême fut un trait d'union entre monde slave et monde germanique, mais à son propre profit culturel, linguistique, religieux et territorial ; oui Charles IV a bien consolidé l'ancrage oriental de ses possessions, mais pour mieux faire rayonner l'héritage des Přemyslides ; oui la Bohême fut une terre de colonisation allemande, mais cette présence a eu le bénéfice de révéler aux sujets de Bohême leur séculaire identité tchèque. Dans l'un comme dans l'autre cas, Charles IV se voyait investi d'une mission civilisatrice et déclaré porteur d'un projet identitaire entre slavité et germanité.

Après 1945, l'effondrement de l'Allemagne nazie provoqua deux césures majeures propres à influencer pendant plusieurs décennies le traitement allemand de la figure de Charles IV. D'un côté, la catastrophe du Reich nazi conviait les historiens à un examen de conscience sur les causes de l'impasse dans laquelle l'Allemagne s'était engagée. De ce point de vue, le prétendu retard de la formation allemande de la nation et l'accent traditionnellement placé sur la formation constitutionnelle, autoritaire et juridique de l'État ont été examinés à nouveaux frais. Ces révisions ont conduit à réévaluer les dimensions culturelles et sociales de l'analyse historique et à redonner toute leur place aux modèles alternatifs de construction étatique, fondée en l'occurrence pour le Saint-Empire médiéval et moderne sur la gestion des diversités territoriales, le principe de l'élection royale et la cohabitation des particularismes princiers. Comme un peu partout, le rôle des « grands hommes » a perdu de sa force explicative et, avec lui, l'exercice de l'écriture de biographies royales. D'autre part, la naissance de deux États allemands en 1949, dont l'un, la République démocratique allemande, était géographiquement établi pour partie sur les anciennes possessions brandebour-geoises de la Bohême, conduisait à revoir la question du rôle et de l'ancrage des parties orientales de l'ancien Empire, d'autant que la République tchèque devenait une démocratie populaire fraternelle. Il fallait aussi compter dans le même temps avec la censure pesant sur la thématique de l'installation séculaire des Allemands à l'est de l'Europe, sujet devenu tabou au regard de l'instrumentalisation qui en avait été faite depuis 1919 et eu égard au déplacement vers l'ouest d'une dizaine de millions d'Allemands des espaces polonais, baltiques et tchécoslovaques entre autres.

Du côté tchèque, le paysage était différent : avec la barba-rie nazie disparaissait aussi toute trace d'occupation allemande depuis la proclamation des Décrets dits de Beneš de mars 1946 expulsant les minorités allemande et hongroise de Bohême et de Moravie. D'une certaine façon, dans la confrontation séculaire entre Slaves et Germains, les premiers avaient fini par l'emporter sur les seconds dans les limites de leur nouvel État. Le sixième centenaire de la fondation de l'université de Prague en 1948, l'année du « coup de Prague » achevant la satellisation de la République par l'URSS, permit malgré les troubles (le parallèle avec les émeutes de 1848 pendant le cinq centième anniversaire ne laisse pas d'interroger) de replacer Charles IV au rang des souverains marquants ayant contribué à la grandeur du pays. Deux productions peuvent plus particulièrement en témoigner. Tout d'abord la publication par l'écrivain Jan Slezák à partir de 1947 d'un cycle de romans consacrés à l'histoire tchèque, parmi lesquels figure un long passage dédié aux Luxembourg et à Charles IV dans un esprit assez anti-allemand. Ensuite, la paru-tion posthume en plusieurs tomes de la partie médiévale d'une vaste histoire tchèque par Josef Šustas, dont deux volumes sortis en 1946 et 1948 s'apparentent à une biographie de Charles IV (seulement pour les années 1333-1355) érigé en consolidateur de l'État en Bohême. Une première écriture plus orthodoxe, au sens socialiste du terme, débute avec l'œuvre de Karel Stloukal, professeur à l'université de Prague, qui fait de Charles IV l'incarnation d'un siècle à deux visages : le premier encore tourné vers le monde féodal et princier, celui de la noblesse et de l'Église romaine pervertie ; le second déjà orienté vers les forces du progrès incarnées par les révoltes paysannes et urbaines, les tentatives constitutionnelles modernisatrices de l'empereur, l'essor de la bourgeoisie citadine, l'affirmation d'un sentiment national tchèque, les aspirations à une réforme religieuse. Au regard de ces crises, écrit Stloukal, Charles IV n'a pas sombré et a su sauver l'essentiel : il fut l'homme de la conciliation des dualismes, entre Est et Ouest, entre Gothique et Renaissance, entre Moyen Âge et modernité. Même s'il est ensuite permis de lire une vulgate moins modérée et plus marxiste de l'histoire médiévale sous la plume d'historiens officiels ou proches du régime, Charles IV n'a jamais souffert d'un discrédit profond de la part d'une écriture socialiste de l'histoire et ne fut pas non plus « détchéquisé ». Sans doute la place du hussisme du XVe siècle, premier grand mouvement révolutionnaire populaire comme l'était finalement la Réforme pour les historiens marxistes de l'Allemagne de l'Est, a-t-elle « protégé » l'empereur d'une trop forte connotation idéologique. Pour autant, après 1945, on chercherait en vain une œuvre monumentale consacrée à sa personnalité quand, bon an mal an, les grands rois et les grands empereurs du Moyen Âge finissaient par trouver leurs biographes en France, en Angleterre, en Italie et même en Allemagne, si l'on songe à Charlemagne, aux Saliens, aux Ottoniens, aux Staufen, sans parler ensuite des Habsbourg.

Une nouvelle césure historiographique intervient cependant en 1978, lors du six centième anniversaire de la mort de Charles IV, commémorée tant en République tchèque qu'en Allemagne (surtout de l'Ouest, il faut en convenir). En RFA, une exposition marquante montrée à Nuremberg et à Cologne mit en lumière un nouvel aspect de l'homme et du règne : tout d'abord le « système » politique, la cour et les structures du gouvernement, la diplomatie à grande échelle européenne, mais aussi et surtout le mécénat royal et l'art ou plutôt la profusion et l'usage des images[74]. La même année paraissait la biographie en allemand de l'empereur par Ferdinand Seibt. Ce dernier, né en pays tchèque à Strischowitz en 1927, était un grand spécialiste de l'histoire de la Bohême depuis le *Collegium Carolinum* de Munich qu'il dirigea de nombreuses années au service des échanges scientifiques germano-tchèques jusqu'à sa mort en 2003. L'ouvrage porte le titre suggestif de *Charles IV. Un empereur en Europe de 1346 à 1378*[75] et opère par éclairages contextuels et structurels successifs sur le temps et l'espace, l'imaginaire et les rêves, les fonctions, les attentes, l'autoreprésentation... et la mémoire. Une autre impulsion historiographique est venue en 2006 achever de modifier les perspectives. Un grand colloque international réunissait à Berlin des spécialistes chargés de replacer le monument de la Bulle, dont on célébrait alors le six cent cinquantième anniversaire, dans un contexte européen qui confrontait le texte, et par ce biais la pensée politique de Charles IV, avec les autres expériences constitutionnelles du temps en France, en Espagne, en Angleterre, en Hongrie..., tout en restituant aux rituels la force de leur performance[76]. Parallèlement, deux grandes expositions, chacune accompagnée d'un colloque, à Prague et à Leipzig, prirent le règne et la période des Luxembourg sous l'angle des productions et circulations artistiques en Europe[77]. Enfin, le sept centième anniversaire de la naissance de Charles IV en 2016 a donné lieu à une exposition binationale germano-tchèque montrée à Prague et à Nuremberg qui entérinait le tournant culturel adopté par les études sur Charles IV depuis une vingtaine d'années[78].

Comme bien d'autres personnages ou événements du Moyen Âge retravaillés par une historiographie soucieuse de comprendre et non de juger, Charles IV aura fini par sortir au bout de six siècles d'un tunnel interprétatif qui faisait de lui le jouet de sa maison, de sa famille, des crises du siècle, de son Empire ou de son royaume entre Est et Ouest, entre Bohême et Allemagne, entre Moyen Âge et débuts de la modernité, pour retrouver le cadre d'action et de pensée qui fut celui de la majorité des princes de son temps : l'obsession du salut, la conduite des affaires humaines sous le regard de Dieu, le souci de la *res publica*, le profit de sa dynastie, l'embellissement des livres et des palais, le difficile maintien de la paix, la résistance têtue à l'oubli.

Acte III

Dernière pesée, ou qui fut Charles IV ?

Les deux premiers actes de cette pièce biographique ont, croyons-nous, montré Charles IV à deux moments clés de son existence et du règne : le dernier voyage à Paris qui bouclait la boucle et renouait avec la jeunesse, les funérailles qui regardaient vers l'éternité. Au terme de la réflexion, la question se pose de savoir ce que fut cet empereur. Entendons bien ce qu'il fut et pas seulement qui il fut. Les deux problèmes sont évidemment liés, particulièrement dans le cas d'un souverain qui eut à cœur non seulement de construire son image – il ne serait pas le seul – mais aussi de la refléter dans une forme de conscience et d'intimité qui sont moins fréquentes. La *Vita* autobiographique n'a pas par hasard, tel un fil d'Ariane, accompagné tout le propos tant elle mêle une réflexion sur soi et une pensée sur une manière bien à lui de concevoir son métier de roi.

Car nul n'en doute, à commencer par lui-même, il voulut être un plein et grand roi, et cela plusieurs fois plutôt qu'une, comme en témoigne l'accumulation de couronnes et de couronnements. Il fut un empereur, le seul au XIVe siècle, que la mort ne cueillit pas trop tôt ou qu'une excommunication ne vint pas frapper pour amoindrir son titre. Auguste, il eut à cœur de rassembler les terres, d'augmenter le patrimoine de sa maison et de l'Empire. Évergète et bâtisseur, il éprouva l'ivresse du pouvoir de construire et manifesta le souci prononcé de marquer les lieux. Législateur, il légua à l'Empire sa seule et durable Constitution. Administrateur, il réorganisa son Conseil, sa chancellerie et ses finances. Diplomate et voyageur, il préféra la négociation et l'entrevue à la guerre incessante et, dans un ballet permanent d'itinéraires, finit par se montrer à ses sujets plus qu'aucun autre. Sage et lettré, il fonda une université, laissa des écrits souverains, promut les arts dans un vaste mouvement de circulations d'ouest en est et fut attentif à la diversité des langues de ses États, qu'il pratiquait en personne. Pieux et peut-être animé du désir de devenir un roi saint, à tout le moins de faire *exemplum*, il rassembla les reliques, fonda des églises, respecta les droits du pape, eut la tentation de rapprocher le roi et le prêtre, sans se perdre dans l'obsession de la dévotion. Préoccupé, jusqu'à l'inquiétude, par son image et sa réputation, il essaima son visage et ses portraits dans un mélange nouant les sens dynastique, protonational, impérial et personnel. Tout cela il le fut bien, pénétré qu'il était aussi des limites et des échecs de son action car il ne rétablit pas la concorde entre les princes chrétiens, car il ne brisa pas la force et les particularités des noblesses de ses États, car il ne parvint pas à faire rentrer pacifiquement la papauté à Rome, pas davantage qu'il ne put contenir la progression des infidèles aux portes de la chrétienté et encore moins rassembler une croisade.

L'originalité du personnage tient cependant dans sa volonté permanente et affichée de mêler ce qu'il fut et qui il fut. Car à côté des certitudes et des incertitudes dont témoigne le précédent bilan vite esquissé, affleure toujours ce que l'on pourrait appeler une intention de soi sur soi, autrement dit le souci de ne pas laisser seulement aux autres le soin de régler sa singularité. Pour la première fois, comme on l'a vu, il est en effet permis d'aller plus loin sur cet individu. De la sorte, et pour difficile que demeure l'exercice historien de la biographie, il ne pouvait être question, faute également d'une même ambition, de dresser de lui un portrait qui ressemblât au saint Louis de Jacques Le Goff ou au Frédéric II d'Ernst Kantorowicz. Mais ce que l'on perd d'un côté, on le regagne de l'autre en pouvant appliquer à Charles IV, c'est là sans doute le signe d'un XIVᵉ siècle voyant advenir la personne, un questionnement anthropologique plus poussé. Là encore, c'est la *Vita* du roi qui en indiquait la voie. Ce texte, c'est sans équivoque sa profonde vérité, montre avant tout un jeune prince marqué par une mère absente et un père inconstant, traversé de doutes sur sa piété et sa croyance, habité de peurs et de rêves, cousu d'émotions, de rébellions et, déjà, de retenues. Rédigé vers 1350, en pleine maladie de corps, il ne dit pourtant rien de la peste qui fauche ses sujets et sa cour, ni des massacres qui éradiquent tant de communautés juives de son royaume. Ce Charles IV intime et sensible ne s'épuise pas dans le seul récit de sa vie. On le rencontre à bien d'autres endroits et moments, à travers l'attention portée aux vêtements, par le choix des dates de ses couronnements et de ses mariages, la collecte passionnée des reliques des saints et martyrs, l'interdiction faite à quiconque de passer la nuit dans son château de Karlstein, l'amour pour ses enfants même quand son fils aîné commença à le décevoir, la sollicitude envers ses épouses successives, toutes rassemblées à côté de lui dans une forme de polygamie étalée sur le temps, au sein de la cathédrale de Prague, tant Charles IV ne fut pas un homme à femmes ni à bâtards.

Charles IV eut au total de fermes convictions liées à sa charge, à ses titres, à l'honneur de sa dynastie, à la conduite de sa maison, et à une conception royale qui privilégiait le droit, la justice, la paix. Mais il ressentit, jusqu'à ne pas vouloir s'en cacher, les doutes, les tentations et les tremblements de son identité et de ses conquêtes. Tout cela, en effet, allait-il lui survivre ?

Conclusion

Malgré les lacunes et les inachèvements, liés structurellement au gouvernement d'un ensemble multipolaire, multilinguistique et multiculturel, le bilan impressionne. Il obligeait les héritiers et, d'une certaine manière, il les a inhibés. Dans son oraison funèbre prononcée au-dessus du tombeau de l'empereur, l'archevêque de Prague Jan Očko von Vlašim voulut croire que le jeune Wenceslas, dont il avait été le précepteur, relèverait le flambeau : « Quoique notre père soit mort, il continue pourtant de vivre, car il laisse un homme qui lui ressemble. » Charles IV avait pourtant bien fait les choses pour le préparer au métier du roi puisque son aîné avait été couronné de la Bohême dès 1363 et du royaume des Romains en 1376. Il faut reconnaître à sa décharge que son règne débuta dès 1378 sous de sombres auspices : le schisme pontifical divisait les pays de la chrétienté, les princes-électeurs achetés pour son couronnement de 1376 étaient bien décidés à lui faire payer cher sa désignation, son demi-frère Sigismond lui faisait une dangereuse concurrence. Surtout, le costume de son père semblait taillé trop large pour lui[1]. Dans les années 1430, le chroniqueur messin Jacques d'Esch, qui compila notices et annales sur le voyage de l'empereur à Paris en 1378, mettait dans la bouche de Charles IV, quelques mois avant sa mort, des mots peu amènes envers Wenceslas, doutant de sa capacité à bien gouverner et regrettant même que les princes-électeurs aient cédé en 1376 à sa pressante demande de couronnement car il en jugeait après coup son fils incapable. « *Pourtant sont ils mauvais, faulz et perjus de le moy avoir promis*[2]. » La sagesse des électeurs aurait donc dû s'opposer à la faiblesse de l'empereur. On pourra sans peine démonter la part de fiction de ce passage, mais le propos, quelque soixante ans après les faits, traduit bien la réputation déplorable qui accompagna le règne de l'héritier[3].

Ce dernier fit d'ailleurs tout pour se distinguer de l'image de son père : il chassa son chancelier dès 1384, renversa les alliances diplomatiques en s'écartant de la France et en se rapprochant du roi d'Angleterre, ne visita Nuremberg qu'une seule fois, quitta le château de Prague pour habiter dans la ville, délaissa Karlstein au profit de la forteresse de Totschnik située à mi-chemin entre Prague et Pilsen, se fit même bâtir sa propre résidence fortifiée, Wenzelstein, à la périphérie sud de Prague. Il y fit transporter sa magnifique bibliothèque composée sous son règne, et notamment la Bible enluminée qui porte son nom, car Wenceslas avait continué de faire de la capitale un centre de l'enluminure européenne[4]. Mais c'est à peu près la seule qualité que les contemporains voulurent bien lui reconnaître[5]. La dynastie profita d'abord de sa médiocrité pour se répartir les morceaux du vaste ensemble rassemblé par Charles IV. Sigismond, son demi-frère cadet, reçut en 1378 le Brandebourg et devint roi de Hongrie en 1387. Jean, son autre demi-frère, récolta Görlitz et la Lusace. Le cousin de Wenceslas, Jobst, obtint la Moravie, puis le duché de Luxembourg dès 1390. L'un des derniers hommes de son père, Johann von Jenstein, chancelier et archevêque de Prague, fut arrêté puis torturé en 1393, mesure qui provoqua une rébellion des nobles de Bohême. Wenceslas fut arrêté et son cousin Jobst nommé administrateur du royaume. Les affaires dans l'Empire n'allaient guère mieux. Une intense propagande accusait le roi d'ivrognerie (sa conduite en état d'ivresse lors d'un banquet donné par Charles VI de France à Reims en 1398 fut un scandale public[6]), de tyrannie et de débauche. En 1400, quatre princes-électeurs le déclarèrent « nuisible, faible, diviseur et indigne porteur du Saint-Empire romain », le destituèrent et élurent à sa place Robert de Palatinat de la maison des Wittelsbach. Il s'agit là du cas le plus extraordinaire de déposition royale dans toute l'histoire de l'Empire médiéval, qui plus est au mépris des dispositions de la Bulle d'Or[7]. Le royaume traversa à partir de 1415 une grave crise religieuse déclenchée par la condamnation et l'exécution pour hérésie de Jan Hus, recteur de l'université de Prague et prédicateur plaidant pour une réforme profonde de l'Église romaine[8]. Au moins Wenceslas put-il jouir de l'ultime honneur de voir son tombeau rejoindre la cathédrale de Prague. Bref, pour résumer d'une phrase : en quarante années de règne, le premier-né de Charles IV avait à peu près dilapidé le capital dynastique, patrimonial et symbolique accumulé en quarante ans par son père. Il mourait aussi sans descendance, lointain et tragique rappel du Dauphin émasculé du rêve de Terenzo.

Les autres Luxembourg pouvaient-ils après cela rétablir la grandeur du règne de Charles IV ? Après la mort, en 1410, du roi Robert, les princes-électeurs portèrent leur suffrage de nouveau sur un Luxembourg, Jobst de Moravie, neveu de Charles IV, d'abord, puis son cousin Sigismond[9]. Le règne de ce dernier, du moins quant aux titres et dignités dont il fut investi, s'inscrivit bien dans les pas ambitieux de son père et le surpassa même en nombre de couronnes : il était en effet déjà roi de Hongrie depuis 1387, couronne à laquelle il put ensuite ajouter les diadèmes des Romains en 1411 et de Bohême en 1419. Comme son père encore, il put aller à Rome ceindre la couronne impériale en 1433, après avoir reçu celle des Lombards en 1431. On put donc penser que la funeste parenthèse de Wenceslas s'était refermée. Plusieurs ombres ternirent cependant ce tableau et révélèrent des difficultés auxquelles Charles IV ne fut jamais confronté. Loin de s'apaiser, les guerres hussites continuaient à ravager le royaume de Bohême contre lequel le pape avait déclaré la croisade tandis que la Hongrie faisait face à la poussée de plus en plus menaçante de l'Empire ottoman depuis la défaite des armées de la croisade chrétienne à Nicopolis en 1396. Dernier handicap, Sigismond n'eut de ses deux épouses aucun héritier mâle. Sa seule fille, Élisabeth, fut mariée à Albert d'Autriche en 1421, un Habsbourg, qui à la mort de son beau-père récupéra au profit de sa maison près d'un siècle et demi de patiente construction d'une Europe luxembourgeoise[10] et en transmit sinon l'esprit du moins la domination continentale jusqu'au début du

XXᵉ siècle. Avec la mort de Sigismond en 1437 s'éteignait donc le dernier descendant masculin direct de la lignée royale de Henri VII.

Alors ne subsiste-t-il vraiment plus rien que le rêve évanescent de 1333 à Terenzo, que ce lent effacement de la construction caroline au profit des autres ? Il reste un roi d'abord, Charles IV, un monarque avisé, éduqué, voyageur, législateur, et en ce sens « moderne » si l'on veut, mais homme de son temps et de la culture politique qui l'a produit. En dépit de tous les « progrès » notables de son siècle (État, chancellerie, écrit, droit…), la dimension personnelle au final continue de l'emporter parce qu'elle est consubstantielle de la royauté, parce que certains fondamentaux ne changent pas, à commencer par le pape, et parce que les mêmes éléments lui résistent comme aux autres rois et princes de son temps : la coutume, la noblesse, les particularités locales, l'hétérogénéité des droits et des territoires… Alors Charles IV peut bien commencer à nous rappeler des monarques plus neufs, peut-être, singulièrement dans sa manière d'articuler plusieurs pays et plusieurs traditions, et ce n'est pas peu, mais il y a encore en lui beaucoup d'un Charlemagne et d'un Frédéric II, qui persistent à être ses modèles et il conviendrait de ne pas le faire moins médiéval qu'il ne fut. Il reste la Bulle ensuite, le plus important et durable arrangement « constitutionnel » de l'Empire, qui établit le principe électif en y incluant définitivement la Bohême, qui distingue l'idée impériale de la réalité impériale, qui institutionnalise une répartition des forces et des territoires que l'on appellera plus tard le fédéralisme et ne peut faire autrement que d'y intégrer les villes au sein desquelles, depuis 1300, s'épanouissaient le savoir, l'économie et la nouveauté administrative. Il reste aussi une *Vita* exceptionnelle, récit au singulier d'un roi singulier. Il reste également un style de gouvernement, groupé autour d'une chancellerie et d'une capitale peuplées de conseillers mieux formés, lettrés au collectif car aucun ne devint à lui seul une éminence grise de l'empereur ; voués au service d'un roi plus « politique » que « courtois », qui n'eut certes pas de devise à lui et ne fonda aucun ordre honorifique, mais préféra négocier, marier et payer que d'entreprendre de longues guerres. Comme un peu partout en Europe, dans le royaume de Bohême comme dans l'Empire, il y a un peu plus d'État en 1378 qu'en 1316. Il reste aussi un royaume, la Bohême, sur lequel, de Jean à Charles puis ses fils, s'est consolidée sans contestation majeure, du moins au XIVe siècle, une dynastie pourtant venue de loin et du dehors, n'en parlant initialement pas la langue et n'en partageant pas la culture. Il était peu naturel qu'en 1311 une famille comtale plus francophone que germanophone montât sur le trône d'un Přemyslide, mais il devenait évident en 1378 qu'elle continuât à l'occuper. Il reste ce faisant un rassemblement territorial qui a fait tenir ensemble pour plusieurs siècles la Bohême, la Moravie, la Silésie et la Lusace. De ce point de vue, Jean et Charles de Luxembourg se sont comportés comme des Přemyslides. Il reste un empereur qui, mû par la conviction de la sacralité de sa charge, fut le plus gros accumulateur de couronnes et le plus grand collectionneur de reliques de son temps, et réussit à maintenir l'éclat de l'*imperium*. Il y parvint, il faut le souligner, en évitant de ranimer la lutte séculaire entre le Sacerdoce et l'Empire, entre les deux pouvoirs universels du temps, au point de feindre à ce point d'ignorer le Saint-Siège que celui-ci, comme privé de son meilleur ennemi, finit par se déchirer lui-même en 1378. Il reste donc aussi cela, l'idée que la papauté est d'une certaine façon mortelle, avant qu'une autre Réforme bientôt n'en vienne à la nier.

Il reste un empire, désormais moins méditerranéen, et si peu byzantin et orthodoxe, ramassé sur un morceau chrétien, latin et désormais slave du continent, par quoi peut-être cette partie osera se définir peu après comme « l'Europe » sous la plume d'un Piccolomini, si bon connaisseur de l'Allemagne et de la Bohême qu'il finit par flanquer dans les années 1450 son *Europa* d'une *Germania*, d'une *Austria* et d'une *Bohemia*[11]. Si l'on veut, Charles IV fut en ce sens « européen », c'est-à-dire de cette Europe-là, plus resserrée tout en continuant à demeurer diverse, convaincu que parler plusieurs des langues de cet ensemble devenait une condition de gouvernement[12]. Ce rapprochement continental des périphéries n'est pas une mince affaire : les dynasties « orientales » que l'on y trouve s'insèrent désormais dans un vaste jeu qui entrelace et apparie les Capétiens/Valois, les Plantagenêts, les Anjou, les Luxembourg, les Wittelsbach, les Habsbourg. Car les mariages, dont Charles IV a tant usé, demeurent le grand outil d'addition ou de séparation des royaumes, faisant par ce biais de la succession un moment crucial, et parfois vital, de l'existence de tout un conglomérat. Il reste toujours, en 1415 au bénéfice de Frédéric Ier, une promotion des Hohenzollern au rang de prince-électeur et de margrave de Brandebourg que Charles IV avait préparée par l'élévation en 1363 de cette maison parmi les princes impériaux. On en connaît le destin ultérieur, du Brandebourg à la Prusse et de la royauté de Prusse à l'Empire de 1871 bâti sur la défaite des Habsbourg. Il reste une mémoire contrastée certes, mais toujours vivante : aucun roi, aucun empereur du Moyen Âge n'a bénéficié, du moins en Allemagne et en pays tchèque, d'un si grand nombre de chroniqueurs contemporains, et cinq puis six siècles plus tard d'autant de biographies, d'études et d'expositions. Il reste un sujet royal enfin, qui eut vraisemblablement, par piété, dévotion, conduite et goût des reliques et des Écritures, l'ambition d'être saint et ne le devint pas[13]. Ce blocage ne s'explique pas seulement par la couture déchirée de la tunique du Christ l'année de la mort de l'empereur, mais aussi, et plus sûrement, parce qu'après lui la société politique de son temps et ses fondements symboliques n'avaient plus besoin de saints rois, tandis que l'identité d'un royaume ou même de l'Empire passait par d'autres supports. Enfin, paradoxe de l'histoire, Charles IV avait achevé de forger un *imperium* moins universel et plus allemand.

Mais, surplombant et conjuguant le tout, il reste sans doute Prague et son université, la première dans l'Empire, ses monuments et ses places qui imposèrent l'école des Parler dans toute l'Europe : la plus tchèque, la plus française, la plus allemande et, ce faisant, l'une des plus européennes villes du continent. Benesch Krabitz von Weitmühl prétendait vers 1370 que Charles avait fait recouvrir les toits des deux tours du Hradschin d'un manteau d'or, pour qu'on les vît de loin et que l'éclat du métal au soleil couchant « par temps clair » rappelât la splendeur de son règne et « illumine tout le pays ». C'est bien là qu'il repose, adressant peut-être à six siècles et demi de distance aux Européens que nous tentons si résolument et si difficilement d'être un message inscrit au fronton de son texte le plus cher, la Bulle, lui-même repris des Évangiles (Luc 11, 17) : « Tout royaume déchiré par la division est promis à la désolation[14]. » Actualité brûlante mais aussi leçon importante du Moyen Âge.

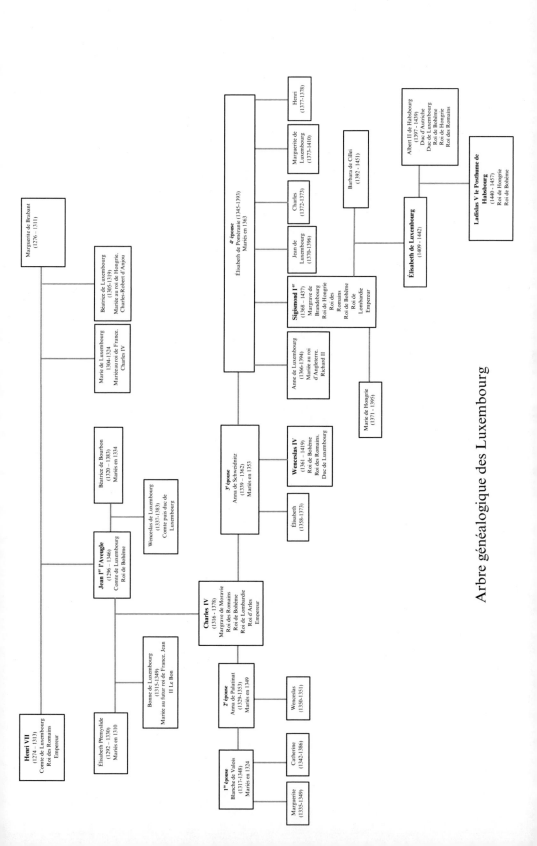

Arbre généalogique des Luxembourg

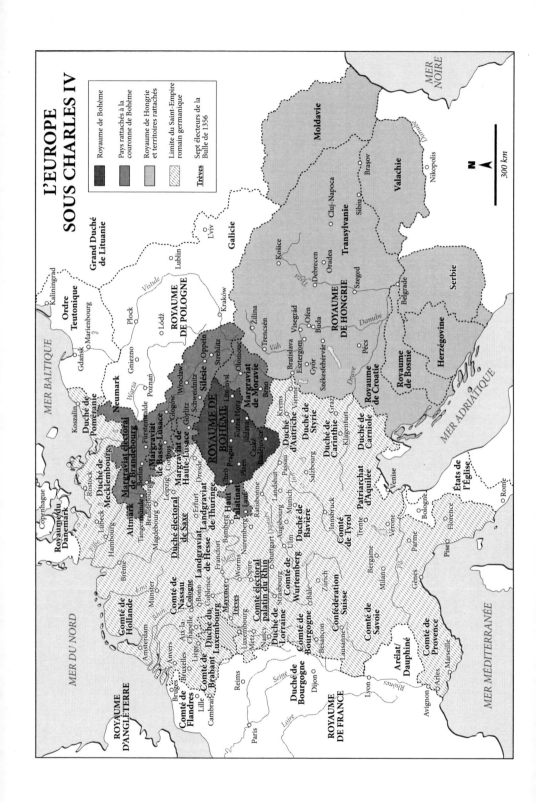

L'EUROPE
SOUS CHARLES IV

Légende :
- Royaume de Bohême
- Pays rattachés à la couronne de Bohême
- Royaume de Hongrie et territoires rattachés
- Limite du Saint-Empire romain germanique
- **Trèves** : Sept électeurs de la Bulle de 1356

300 km

N

MER NOIRE

MER BALTIQUE

MER DU NORD

MER ADRIATIQUE

MER MÉDITERRANÉE

Grand Duché de Lituanie

Ordre Teutonique

Kaliningrad

ROYAUME DE POLOGNE

Galicie

Lviv

Lublin

Kraków

Gniezno

Gdańsk

Marienbourg

Koszalin

Płock

Łódź

Poznań

Duché de Poméranie

Neumark

Mecklembourg

Rostock

Lübeck

Hambourg

Brême

Hollande

Amsterdam

Münster

ROYAUME DU DANEMARK

Copenhague

Altmark

Margraviat électoral de Brandebourg

Tangermünde

Berlin

Fürstenwalde

Brandebourg

Magdebourg

Duché électoral de Saxe

Leipzig

Cottbus

Głogów

Margraviat de Basse-Lusace

Margraviat de Haute-Lusace

Görlitz

Wrocław

Oppeln

Strehlitz

Silésie

Schweidnitz

Przemyśl

Olomouc

Brno

Margraviat de Moravie

ROYAUME DE BOHÊME

Prague

Dresde

Erfurt

Landgraviat de Thuringe

Eger

Bamberg

Haut Palatinat

Nuremberg

Ratisbonne

Passau

Krems

Vienne

Duché d'Autriche

Duché de Styrie

Graz

Klagenfurt

Duché de Carinthie

Salzbourg

Innsbruck

Comté de Tyrol

Trente

Patriarchat d'Aquilée

Venise

Royaume de Croatie

Royaume de Bosnie

Herzégovine

Serbie

Belgrade

ROYAUME DE HONGRIE

Szeged

Pécs

Buda

Ofen

Esztergom

Győr

Bratislava

Székesfehérvár

Trencsén

Žilina

Visegrád

Kosice

Oradea

Debrecen

Cluj-Napoca

Transylvanie

Sibiu

Brasov

Valachie

Moldavie

Nikopolis

Danube

Drave

Save

Váh

Tisza

Vistule

Warta

Oder

Elbe

Landgraviat de Hesse

Francfort

Worms

Spire

Mayence

Coblence

Trèves

Duché de Luxembourg

Luxembourg

Metz

Nancy

Comté de Nassau

Bonn

Cologne

Aix-la-Chapelle

Liège

Bruxelles

Anvers

Bruges

Lille

Cambrai

Comté de Flandres

Comté de Brabant

Comté de Hollande

ROYAUME D'ANGLETERRE

Reims

Paris

ROYAUME DE FRANCE

Dijon

Duché de Bourgogne

Besançon

Comté de Bourgogne

Lausanne

Confédération Suisse

Zürich

Bâle

Strasbourg

Duché de Lorraine

Comté électoral palatin du Rhin

Stuttgart

Ulm

Comté de Wurtemberg

Augsbourg

Munich

Landshut

Duché de Bavière

Comté de Savoie

Milano

Bergame

Comté de Provence

Marseille

Arles

Avignon

Arélat/Dauphiné

Lyon

Gênes

Pise

Florence

Bologne

Parme

États de l'Église

Rome

Vérone

Rhin

Main

Danube

Weser

Ems

Seine

Loire

Rhône

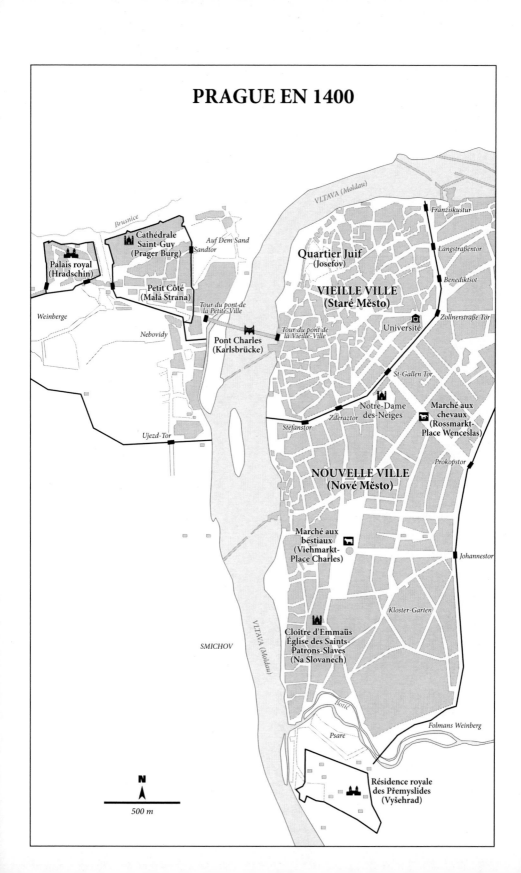

PRAGUE EN 1400

VLTAVA (Moldau)

Brusnice

Cathédrale Saint-Guy (Prager Burg)

Auf Dem Sand

Sandtor

Palais royal (Hradschin)

Petit Côté (Malá Strana)

Weinberge

Nebovidy

Tour du pont de la Petite-Ville

Pont Charles (Karlsbrücke)

Tour du pont de la Vieille-Ville

Ujezd-Tor

Quartier Juif (Josefov)

VIEILLE VILLE (Staré Město)

Franziskustur

Langstraßentor

Benediktsot

Zollnerstraße Tor

Université

St-Gallen Tor

Notre-Dame des-Neiges

Zderaztor

Stefanstor

Marché aux chevaux (Rossmarkt-Place Wenceslas)

Prokopstor

NOUVELLE VILLE (Nové Město)

Marché aux bestiaux (Viehmarkt-Place Charles)

Johannestor

Kloster-Garten

SMICHOV

VLTAVA (Moldau)

Cloître d'Emmaüs Église des Saints-Patrons-Slaves (Na Slovanech)

Botič

Psaře

Folmans Weinberg

N

500 m

Résidence royale des Přemyslides (Vyšehrad)

SÉJOURS ET ITINÉRAIRES DE CHARLES IV ENTRE 1316 et 1346

MER BALTIQUE

Lituanie 1345

Ordre Teutonique

MER DU NORD

SAINT-EMPIRE

Thorn 1337-41

ROYAUME DE POLOGNE

Leslau 1337

Glogów 1341

Kalish 1337-41-45

Bautzen 1339

Breslau

Zittau 1333

Landeshut

Schweidnitz

Siegen 1344

Frankenstein

Münsterberg Neisse

Rhens 1346

Bacharach

Prague 1316

Königgrätz

Glatz 1343

Cracovie 1343

Troppau

Freistadt

ROYAUME DE FRANCE

Luxembourg Trèves

Worms

Miltenberg 1339

ROY. DE BOHÊME

Kuttenberg

Kolin

Pottenstein

Teschen

Paris 1330

Metz 1344

1323

Nuremberg

Dt. Brod

Olomouc

Kremsier

Brumow

Charmes

1340

1339

Taüs 1344

Pisek

Iglau

Brno

Mödritz

Ung. Brod

1339

Landshut

Budweis

Znaim

Pulkau

ROYAUME DE HONGRIE

Bâle 1344

Meran 33

Tirol 1340

Bolzano 1336-1330

Linz 1335

Vienne 1341

Pressburg (Bratislava) 1339

Buda

Genève

Kufstein

1340

1341

Semmering

Stams

Innsbruck

Taufers

Lienzer Klause

Lyon

Tirol Meran 1333-40

Bolzano 1336-37

Brno 1337

Drave

Nombre de déplacements

Italie 1331

Vérone

Neumarkt Trente 1333-36-40

Belluno 1336-37-40

Feltre 1337

Venise 1337

Aquilée

Gorizia 1340

Adriatique

Plus de 16 fois
Entre 12 et 15 fois
Entre 9 et 11 fois
Entre 5 et 8 fois
Entre 4 et 5 fois
Entre 1 et 3 fois

SÉJOURS ET ITINÉRAIRES DE CHARLES IV ENTRE 1346 et 1354

Heinersdorf 1353

Francfort/Oder 1348

Wittenberg 1348

Fürstenberg

ROYAUME DE POLOGNE

Kassel

Cottbus

Spremberg

Aix-la-Chapelle

Mülhausen

Bautzen 1348-50

Görlitz

Breslau 1348-51

Maastricht

Eisenach

Dresde

Liegnitz

Namslau 1348

Liège

Zülpich

Bonn

Erfurt

Altenburg 1349

Pirna

Zittau

Schweidnitz 1353

Bastogne 1349

Coblence

Rhens

Francfort

Eltv.

Eger 1348-49

Bösig

Melnik

Weisswasser

Arlon

Bacharach

Baben-hausen

Bamberg 1348

Tachau

Prague

Königgrätz

Luxembourg

Mayence

Oppenheim

Weiden

Bürgleins

ROY. DE BOHÊME

Kuttenberg

Bistritz

Brno

Verdun

Trèves

Wurtzbourg

Rothenberg

Sulzbach

Taüs

Cham

Klingenberg

Iglau

Pont-à-Mousson

Diedenhofen

Spire

Sinsheim

Nuremberg

Pisek

1347

Metz

Haguenau

Pforzheim

Halle

Ornbau

Ratisbonne

Budweis

Znaim

Seefeld 1348

ROYAUME DE HONGRIE

Toul

Haslach

Gmünd

Nördlingen

Straubing

Weitra

Zwettl

Marchegg

Ehnheim

Strasbourg

Geislingen

Giengen

Passau 1353

Freistadt

Kaysersberg

Sélestat

Ulm 1348-53

Braünau

Linz 1347-53

Vienne 1347-53

Colmar

Breisach

Pfullendorf

Augsbourg 1353

Semmering

Buda 1353

Mulhouse

Sáckingen

Reichenau

Ravensbourg

Salzbourg 1354

ROYAUME DE FRANCE

Bâle

Baden

Constance

Kempten 1353

Crécy 1346

Zürich 1353

St-Gallen

Uznach

SAINT-EMPIRE

Tirol

Villach

Trente

Feltre

vers Rome

Nombre de déplacements

Entre 6 et 8 fois
Entre 4 et 5 fois
Entre 2 et 3 fois
1 fois

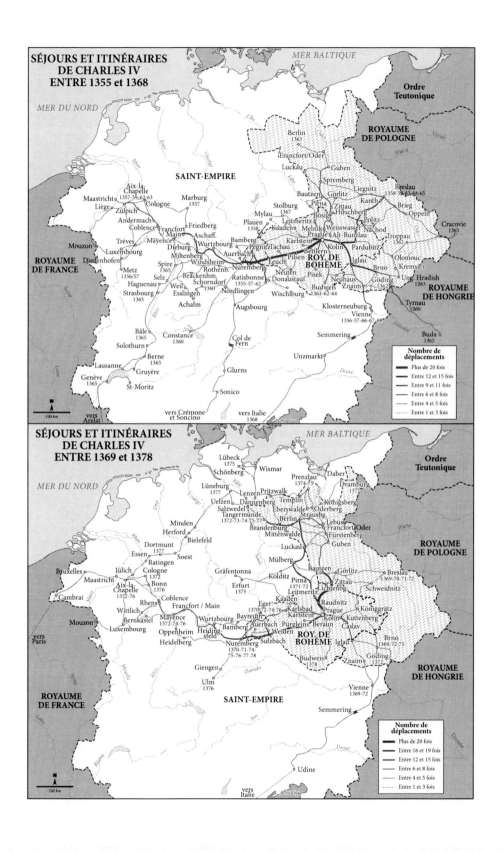

SÉJOURS ET ITINÉRAIRES
DE CHARLES IV
ENTRE 1355 et 1368

MER BALTIQUE

MER DU NORD

Ordre
Teutonique

ROYAUME
DE POLOGNE

SAINT-EMPIRE

Berlin
1363

Francfort/Oder

Luckau   Guben

Spremberg

Aix-la-Chapelle
1357-59-62-63   Marburg
1357   Bautzen Görlitz Liegnitz   Breslau
Maastricht   1358-59-63-64-65
Liège Zülpich Cologne   Stolburg Pirna Zittau Kanth   Brieg
Andermach   Hirschberg   Oppeln
Coblence Friedberg   Mylau Leitmeritz Bosig Politz   Cracovie
Mayence Francfort Aschaff.   Plauen Kaaden Melnik Weisswasser Nachod   1363
Trèves Main Dieburg Bamberg 1358   Prague Alt-Bunzlau Troppau
Mouzon   Wurtzbourg Pegnitz Tachau Karlstein   Olomouc
Luxembourg Miltenberg Auerbach Bettlern Kolin Pardubitz Kremsier
ROYAUME Diedenhofen Windsheim Pilsen ROY. DE Iglau Brno
DE FRANCE Spire Rothenb. Feuch BOHÊME   Ung. Hradish ROYAUME
Metz 1365 Nuremberg   Neuhaus Göding 1363 DE HONGRIE
1356/57 Selz Brackenhm. Ratisbonne Donaustauf Znaim 1362
Haguenau Schorndorf 1355-57-62 Pisek Tyrnau
Strasbourg Weil 1360 Nördlingen Neuten Budweis 1360
1365 Esslingen   Wischlburg 1361-62-64
Achalm   Augsbourg   Klosterneuburg
                              Vienne
Bâle Constance   Col de   1356-57-66-67-68   Buda
1365 1360   Fern   Semmering   1365
Solothurn
Berne   Unzmarkt
1365
Lausanne
Genève Gruyère   Glurns   Nombre de
1365   déplacements
St-Moritz
                              Plus de 20 fois
                    Sonico
                              Entre 12 et 15 fois

vers Crémone vers Italie   Entre 9 et 11 fois
et Soncino   1368
                              Entre 6 et 8 fois
100 km vers
Arélat   Entre 4 et 5 fois

                              Entre 1 et 3 fois

SÉJOURS ET ITINÉRAIRES
DE CHARLES IV
ENTRE 1369 et 1378

MER BALTIQUE

Lübeck
1375   Wismar
Schönberg   Prenzlau   Daber
                    1374-75
MER DU NORD Lüneburg   Pritzwalk Dramburg
1377   1377
Uelzen Lenzen Templin Königsberg
Salzwedel Dannenberg   Eberswalde Oderberg
Minden Tangermünde Berlin Strausbg.
Herford 1372-73-74-75-77   Lebus
Dortmunt   Brandenburg Francfort/Oder
Essen 1377 Bielefeld Mittenwalde Fürstenberg
Ratingen Soest
Bruxelles Jülich Cologne   Gräfentonna Luckau Guben   ROYAUME
Maastricht 1372 Mülberg   DE POLOGNE
Aix-la- Bonn Köditz Bautzen Görlitz Breslau
Cambrai Chapelle 1376 Erfurt Pirna Zittau 1369-70-71-72
1372-76 Rhens 1375 Leitmeritz Lichtenbg. Schweidnitz
Wittlich Coblence Eger Kaaden Raudnitz
Bernkastel Mayence 1370-72-74-76 Karlbad Prague Königgrätz
Mouzon 1372-74-76 Wurtzbourg Bayreuth Karlstein Kolin Kuttenberg
Luxembourg Oppenheim Bamberg Auerbach Pürgleins Beraun Caslav
vers Heidelberg Heidingsfeld Weiden ROY. DE Iglau Brno
Paris   Sulzbach BOHÊME   1369-72-75
Nuremberg   Göding
1370-71-74- Budweis Znaim 1372
75-76-77-78 1378
Giengen
ROYAUME   Ulm   Danube   Vienne   ROYAUME
DE FRANCE   1376   1369-72   DE HONGRIE
SAINT-EMPIRE
Semmering
Nombre de
déplacements
Drave
Plus de 20 fois
Udine
Entre 16 et 19 fois
100 km   Entre 12 et 15 fois
vers
Italie   Entre 6 et 8 fois

                  Entre 4 et 5 fois

                  Entre 1 et 3 fois

Repères chronologiques

1296 : naissance de Jean de Luxembourg dit l'Aveugle, père de Charles IV

1306 : assassinat du roi de Bohême Wenceslas III, extinction de la lignée des Přemyslides en ligne masculine

1308 : Henri VII de Luxembourg élu roi des Romains

1309 : installation de la papauté à Avignon

1310 : mariage de Jean l'Aveugle avec Élisabeth Přemyslide, héritière du trône de Bohême

1311 : couronnement de Jean l'Aveugle comme roi de Bohême

1312 : Henri VII couronné empereur

1313 : mort de Henri VII en Italie

1314 : élection de Louis IV de Bavière comme roi des Romains

1316 : naissance à Prague de Wenceslas, fils de Jean l'Aveugle et d'Élisabeth Přemyslide, futur Charles IV

1323 : arrivée de Wenceslas à Paris, adoption du prénom de Charles, mariage avec Blanche de Valois

1327 : avènement d'Édouard III en Angleterre

1328 : couronnement impérial de Louis IV à Rome. Extinction des Capétiens en ligne directe, avènement des Valois

1331-1333 : expédition de Charles avec son père Jean en Italie du Nord

1333 : Casimir III couronné roi de Pologne. Installation de Charles à Prague

1337 : débuts de la guerre dite de Cent Ans entre les rois de France et d'Angleterre

1341 : Charles IV exerce la régence en Bohême au nom de son père

1342 : Louis Ier d'Anjou couronné roi de Hongrie

1344 : élévation du siège de Prague en archevêché et début de la construction de la cathédrale Saint-Guy

1346 : mort de Jean l'Aveugle à la bataille de Crécy

1346 : premier couronnement de Charles IV comme roi des Romains

1347 : couronnement de Charles IV comme roi de Bohême. Mort de Louis IV de Bavière

1348 : fondation de l'université et création de la Nouvelle Ville à Prague

1349 : deuxième couronnement de Charles IV comme roi des Romains. Mariage de Charles avec sa deuxième épouse Anne du Palatinat. Peste noire dans tout l'Empire

1350 : transfert des insignes impériaux à Prague. Probable rédaction de sa *Vita* par Charles. Naissance de Wenceslas, premier fils de Charles, mort en 1351

1353 : mariage de Charles avec sa troisième épouse Anna de Schweidnitz. Incorporation de la Nouvelle-Bohême du Haut-Palatinat dans le royaume de Bohême

1354 : les Ottomans prennent pied sur le continent européen, à Galipoli. Mort de Baudouin de Trèves, grand-oncle de Charles IV

1355 : Charles IV couronné roi des Lombards à Milan, empereur à Rome. Rejet de la *Majestas Carolina* par les états de Bohême. Achèvement de la première partie du palais de Karlstein

1356 : proclamation de la Bulle d'Or aux diètes de Nuremberg et de Metz. Défaite de Poitiers et capture de Jean II le Bon. Arrivée de Peter Parler à Prague

1357 : pose de la première pierre du pont Charles à Prague. Consécration des chapelles Sainte-Marie et de la Passion à Karlstein

1361 : naissance de Wenceslas, futur Wenceslas IV

1363 : Charles IV épouse en quatrièmes noces Élisabeth de Poméranie. Couronnement de Wenceslas comme roi de Bohême

1364 : traité de Brünn prévoyant une passation mutuelle d'héritage entre les Luxembourg et les Habsbourg. Charles V couronné roi de France

1365 : couronnement de Charles IV à Arles comme roi de Bourgogne/Arélat

1366 : fondation du *Carolinum* à l'université de Prague

1367 : incorporation de la Basse-Lusace dans le royaume de Bohême

1368 : séjour de Charles IV à Rome et en Toscane. Naissance de Sigismond

1370 : Louis Ier de Hongrie devient roi de Pologne

1372 : achèvement des travaux à Karlstein

1373 : acquisition et rattachement au royaume de Bohême du margraviat de Brandebourg par le traité de Fürstenwalde

1376 : installation du pape Grégoire XI à Rome. Élection et couronnement de Wenceslas IV comme roi des Romains

1377-78 : voyage et séjour de Charles IV à Paris

1378 : mort de Charles IV à Prague. Double élection des papes Urbain VI à Rome et Clément VII à Avignon

1387 : mariage de Sigismond avec Marie de Hongrie, il devient roi de Hongrie

1400 : déposition de Wenceslas IV comme roi des Romains, il demeure roi de Bohême jusqu'en 1419. Élection de Robert de Palatinat comme roi des Romains

1410 : mort de Robert de Palatinat

1411 : élection de Sigismond comme roi des Romains

1415 : exécution de Jan Hus au concile de Constance. Cession du Brandebourg aux Hohenzollern

1419 : couronnement de Sigismond comme roi de Bohême

1431 : couronnement de Sigismond comme roi des Lombards

1433 : couronnement impérial de Sigismond à Rome

1437 : mort de Sigismond. Albert II de Habsbourg, marié à la fille de Sigismond, devient roi de Bohême, roi de Hongrie et roi des Romains

1439 : mort de Albert II. Son fils posthume Ladislas, dernier descendant de la lignée royale des Luxembourg, devient roi de Hongrie en 1440 et roi de Bohême en 1453

1440 : le roi de Pologne Ladislas III Jagellon devient roi de Hongrie. Frédéric III de Habsbourg est élu roi des Romains puis devient empereur en 1452

Notes

INTRODUCTION

1. Pierre MONNET, Jean-Claude SCHMITT (éd., trad., comm.), *Vie de Charles IV de Luxembourg*, Paris, 2010, p. 49-55. Pierre MONNET, « Le roi d'un rêve, le rêve d'un roi : Charles IV à Terenzo en 1333 », dans : Jean-Christophe CASSARD, Yves COATIVY, Alain GALLICÉ, Dominique LE PAGE (dir.), *Le Prince, l'argent, les hommes au Moyen Âge. Mélanges offerts à Jean Kerhervé*, Rennes, 2008, p. 181-193.

2. Jacques LE GOFF, « Rêves », dans : Jacques LE GOFF, Jean-Claude SCHMITT (dir.), *Dictionnaire raisonné de l'Occident médiéval*, Paris, 1999, p. 950-968.

3. Jean-Claude SCHMITT, « Les rêves de Guibert de Nogent », dans : ID., *Le Corps, les rites, les rêves, le temps*, Paris, 2001, p. 262-294. Jean-Claude SCHMITT, Gisèle BESSON, *Rêver de soi. Les songes autobiographiques au Moyen Âge*, Toulouse, 2017, p. 425-433 pour le rêve de Charles IV. Jean-Claude SCHMITT, « Dante en rêveur médiéval : 'Memoria' funéraire et récit autobiographique », *Dante Studies*, 136 (2018), p. 187-200.

4. Sur le difficile problème de l'« autobiographie » médiévale : Georg MISCH, *Geschichte der Autobiographie*, Francfort-sur-le-Main, 1949-1967. *L'autobiografia nel Medioevo*, Spoleto, 1998. Klaus ARNOLD, Sabine SCHMOLINSKY, Urs Martin ZAHND (dir.), *Das dargestellte Ich. Studien zu Selbstzeugnissen des späteren Mittelalters und der frühen Neuzeit*, Bochum, 1999. Jean-Claude SCHMITT, « La découverte de l'individu : une fiction historiographique ? », paru d'abord dans : *La Fabrique, la figure et la feinte*, Paris, 1989 et repris dans : *Le Corps, les rites, les rêves, le temps. Essais d'anthropologie médiévale*, Paris, 2001, p. 242-262. ID., *La Conversion d'Hermann le Juif. Autobiographie, histoire et fiction*, Paris, 2003.

5. Jacques LE GOFF, *La Naissance du purgatoire*, Paris, 1981.

6. Olivier DUMOULIN, Raphael VALÉRY (dir.), *Périodes. La Construction du temps historique*, Paris, 1991. Stéphane GIBERT, Jean LE BIHAN, Florian MAZEL (dir.), *Découper le temps. Actualité de la périodisation en histoire*, Rennes, 2014. Pierre MONNET (dir.), *Les Usages de la temporalité dans les sciences sociales/Vom Umgang mit Temporalität in den Geistes- und Sozialwissenschaften*, Bochum, 2020.

7. Jean FAVIER (dir.), *XIVᵉ et XVᵉ siècles. Crises et genèses*, Paris, 1996.

8. Ulf DIRLMEIER, Gerhard FOUQUET, Bernd FUHRMANN, *Europa im Spätmittelalter 1215-1378*, Munich, 2003.

9. Barbara TUCHMANN, *Un lointain miroir. Le XIVe siècle des calamités*, Paris, 1991 (original de 1978).

10. Premières traductions françaises de 1938 puis de 1948 sous le titre *Le Déclin du Moyen Âge*, puis sous celui de *L'Automne du Moyen Âge* à partir de 1975. Élodie LECUPPRE-DESJARDIN (dir.), *L'Odeur du sang et des roses. Relire Johan Huizinga aujourd'hui*, Lille, 2019.

11. Patrick BOUCHERON, *Conjurer la peur. Sienne, 1338. Essai sur la force politique des images*, Paris, 2013.

12. Jacques LE GOFF, *L'Europe est-elle née au Moyen Âge ?*, Paris, 2003.

13. Brigitte Miriam BEDOS-REZAK, Dominique IOGNA-PRAT (dir.), *L'Individu au Moyen Âge*, Paris, 2005. Jérôme BASCHET, *Corps et âmes. Une histoire de la personne au Moyen Âge*, Paris, 2016.

14. Hans LEMBERG, « Kaiser und König im tschechischen Geschichtsbild seit 1945 », dans : Ferdinand SEIBT (dir.), *Kaiser Karl IV. Staatsmann und Mäzen*, Munich, 1978, p. 414-418. Beat FREY, *Pater Bohemiae – Vitricus imperii. Böhmens Vater, Stiefvater des Reichs. Kaiser Karl IV. in der Geschichtsschreibung*, Francfort-sur-le-Main/Berne, 1978.

15. Notamment grâce à l'œuvre monumentale de František Palacký, véritable Jules Michelet local, auteur d'une *Histoire du peuple tchèque en Bohême et Moravie* (5 vols, 1836-1867) ; grâce également aux deux célébrations, en 1848 et 1878, du 500e anniversaire de la fondation de l'université Charles de Prague et de la mort de Charles IV ; grâce enfin à la biographie que lui consacra pour l'occasion Josef Kalousek.

16. Natalia ALEKSIUN ET AL., *Histoire de l'Europe du Centre-Est*, Paris, 2004. Marie-Madeleine DE CEVINS, *L'Europe centrale au Moyen Âge*, Rennes, 2013.

17. Pierre MONNET, « La Bulle d'Or de 1356, une "constitution" pour l'Empire ? », dans : François FORONDA, Jean-Philippe GENET (dir.), *Des chartes aux constitutions. Autour de l'idée constitutionnelle en Europe (XIIe-XVIIe siècle)*, Paris/Rome, 2019, p. 149-188.

18. L'exercice d'une histoire contre-factuelle, autrefois qualifiée de fiction et d'anachronisme, a depuis peu retrouvé les faveurs d'un certain nombre d'historiens qui y voient à raison un moyen d'interroger à nouveaux frais les causalités et les contingences : Fabrice D'ALMEIDA, Anthony ROWLEY, *Et si on refaisait l'histoire ?*, Paris, 2009. Pierre SINGARAVÉLOU, Quentin DELUERMOZ, *Pour une histoire des possibles. Analyses contre-factuelles et futurs non advenus du passé*, Paris, 2016.

19. Rainer BABEL, *La France et l'Allemagne à l'époque de la monarchie universelle des Habsbourg, 1500-1648*, Lille, 2013.

20. François DOSSE, *Le Pari biographique. Écrire une vie*, Paris, 2005. ID., « Biographie, prosopographie », dans : Christian DELACROIX, François DOSSE, Patrick GARCIA, Nicolas OFFENSTADT (dir.), *Historiographies. Concepts et débats*, Paris, 2010, tome 1, p. 79-86.

21. Giovanni LEVI, « Les usages de la biographie », *Annales E.S.C.*, 1989 (44/6), p. 1325-1336.

22. Michel MARIAN, « L'histoire saisie par la biographie », *Esprit* 8-9, août-septembre 1986. *Quand l'historien se fait biographe*, Dossier *Esprit*, août-septembre 1992. Sabina LORIGA, *Le Petit x. De la biographie à l'histoire*, Paris, 2010.

23. Bernard GUENÉE, *Entre l'Église et l'État. Quatre vies de prélats français à la fin du Moyen Âge*, Paris, 1987, p. 7-16.

24. Jacques LE GOFF, *Saint Louis*, Paris, 1996. Jacques LE GOFF, « Comment écrire une biographie historique aujourd'hui ? », *Le Débat*, mars-avril 1989 (54), p. 48-53.

25. Pierre MONNET, Jean-Claude SCHMITT (dir.), *Autobiographies souveraines*, Paris, 2012.

26. Par bonheur une biographie en tchèque vient d'être publiée et place le personnage sous le regard critique lancé depuis Prague par un jeune et prometteur spécialiste de la période : Václav ŽŮREK, *Karel IV. Portét středověkého vládce*, Prague, 2018.

CHAPITRE PREMIER
Le prince : 1316-1346

1. Pierre MONNET, Jean-Claude SCHMITT (éd., trad., comm.), *Vie de Charles IV de Luxembourg*, Paris, 2010, p. 19.

2. Jean-Patrice BOUDET, *Entre science et nigromance. Astrologie, divination et magie dans l'Occident médiéval, XIIᵉ-XVᵉ siècle*, Paris, Publications de la Sorbonne, 2006.

3. Jean-Claude SCHMITT, *L'Invention de l'anniversaire*, Paris, 2009.

4. Kurt-Ulrich JÄSCHKE, Peter THORAU (éds.), *Die Regesten des Kaiserreichs unter Rudolf, Adolf, Albrecht, Heinrich VII. 1273–1313. 4. Abteilung : Heinrich VII. 1288/1308–1313* (1. Lieferung : 1288/1308-August 1309), Vienne, 2006. Kurt-Ulrich JÄSCHKE, Peter THORAU (éds.), *Die Regesten des Kaiserreichs unter Rudolf, Adolf, Albrecht, Heinrich VII. 1273–1313. 4. Abteilung : Die Regesten des Kaiserreichs unter Heinrich VII. 1288/1308-1313* (2. Lieferung : 1. September 1309-23. Oktober 1310), Cologne/Weimar/Vienne, 2014.

5. Malte HEIDEMANN, *Heinrich VII. (1308–1313). Kaiseridee im Spannungsfeld von staufischer Universalherrschaft und frühneuzeitlicher Partikularautonomie*, Warendorf, 2008. Ellen WIDDER (dir.), *Vom luxemburgischen Grafen zum europäischen Herrscher. Neue Forschungen zu Heinrich VII.*, Luxembourg, 2008. Sabine PENTH, Peter THORAU (dir.), *Rom 1312. Die Kaiserkrönung Heinrichs VII. und die Folgen. Die Luxemburger als Herrscherdynastie von gesamteuropäischer Bedeutung*, Cologne/Weimar/Vienne, 2016.

6. Jacqueline RISSET (trad., éd.), *Dante. La divine comédie. Le paradis*, Paris, 1990, Chant XXX, l. 133-138.

7. Michel PAULY (dir.), *Johann und Élisabeth. Jean et Élisabeth. Die Erbtochter, der fremde Fürst und das Land. Die Ehe Johanns des Blinden und Élisabeths von Böhmen in vergleichender europäischer Perspektive ; L'Héritière, le prince étranger et le pays. Le mariage de Jean l'Aveugle et d'Élisabeth de Bohême dans une perspective comparative européenne*, Luxembourg, 2013.

8. Michel MARGUE, Michel PAULY, Wolfgang SCHMID (éd., dir.), *Der Weg zur Krone. Der Romzug Heinrichs VII. in der Darstellung Erzbischof Balduins von Trier*, Trèves, 2009, p. 42. « *Matrimonium Spire inter Johannem filium Henrici regis romanorum et Elysabeth heredem Boemie anno X⁰* » (fol. 5).

9. Éloïse ADDE-VOMÁČKA (trad., éd.), *La Chronique de Dalimil. Les débuts de l'historiographie nationale tchèque en langue vulgaire au XIVᵉ siècle*, Paris, 2016, chapitre 103, p. 397.

10. Běla MARANI-MORAROVÁ, *Peter von Zittau. Abt, Diplomat und Chronist der Luxemburger*, Ostfildern, 2019.

11. Johann LOSERTH (éd.), *Die Königsaaler Geschichtsquellen. Chronicon Aulae regiae*, Vienne, 1875, réédition Graz, 1970. Traduction allemande moderne : Stefan ALBRECHT, Josef BUJNOCH (éd., trad.), *Die Königsaaler Chronik*, Francfort-sur-le-Main, 2014.

12. Stefan ALBRECHT (dir.), *Chronicon Aulae regiae – Die Königsaaler Chronik. Eine Bestandsaufnahme*, Francfort-sur-le-Main, 2013.

13. Johann LOSERTH (éd.), *Die Königsaaler Geschichtsquellen. Chronicon Aulae regiae, op. cit.*, p. 376.

14. Josef EMLER (éd.), *Cronica ecclesiae Pragensis Benessii Krabice de Weitmile – Kronika Beneše Krabice z Weitmile*, Prague, 1884, p. 459-548, ici p. 469. « *Eodem anno, videlicet MCCCXVI pridie idus Magii in civitate Pragensi natus est regi Iohanni ex Elizabeth sua coniuge filius primogenitus, cui in baptismo Wenceslaus nomen imponitur. Post plures vero annos, cum idem puer Franciam ad educandum traditus esset, nomen Karolus, adinstar Karoli, regis Francie, sibi in confirmacione inponitur, quod et obtinuit, ut patebit in sequentibus.* » Josef EMLER (éd.), *Cronica Francisci Pragensis (Kronika Františka Pražského)*, Prague, 1884, p. 347-456. Jana ZACHOVÁ, *Die Chronik des Franz von Prag. Inhaltliche und stilistische Analyse*, Prague, 1977.

15. Johannes MÖTSCH, *Die Balduineen. Aufbau, Entstehung und Inhalt der Urkundensammlung des Erzbischofs Balduin von Trier*, Coblence, 1980.

16. Johannes MÖTSCH, Franz-Josef HEYENET AL. (dir.), *Balduin von Luxemburg. Erzbischof von Trier – Kurfürst des Reiches*, Mayence, 1985. Reiner NOLDEN (dir.) : *Balduin von Luxemburg. Erzbischof und Kurfürst von Trier (1308–1354)*, Trèves, 2010. Verena KESSEL, *Balduin von Trier (1285–1354). Kunst, Herrschaft und Spiritualität im Mittelalter*, Trèves, 2012.

17. Michel MARGUE, Michel PAULY, Wolfgang SCHMID (éd.), *Der Weg zur Kaiserkrone. Der Romzug Heinrichs VII. in der Darstellung Erzbischof Balduins von Trier*, Trèves, 2009.

18. Johannes-Hugo WYTTENBACH, Michael Franz Josef MÜLLER (éd.), *Gesta Trevirorum integra lectionis varietate et animadversionibus illustrata ac indice duplici instructa*, vol. 2, Trèves, 1838, p. 179-271.

19. David KIRT, *Peter von Aspelt (1240/45–1320) – Ein spätmittelalterlicher Kirchenfürst zwischen Luxemburg, Böhmen und dem Reich*, Luxembourg, 2013.

20. Peter BLICKLE (dir.), *Résistance, représentation et communauté*, Paris, 1998 (*Les origines de l'État moderne en Europe, XIIᵉ-XVIIIᵉ siècles*).

21. Joseph MORSEL, *L'Aristocratie médiévale, Vᵉ-XVᵉ siècle*, Paris, 2004.

22. Marie-Madeleine DE CEVINS, *L'Europe centrale au Moyen Âge*, Rennes, 2013.

23. Matthias BECHER, Harald WOLTER-VON DEM KNESEBECK (dir.), *Die Königserhebung Friedrichs des Schönen im Jahr 1314. Krönung, Krieg und Kompromiss*, Cologne/Weimar/Vienne, 2017.

24. Karl-Friedrich KRIEGER, *Die Habsburger im Mittelalter. Von Rudolf I. bis Friedrich III.*, Stuttgart, 2004.

25. Comme l'on sait, c'est en référence à cette rencontre que la Pologne, la Hongrie, la République Tchèque et la Slovaquie ont depuis 1993 pris l'habitude de doter leur coopération du nom de « groupe de Visegrád ».

26. Pierre MONNET, Jean-Claude SCHMITT (éd., trad., comm.), *Vie de Charles IV de Luxembourg*, Paris, 2010, p. 23. Étienne ANHEIM, *Clément VI au travail. Lire, écrire, prêcher au XIVᵉ siècle*, Paris, 2014, p. 78-79.

27. *Ibid.*, p. 19-20.

28. *Ibid.*, p. 29. Voir Franck COLLARD, *Le Crime de poison au Moyen Âge*, Paris, 2003.

29. Michel PAULY (dir.), *Die Erbtochter, der fremde Fürst und das Land. Die Ehe Johanns des Blinden und Élisabeths von Böhmen in vergleichender europäischer Perspektive*, Luxembourg, 2013.

30. Pierre MONNET, Jean-Claude SCHMITT (éd., trad., comm.), *Vie de Charles IV de Luxembourg*, Paris, 2010, p. 59.

31. *Ibid.*, p. 63.

32. *Ibid.*, p. 119.

33. Georg LEIDINGER (éd.), *Bayerische Chroniken des 14. Jahrhunderts*, Hanovre/Leipzig, 1918, p. 151-175, ici p. 170.

34. Jean FAVIER, *La Guerre de Cent Ans*, Paris, 1980. Boris BOVE, *Le Temps de la Guerre de Cent Ans 1328-1453*, Paris, 2009. Andrew AYTON, Philip PRESTON (dir.), *The Battle of Crécy, 1346*, Woodbridge, 2005. Richard W. BARBER, *Eduard III and the Triumph of England. The Battle of Crécy and the Company of the Garter*, Londres, 2013.

35. Uwe TRESP, « Die Schlacht bei Crécy 1346 », dans : Jiří FAJT, Markus HÖRSCH (dir.), *Kaiser Karl IV. 1316-2016*, Prague/Nuremberg, 2016, p. 65-68.

36. Peter F. AINSWORTH, George T. DILLER (éds., comm.), *Jean Froissart. Chroniques*, Paris, 2001, premier livre, § 279, p. 578-579 : « *Li vaillans et gentils rois de Behagne, il fu filz a l'empereour Henri de Lussembourch, entendi par ses gens que la bataille estoit commencie ; car quoique il fust là armés et en grant arroy, il ne veoit goutes et estoit aveugles : si demanda as chevaliers, qui dalès lui estoient, comment il ordonance de leurs gens se portoit. Chil l'en recordèrent le vérité* [...] *et ossi eussent pluiseur bon chevalier de le conté de Lussembourc, qui estoient tout dalés de lui* [...] *ils s'alloièrent par les frains de leurs chevaus tous ensamble et mirent le roy leur seigneur tous devant, pour mieulz acomplir son desirier. Et ensi s'en alèrent il sus leurs enemis.* »

37. *Ibid.*, p. 579.

CHAPITRE II
Le roi : 1346-1355

1. Pierre MONNET, Jean-Claude SCHMITT (éd., trad., comm.), *Vie de Charles IV de Luxembourg*, Paris, 2010, p. 143.

2. *Ordo ad coronandum regem Bohemorum et Ordo ad benedicendam reginam.*

3. Johann LOSERTH (éd.), « Die Krönungsordnung der Könige von Böhmen », *Archiv für österreichische Geschichte*, 54 (1876), p. 9-36. Bernd-Ulrich HERGEMÖLLER, « Carolus quartus latinus. Karl IV. als literarisches Ego, als gestaltender Urheber und als geistige Autorität », dans : ID., *Cogor adversum te. Drei Studien zum literarisch-theologischen Profil Karls IV. und seiner Kanzlei*, Warendorf, 1999, p. 221-413. Jana NECHUTOVÁ, *Die lateinische Literatur des Mittelalters in Böhmen*, Cologne/Weimar/Vienne, 2007, p. 146-148, 169-173.

4. Jacques VERGER, *Les Universités au Moyen Âge*, Paris, 1973. Walter RÜEGG (dir.), *Geschichte der Universität in Europa*, Munich, 1993. Jean-Philippe GENET, *La Mutation de l'éducation et de la culture médiévales*, Paris, 1999.

5. Roderich SCHMIDT, « Begründung und Bestätigung der Universität Prag durch Karl IV. und die kaiserliche Privilegierung von Generalstudien », dans : Hans PATZE (dir.), *Kaiser Karl IV. 1316-1378. Forschungen über Kaiser und Reich*, Neustadt/Aisch, 1978, p. 695-719. Barbara DRAKE BOEHM, « Die Universität von der Gründung bis zum Kuttenberg Dekret », dans : Jiří FAJT, Markus HÖRSCH, Andrea LANGER (dir.), *Karl IV. Kaiser von Gottes Gnaden. Kunst und Repräsentation des Hauses Luxemburg 1310-1437*, Munich/Berlin, 2006, p. 263-269.

6. František KOP, *Die Gründung der Karlsuniversität in Prag*, Prague, 1945, p. 13. Texte reproduit également par Anton BLASCHKA,« Vom Sinn der Prager Hohen Schule nach Wort und Bild ihrer Gründungsurkunden », dans : Rudolf SCHREIBER (dir.), *Studien zur Geschichte der Karls-Universität zu Prag*, Salzbourg, 1954, p. 39-80, ici p. 46-53.

7. Josef EMLER (éd.), *Cronica ecclesiae Pragensis Benessii Krabice de Weitmile – Kronika Beneše Krabice z Weitmile*, Prague, 1884, p. 517.

8. Benoît GREVIN, *Rhétorique du pouvoir médiéval. Les lettres de Pierre de la Vigne et la formation du langage politique européen (XIIIᵉ-XVᵉ siècles)*, Rome, 2008.

9. Frank REXROTH, *Deutsche Universitätsstiftungen von Prag bis Köln. Die Intention des Stifters und die Wege und Chancen ihrer Verwirklichung im spätmittelalterlichen Territorialstaat*, Cologne/Weimar/Vienne, 1992, p. 59-107. Ivana ČORNEJOVÁ, Michal SVATOŠ, Petr SVOBODNÝ, *History of Charles University – Vol. 1 : 1348–1802*, Prague, 2001. On notera avec intérêt que pour la première fois le contour de ces « nations » universitaires pragoises épousait un peu mieux la réalité frontalière de l'Europe centrale.

10. Arthur WYSS (éd.), *Die Limburger Chronik des Tilemann Elhen von Wolfhagen*, Hanovre, 1883, rééd. Munich, 1993, p. 25-95.

11. Ernst KANTOROWICZ, *Les Deux Corps du roi. Essai sur la théologie politique au Moyen Âge*, Paris, 1989.

12. Jörg K. HOENSCH, *Die Luxemburger. Eine spätmittelalterliche Dynastie gesamt-europäischer Bedeutung 1308-1437*, Stuttgart, 2000, p. 95-98.

13. Jean-Noël BIRABEN, *Les Hommes et la peste en France et dans les pays européens et méditerranéens*. T. I : La peste dans l'histoire. T. II : Les hommes face à la peste, Paris, 1975-1976. František GRAUS, *Pest – Geißler – Judenmorde. Das 14. Jahrhundert als Krisenzeit*, Göttingen, 1987. Klaus BERGDOLT, *Der schwarze Tod in Europa*, Munich, 2011.

14. Jana ZACHOVÁ (éd.), *Cronicon Francisci Pragensis/Kronika Františka Pražského*, Prague, 1997, p. 205. Gerrit Jasper SCHENK, « Die Zeit Karls IV. zwischen Frost und Blüte. Katastrophen, Krisen und Klimawandel im 14. Jahrhundert », dans : Jiří FAJT, Markus HÖRSCH, Andrea LANGER (dir.), *Karl IV. Kaiser von Gottes Gnaden. Kunst und Repräsentation des Hauses Luxemburg 1310-1437*, Munich/Berlin, 2006, p. 31-39.

15. Adolf HOFMEISTER (éd.), *Die Chronik des Mathias von Neuenburg*, Berlin, 1924/1940.

16. Harry BRESSLAU (éd.), *Die Chronik Heinrichs Taube von Selbach (Chronica Heinrici Surdi de Selbach)*, Berlin, 1922.

17. Helmut SCHMIDBAUER, « Herzog Ludwig V. von Bayern (1315-1361). Anmerkungen zu seiner Biographie », *Zeitschrift für bayerische Landesgeschichte*, 55 (1992), p. 77-87. Roland PAULER, « Die Rehabilitierung Ludwigs des Brandenburgers im Rahmen der päpstlichen Imperialpolitik », *Zeitschrift für bayerische Landesgeschichte*, 60 (1997), p. 317–328.

18. Martin KINTZINGER, « Karl IV. (1346-1378). Mit Günther von Schwarzburg (1349) », dans : Bernd SCHNEIDMÜLLER, Stefan WEINFURTER (dir.), *Die deutschen Herrscher des Mittelalters. Historische Portraits von Heinrich I. bis Maximilian I. (919-1519)*, Munich, 2003, p. 408-432.

19. Alexander SCHUBERT, « Echte Macht und falsche Herrschaft – Vom Einfluss falscher Herrscher auf die Reichsgeschichte », dans : Matthias PUHLE, Claus-Peter HASSE (dir.), *Heiliges Römisches Reich Deutscher Nation 962-1806. Von Otto dem Großen bis zum Ausgang des Mittelalters, Essayband zur 29. Ausstellung des Europarates*, Dresde, 2006, p. 348-357.

20. Gilles LECUPPRE, *L'Imposture politique au Moyen Âge. La seconde vie des rois*, Paris, 2005.

21. Robert FOLZ, *Études sur le culte liturgique de Charlemagne dans les églises de l'Empire*, Paris, 1951. Pierre MONNET, « Charlemagne à Francfort : VIIIe-XVe siècles. Mémoire et espace urbain », dans : Franz J. FELTEN, Pierre MONNET, Alain SAINT-DENIS (dir.), *Robert Folz (1910-1996). Ein Mittler zwischen Frankreich und Deutschland. Actes du colloque « Idée d'Empire et royauté au Moyen Âge : un regard franco-allemand sur l'œuvre de Robert Folz » (Dijon, 2001)*, Stuttgart, 2007, p. 117-130.

22. Klaus BENDER, *Die Verpfändung von Reichseigentum in den ersten drei Regierungsjahren Karls IV. von 1346 bis 1349*, Hambourg, 1967. Götz LANDWEHR, *Die Verpfändung der Reichsstädte im Mittelalter*, Cologne/Vienne, 1967.

23. Alfons HUBER (éd.), *Matthiae Nuewenburgensis Cronica 1273-1350*, Stuttgart, 1868, p. 254. Adolf HOFMEISTER (éd.), *Die Chronik des Mathias von Neuenburg*, Berlin, 1924/1940.

24. Bernard GUILLEMAIN, *Les Papes d'Avignon (1309–1376)*, Paris, 1998.

25. Olaf B. RADER (trad. comm.), *Wie Blitz und Donnerschlag die Kaiserkrönung Karls IV. nach den Berichten des Johannes Porta de Annoniaco*, Berlin, 2016.

26. Peter HILSCH, « Die Krönungen Karls IV. », dans : Ferdinand SEIBT (dir.), *Kaiser Karl IV. Staatsmann und Mäzen*, Munich, 1978, p. 108-111. Olaf B. RADER, « Collector coronarum. Karl IV. als Kronensammler », dans : Jiří FAJT, Markus HÖRSCH (dir.), *Karl IV. 1316-2016*, Prague/Nuremberg, 2016, p. 86-94.

27. Jean-Claude MAIRE VIGUEUR, *L'Autre Rome : une histoire des Romains à l'époque des communes (XIIᵉ-XIVᵉ siècle)*, Paris, 2010. Andreas REHBERG, Anna MODIGLIANI, *Cola di Rienzo e il Comune di Roma*, Rome, 2004.

28. Claudia Garnier, Hermann Kamp (dir.), *Spielregeln des Mächtigen. Mittelalterliche Politik zwischen Gewohnheit und Konvention*, Darmstadt, 2010.

29. Cette gemme d'opale, l'*orphanus*, était ainsi appelée, d'après Albert le Grand en 1250 dans son traité *De mineralibus*, « parce qu'on ne lui connaissait pas de semblable. Elle est couleur de vin, d'un vin rouge clair comme si l'éclat de la neige l'imprégnait, mais où pourtant le rouge reste dominant. Cette gemme brille vivement et l'on dit qu'elle aurait même naguère brillé dans l'obscurité. Cependant elle ne le fait plus aujourd'hui. Mais on affirme qu'elle concentre en elle l'honneur de l'Empire ». Percy Ernst SCHRAMM, *Herrschaftszeichen und Staatssymbolik. Beiträge zu ihrer Geschichte vom 3. bis zum 16. Jahrhundert*, Stuttgart, 1954–1956, 3 vol. et un tome de compléments : *Herrschaftszeichen und Staatssymbolik. Beiträge zu ihrer Geschichte vom dritten bis zum sechzehnten Jahrhundert*, Munich, 1978. Reinhart STAATS, *Die Reichskrone. Geschichte und Bedeutung eines europäischen Symbols*, Göttingen, 1991.

30. Olaf B. RADER (trad. comm.), *Wie Blitz und Donnerschlag. Die Kaiserkrönung Karls IV. nach den Berichten des Johannes Porta de Annoniaco*, Berlin, 2016, p. 131.

31. Eva SCHLOTHEUBER, « Kaiser Karl IV. und der päpstliche Legat Aegidius Albornoz », *Deutsches Archiv für Erforschung des Mittelalters*, 69/2 (2013), p. 531-579.

32. Roland PAULER, *Die deutschen Könige und Italien im 14. Jahrhundert*, Darmstadt, 1997.

33. Ernst KANTOROWICZ, *L'Empereur Frédéric II*, Paris, 1980 (original de 1927). Sylvain GOUGUENHEIM, *Frédéric II. Un empereur de légendes*, Paris, 2015.

34. Alfons HUBER (éd.), *Johann Friedrich Böhmer Regesta imperii VIII. Die Regesten des Kaiserreiches unter Kaiser Karl IV. 1346-1378*, Hildesheim, 1968, p. 185. Bernd-Ulrich HERGEMÖLLER. *Fürsten, Herren und Städte zu Nürnberg 155/56. Die Entstehung der „Goldenen Bulle" Karls IV.*, Cologne/Vienne, 1983.

CHAPITRE III

L'empereur : 1356-1378

1. Pierre DU COLOMBIER (trad.), *Johann Wolfgang von Goethe. Poésie et vérité. Souvenirs de ma vie*, Paris, 1992.

2. Il s'agit du Francfortois Johann Daniel von Olenschlager, par ailleurs juriste et auteur en 1766 d'un commentaire réputé sur la Bulle d'Or.

3. Michael NIEDERMEIER, « Goethe und die Goldene Bulle », dans : Ulrike HOHENSEE, Mathias LAWO, Michael LINDNER, Michael MENZEL, Olaf B. RADER (dir.), *Die Goldene Bulle. Politik – Wahrnehmung – Rezeption*, Berlin, 2009, vol. 2, p. 1121-1135, en particulier p. 1126 et 1130.

4. Pierre MONNET, Jean-Claude SCHMITT (éd., trad., comm.), *Vie de Charles IV de Luxembourg*, Paris, 2010, p. 10-11.

5. Pierre MONNET, « La Bulle d'Or de 1356, un texte dans la longue durée allemande et européenne », *Bulletin de l'Institut Historique Allemand de Paris*, 15, 2010, p. 29-51. Pierre MONNET, « La Bulle d'Or de 1356, une 'constitution' pour l'Empire ? », dans : François FORONDA, Jean-Philippe GENET (dir.), *Des chartes aux constitutions. Autour de l'idée constitutionnelle en Europe (XIIᵉ-XVIIᵉ siècle)*, Paris/Rome, 2019, p. 149-188.

6. C'est peut-être pour cette raison qu'elle fut inscrite en 2013 au registre documentaire du Patrimoine mondial de l'humanité au titre de « Mémoire du monde » de l'Unesco, où elle figure aux côtés de la *Magna Carta* de 1215 (inscrite en 2009) et des *decreta* des Cortes de Léon de 1188 (inscrits en 2013). Seules trois « constitutions » historiques figurent parmi les 200 textes du patrimoine mémoriel mondial recensé en 2013.

7. Manuscrit de Vienne : Codex Vindobonensis 338 de la Bibliothèque Nationale d'Autriche. Édition par Armin WOLF, *Die Goldene Bulle*, Darmstadt, 2002.

8. Hartmut BOOCKMANN, « Zu den Wirkungen der „Reform Kaiser Siegmunds" », *Deutsches Archiv für Erforschung des Mittelalters*, 1979, p. 514-541. Heinz ANGERMEIER, *Die Reichsreform 1410-1555. Die Staatsproblematik in Deutschland zwischen Mittelalter und Gegenwart*, Munich, 1984. Karl-Friedrich KRIEGER, *König, Reich und Reichsreform*, Munich, 1992. Eberhard HOLTZ, « Die Goldene Bulle Karls IV. im Politikverständnis von Kaiser und Kurfürsten während der Regierungszeit Friedrichs III. (1440-1493) », dans : Ulrike HOHENSEE, Mathias LAWO, Michael LINDNER, Michael MENZEL, Olaf B. RADER (dir.), *Die Goldene Bulle. Politik – Wahrnehmung – Rezeption*, Berlin, 2009, vol. 2, p. 1043-1070.

9. Kurt FLASCH, *Nikolaus von Kues. Geschichte einer Entwicklung*, Francfort-sur-le-Main, 1998.

10. Rainer A. MÜLLER (éd., trad.), *Kaiser und Reich. Libellus de Cesarea monarchia*, Francfort-sur-le-Main, 1998.

11. Bernd-Ulrich HERGEMÖLLER, *Fürsten, Herren und Städte zu Nürnberg 1355/56. Die Entstehung der Goldenen Bulle Karls IV.*, Cologne/Vienne, 1983.

12. Lorenz WEINRICH (éd.), *Quellen zur Verfassungsgeschichte des römisch-deutschen Reiches im Spätmittelalter (1250-1500)*, Darmstadt, 1983, p. 314-377.

13. Françoise AUTRAND, *Charles V*, Paris, 1994. Boris BOVE, *Le Temps de la guerre de Cent Ans, 1328-1453*, Paris, 2009.

14. Bernd-Ulrich HERGEMÖLLER, « Die Entstehung der Goldenen Bulle zu Nürnberg und Metz 1355 bis 1357 », dans : Evelyn BROCKHOFF, Michael MATTHÄUS (dir.), *Die Kaisermacher. Frankfurt am Main und die Goldene Bulle 1356-1806*, Francfort-sur-le-Main, 2006, p. 26-40.

15. Michael LINDNER, « Es war an die Zeit. Die Goldene Bulle in der politischen Praxis Kaiser Karls IV. », dans : Ulrike HOHENSEE, Mathias LAWO, Michael LINDNER, Michael MENZEL, Olaf B. RADER (dir.), *Die Goldene Bulle. Politik – Wahrnehmung – Rezeption*, Berlin, 2009, vol. 1, p. 93-141.

16. W. FOLKERT, « Die Siegel Karls IV. », dans : Ferdinand SEIBT (dir.), *Kaiser Karl IV. Staatsmann und Mäzen*, Munich, 1978, p. 308-312. Michael MATTHÄUS, « Die Kaisergoldbulle Karls IV. im Kontext der Entwicklung deutscher Herrschersiegel im Mittelalter », dans : Evelyn BROCKHOFF, Michael MATTHÄUS (dir.), *Die Kaisermacher. Frankfurt am Main und die Goldene Bulle 1356*-1806, Francfort-sur-le-Main, 2006, p. 64-76.

17. Reinhaart STAATS, *Theologie der Reichskrone. Ottonische „Renovatio Imperii" im Spiegel einer Insignie*, Stuttgart, 1976. ID., *Die Reichskrone. Geschichte und Bedeutung eines europäischen Symbols*, Göttingen, 1991. Mechthild SCHULZE-DÖRRLAMM, *Die Kaiserkrone Konrads II. (1024–1039). Eine Archäologische Untersuchung zu Alter und Herkunft der Reichskrone*, Sigmaringen, 1992.

18. Wolf Erich KELLNER, *Das Reichsstift Sankt-Bartholomäus zu Frankfurt im Spätmittelalter*, Francfort-sur-le-Main, 1962.

19. Liselotte E. SAURMA-JELTSCH (dir.), *Karl der Große als vielberufener Vorfahr*, Sigmaringen, 1994. August HEUSER, Mathias KLOFT (dir.), *Karlsverehrung in Frankfurt am Main*, Francfort-sur-le-Main, 2000.

20. Paul-Joachim HEINIG, « *Solides bases imperii et columpne immobiles* ? Die geistlichen Kurfürsten und der Reichsepiskopat um die Mitte des 14. Jahrhunderts », dans : Ulrike HOHENSEE, Mathias LAWO, Michael LINDNER, Michael MENZEL, Olaf B. RADER (dir.), *Die Goldene Bulle. Politik – Wahrnehmung – Rezeption*, Berlin, 2009, vol. 1, p. 65-92. Axel GOTTHARD, « Cardo Imperii. Das Kurfürstenkollegium im spätmittelalterlichen und frühneuzeitlichen Reichsverband », dans : Evelyn BROCKHOFF, Michael MATTHÄUS (dir.), *Die Kaisermacher. Frankfurt am Main und die Goldene Bulle 1356-1806*, Francfort-sur-le-Main, 2006, p. 130-140.

21. Gabriele ANNAS, Heribert MÜLLER, « Kaiser, Kurfürsten und Auswärtige Mächte. Zur Bedeutung der Goldenen Bulle im Rahmen von Rangstreitigkeiten auf Reichsversammlungen und Konzilien des 15. Jahrhunderts », dans : Evelyn BROCKHOFF, Michael MATTHÄUS (dir.), *Die Kaisermacher. Frankfurt am Main und die Goldene Bulle 1356-1806*, Francfort-sur-le-Main, 2006, p. 106-130. Joachim KUNISCH, « Formen symbolischen Handelns in der Goldenen Bulle von 1356 », dans : Barbara STOLLBERG-RILLINGER (dir.), *Vormoderne politische Verfahren*, Berlin, 2001, p. 263-280. Gerald SCHWEDLER, « Dienen muss man dürfen oder: Die Zeremonialvorschriften der Goldenen Bulle zum Krönungsmahl des römisch-deutschen Herrschers », dans : Claus AMBOS ET AL. (dir.), *Die Welt der Rituale. Von der Antike bis heute*, Darmstadt, 2005, p. 156-166. Bernd SCHNEIDMÜLLER, « Das spätmittelalterliche Imperium als lebendes Bild : Ritualentwürfe der Goldenen Bulle von 1356 », dans : Claus AMBOS, Peter RÖSCH (dir.), *Bild und Ritual. Visuelle Kulturen in historischer Perspektive*, Darmstadt, 2010, p. 210-230. Bernd SCHNEIDMÜLLER, « Die Aufführung des Reichs. Zeremoniell, Ritual und Performanz in der Goldenen Bulle von 1356 », dans : Evelyn BROCKHOFF, Michael MATTHÄUS (dir.), *Die Kaisermacher. Frankfurt am Main und die Goldene Bulle 1356-1806*, Francfort-sur-le-Main, 2006, p. 76-94.

22. Pierre MONNET, « De l'honneur de l'Empire à l'honneur urbain : la Bulle d'Or de 1356 et les villes dans l'Empire médiéval et moderne », dans : Julie CLAUSTRE, Olivier MATTÉONI, Nicolas OFFENSTADT (dir.), *Un Moyen Âge pour aujourd'hui. Mélanges offerts à Claude Gauvard*, Paris, 2010, p. 152-160.

23. Lorenz WEINRICH (éd.), *Quellen zur Verfassungsgeschichte des römisch-deutschen Reiches im Spätmittelalter (1250-1500)*, Darmstadt, 1983, p. 290-293.

24. Klaus RICHTER, « Rechtsbücher: Sachsenspiegel und Schwabenspiegel », dans : Jörg WOLFF (dir.) : *Kultur- und rechtshistorische Wurzeln Europas. Band 1.*, Mönchengladbach, 2005.

25. Eva SCHLOTHEUBER, « Das *Privilegium maius* – eine habsburgische Fälschung im Ringen um Rang und Einfluss », dans : Peter SCHMID, Heinrich WANDERWITZ, *Die Geburt Österreichs. 850 Jahre Privilegium minus*, Ratisbonne, 2007, p. 143-165.

26. Henry BOGDAN, *Histoire des Habsbourg : des origines à nos jours*, Paris, 2005. Heinz-Dieter HEIMANN, *Die Habsburger. Dynastie und Kaiserreiche*, Munich, 2016.

27. Mario MÜLLER, Karl-Heinz SPIESS, Uwe TRESP (dir.), *Erbeinungen und Erbverbrüderungen in Spätmittelalter und Früher Neuzeit*, Berlin, 2014. Notamment : Heinz-Dieter HEIMANN, « Die luxemburgisch-habsburgischen Erbverbrüderungen von 1364 und 1366. Ein inner- und interdynastisches Rechtswerk », p. 133-149.

28. Erhard HIRSCH, *Generationsübergreifende Verträge reichsfürstlicher Dynastien vom 14. bis zum 16. Jahrhundert*, Berlin, 2013.

29. Flaminia PICHIORRI, « L'autobiographie de Charles IV. Essai d'analyse lexicale », *Histoire & mesure*, 18/3-4 (2003), p. 335-374.

30. Gabriele ANNAS, *Hoftag – Gemeiner Tag – Reichstag. Studien zur strukturellen Entwicklung deutscher Reichsversammlungen des späten Mittelalters (1349-1471)*, Göttingen, 2004. Julia DÜCKER, *Reichsversammlungen im Spätmittelalter. Politische Willensbildung in Polen, Ungarn und Deutschland*, Ostfildern, 2011.

31. Jean-Marie MOEGLIN, *L'Empire et le royaume. Entre in différence et fascination 1214-1500*, Lille, 2011.

32. Andreas BÜTTNER, *Der Weg zur Krone. Rituale der Herrschererhebung im spätmittelalterlichen Reich*, Ostfildern, 2012.

33. Jean-Claude SCHMITT, « Rites », dans : Jacques LE GOFF, Jean-Claude SCHMITT (dir.), *Dictionnaire raisonné de l'Occident médiéval*, Paris, 1999, p. 969-984. Chapitre « Symbolische Formen », dans : Gert MELVILLE, Martial STAUB (dir.), *Enzyklopädie des Mittelalters*, Darmstadt, 2008, 2 vol., vol. 1, p. 248-256. Chapitre « Nonverbale Kommunikation, Symbolik, Ritualität », dans : Hans-Werner GOETZ, *Moderne Mediävistik. Stand und Perspektiven der Mittelalterforschung*, Darmstadt, 1999, p. 362 et suiv. Chapitre « Rituels et institutions », dans : Jean-Claude SCHMITT, Otto Gerhard OEXLE (dir.), *Les Tendances actuelles de l'histoire du Moyen Âge en France et en Allemagne*, Paris, 2002, p. 231-283. Heinz DUCHHARDT, Gert MELVILLE (dir.), *Im Spannungsfeld von Recht und Ritual. Soziale Kommunikation in Mittelalter und Früher Neuzeit*, Cologne, 1997. Gerd ALTHOFF, *Spielregeln der Politik im Mittelalter. Kommunikation in Frieden und Fehde*, Darmstadt, 1997. ID., *Inszenierte Herrschaft*, Darmstadt, 2003. ID., *Die Macht der Rituale. Symbolik und Herrschaft im Mittelalter*, Darmstadt, 2003. Philippe BUC, *Dangereux rituels. De l'histoire médiévale aux sciences sociales*, Paris, 2003. Martin KINTZINGER, « Zeichen und Imaginationen des Reiches », dans : Bernd SCHNEIDMÜLLER, Stefan WEINFURTER (dir.), *Heilig – Römisch – Deutsch. Das Reich im spätmittelalterlichen Europa*, Dresde, 2006, p. 345-371. Barbara STOLLBERG-RILLINGER, Mathias PUHLE, Gerd ALTHOFF, *Spektakel der Macht. Rituale im alten Europa 800-1800*, Darmstadt, 2008.

34. Jochen A. FÜHNER, « Kaiserinnenkrönungen in Frankfurt am Main », dans : Evelyn BROCKHOFF, Michael MATTHÄUS (dir.), *Die Kaisermacher. Frankfurt am Main und die Goldene Bulle 1356-1806*, Francfort-sur-le-Main, 2006, p. 294-308. Amalie FÖSSEL, *Die Königin im mittelalterlichen Reich*, Stuttgart, 2000.

35. Michael NIEDERMEIER, « Goethe und die Goldene Bulle », dans : Ulrike HOHENSEE, Mathias LAWO, Michael LINDNER, Michael MENZEL, Olaf B. RADER (dir.), *Die Goldene Bulle. Politik – Wahrnehmung – Rezeption*, Berlin, 2009, vol. 2, p. 1121-1135.

36. Pierre MONNET, Jean-Claude SCHMITT (éd., trad., comm.), *Vie de Charles IV de Luxembourg*, Paris, 2010, p. 3.

37. Pierre MONNET, « Le Saint-Empire entre *regnum* et *imperium* », dans : Frédéric HURLET (dir.), *Les Empires. Antiquité et Moyen Âge. Analyse comparée*, Rennes, 2008, p. 155-180. Pierre MONNET, « L'Empire et ses royaumes voisins du Nord et de l'Est de l'Europe », dans : Patrick BOUCHERON (dir.), *Histoire du monde au XVe siècle*, Paris, 2009, p. 155-175.

38. Paul-Joachim HEINIG, « *Solides bases imperii et columpne immobiles* ? Die geistlichen Kurfürsten und der Reichsepiskopat um die Mitte des 14. Jahrhunderts », dans : Ulrike HOHENSEE, Mathias LAWO, Michael LINDNER, Michael MENZEL, Olaf B. RADER (dir.), *Die Goldene Bulle. Politik – Wahrnehmung – Rezeption*, Berlin, 2009, p. 65-92. Axel GOTTHARD, « Cardo Imperii. Das Kurfürstenkollegium im spätmittelalterlichen und frühneuzeitlichen Reichsverband », dans : Evelyn BROCKHOFF, Michael MATTHÄUS

(dir.), *Die Kaisermacher. Frankfurt am Main und die Goldene Bulle 1356-1806*, Francfort-sur-le-Main, 2006, p. 130-140.

39. František KAVKA, « Böhmen, Mähren, Schlesien », dans : Ferdinand SEIBT, *Kaiser Karl IV. Ein Kaiser in Europa 1346 bis 1378*, Munich, 1978, p. 189-194. Heinz STOOB, *Kaiser Karl IV. und seine Zeit*, Graz/Vienne/Cologne, 1990, p. 182-202 (Karl IV. und Europa im Jahrzehnt nach der Goldenen Bulle). Lenka BOBKOVÁ, « Die Länder der böhmischen Krone », dans : Jiří FAJT, Markus HÖRSCH (dir.), *Kaiser Karl IV. 1316-2016*, Prague/Nuremberg, 2016, p. 123-132.

40. Heribert STURM, « Des Kaisers Land in Bayern », dans : Ferdinand SEIBT (dir.), *Kaiser Karl IV. Staatsmann und Mäzen*, Munich, 1978, p. 208-212.

41. Fritz SCHNELBÖGL (éd.), *Das „ Böhmische Salbüchlein" Kaiser Karls IV. über die nördliche Oberpfalz 1366/68*, Munich, 1973.

42. Richard NĚMEC, « Herrscher – Kunst – Metapher. Das ikonografische Programm der Residenzburg Lauf an der Pregnitz als eine Quelle der Herrschaftsstrategie Karls IV. », dans : Ulrike HOHENSEE, Mathias LAWO, Michael LINDNER, Michael MENZEL, Olaf B. RADER (dir.), *Die Goldene Bulle. Politik – Wahrnehmung – Rezeption*, Berlin, 2009, vol. 1, p. 369-402.

43. Heinz-Dieter HEIMANN, Klaus NEITMANN, Uwe TRESP (dir.), *Die Nieder- und Oberlausitz - Konturen einer Integrationslandschaft, Bd. 1 : Mittelalter*, Berlin, 2013.

44. Johannes SCHULTZE (éd.), *Das Landbuch der Mark Brandenburg von 1375*, Berlin, 1940. Jan WINKELMANN, *Die Mark Brandenburg des 14. Jahrhunderts. Markgräfliche Herrschaft zwischen räumlicher „ Ferne" und politischer „ Krise"*, Berlin, 2011. Franziska HEIDEMANN, *Die Luxemburger in der Mark. Brandenburg unter Kaiser Karl IV. und Sigismund von Luxemburg (1373–1415)*, Warendorf, 2014. Sascha BÜTOW, « Das Landbuch der Mark Brandenburg », dans : Jan RICHTER, Jan, Peter KNÜVENER, Kurt WINKLER (dir.), *Kaiser Karl IV. und Brandenburg*, Berlin, 2016, p. 12-19.

45. Uwe TRESP, « Karl IV., das Haus Luxemburg und die Erbeinungen der Böhmischen Krone im späten Mittelalter », dans : Mario MÜLLER, Karl-Heinz SPIESS, Uwe TRESP (dir.), *Erbeinungen und Erbverbrüderungen in Spätmittelalter und Früher Neuzeit*, Berlin, 2014, p. 159-172.

46. Les fameuses constitutions égidiennes, plus exactement nommées *Constitutiones Sanctæ Matris Ecclesiæ* de 1357 ne furent abolies qu'en 1816. Jean-Pierre DELUMEAU, Isabelle HEULLANT-DONAT, *L'Italie au Moyen Âge. V^e-XVe siècle*, Paris, 2000. Élisabeth CROUZET-PAVAN, *Renaissances italiennes 1380-1500*, Paris, 2007.

47. Cité par Gustav PIRCHAN, *Italien und Kaiser Karl IV. in der Zeit seiner zweiten Romfahrt*, Reichenberg, 1930, p. 298.

48. Élisabeth CROUZET-PAVAN, *Renaissances italiennes 1380-1500*, Paris, 2007, p. 70-78 et 165-176. Laurent BAGGIONI, *La « Forteresse de la raison ». Lectures de l'humanisme politique florentin d'après l'Epistolario de Coluccio Salutati (1331-1406)*, Lyon, 2011.

49. Wolfgang VON STROMER, « Wirtschaftsleben unter den Luxemburgern », dans : Gerhard PFEIFFER (dir.), *Nürnberg – Geschichte einer europäischen Stadt*, Munich, 1971, p. 92-100.

50. Ulman Stromer, conseiller et argentier de la couronne, est l'auteur de l'une des toutes premières autobiographies écrites en allemand, précédée d'une chronique de la ville et de l'Empire dont le troisième chapitre comprend une relation du voyage de Charles IV à Rome. Cité par Ferdinand SEIBT, *Kaiser Karl IV. Ein Kaiser in Europa 1346 bis 1378*, Munich, 1978, p. 341, d'après l'édition de Karl HEGEL (éd.), *Ulman Stromer : Püchel von meim geslecht und von abentewr*, Leipzig, 1862, p. 64. Sur ce personnage fascinant : Peter FLEISCHMANN, *Rat und Patriziat in Nürnberg. Die Herrschaft der Ratsgeschlechter vom 13. bis zum 18. Jahrhundert*, t. 2 : *Ratsherren und Ratsgeschlechter*, Nürnberg, 2008.

51. Roland PAULER, *Die deutschen Könige und Italien im 14. Jahrhundert*, Darmstadt, 1997, p. 215-223. Martin BAUCH, « Wie ein zweiter Konstantin. Karl IV. und der Romzug 1368/69 », dans : Jiří FAJT, Markus HÖRSCH (dir.), *Kaiser Karl IV. 1316-2016*, Prague/Nuremberg, 2016, p. 203-207.

52. Jean FAVIER, *Les Papes d'Avignon*, Paris, 2006.

53. Paul PAYAN, *Entre Rome et Avignon, une histoire du Grand Schisme (1378-1417)*, Paris, 2009.

54. Henri BRESC, « La génèse du grand schisme : les partis cardinalices et leurs ambitions dynastiques », dans : *Genèse et Début du grand schisme d'Occident (Colloque d'Avignon 1978)*, Paris, 1980, p. 45-57.

55. Stefan WEISS, « Onkel und Neffe. Die Beziehungen zwischen Deutschland und Frankreich unter Kaiser Karl IV. und König Karl V. und der Ausbruch des Großen Abendländischen Schismas. Eine Studie über mittelalterliche Außenpolitik », dans : ID. (dir.), *Regnum et Imperium. Die französisch-deutschen Beziehungen im 14. und 15. Jahrhundert/Les Relations franco-allemandes au XIVe et au XVe siècle*, Munich, 2008, p. 101-164. Jean-Marie MOEGLIN, *L'Empire et le royaume. Entre indifférence et fascination 1214-1500*, Lille, 2011, en particulier p. 43-56. Heinz THOMAS, « Die Beziehungen Karls IV. zu Frankreich von der Rhenser Wahl im Jahre 1346 bis zum Grossen Metzer Hoftag », dans : Hans PATZE (dir.), *Kaiser Karl IV. 1316-1378. Forschungen über Kaiser und Reich*, Neustadt/Aisch, 1978, p. 165-201.

56. Jean-Marie MOEGLIN, Stéphane PÉQUIGNOT, *Diplomatie et « relations internationales » au Moyen Âge (IXe-XVe siècle)*, Paris, 2017.

57. Pierre MONNET, Jean-Claude SCHMITT (éd., trad., comm.), *Vie de Charles IV de Luxembourg*, Paris, 2010, p. 23.

58. Michel PARISSE (dir.), *Histoire de la Lorraine*, Toulouse, 1977.

59. Jean SCHNEIDER, *La Ville de Metz aux XIIIe et XIVe siècles*, Nancy, 1950. François-Yves LE MOIGNE (dir.), *Histoire de Metz*, Toulouse, 1986.

60. Jean-Marie MOEGLIN, *L'Empire et le royaume. Entre indifférence et fascination, 1214-1500*, Lille, 2011, p. 53-55.

61. Sur le maniement des concepts d'alliance, d'amitié et de neutralité à la fin du Moyen Âge : Klaus OSCHEMA, *Freundschaft und Nähe im spätmittelalterlichen Burgund. Studien zum Spannungsfeld von Emotion und Institution*, Cologne/Weimar/Vienne, 2006.

62. Françoise AUTRAND, *Charles V*, Paris, 1994, p. 164-166.

63. Pierre RACINE, *Frédéric Barberousse 1152-1190*, Paris, 2009. Knut GÖRICH, *Friedrich Barbarossa : Eine Biographie*, Munich, 2011.

64. Esther DEHOUX, *Saints guerriers : Georges, Guillaume, Maurice et Michel dans la France médiévale (XIe- XIIIe siècles)*, Rennes, 2014.

65. Réjane BRONDY, Bernard DEMOTZ, Jean-Pierre LEGUAY, *Histoire de Savoie. La Savoie de l'an mil à la Réforme, XIe-début XVIe siècle*, Rennes, 1984. Bernard DEMOTZ, *Le Comté de Savoie du XIe au XVe siècle : Pouvoir, château et État au Moyen Âge*, Genève, 2000.

66. *L'Europe des Anjous. Aventure des princes angevins du XIIIe au XVe siècle*, Paris, 2001. Noël-Yves TONNERRE, Élisabeth VERRY (dir.), *Les Princes angevins du XIIIe au XVe siècle. Un destin européen*, Rennes, 2003.

Acte I
1378, dernière visite ou revoir Paris

1. Roland DELACHENAL (éd.), *Les Grandes Chroniques de France : Chronique des règnes de Jean II et de Charles V*, Paris, 1910-1920. Jules VIARD (éd.), *Les Grandes*

Chroniques de France, Paris, 1920-1953. Nathalie DESGRUGILLERS (trad., prés.), *Les Grandes Chroniques de France*, Clermont-Ferrand, 2013. Bernard GUENÉE, « Les Grandes chroniques de France, le Roman aux roys (1274-1518) », dans : Pierre NORA (dir.), *Les Lieux de mémoire, tome II : La nation, vol. 1 : Héritage, historiographie, paysages*, Paris, 1986, p. 189-214. Anne D. HEDEMAN, *The Royal Image: Illustrations of the « Grandes Chroniques de France » (1274-1422)*, Berkeley, 1991.

2. Suzanne SOLENTE (éd.), *Le Livre des Fais et bonnes meurs du sage roy Charles V*, Paris, 1936-1940. Joël BLANCHARD, Michel QUEREUIL (éd., trad., prés.), *Christine de Pizan. Livre des faits et bonnes mœurs du sage roi Charles V*, Paris, 2013. Françoise AUTRAND, *Christine de Pizan*, Paris, 2009.

3. BNF, ms. fr. 2813, fol. 467-480. Bruno DONZET, Christian SIRE (dir.), *Les Fastes du gothique. Le siècle de Charles V*, Paris, 1981, p. 329-331.

4. Voir Françoise AUTRAND, *Charles V*, Paris, 1994, p. 778-805. EAD., « Mémoire et cérémonial : la visite de l'empereur Charles IV à Paris en 1378 d'après les Grandes Chroniques de France et Christine de Pizan », dans : Liliane DULAC, Bernard RIBÉMOND (dir.), *Une Femme de lettres au Moyen Âge. Études autour de Christine de Pizan*, Orléans, 1995, p. 91-103.

5. La meilleure description de la série : Jean-Claude SCHMITT, *Les Rythmes au Moyen Âge*, Paris, 2016, p. 452-469. Voir aussi : František ŠMAHEL, *The Parisian Summit 1377-78. Emperor Charles IV and King Charles V of France*, Prague, 2014.

6. Colette BEAUNE, *Les Manuscrits des rois de France au Moyen Âge. Le miroir du pouvoir*, Paris, 1997. Bernd CARQUÉ, *Stil und Erinnerung. Französische Hofkunst im Jahrhundert Karls V. und im Zeitalter ihrer Deutung*, Göttingen, 2004. Sur Perrin ou Pierre Remiet : Michael CAMILLE, *Master of Death. The Lifeless Art of Pierre Remiet, Illuminator*, New Haven, 1996, p. 253.

7. BNF, Fr. 2813.

8. Jana FANTYSOVÁ-MATĚJKOVA, *Wenceslas de Bohême, un prince au carrefour de l'Europe*, Paris, 2013.

9. Jean-Marie MOEGLIN, Stéphane PÉQUIGNOT, *Diplomatie et « relations internationales » au Moyen Âge (IXᵉ-XVᵉ siècles)*, Paris, 2017.

10. Colette BEAUNE, *Naissance de la nation France*, Paris, 1985.

11. Martin KINTZINGER, « Zeremoniell und politische Repräsentation bei dem berühmten Treffen zwischen Karl IV. und Karl V. von Frankreich », dans : Ulrike HOHENSEE, Mathias LAWO, Michael LINDNER, Michael MENZEL, Michael, Olaf B. RADER, (dir.), *Die Goldene Bulle. Politik – Wahrnehmung – Rezeption*, Berlin, 2009, vol. 1, p. 299-326.

12. Jacques KRYNEN, *L'empire du roi. Idées et croyances politiques en France XIIIᵉ-XVᵉ siècle*, Paris, 1993.

13. František ŠMAHEL, « Die letzte Ausstrahlung der kaiserlichen Majestät: Die Reise Karls IV. nach Paris und seine Prager *pompa funebris* », dans : Jiří FAJT Markus HÖRSCH (dir.), *Kaiser Karl IV. 1316-2016*, Prague/Nuremberg, 2016, p. 247-252.

14. Gerhard SCHWEDLER, *Herrschertreffen des Spätmittelalters. Formen – Rituale – Wirkungen*, Ostfildern, 2008.

15. « *Et, pour ce que de coustume l'Empereur dit la 7ᵉ leçon à matines, revestus de ses habiz et enseignes imperiaulz, il fu advisé par les gens du Roy que, ou royaume, ne le pourroit il faire, ne souffert ne li seroit* » disent les *Grandes Chroniques*. Hermann HEIMPEL, « Königlicher Weihnachtsdienst im späteren Mittelalter », *Deutsches Archiv für Erforschung des Mittelalters*, 39 (1983), p. 131-206.

16. Bernard GUENÉE, Françoise LEHOUX, *Les Entrées royales françaises de 1328 à 1515*, Paris, 1968. Christian de MERINDOL, « Théâtre et politique au Moyen Âge. Les entrées royales et autres cérémonies », dans : *Théâtre au Moyen Âge. 115ᵉ congrès*

national des Sociétés savantes, Avignon, 1980, p. 179-212. *Les Entrées. Gloire et déclin d'un cérémonial*, Biarritz, 1997.

17. « *...et pour ce que l'Empereur voult en toutes manières monter en hault, devant la dicte chasse, et veoir les saintes reliques, et la montée soit greveuse et estroite, il n'y pot estre porté en sa chaiere, mais se fist tyrer par les braz et jambes contre mont la vix, et grevance de son corps, pour la grant devocion qu'il a voit à veoir de près les dites saintes reliques pareillement ravaler...* »

18. Richard C. TREXLER, *Le Voyage des mages à travers l'histoire*, Paris, 2009.

19. Marcel THOMAS, « La visite de l'empereur Charles IV en France d'après l'exemplaire des 'Grandes Chroniques' exécuté pour le roi Charles V », dans : *VIe Congrès international des bibliophiles*, Vienne, 1971, p. 85-98.

20. Françoise AUTRAND, *Charles VI*, Paris, 1986. Boris BOVE, *1328-1453. Le Temps de la Guerre de Cent Ans*, Paris, 2009.

21. Stefan WEISS, « Onkel und Neffe. Die Beziehungen zwischen Deutschland und Frankreich unter Kaiser Karl IV. und König Karl V. und der Ausbruch des Grossen Abendländischen Schismas. Eine Studie über mittelalterliche Aussenpolitik », dans : Stefan WEISS (dir.), *Regnum et Imperium. Die französisch-deutschen Beziehungen im 14. und 15. Jahrhundert Les Relations franco-allemandes au XIVe et XVe siècle*, Munich, 2008, p. 101-164.

22. Sur l'émergence du concept de neutralité : Klaus OSCHEMA, « Auf dem Weg zur Neutralität: Eine neue Kategorie politischen Handelns im spätmittelalterlichen Frankreich », dans : ID. (dir.), *Freundschaft oder „amitié"? Ein politisch-soziales Konzept der Vormoderne im zweisprachlichen Vergleich (15.-17. Jahhundert)*, Berlin, 2007, p. 81-108.

23. Vital CHOMEL (dir.), *Dauphiné, France. De la principauté indépendante à la province (XIIe-XVIIe siècles)*, Grenoble, 1999. Anne LEMONDE, *Le Temps des libertés en Dauphiné. L'intégration d'une principauté à la couronne de France (1349-1408)*, Grenoble, 2002. Jean-Marie MOEGLIN, *L'Empire et le royaume. Entre indifférence et fascination 1214-1500*, Lille, 2011, notamment p. 35-41.

24. Olaf B. RADER, « *Collector coronarum*. Karl IV. als Kronensammler », dans : Jiří FAJT Markus HÖRSCH (dir.), *Kaiser Karl IV. 1316-2016*, Prague/Nuremberg, 2016, p. 86-94.

25. Françoise AUTRAND, *Jean de Berry : l'art et le pouvoir*, Paris, 2000.

26. Martin KINTZINGER, *Westbindungen im spätmittelalterlichen Europa. Auswärtige Politik zwischen dem Reich, Frankreich, Burgund und England in der Regierungszeit Kaiser Sigmunds*, Stuttgart, 2000.

27. Heinz THOMAS, « Ein zeitgenössisches Memorandum zum Staatsbesuch Kaiser Karls IV. in Paris », dans : Wolfgang HAUBRICHS (dir.), *Zwischen Saar und Mosel. Festschrift für Hans-Walter Herrmann zum 65. Geburtstag*, Sarrebruck, 1995, p. 99-119.

28. « *De quoy l'Empereur et tous ceuls qui le sceurent entendre monstrerent semblant de en avoir très grant plaisir. Et en briefves paroles l'Empereur dist en alemant à ses gens, qui presens estoient et qui n'entendoient pas françois, ce que le Roy luy avoit dit, et leur exposa les lectres que sur ce avoit oy lire, et fist response au Roy tele comme il s'ensuit, c'est assavoir qu'il dist que très bien avoit entendu ce que le Roy avoit dit très sagement, et veu et bien cogneu, tant par ses lectres comme autrement, sa bonne querele et justice, et que partout le magnifesteroit et feroit savoir, et que, se les Englois se efforçoient, en Alemaigne, de publier le contraire, comme autre fois avoient fait, il deffendroit et soustendroit le droit du Roy.* »

29. Georg WOLFRAM (éd.), *Die Metzer Chronik des Jaique Dex (Jacques d'Esch) über die Kaiser und Könige aus dem Luxemburger Hause (1307-1435)*, Metz, 1906.

Michel MARGUE, « L'histoire impériale au service de la bourgeoisie : les Chroniques de Jacques d'Esch et la maison impériale de Luxembourg », dans : Mireille CHAZAN, Gérard NOROY (dir.), *Écrire l'histoire à Metz au Moyen Âge : actes du colloque organisé par l'Université Paul-Verlaine de Metz, 23-25 avril 2009*, Metz, 2011, p. 281-312. Voir le projet de recherche actuellement soutenu par le fonds de recherche national du Luxembourg : « Les Chroniques de Jacques d'Esch (avant 1439) : historiographie, littérature et identités culturelles entre Empire et France sous les Luxembourg ».

30. Georg WOLFRAM (éd.), *Die Metzer Chronik des Jaique Dex (Jacques d'Esch) über die Kaiser und Könige aus dem Luxemburger Hause (1307-1435)*, Metz, 1906, p. 313 (chap. XLII).

CHAPITRE IV
Noms de pays

1. Jean-Marie MOEGLIN, « Les dynasties princières allemandes et la notion de Maison à la fin du Moyen Âge », dans : *Les Princes et le pouvoir au Moyen Âge*, Paris, 1993, p. 137-154.

2. Flaminia PICHIORRI, « L'autobiographie de Charles IV. Essai d'analyse lexicale », *Histoire & mesure*, 18/3-4 (2003), p. 335-374.

3. Les synthèses les plus commodes sont : Michel PAULY, *Geschichte Luxemburgs*, Munich, 2011. Michel PAULY, *Histoire du Luxembourg*, Bruxelles, 2013. Gilbert TRAUSCH (dir.), *Histoire du Luxembourg. Le destin européen d'un « petit pays »*, Toulouse, 2002. Joseph GOEDERT, *La Formation territoriale du pays de Luxembourg depuis les origines jusqu'au milieu du quinzième siècle*, Luxembourg, 1963.

4. Michel MARGUE (dir.), *Un itinéraire européen. Jean l'Aveugle, comte de Luxembourg et roi de Bohême (1296-1346)*, Luxembourg, 1996. Michel PAULY (dir.), *Johann der Blinde. Graf von Luxemburg, König von Böhmen. 1296-1346*, Luxembourg, 1997. Klaus SÜTTERLIN, *König Johann. Ritter auf dem Schauplatz Europa*, Landau, 2003. Michel PAULY (dir.), *Die Erbtochter, der fremde Fürst und das Land. Die Ehe Johanns des Blinden und Élisabeths von Böhmen in vergleichender europäischer Perspektive*, Luxembourg, 2013.

5. Jörg K. HOENSCH, *Die Luxemburger - Eine spätmittelalterliche Dynastie gesamteuropäischer Bedeutung 1308-1437*, Stuttgart, 2000.

6. Josef MACEK, Robert MANDROU, *Histoire de la Bohême. Des origines à 1918*, Paris, 1984. Friedrich PRINZ (dir.), *Deutsche Geschichte im Osten Europas. Böhmen und Mähren*, Berlin, 1993. Jörg K. HOENSCH, *Histoire de la Bohême. Des origines à la Révolution de velours*, Paris, 1995. Marie-Madeleine DE CÉVINS, *L'Europe centrale au Moyen Âge*, Rennes, 2013.

7. On citera simplement la *Chronique des Bohèmes* du chanoine pragois Cosmas écrite vers 1110-1120, la Chronique dite de Dalimil vers 1310, la Chronique de la cour royale rédigée vers 1315-1335 par l'abbé Pierre de Zittau, les grandes œuvres de Benesch Krabitz von Weitmühl vers 1345-1374, de François de Prague à compter de 1342, du Franciscain Jean de Marignolli vers 1355 et de Přibík Pulkavas von Radenin à partir de 1375.

8. Martin NEJEDLY, « Le concept de nation en Bohême au XIVᵉ et au début du XVᵉ siècle », dans : *Nation et nations au Moyen Âge*, Paris, 2014, p. 231-244.

9. Helmut BEUMANN, « Europäische Nationenbildung im Mittelalter. Aus der Bilanz eines Forschungsschwerpunktes », *Geschichte in Wissenschaft und Unterricht*, 10 (1988), p. 587-593. Norbert KERSKEN, *Geschichtsschreibung im Europa der « Nationes »*.

Nationalgeschichtliche Gesamtdarstellungen im Mittelalter, Cologne/Weimar/Vienne, 1995. Jean-Marie MOEGLIN, « Nation et nationalisme du Moyen Âge à l'époque moderne », *Revue Historique*, 301/3 (1999), p. 537-553. Pierre MONNET, « Nation et nations au Moyen Âge. Introductions », dans : *Nation et nations au Moyen Âge*, Paris, 2014, p. 9-34.

10. Charles HIGOUNET, *Les Allemands en Europe centrale et orientale au Moyen Âge*, Paris, 1989. Peter MORAW, « Das Mittelalter », dans : Friedrich PRINZ (dir.), *Deutsche Geschichte im Osten Europas. Böhmen und Mähren*, Berlin, 1993, p. 126-133.

11. Heinz THOMAS, *Deutsche Geschichte des Spätmittelalters. 1250-1500*, Stuttgart, 1983. Ellen WIDDER (dir.), *Vom luxemburgischen Grafen zum europäischen Herrscher. Neue Forschungen zu Heinrich VII.*, Luxembourg, 2008. Michel PAULY (dir.), *Europäische Governance im Spätmittelalter. Heinrich VII. von Luxemburg und die großen Dynastien Europas (Gouvernance européenne au bas moyen âge. Henri VII de Luxembourg et l'Europe des grandes dynasties)*, Luxembourg, 2010. Sabine PENTH, Peter THORAU (dir.) : *Rom 1312. Die Kaiserkrönung Heinrichs VII. und die Folgen. Die Luxemburger als Herrscherdynastie von gesamteuropäischer Bedeutung*, Cologne/Weimar/Vienne, 2016.

12. Francis RAPP, *Les Origines médiévales de l'Allemagne moderne. De Charles IV à Charles Quint (1346-1519)*, Paris, 1989. Peter MORAW, *Von offener Verfassung zu gestalteter Verdichtung. Das Reich im späten Mittelalter 1250 bis 1490*, Berlin, 1985. Ernst SCHUBERT, *Einführung in die Grundprobleme der deutschen Geschichte im Spätmittelalter*, Darmstadt, 1992. Michel PARISSE, *Allemagne et Empire au Moyen Âge*, Paris, 2002. Frank REXROTH, *Deutsche Geschichte im Mittelalter*, Munich, 2005. Stefan WEINFURTER, *Das Reich im Mittelalter. Kleine deutsche Geschichte von 500 bis 1500*, Munich, 2008.

13. Alexander DEMANDT, *Deutschlands Grenzen in der Geschichte*, Munich, 1990. Pierre MONNET, « La recherche des frontières », dans : *L'Allemagne de Luther à nos jours*, numéro spécial de *L'Histoire*, Paris, 2017, p. 9-26.

14. Le mot allemand pour dire la frontière, *Grenze*, est l'un des rares termes empruntés au slave (*Grenitza*).

15. Michel PARISSE (dir.), *De la Meuse à l'Oder. L'Allemagne au XIIIe siècle*, Paris, 1997.

16. Étienne FRANÇOIS, Thomas SERRIER, *Europa notre histoire*. Vol. 2 : *Les Europe*, sous la dir. de Pierre MONNET et Olaf B. RADER, Paris, 2017.

17. Gabriele ANNAS, *Hoftag – Gemeiner Tag – Reichstag. Studien zur strukturellen Entwicklung deutscher Reichsversammlungen des späten Mittelalters (1349-1471)*, Göttingen, 2004.

18. Barbara STOLLBERG-RILINGER, *Les Vieux Habits de l'Empereur. Une histoire culturelle des institutions du Saint-Empire à l'époque moderne*, Paris, 2013.

19. Gerrit Jasper SCHENK, *Zeremoniell und Politik. Herrschereinzüge im spätmittelalterlichen Reich*, Cologne/Weimar/Vienne, 2002.

20. Falk BRETSCHNEIDER, Christophe DUHAMELLE (dir.), *Le Saint-Empire. Histoire sociale (XVIe-XVIIIe siècle)*, Paris, 2018.

CHAPITRE V
Être roi

1. Ernst KANTOROWICZ, *Les Deux Corps du roi*, Paris, 1989.

2. Theodor LINDNER, *Das Urkundenwesen Karls IV und seiner Nachfolger, 1346-1437*, Stuttgart, 1882. Herwig WOLFRAM, Anton SCHARER (dir.), *Intitulatio III :*

Lateinische Herrschertitel und Herrschertitulaturen vom 7. bis zum 13. Jahrhundert, Vienne/Cologne/Graz, 1988. Wolfgang EGGERT, « Bemerkungen zur Intitulation in den Urkunden Karls IV. », dans : Michael LINDNER, Eckhard MÜLLER-MERTENS, Olaf B. RADER, Mathias LAWO (dir.), *Kaiser, Reich und Region. Studien und Texte aus der Arbeit an den Constitutiones des 14. Jahrhunderts und zur Geschichte der Monumenta Germaniae Historica*, Berlin, 1997, p. 295-311.

3. *Karolus dei gracia Romanorum rex semper augustus et Boemie rex*, et en allemand *Karl von gotes gnaden Romischer kunig, ze allen ziten merer des Riches und kunig ze Beheim.*

4. *Karolus quartus divina favente clemencia Romanorum imperator semper augustus et Boemie rex*, et en allemand *Karl IV. von gotes gnaden Romischer kaiser, ze allen ziten merer des Riches und kunig ze Beheim.*

5. On notera à l'inverse que son fils Wenceslas porta toujours le numéro « quatre » dans sa titulature de roi des Romains, un ordinal qui provenait de la tradition přemyslide de Bohême, alors qu'aucun souverain germanique ne s'était prénommé ainsi avant lui.

6. Robert FOLZ, *Le Souvenir et la légende de Charlemagne dans l'Empire germanique médiéval*, Paris, 1950.

7. Jiří SPĚVAČEK, « Der Name, seine Tradition und die Herrschertitulationen in den machtpolitischen Aspirationen Karls IV. », *Folia Diplomatica* 2 (1976), p. 129-148.

8. Voir les six volumes de la *Genèse médiévale de l'anthroponymie moderne* sous la direction de Monique BOURIN, Tours, 1988-2002. Christiane KLAPISCH-ZUBER, « Le nom refait », dans : Christiane KLAPISCH-ZUBER, *La Maison et le nom. Stratégies et rituels dans l'Italie de la Renaissance*, Paris, 1990, p. 83-107 (paru dans *L'Homme*, 20/4 (1980), p. 77-104). Christiane KLAPISCH-ZUBER, « L'attribution d'un prénom à l'enfant en Toscane à la fin du Moyen-Âge », dans : *L'Enfant au Moyen Âge*, Aix-en-Provence, 1980, p. 73-85.

9. Michael MITTERAUER, *Ahnen und Heilige: Namengebung in der europäischen Geschichte*, Munich, 1993.

10. Pierre MONNET, Jean-Claude SCHMITT (éd., trad., comm.), *Vie de Charles IV de Luxembourg*, Paris, 2010, p. 19.

11. Le deuxième fils de Jean de Bohême, frère cadet de Wenceslas/Charles, né en 1318, s'appellera par exemple Přemysl-Ottokar en complet hommage à la tradition dynastique, et presque « nationale », de Bohême. Ce geste, explique une chronique, était même de nature à apaiser les ressentiments de Bohême après la renomination de Charles, « le prénom Ottokar convenant mieux aux princes de Bohême ». Le troisième fils du roi Jean, né en 1322, portera également un double prénom, Johann-Heinrich, en souvenir de son père et de son grand-père l'empereur Henri VII.

12. Reinhard SCHNEIDER, « *Karolus, qui et Wenceslaus* », dans : Karl-Ulrich JÄSCHKE, Reinhard WENSKUS (dir.), *Festschrift für Helmut Beumann*, Sigmaringen, 1977, p. 365-386.

13. Johann LOSERTH (éd.), *Die Königsaaler Geschichts quellen mit den Zusätzen und der Fortsetzung des Domherrn Franz von Prag*, Vienne, 1875, p. 423. Běla MARANI-MORAROVÁ, *Peter von Zittau. Abt, Diplomat und Chronist der Luxemburger*, Ostfildern, 2019.

14. Il existe même une version allemande de la *Vita* de Charles IV, composée dans la deuxième moitié du XIVᵉ siècle, qui traduit le texte de la manière suivante : « Mon père m'envoya, *moi Wenceslas Charles*, chez ledit roi de France », comme si cette fois Charles en personne avait continué à user d'un double prénom dans son propre récit.

15. Pierre MONNET, Jean-Claude SCHMITT (éd., trad., comm.), *Vie de Charles IV de Luxembourg*, Paris, 2010, p. 37.

16. Wenceslas IV en revanche ne tarda pas à être surnommé de son vivant « l'ivrogne » ou « le paresseux ».

17. Charles IV eut bien un fils Charles, né de sa quatrième épouse en 1372, mais mort l'année suivante et qui, dans l'ordre de la succession, venait bien après ses autres demi-frères.

18. Michel PASTOUREAU, *Les Sceaux*, Turnhout, 1981. Brigitte BEDOS-REZAK, *Sigillographie médiévale*, Paris, 1998.

19. Wilhelm VOLKERT, « Die Siegel Karls IV. », dans : Ferdinand SEIBT (dir.), *Kaiser Karl IV. Staatsmann und Mäzen*, Munich, 1978, p. 308-312.

20. Reinhard ELZE, *Die* ordines *für die Weihe und Krönung des Kaisers und der Kaiserin. Ordines coronationis imperialis*, Hanovre, 1960. Manfred HELLMANN (dir.), *Corona regni. Studien über die Krone als Symbol des Staates im späteren Mittelalter*, Weimar, 1961. János M. BAK (dir.), *Coronations : Medieval and Early Modern Monarchic Rituals*, Berkeley, 1990.

21. Robert FOLZ, *Le Couronnement impérial de Charlemagne*, Paris, 1964.

22. Armin WOLF, « Prinzipien der Thronfolge in Europa um 1400 », dans : Reinhard SCHNEIDER (dir.), *Das spätmittelalterliche Königtum im europäischen Vergleich*, Sigmaringen, 1987, p. 233-294. Mathias BECHER (dir.), *Die mittelalterliche Thronfolge im europäischen Vergleich*, Ostfildern, 2017.

23. *Nation et nations au Moyen Âge*, Paris, 2014.

24. Percy Ernst SCHRAMM, *Herrschaftszeichen und Staatssymbolik. Beiträge zu ihrer Geschichte vom dritten bis zum sechzehnten Jahrhundert*, Stuttgart, 1955-1956.

25. Ernst KANTOROWICZ, *Les Deux Corps du roi*, Paris, 1989.

26. Mario KRAMP (dir.), *Krönungen. Könige in Aachen. Geschichte und Mythos*, Mayence, 2000.

27. Reinhard ELZE, *Die* ordines *für die Weihe und Krönung des Kaisers und der Kaiserin*, Hannover, 1960.

28. Après l'élection, le roi est *in regem Romanorum electus* et ne devient *rex Romanorum* qu'après le couronnement. La différence peut paraître anecdotique, mais le passage de « *in regem* » à « *rex* » est fondamental dans le vocabulaire politique médiéval.

29. À la différence de toutes les autres couronnes circulaires, la couronne impériale est octogonale et surmontée d'un arc diamétral fermé orné d'une crête à huit plaquettes.

30. Christian JÖRG, Christoph DARTMANN (dir.), *Der „Zug über Berge" während des Mittelalters. Neue Perspektiven der Erforschung mittelalterlicher Romzüge*, Wiesbaden, 2014.

31. Roland PAULER, *Die deutschen Könige und Italien im 14. Jahrhundert. Von Heinrich VII. bis Karl IV*, Darmstadt, 1997.

32. Olaf B. RADER, « *Collector coronarum.* Karl IV. als Kronensammler », dans : Jiří FAJT, Markus HÖRSCH (dir.), *Kaiser Karl IV. 1316-2016*, Prague/Nuremberg, 2016, p. 86-94. Olaf B. RADER, *Wie Blitz und Donnerschlag. Die Kaiserkrönung Karls IV. nach den Berichten des Johannes Porta de Annoniaco*, Berlin, 2016.

33. Roland PAULER, *Die Auseinandersetzungen zwischen Kaiser Karl IV. und den Päpsten. Italien als Schachbrett der Diplomatie*, Neuried, 1996.

34. Ferdinand FRENSDORFF (éd.), *Chronik der Stadt Augsburg von 1368-1406 mit Fortsetzung bis 1447*, Leipzig, 1865, p. 60 (cité par Olaf B. RADER, *Wie Blitz und Donnerschlag. Die Kaiserkrönung Karls IV. nach den Berichten des Johannes Porta de Annoniaco*, Berlin, 2016, p. 62, note 127).

35. Pál ENGEL, Gyula KRISTÓ et András KUBINYI, *Histoire de la Hongrie Médiévale*, tome 2 : « Des Angevins aux Habsbourgs », Rennes, 2008.

36. Andreas RÜTHER, « Anna von Schweidnitz », dans : Amalie FÖSSEL (dir.), *Die Kaiserinnen des Mittelalters*, Ratisbonne, 2011, p. 273-286.

37. Dieter VELDTRUP, *Zwischen Eherecht und Familienpolitik. Studien zu den dynastischen Heiratsprojekten Karls IV.*, Warendorf, 1988.

38. Václav ŽŮREK, « Die Heiratspolitik Karls IV. », dans : Jiří FAJT, Markus HÖRSCH (dir.), *Kaiser Karl IV. 1316-2016*, Prague/Nuremberg, 2016, p. 189-193.

CHAPITRE VI
Gouverner

1. Pierre MONNET, Jean-Claude SCHMITT (éd., trad., comm.), *Vie de Charles IV de Luxembourg*, Paris, 2010, p. 3.

2. Harry BRESSLAU (éd.), *Die Chronik Heinrichs Taube von Selbach, mit den von ihm verfassten Biographien Eichstätter Bischöfe*, Berlin, 1922, p. 89.

3. Giuseppe PORTA (éd.), *Matteo Villani. Cronica*, livre 4, chap. 74, Parme, 1995, vol. 1, p. 582.

4. Jacques LE GOFF, « Roi », dans : Jacques LE GOFF, Jean-Claude SCHMITT (dir.), *Dictionnaire raisonné de l'Occident médiéval*, Paris, 1999, p. 985-1004. Bernhard JUSSEN (dir.), *Die Macht des Königs. Herrschaft in Europa vom Frühmittelalter bis in die Neuzeit*, Munich, 2005.

5. Reinhard SCHNEIDER (dir.), *Das spätmittelalterliche Königtum im europäischen Vergleich*, Sigmaringen, 1986.

6. Michel MARGUE (dir.), *Un itinéraire européen. Jean l'Aveugle, comte de Luxembourg et roi de Bohême 1296-1346*, Luxembourg, 1996. Michel PAULY (dir.), *Die Erbtochter, der fremde Fürst und das Land. Die Ehe Johanns des Blinden und Élisabeths von Böhmen in vergleichender europäischer Perspektive. L'Héritière, le prince étranger et le pays. Le mariage de Jean l'Aveugle et d'Élisabeth de Bohême dans une perspective comparative européenne*, Luxembourg, 2013.

7. Jörg Konrad HOENSCH, *Histoire de la Bohême*, Paris, 1995. Marie-Madeleine DE CEVINS, *L'Europe centrale au Moyen Âge*, Rennes, 2013.

8. Heinz THOMAS, *Deutsche Geschichte des Spätmittelalters 1250-1500*, Stuttgart, 1983. Peter MORAW, *Von offener Verfassung zu gestalteter Verdichtung. Das Reich im späten Mittelalter 1250 bis 1490*, Berlin, 1985. Francis RAPP, *Les Origines médiévales de l'Allemagne moderne. De Charles IV à Charles Quint (1346-1519)*, Paris, 1989. Hartmut BOOCKMANN, *Stauferzeit und spätes Mittelalter 1125-1517*, Berlin, 1994. Ernst SCHUBERT, *Einführung in die deutsche Geschichte im Spätmittelalter*, Darmstadt, 1998. Michel PARISSE, *Allemagne et Empire au Moyen Âge*, Paris, 2002.

9. Pierre MONNET, « Le Saint-Empire entre *regnum* et *imperium* », dans Frédéric HURLET (dir.), *Les Empires. Antiquité et Moyen Âge. Analyse comparée*, Rennes, PUR, 2008, p. 155-180. Pierre MONNET, « L'Empire et ses royaumes voisins du Nord et de l'Est de l'Europe », dans : Patrick BOUCHERON (dir.), *Histoire du monde au XVe siècle*, Paris, 2009, p. 155-175.

10. Boris BOVE, *Le Temps de la Guerre de Cent ans (1328-1453)*, Paris, 2009.

11. Marie-Luise HECKMANN, *Stellvertreter, Mit- und Ersatzherrscher. Regenten, Generalstatthalter, Kurfürsten und Reichsvikare in Regnum und Imperium vom 13. bis zum frühen 15. Jahrhundert*, Warendorf, 2002, 2 vol.

12. Reiner NOLDEN (dir.), *Balduin von Luxemburg. Erzbischof und Kurfürst von Trier (1308-1354)*, Trèves, 2010. Verena KESSEL, *Balduin von Trier (1285-1354). Kunst, Herrschaft und Spiritualität im Mittelalter*, Trèves, 2012.

13. Roland PAULER, *Die deutschen Könige und Italien im 14. Jahrhundert*, Darmstadt, 1997. Uwe LUDWIG, « Kreuzzug und Reichsvikariat. Zu den Beziehungen zwischen Karl IV. und Venedig », dans : Ulrike HOHENSEE, Mathias LAWO, Michael LINDNER, Michael MENZEL, Olaf RADER (dir.), *Die Goldene Bulle. Politik – Wahrnehmung – Rezeption*, Berlin, 2009, p. 761-803.

14. Peter MORAW, « Räte und Kanzlei », dans : Ferdinand SEIBT (dir.), *Karl IV. Staatsmann und Mäzen*, Munich, 1978, p. 285-292. « Der Friedensfürst », chapitre VIII de Ferdinand SEIBT, *Kaiser Karl IV. Ein Kaiser in Europa 1346 bis 1378*, Munich, 1978, p. 301-351. Jiří FAJT, Robert SUCKALE, « Der Kreis der Räte », dans : Jiří FAJT, Markus HÖRSCH, Andrea LANGER (dir.), *Karl IV. Kaiser von Gottes Gnaden. Kunst und Repräsentation des Hauses Luxemburg 1310-1437*, Munich/Berlin, 2006, p. 172-195.

15. Mathias LAWO, « Sprachen der Macht – Sprache als Macht. Urkundensprachen im Reich des 13. und 14. Jahrhunderts », dans : Ulrike HOHENSEE, Mathias LAWO, Michael LINDNER, Michael MENZEL, Olaf RADER (dir.), *Die Goldene Bulle. Politik – Wahrnehmung – Rezeption*, Berlin, 2009, p. 517-562.

16. Benoît GRÉVIN, *Rhétorique du pouvoir médiéval. Les Lettres de Pierre de la Vigne et la formation du langage politique européen (XIII*ᵉ-*XV*ᵉ *siècle)*, Rome, 2009.

17. Wolfgang VON STROMER, « Der kaiserliche Kaufmann. Wirtschaftspolitik unter Karl IV. », dans : Ferdinand SEIBT (dir.), *Kaiser Karl IV. Staatsmann und Mäzen*, Munich, 1978, p. 63-73.

18. Torsten FRIED, « Schröder Mammon oder Repräsentationsobjekt? Kaiserliche und kurfürstliche Münzen zu Zeiten der Goldenen Bulle », dans : Ulrike HOHENSEE, Mathias LAWO, Michael LINDNER, Michael MENZEL, Olaf RADER (dir.), *Die Goldene Bulle. Politik – Wahrnehmung – Rezeption*, Berlin, 2009, p. 465-492. Torsten FRIED, « Finanz und Münzwesen », dans : Jiří FAJT, Markus HÖRSCH (dir.), *Kaiser Karl IV. 1316-2016*, Prague/Nuremberg, 2016, p. 235-238.

19. Rolf SPRANDEL, *Das Eisengewerbe im Mittelalter*, Stuttgart, 1968. Antoni MACZAK, Henryk SAMSONOWICZ, Peter BURKE (dir.), *East-Central Europe in Transition: from the Fourteenth to the Seventeenth Century*, Cambridge/New York, 1985. Karl-Heinz LUDWIG, Volker SCHMIDTCHEN, *Metalle und Macht 1000 bis 1600* (Propyläen Technikgeschichte, 2), Berlin, 1991. Philippe BRAUNSTEIN, *Travail et entreprise au Moyen Âge*, Bruxelles, 2003, chapitre II : « Mines et métallurgie, un secteur industriel européen », p. 113-236. Ivonne BURGHARDT, Vojtěch VANĚK, « Bergbau und Fernhandel », dans : Jiří FAJT, Markus HÖRSCH (dir.), *Kaiser Karl IV. 1316-2016*, Prague/Nuremberg, 2016, p. 227-234.

20. Ernest Théodore HAMY (éd.), *Le Livre de la description des pays. Publié pour la première fois avec une introd. et des notes et suivi de l'Itinéraire Brugeois, de la table de Velletri et de plusieurs autres documents géographiques inédits ou mal connus du 15*ᵉ *siècle*, Paris, 1908, p. 115.

21. Wolfgang VON STROMER, *Oberdeutsche Hochfinanz 1350-1450*, Wiesbaden, 1970, 3 vol.

22. Flaminia PICHIORRI, « Die Rekrutierung diplomatischen Personals unter Karl IV. Zeitphasen und Verfahrensweisen », dans : Ulrike HOHENSEE, Mathias LAWO, Michael LINDNER, Michael MENZEL, Olaf RADER (dir.), *Die Goldene Bulle. Politik – Wahrnehmung – Rezeption*, Berlin, 2009, p. 835-868.

23. Pierre MONNET, Patrick BOUCHERON, Denis MENJOT, « Formes d'émergence, d'affirmation et de déclin des capitales. Rapport introductif », dans : *Les Capitales au Moyen Âge*, Paris, 2006, p. 1-43.

24. Werner PARAVICINI, *Die ritterlich-höfische Kultur des Mittelalters*, Munich, 1994. Werner PARAVICINI, Jörg WETTLAUFER, *Der Hof und die Stadt. Konfrontation, Koexistenz*

und Integration im Verhältnis von Hof und Stadt im Spätmittelalter und in der Frühen Neuzeit, Ostfildern, 2006.

25. « Prag. Hauptstadt des Reiches », chapitre III du catalogue d'exposition Jiří FAJT, Andrea LANGER (dir.), *Kunst als Herrschaftsinstrument. Böhmen und das Heilige Römische Reich unter den Luxemburgern im europäischen Kontext*, Munich/Berlin, 2006, p. 117-191. « Prag », chapitre III du catalogue d'exposition Jiří FAJT, Markus HÖRSCH, Andrea LANGER (dir.), *Karl IV. Kaiser von Gottes Gnaden. Kunst und Repräsentation des Hauses Luxemburg 1310-1437*, Munich/Berlin, 2006, p. 196-289. Jana GAJDOŠOVÁ, « Karls Hauptstadt Prag. Grossbaustelle und Versuchslabor einer neuen Richtung gotischer Architektur », dans : Jiří FAJT, Markus HÖRSCH (dir.), *Kaiser Karl IV. 1316-2016*, Prague/Nuremberg, 2016, p. 95-102.

26. Pierre MONNET, Jean-Claude SCHMITT (éd., trad., comm.), *Vie de Charles IV de Luxembourg*, Paris, 2010, p. 59.

27. Erich BACHMANN, « Karolinische Reichsarchitektur », dans : Ferdinand SEIBT (dir.), *Kaiser Karl IV. Staatsmann und Mäzen*, Munich, 1978, p. 334-338. Anton LEGNER (dir.), *Die Parler und der schöne Stil 1350-1400. Europäische Kunst unter den Luxemburgern*, Cologne, 1978, 4 vol. Jiří FAJT, Andrea LANGER (dir.), *Kunst als Herrschaftsinstrument. Böhmen und das Heilige Römische Reich unter den Luxemburgern im europäischen Kontext*, Munich/Berlin, 2006. Jiří FAJT, Markus HÖRSCH, Andrea LANGER (dir.), *Karl IV. Kaiser von Gottes Gnaden. Kunst und Repräsentation des Hauses Luxemburg 1310-1437*, Munich/Berlin, 2006. Jiří FAJT, Wilfried FRANZEN, « Die neue Hofkunst. Von der Nachahmung zum neuen Stil », dans : Jiří FAJT, Markus HÖRSCH (dir.), *Kaiser Karl IV. 1316-2016*, Prague/Nuremberg, 2016, p. 139-148.

28. Ernest Théodore HAMY (éd.), *Le Livre de la description des pays. Publié pour la première fois avec une introd. et des notes et suivi de l'Itinéraire Brugeois, de la table de Velletri et de plusieurs autres documents géographiques inédits ou mal connus du 15ᵉ siècle*, Paris, 1908, p. 115.

29. Constant-Philippe SERRURE (éd.), *Voyages et ambassades de messire Guillebert de Lannoy, chevalier de la Toison d'or, seigneur de Santes, Willerval, Tronchiennes, Beaumont et Wahégnies. 1399-1450*, Mons, 1840, p. 165. Jaroslav SVÁTEK, Martin NEJEDLÝ, Olivier MARIN, Pavel SOUKUP (éd.), *Guillebert de Lannoy. Cesty a poselstva*, Prague, 2009. Anne BERTRAND, « Guillebert de Lannoy (1386-1462), ses voyages et ambassades en Europe de l'Est », *Publications du Centre européen d'études bourguignonnes (XIVᵉ-XVIᵉ s.)*, 31 (1991), p. 79-92.

30. Marc C. SCHURR, *Die Baukunst Peter Parlers. Der Prager Veitsdom, das Heiligkreuzmünster in Schwäbisch Gmünd und die Bartholomäuskirche zu Kolin im Spannungsfeld von Kunst und Geschichte*, Stuttgart, 2003.

31. Markus HÖRSCH, « Die künstlerische Repräsentation der frühen Jahre. Vorbilder und Vielfalt », dans : Jiří FAJT, Markus HÖRSCH (dir.), *Kaiser Karl IV. 1316-2016*, Prague/ Nuremberg, 2016, p. 133-138.

32. Michel PARISSE, *Allemagne et Empire au Moyen Âge*, Paris, 2002.

33. *Les Villes capitales au Moyen Âge* (XXXVIᵉ congrès de la SHMES), Paris, 2006.

34. Gabriele ANNAS, *Hoftag – Gemeiner tag – Reichstag. Studien zur strukturellen Entwicklung deutscher Reichsversammlungen des späten Mittelalters (1349-1471)*, Göttingen, 2004.

35. Pierre MONNET, *Villes d'Allemagne au Moyen Âge*, Paris, 2004. Eberhard ISENMANN, *Die deutsche Stadt im Mittelalter 1150-1550. Stadtgestalt, Recht, Verfassung, Stadtregiment, Kirche, Gesellschaft, Wirtschaft*, Cologne/Weimar/Vienne, 2012.

36. Gerhard PFEIFFER (dir.), *Nürnberg – Geschichte einer europäischen Stadt*, Munich, 1971. Peter FLEISCHMANN, *Rat und Patriziat in Nürnberg. Die Herrschaft der Ratsgeschlechter vom 13. bis zum 18. Jahrhundert*, Nuremberg, 2008, 3 vol.

37. Philippe BRAUNSTEIN, *Les Allemands à Venise (1380-1520)*, Rome, 2016.
38. Günther BRÄUTIGAM, « Nürnberg als Kaiserstadt », dans : Ferdinand SEIBT (dir.), *Kaiser Karl IV. Staatsmann und Mäzen*, Munich, 1978, p. 339-343. Chapitre « Nürnberg. Ein Zentrum karolinischer Macht und Kunstpolitik im Reich », dans : Jiří FAJT, Andrea LANGER (dir.), *Kunst als Herrschaftsinstrument. Böhmen und das Heilige Römische Reich unter den Luxemburgern im europäischen Kontext*, Munich/Berlin, 2006, p. 193-246. Jiří FAJT, Markus HÖRSCH, « Zwischen Prag und Luxemburg. Eine Landbrücke im Westen », dans : Jiří FAJT, Markus HÖRSCH, Andrea LANGER (dir.), *Karl IV. Kaiser von Gottes Gnaden. Kunst und Repräsentation des Hauses Luxemburg 1310-1437*, Munich/Berlin, 2006, p. 356-400. Benno BAUMBAUER, Jiří FAJT, « Nürnberg – die Metropole wird karolinisch », dans : Jiří FAJT, Markus HÖRSCH (dir.), *Kaiser Karl IV. 1316-2016*, Prague/Nuremberg, 2016, p. 111-122.
39. Gerhard DOHRN-VAN ROSSUM, *L'Histoire de l'heure. L'horlogerie et l'organisation moderne du temps*, Paris, 1997. Jean-Claude SCHMITT, *Les Rythmes au Moyen Âge*, Paris, 2016.
40. Jean-Marie MOEGLIN, Stéphane PÉQUIGNOT, *Diplomatie et « relations internationales » au Moyen Âge (IXᵉ-XVᵉ siècle)*, Paris, 2017.
41. Norbert OHLER, *Reisen im Mittelalter*, Munich, 1986. *Voyages et voyageurs au Moyen Âge* (XXVIᵉ congrès de la SHMESP, 1995), Paris, 1996.
42. Winfried EBERHARD, « Herrschaft und Raum. Zum Itinerar Karls IV. », dans : Ferdinand SEIBT (dir.), *Kaiser Karl IV. Staatmann und Mäzen*, Munich, 1978, p. 101-108. Ellen WIDDER, *Itinerar und Politik. Studien zur Reiseherrschaft Karls IV. südlich der Alpen*, Cologne, 1993.
43. Martin BAUCH, Julia BURKHARDT, Tomáš GAUDEK, Václav ZUREK (dir.), *Heilige, Helden, Wüteriche. Herrschaftsstile der Luxemburger (1308–1437)*, Vienne/Cologne/Weimar, 2017.
44. Ferdinand SEIBT, *Karl IV. Ein Kaiser in Europa 1346 bis 1378*, Munich, 1978.

CHAPITRE VII

Charles IV et les villes

1. David NICHOLAS, *The Later Medieval City 1300-1500*, Londres/New York, 1997.
2. Peter MORAW, « Die Städtepolitik Kaiser Karls IV. (1346-1378) unter besonderer Berücksichtigung von Wetzlar », *Mitteilungen des Wetzlarer Geschichtsvereins*, 31 (1985), p. 21-39.
3. Josef EMLER (éd.), *Cronica ecclesiae Pragensis Benessii Krabice de Weitmile [Kronika Benese z Weitmile]*, Prague, 1884, p. 457-548, ici p. 486.
4. Philippe DOLLINGER, *La Hanse (XIIᵉ-XVIIᵉ siècles)*, Paris, 1964. Albert D'HAENENS, *Europe of the North Sea and the Baltic. The World of the Hanse*, Anvers, 1984. Jörgen BRACKER, Volker HENN, Rainer POSTEL (dir.), *Die Hanse. Lebenswirklichkeit und Mythos*, Lübeck, 1998.
5. Bernhard KIRCHGÄSSNER, Hans-Peter BECHT, (dir.), *Vom Städtebund zum Zweckverband*, Sigmaringen, 1994. Laurence BUCHHOLZER, Olivier RICHARD (dir.), *Ligues urbaines et espace à la fin du Moyen Âge*, Strasbourg, 2012.
6. Guy P. MARCHAL, « Pfahlburger, bourgeois forains, buitenpoorters, bourgeois du roi : Aspekte einer zweideutigen Rechtsstellung », dans : *Migration und Austausch in der Städtelandschaft des alten Reiches (1250-1550)*, Berlin, 2002 (*Zeitschrift für Historische Forschung* Beih. 30), p. 333-367.
7. Edith ENNEN, *Die europäische Stadt des Mittelalters*, Göttingen, 1972. Evamaria ENGEL, *Die deutsche Stadt des Mittelalters*, Munich, 1993. Pierre MONNET, « Les villes

allemandes à la fin du Moyen Âge », *Historiens et Géographes*, 360 (1998), p. 255-293. Jean-Luc PINOL (dir.), *Histoire de l'Europe urbaine*. Vol 1 : Patrick BOUCHERON ET AL. (dir.), *De l'antiquité au XVIIIe siècle. Genèse des villes européennes*, Paris, 2003. Pierre MONNET, *Villes d'Allemagne au Moyen Âge*, Paris, 2004. Felicitas SCHMIEDER, *Die mittelalterliche Stadt*, Darmstadt, 2005. Eberhard ISENMANN, *Die deutsche Stadt im Mittelalter 1150-1550. Stadtgestalt, Recht, Verfassung, Stadtregiment, Kirche, Gesellschaft, Wirtschaft*, Cologne/Weimar/Vienne, 2012.

8. Ellen WIDDER, « Die Luxemburger und die Städte. Königtum und Kommunen im Spätmittelalter », dans : Sabine PENTH, Peter THORAU (dir.), *Rom 1312. Die Kaiserkrönung Heinrichs VII. und die Folgen. Die Luxemburger als Herrscherdynastie von gesamteuropäischer Bedeutung*, Cologne/Weimar/Vienne, 2016, p. 221-259.

9. Paul-Joachim HEINIG, *Reichsstädte, freie Städte und Königtum 1389-1450*, Wiesbaden, 1983.

10. Bernd-Ulrich HERGEMÖLLER, *Fürsten, Herren und Städte zu Nürnberg 1355/56. Die Entstehung der „Goldenen Bulle" Karls IV.*, Cologne/Vienne, 1983.

11. Günther BRÄUTIGAM, « Nürnberg als Kaiserstadt », dans : Ferdinand SEIBT (dir.), *Kaiser Karl IV. Staatsmann und Mäzen*, Munich, 1978, p. 339-343. Anna-Dorothee VON DEN BRINCKEN, « Privilegien Karls IV. für die Stadt Köln », *Blätter für deutsche Landesgeschichte*, 114 (1978), p. 243-264. Ludwig SCHNURRER, « Die Reichsstadt Rothenburg im Zeitalter Karls IV. 1346-1378 », *Blätter für deutsche Landesgeschichte*, 114 (1978), p. 563-612. Peter-Johannes SCHULER, « Ludwig der Bayer und Karl IV. und die schwäbischen Städte », dans : Hans PATZE (dir.), *Kaiser Karl IV. 1316-1378. Forschungen über Kaiser und Reich*, Neustadt, 1978, p. 659-695. Michel MARGUE, Michel PAULY, « Luxemburg, Metz und das Reich. Die Reichsstadt Metz im Gesichtsfeld Karls IV. », dans : Ulrike HOHENSEE, Mathias LAWO, Michael LINDNER, Michael MENZEL, Olaf B. RADER (dir.), *Die Goldene Bulle. Politik – Wahrnehmung – Rezeption*, Berlin, 2009, p. 869-917. Erwin FRAUENKNECHT, « Kaiser Karl IV. und die Städte in Württemberg und Umgebung », dans : Sigrid HIRBODIAN, Peter RÜCKERT (dir), *Württembergische Städte im späten Mittelalter. Herrschaft, Wirtschaft und Kultur im Vergleich*, Ostfildern, 2016, p. 167-182.

12. Jiří KEJŘ, *Die mittelalterlichen Städte in den böhmischen Ländern. Gründung – Verfassung – Entwicklung*, Cologne/Weimar/Vienne, 2010.

13. Jiří KEJŘ, « Organisation und Verwaltung des königlichen Städtewesens in Böhmen zur Zeit der Luxemburger », dans : Wilhelm RAUSCH (dir.), *Stadt und Stadtherr im 14. Jahrhundert*, Linz, 1972, p. 79-96.

14. Josef ZEMLICKA, « Die Städtepolitik Johanns von Luxemburg im Königreich Böhmen », dans : Michel PAULY (dir.), *Johann der Blinde. Graf von Luxemburg, König von Böhmen 1296-1346*, Luxembourg, 1997, p. 255-261.

15. Joachim BLASCHKE, Winfried EBERHARD, Miloslav POLÍVKA (dir.), *Handbuch der historischen Stätten. Böhmen und Mähren*, Stuttgart, 1998. Ivan HLAVÁČEK, « Die Luxemburger und die böhmischen königlichen Städte des 14. Jahrhunderts im Lichte ihres Privilegiengutes », dans : Helmut BRÄUER, Elke SCHLENKRICH (dir.), *Die Stadt als Kommunikationsraum. Beiträge zur Stadtgeschichte vom Mittelalter bis ins 20. Jahrhundert*, Leipzig, 2001, p. 413-430.

16. Peter MORAW, « Das Mittelalter », dans : Friedrich PRINZ (dir.), *Deutsche Geschichte im Osten Europas. Böhmen und Mähren*, Berlin, 1993, p. 126-133.

17. Ivan HLAVÁČEK, « Die Rolle der böhmisch-mährischen Städte, Burgen und Klöster im Itinerar der Luxemburger (1311-1419) », dans : Helmut BRÄUER, Gerhard JARITZ, Käthe SONNLEITNER (dir.), *Viatori per urbes castraque. Festschrift für Herwig Ebner zum 75. Geburtstag*, Graz, 2003, p. 277-291. Petr ELBEL, « Prag und Ofen als

Kaiserresidenzen. Die Verlagerung des Reichsschwerpunkts nach Osten unter den Luxemburgern und deren Folgen für das Reich », dans : Sabine PENTH, Peter THORAU (dir.), *Rom 1312. Die Kaiserkrönung Heinrichs VII. und die Folgen. Die Luxemburger als Herrscherdynastie von gesamteuropäischer Bedeutung*, Cologne/Weimar/Vienne, 2016, p. 259-331.

18. Jean-Pierre DELUMEAU, Isabelle HEULLANT-DONAT (dir.), *L'Italie au Moyen Âge. Vᵉ-XVᵉ siècle*, Paris, 2000. Patrick BOUCHERON (dir.), *Les Espaces sociaux de l'Italie urbaine (XIIᵉ-XVᵉ siècles)*, Paris, 2005. François MENANT, *L'Italie des communes (1100-1350)*, Paris, 2005.

19. Ellen WIDDER, *Itinerar und Politik. Studien zur Reiseherrschaft Karls IV. südlich der Alpen*, Cologne/Weimar/Vienne, 1993.

20. Roland PAULER, *Die deutschen Könige und Italien im 14. Jahrhundert*, Darmstadt, 1997.

21. Werner GOEZ, « Italien », dans : Ferdinand SEIBT, *Kaiser Karl IV. Staatsmann und Mäzen*, Munich, 1978, p. 212-216.

22. Heinz STOOB, *Kaiser Karl IV. und seine Zeit*, Graz/Vienne/Cologne, 1990, p. 283-291. Martin BAUCH, « Wie ein zweiter Konstantin – Karl IV. und der Romzug 1368/69 », dans : Jiri FAJT, Markus HÖRSCH (dir.), *Kaiser Karl IV. 1316-2016*, Nuremberg/Prague, 2016, p. 203-208.

23. On notera que la constitution de la décapole alsacienne est confirmée par Charles IV en 1354. Lucien SITTLER, *La Décapole alsacienne. Des origines à la fin du Moyen Âge*, Strasbourg, 1955. Odile KAMMERER, *Entre Vosges et Forêt-Noire. Pouvoir, terroir et villes de l'Oberrhein. 1250-1350*, Paris, 2001. Bernard VOGLER (dir.), *La Décapole. Dix villes d'Alsace alliées pour leurs libertés 1354–1679*, Strasbourg, 2009. Laurence BUCHHOLZER, Olivier RICHARD (dir.), *Ligues urbaines et espace à la fin du Moyen Âge*, Strasbourg, 2012.

24. Peter-Johannes SCHULER, « Die Rolle der schwäbischen und elsässischen Städtebünde in den Auseinandersetzungen zwischen Ludwig dem Bayern und Karl IV. », *Blätter für deutsche Landesgeschichte*, 114 (1978), p. 659-694.

25. On retrouve ici les pactes régionaux de paix territoriale conclus dès le règne de Louis IV : celui de la Wetteravie incluant Francfort, Gelnhausen, Wetzlar et Friedberg signé en 1334 puis renouvelé en 1337 et 1344 ; celui de Franconie incluant Nuremberg, Rothenbourg, Bamberg, Wurtzbourg et Eichstätt en 1340 ; celui d'Alsace incluant notamment Strasbourg et Oppenheim dès 1332 puis renouvelé en 1337, 1339 et 1344 et élargi à Mulhouse et Haguenau en 1343.

26. Heinz ANGERMEIER, *Königtum und Landfriede im deutschen Spätmittelalter*, Munich, 1966. Arno BUSCHMANN, Elmar WADLE (dir.), *Landfrieden. Anspruch und Wirklichkeit*, Paderborn, 2002.

27. Peter MORAW, *Von offener Verfassung zu gestalteter Verdichtung. Das Reich im späten Mittelalter 1250 bis 1490*, Berlin, 1985, p. 289.

28. En effet, on a pu estimer que Charles IV a recueilli près de 450 000 marcs d'argent et 950 000 florins d'or issus de ces placements en gage. Mais Louis IV en a perçu pour sa part 600 000 marcs d'argent et 650 000 florins. C'est d'ailleurs un groupe privilégié de vingt-cinq villes d'Empire immédiates (il fallait bien que le roi en soit le seigneur direct) qui concentre ces manipulations pour les deux rois : Altenburg, Aufkirchen, Donauwörth, Duisburg, Feuchtwangen, Gelnhausen, Germersheim, Giengen, Harburg, Heidelsheim, Kaisersberg, Kaiserslautern, Kaiserswerth, Landau, Mosbach, Münster, Nordhausen, Offenburg, Oppenheim, Selz, Sinsheim, Sinzig, Türckheim, Weibstadt, Weissenburg.

29. Il fallait en effet pour Charles IV honorer l'accord de Fürstenwalde de 1373 fixant à 500 000 florins (dont 200 000 en liquide) la cession définitive du Brandebourg à la

couronne de Bohême et en 1376 payer à l'appui de la désignation de Wenceslas les voix des électeurs que l'on estime aujourd'hui à 50 000 florins pour le Palatin (hypothèque en bloc de Mayence, Oppenheim, Odernheim, Schwabsberg, Nierstein, Winterheim et Ingelheim), à 40 000 florins pour l'archevêque de Cologne, à 30 000 pour celui de Trèves et à 20 000 florins pour celui de Mayence. Sommes importantes, certes, mais éloignées tout de même des 100 000 florins par tête auxquelles avait abouti Enea Silvio Piccolomini dans sa *Germania* au milieu du XVe siècle.

30. Heinz ANGERMEIER, « Städtebünde und Landfriede im 14. Jahrhundert », *Historisches Jahrbuch*, 76 (1956), p. 34-54.

31. Eberhard HOLTZ, *Reichsstädte und Zentralgewalt unter König Wenzel (1376-1400)*, Warendorf, 1993. Evamarie DISTLER, *Städtebünde im deutschen Spätmittelalter. Eine rechtshistorische Untersuchung zu Begriff, Verfassung und Funktion*, Francfort-sur-le-Main, 2006.

32. Alexander SCHUBERT, *Der Stadt Nutz oder Notdurft? Die Reichsstadt Nürnberg und der Städtekrieg von 1388/89*, Husum, 2003.

33. Helmut MAURER (dir.), *Kommunale Bündnisse Oberitaliens und Oberdeutschlands im Vergleich*, Sigmaringen, 1987. Rolf KIESSLING, « Städtebünde und Städtelandschaften im oberdeutschen Raum : Ostschwaben und Altbayern im Vergleich », dans : Monika ESCHER, Alfred HAVERKAMP, Frank G. HIRSCHMANN (dir.), *Städtelandschaft – Städtenetz – zentralörtliches Gefüge. Ansätze und Befunde zur Geschichte der Städte im hohen und späten Mittelalter*, Trèves, 2000, p. 79-116.

34. Ulrike HOHENSEE, Mathias LAWO, Michael LINDNER, Olaf B. RADER (dir.), *Die Goldene Bulle. Politik - Wahrnehmung – Rezeption*, Berlin, 2009.

35. Petr ELBEL, « Prag und Ofen als Kaiserresidenzen. Die Verlagerung des Reichsschwerpunkts nach Osten unter den Luxemburgern und deren Folgen für das Reich », dans : Sabine PENTH, Peter THORAU (dir.), *Rom 1312. Die Kaiserkrönung Heinrichs VII. und die Folgen. Die Luxemburger als Herrscherdynastie von gesamteuropäischer Bedeutung*, Cologne/Weimar/Vienne, 2016, p. 259-331.

Acte II
1378, dernière demeure ou mourir à Prague

1. Peter BLICKLE, *Unruhen in der ständischen Gesellschaft 1300-1800*, Munich, 1988.

2. Alessandro STELLA, *La Révolte des Ciompi. Les hommes, les lieux, le travail*, Paris, 1993.

3. Michel MOLLAT, Philippe WOLFF, *Ongles bleus, Jacques et Ciompi. Les révolutions populaires en Europe aux XIVe et XVe siècles*, Paris, 1970. Samuel COHN, *Lust for Liberty. The Politics of Social Revolt in Medieval Europe 1200-1425*, Cambridge, 2006. Monique BOURIN, Giovanni CHERUBINI, Giuliano PINTO (dir.), *Rivolte urbane e rivolte contadine nell'Europa del Trecento*, Florence, 2008.

4. Marie BLÁHOVÁ, « Die königlichen Begräbniszeremonien im spätmittelalterlichen Böhmen », dans : Lothar KOLMER (dir.), *Der Tod des Mächtigen. Kult und Kultur des Todes spätmittelalterlicher Herrscher*, Paderborn/Munich/Vienne, 1997, p. 89-111. Rudolf MEYER, *Königs- und Kaiserbegräbnisse im Spätmittelalter. Von Rudolf von Habsburg bis zu Friedrich III.*, Cologne/Weimar/Vienne, 2000. Cornell BABENDERERDE, *Sterben, Tod, Begräbnis und liturgisches Gedächtnis bei weltlichen Reichsfürsten des Spätmittelalters*, Ostfildern, 2006.

5. Ferdinand FRENSDORFF (éd.), *Chronik der Stadt Augsburg von 1368-1406*, Leipzig, 1865.

6. František Šmahel, « *Spectaculum et pompa funebris*: das Leichenzeremoniell bei der Bestattung Kaiser Karls IV. », dans : František Šmahel, *Zur politischen Präsentation und Allegorie im 14. und 15. Jahrhundert*, Munich, 1994, p. 1-37. František Šmahel, « Die letzte Ausstrahlung der kaiserlichen Majestät: Die Reise Karls IV. nach Paris und seine Prager *Pompa funebris* », dans : Jiří Fajt, Markus Hörsch (dir.), *Kaiser Karl IV. 1316-2016*, Prague/Nuremberg, 2017, p. 247-251.

7. Martin Bauch, « Der schwarze Reiter. Die Funeralzeremonie Karls IV. im europäischen Kontext », dans : Martin Bauch, Julia Burkhardt, Tomáš Gaudek, Paul Töbelmann, Václav Žůrek (dir.), *Heilige, Helden, Wüteriche. Herrschaftsstile der Luxemburger (1308-1437)*, Cologne/Weimar/Vienne, 2017, p. 45-63.

8. Olaf B. Rader, *Grab und Herrschaft. Politischer Totenkult von Alexander dem Grossen bis Lenin*, Munich, 2003.

9. Alain Erlande-Brandenburg, *Le Roi est mort. Étude sur les funérailles, les sépultures et les tombeaux des rois de France jusqu'à la fin du XIIIe siècle*, Genève, 1975. Colette Beaune, *Naissance de la nation France*, Paris, 1985. Ralph E. Giesey, *Le Roi ne meurt jamais. Les obsèques dans la France de la Renaissance*, Paris, 1987 (parution originale en anglais, 1960). Murielle Gaude-Ferragu, *D'or et de cendres, la mort et les funérailles des princes dans le royaume de France au bas Moyen Âge*, Lille, 2005. Joël Cornette, Anne-Marie Helvétius (dir.), *La Mort des rois. De Sigismond (523) à Louis XIV (1715)*, Paris, 2017.

10. Michael Borgolte, *Petrusnachfolge und Kaiserimitation. Die Grablegen der Päpste, ihre Genese und Traditionsbildung*, Göttingen, 1995. Agostino Paravicini Bagliani, *Le Corps du pape*, Paris, 1997. Florence Buttay, « La mort du pape entre Renaissance et Contre-Réforme : les transformations de l'image du Souverain Pontife et ses implications (fin XVe-fin XVIe siècle) », *Revue Historique*, 625 (2003), p. 67-94.

11. Michael Evans, *The Death of the Kings. Royal Deaths in Medieval England*, Londres/New York, 2003.

12. Ernst Kantorowicz, *Les Deux Corps du roi. Essai sur la théologie politique au Moyen Âge*, Paris, 1989 (parution originale en anglais, 1957). Jacques Krynen, *L'Empire du roi. Idées et croyances politiques en France. XIIIe-XVe siècle*, Paris, 1993. Elizabeth A.R. Brown, « The French Royal Funeral Ceremony and the King's Two Bodies. Ernst H. Kantorowicz, Ralph E. Giesey and the Construction of a Paradigm », dans : Agostino Paravicini Bagliani (dir.), *Le Corps du prince*, Florence, 2014, p. 105-138.

13. Juliusz A. Chrościcki, Mark Hengerer et Gérard Sabatier (dir.), *Les Funérailles princières en Europe (XVIe-XVIIIe siècle)*, Rennes, 2012-2015, 3 vol.

14. Iva Rosario, *Art and Propaganda. Charles IV. of Bohemia*, Woodbridge, 2000.

15. Barbara Baumüller, *Der Chor des Veitsdomes in Prag. Die Königskirche Kaiser Karls IV. Strukturanalyse mit Untersuchung der baukünstlerischen und historischen Zusammenhänge*, Berlin, 1994. Michael Viktor Schwarz (dir.), *Grabmäler der Luxemburger. Image und Memoria eines Kaiserhauses*, Luxembourg, 1997. Olaf B. Rader, « Erinnerte Macht. Zu Symbol, Form und Idee spätmittelalterlicher Herrschergräber », dans : Jiří Fajt, Andrea Langer (dir.), *Kunst als Herrschaftsinstrument. Böhmen und das Heilige Römische Reich unter den Luxemburgern im europäischen Kontext*, Berlin/Munich, 2006, p. 173-183.

CHAPITRE VIII

L'écrit et les reliques

1. *Les Fastes du gothique. Le siècle de Charles V*, Paris, 1981. Françoise Autrand, *Charles V*, Paris, 1994.

2. Jiří FAJT, Andrea LANGER (dir.), *Kunst als Herrschaftsinstrument. Böhmen und das Heilige Römische Reich unter den Luxemburgern im europäischen Kontext*, Berlin/ Munich, 2006.

3. Eva SCHLOTHEUBER, « Der weise König. Herrschaftskonzeption und Vermittlungsstrategien Kaiser Karls IV. », *Hemecht. Revue d'histoire luxembourgeoise*, 63/3 (2011), p. 265-279.

4. Pierre MONNET, Jean-Claude SCHMITT (éd., trad., comm.), *Vie de Charles IV de Luxembourg*, Paris, 2010, p. 57.

5. Pierre MONNET, Jean-Claude SCHMITT (dir.), *Autobiographies souveraines*, Paris, 2012. Aux côtés de Charles IV, on peut citer l'autobiographie de Pierre IV d'Aragon : Stéphane Péquignot, « Un chemin de roi : Pierre IV d'Aragon et son *Livre* », dans : Pierre MONNET, Jean-Claude SCHMITT (dir.), *Autobiographies souveraines*, Paris, 2012 p. 179-200 et Jaume AURELL, « King Peter's Llibre and Royal Self-Representation », dans : Jaume AURELL, *Authoring the Past. History, Autobiography, and Politics in Medieval Catalonia*, Chicago/London, 2012, p. 91-107.

6. Ivana ČORNEJOVÁ, Michal SVATOŠ, Petr SVOBODNÝ, *History of Charles University – Vol. 1 : 1348-1802*, Prague, 2001. Barbara Drake BOEHM, « Die Universität von der Gründung bis zum Kuttenberger Dekret », dans : Jiří FAJT (dir.), *Karl IV. Kaiser von Gottes Gnaden. Kunst und Repräsentation des Hauses Luxembourg 1310-1437*, Munich/ Berlin, 2006, p. 263-275.

7. Lorenz WEINRICH (éd.), *Quellen zur Verfassungsgeschichte des Römisch-deutschen Reiches im Spätmittelalter (1250-1500)*, Darmstadt, 1983, p. 392-395. Ulrike HOHENSEE, Mathias LAWO, Michael LINDNER, Michael MENZEL, Olaf B. RADER (dir.), *Die Goldene Bulle. Politik – Wahrnehmung - Rezeption*, Berlin, 2009, 2 vol.

8. František GRAUS, *Prag als Mitte Böhmens 1346-1421. Zentralität als Problem der mittelalterlichen Stadtgeschichtsforschung*, Cologne/Vienne, 1979. Anton LEGNER (dir.), *Die Parler und der schöne Stil 1350-1400*, Cologne, 1978-1980, 4 vol. František MACHILEK, *Praga caput regni. Zur Entwicklung und Bedeutung Prags im Mittelalter. Stadt und Landschaft im deutschen Osten und in Ostmitteleuropa*, Cologne/Vienne, 1983. Eva SCHLOTHEUBER, Hubertus SEIBERT (dir.), *Böhmen und das Deutsche Reich. Ideen- und Kulturtransfer im Vergleich (13.-16. Jahrhundert)*, Prague, 2009.

9. Norbert KERSKEN, *Geschichtsschreibung im Europa der „nationes". Nationalgeschichtliche Gesamtdarstellungen im Mittelalter*, Cologne/Weimar/Vienne, 1995.

10. Martin NEJEDLÝ, Jaroslav SVÁTEK (dir.), *Histoires de Bohême. Nouveaux regards sur les sources (XIVe-XVe siècles), Médiévales* 67 (2014).

11. Berthold BRETHOLZ (éd.), *Die Chronik der Böhmen des Kosmas von Prag*, Berlin, 1923.

12. Josef JIREČEK (éd.), *Dalimili Bohemiae Chronicon, Fontes rerum bohemicarum*, t. 3, Prague, 1882. Éloïse ADDE-VOMÁČKA, *La Chronique de Dalimil. Les débuts de l'historiographie tchèque en langue vulgaire au XIVe siècle*, Paris, 2016.

13. Josef MACEK, « Die Hofkultur Karls IV. », dans : Ferdinand SEIBT (dir.), *Kaiser Karl IV. Staatsmann und Mäzen*, Munich, 1978, p. 237-241.

14. Joseph EMLER (éd.), *Johanes von Marignola. Chronik*, Prague, 1882, p. 492.

15. Hubert HERKOMMER, « Kritik und Panegyrik : zum literarischen Bild Karls IV. (1346-1378) », *Rheinische Vierteljahrsblätter*, 44 (1980), p. 68-116.

16. Fidel RÄDLE, « Karl IV. als lateinischer Autor », dans : Ferdinand SEIBT (dir.), *Kaiser Karl IV. Staatsmann und Mäzen*, Munich, 1978, p. 253-260.

17. Gilles DOCQUIER, « Le document autographe, une "non-réalité" pour l'historien ? Quelques réflexions sur les traces écrites autographes à la fin du Moyen Âge et

à l'aube des Temps modernes », *Le Moyen Âge*, CXVIII/2 (2012), p. 387-410. Claude JEAY, *Signature et pouvoir au Moyen Âge*, Paris, 2015. Martin BAUCH, « '*Et hec scripsi manu mea propria*'. Known and Unknown Autographs of Charles IV as Testimonies of Intellectual Profile, Royal Literacy and Cultural Transfer », dans : Sébastien BARRET, Dominique STUTZMANN, Georg VOGELER (dir.), *Ruling the Script in the Middle Ages. Formal Aspects of Written Communication (Books, Charters and Inscriptions)*, Turnhout, 2017, p. 25-48.

18. Eugen HILLENBRAND, « Die Autobiographie Karls IV. Entstehung und Funktion », *Blätter für deutsche Landesgeschichte*, 114 (1978), p. 39-72. Eva SCHLOTHEUBER, « Die Autobiographie Karls IV. und die mittelalterlichen Vorstellungen vom Menschen am Scheideweg », *Historische Zeitschrift*, 281 (2005), p. 561-591. Anke PARAVICINI-EBEL, « Die Vita Karls IV., ein ‚Egodokument' ? », *Deutsches Archiv für Erforschung des Mittelalters*, 63 (2007), p. 101-109.

19. Jacques LE GOFF, « Rêves », dans : Jacques LE GOFF, Jean-Claude SCHMITT (dir.), *Dictionnaire raisonné de l'Occident médiéval*, Paris, 1999, p. 950-968. Jean-Claude SCHMITT, *Le Corps, les rites, les rêves, le temps. Essais d'anthropologie historique*, Paris, 2001. Pierre MONNET, « Le roi d'un rêve, le rêve d'un roi : Charles IV à Terenzo en 1333 », dans : Jean-Christophe CASSARD, Yves COATIVY, Alain GALLICE, Dominique LE PAGE (dir.), *Le Prince, l'argent, les hommes au Moyen Âge. Mélanges offerts à Jean Kerhervé*, Rennes, 2008, p. 181-193. Gisèle BESSON, Jean-Claude SCHMITT, *Rêver de soi. Les songes autobiographiques au Moyen Âge*, Paris, 2017.

20. Aaron J. GOUREVITCH, *La Naissance de l'individu dans l'Europe médiévale*, Paris, 1997. Richard VAN DÜLMEN, *Die Entdeckung des Individuums 1500-1800*, Francfort-sur-le-Main, 1997. Richard VAN DÜLMEN, *Entdeckung des Ich. Die Geschichte der Individualisierung vom Mittelalter zur Gegenwart*, Cologne, 2001. Peter VON MOOS (dir.), *Unverwechselbarkeit. Persönliche Identität und Identifikation in der vormodernen Gesellschaft*, Cologne/Weimar/Vienne, 2004. Brigitte Miriam BEDOS-REZAK, Dominique IOGNA-PRAT (dir.), *L'Individu au Moyen Âge*, Paris, 2005. Jérôme BASCHET, *Corps et âmes. Une histoire de la personne au Moyen Âge*, Paris, 2016.

21. Pierre MONNET, Jean-Claude SCHMITT (dir.), *Autobiographies souveraines*, Paris, 2012.

22. Michel ZIMMERMANN (dir.), *Auctor et auctoritas : invention et conformisme dans l'écriture médiévale*, Paris, 2001.

23. Les premières éditions imprimées datent de 1585 et 1602. La première édition érudite du texte latin par Josef Emler date de 1882. Trois traductions modernes sont disponibles : Eugen HILLENBRAND (éd., trad.), *Vita Caroli Quarti. Die Autobiographie Karls IV.*, Stuttgart, 1979. Balázs NAGY, Frank SCHAER (éd., trad.), *Karoli IV Imperatoris Romanorum vita Ab Eo Ipso Conscripta et Hystoria Nova de Sancto Wenceslao Martyre. Autobiography of Emperor Charles IV and his Legend of St. Wenceslas*, Budapest, 2001. Voir Pierre MONNET, Jean-Claude SCHMITT (éd, trad., comm.), *Vie de Charles IV de Luxembourg*, Paris, 2010, p. LXXXIV-LXXXVII.

24. Siméon LUCE (éd.), *Chronique des quatre premiers Valois (1327-1393)*, Paris, 1862, p. 278.

25. Flaminia PICHIORRI, « L'autobiographie de Charles IV. Essai d'analyse lexicale », *Histoire et mesure*, 18 (2003), p. 335-374.

26. Bernd-Ulrich HERGEMÖLLER, *Maiestas Carolina. Der Kodifikationsentwurf Karls IV. für das Königreich Böhmen von 1355*, Munich, 1995.

27. Jiří KEJŘ, « Die sogenannte *Maiestas Carolina*. Forschungsergebnisse und Streitfragen », dans : Friedrich B. FAHLBUSCH (dir.), *Studia Luxemburgensia. Festschrift Heinz Stoob zum 70. Geburtstag*, Warendorf, 1989, p. 79-122.

28. Voir la deuxième partie du présent livre. Bernd-Ulrich HERGEMÖLLER, Cogor adversum te. *Drei Studien zum literarisch-theologischen Profil Karls IV. und seiner Kanzlei*, Warendorf, 1999. Ulrike HOHENSEE, Mathias LAWO, Michael LINDNER, Michael MENZEL, Olaf B. RADER (dir.), *Die Goldene Bulle. Politik – Wahrnehmung - Rezeption*, Berlin, 2009, 2 vol.

29. Anton BLASCHKA (éd.), *Die St. Wenzelslegende Kaiser Karls IV.: Einleitung/Texte/ Kommentar*, Prague, 1934. Balázs NAGY, Frank SCHAER (éd., trad.), *Karoli IV Imperatoris Romanorum vita Ab Eo Ipso Conscripta et Hystoria Nova de Sancto Wenceslao Martyre. Autobiography of Emperor Charles IV and his Legend of St. Wenceslas*, Budapest, 2001.

30. Maria BLÁHOVÁ, « Der Kult des Heiligen Wenzel in der Ideologie Karls IV. », dans : Marek DERWICH, Mikhaïl Vladimirovich DMITRIEV (dir.), *Fonctions sociales et politiques du culte des saints dans les sociétés de rite grec et latin au Moyen Âge et à l'époque moderne = De sociali et politico momento cultus sanctorum medio et in recentiore aevo in hominum ritus Graeci et latini societatibus observato : Approche comparative*, Wroclaw, 1999, p. 227-236.

31. Ferdinand SEIBT, « Wenzelslegenden », *Bohemia,* 23 (1982), p. 249-276.

32. On a pu calculer que sa lecture, vraisemblablement chantée ou psalmodiée, durait quelque dix-huit minutes.

33. En 1355, il dédicace à l'empereur sa ballade allégorique « La couronne de la Vierge » (*Der meide kranz*).

34. Arnold ANGENENDT, *Heilige und Reliquien*, Munich, 1994. Edina BOZOKY, Anne-Marie HELVÉTIUS, Guy LOBRICHON (dir.), *Les Reliques : objets cultes, symboles*, Turnhout, 1999. Edina BOZOKY, *La Politique des reliques, de Constantin à Saint Louis*, Paris, 2006.

35. Franz MACHILEK, « Privatfrömmigkeit und Staatsfrömmigkeit », dans : Ferdinand SEIBT (dir.), *Kaiser Karl IV. Staatsmann und Mäzen*, Munich, 1978, p. 87-101.

36. Martin BAUCH, *Divina favente clemencia. Auserwählung, Frömmigkeit und Heilsvermittlung in der Herrschaftspraxis Kaiser Karls IV.*, Cologne, 2015.

37. Karel OTAVSKÝ, « Die Goldschmiedekunst in der Herrschaftspraxis Kaiser Karls IV. », dans : Jiří FAJT, Markus HÖRSCH (dir.), *Kaiser Karl IV. 1316-2016*, Prague/ Nuremberg, 2016, p. 149-161.

38. Jacques CHIFFOLEAU, *La Comptabilité de l'Au-Delà : les hommes, la mort et la religion dans la région d'Avignon à la fin du Moyen Âge (vers 1320 - vers 1480)*, Rome, 1980. Niklaus PAULUS, *Geschichte des Ablasses im Mittelalter, vom Ursprung bis zur Mitte des 14. Jahrhunderts*, Paderborn, 1922-1923.

39. Patrick J. GEARY, *Le Vol des reliques au Moyen Âge. Furta Sacra*, Paris, 1993.

40. František ŠMAHEL, *La Révolution hussite, une anomalie historique*, Paris, 1985. František ŠMAHEL, *Die Hussitische Revolution*, Hanovre, 2002, 3 vol. Pavel SOUKUP, *Jan Hus. Prediger – Reformator – Märtyr*, Stuttgart, 2014.

41. Pierre MONNET, Jean-Claude SCHMITT (éd., trad., comm.), *Vie de Charles IV de Luxembourg*, Paris, 2010, p. 119.

42. *Ibid.*

43. Jiří FAJT, Markus HÖRSCH, Andrea LANGER (dir.), *Karl IV. Kaiser von Gottes Gnaden. Kunst und Repräsentation des Hauses Luxemburg 1310-1437*, Berlin/Munich, 2006.

44. Jacques LE GOFF, *À la recherche du temps sacré : Jacques de Voragine et la Légende dorée*, Paris, 2011. *La Légende dorée (Legenda aurea*, vers 1261-1266), trad. sous la dir. d'Alain BOUREAU, Paris, 2004.

45. *Ordo ad coronandum regem Bohemorum et Ordo ad benedicendam reginam :* Johann LOSERTH (éd.), « Die Krönungsordnung der Könige von Böhmen », *Archiv für österreichische Geschichte*, 54 (1876), p. 9-36.

46. *Hystoria nova de sancto Wenceslao martyre, duce Bohemorum* : Balázs NAGY, Frank SCHAER (éd.), *Autobiography of Emperor Charles IV and his Legend of St. Wenceslas*, Budapest/New York, 2001.

47. Robert FOLZ, *Le Souvenir et la légende de Charlemagne dans les églises de l'Empire germanique médiéval*, Paris, 1950.

48. Mario KRAMP (dir.), *Krönungen. Könige in Aachen. Geschichte und Mythos*, Mayence, 2000, ici vol. 2, p. 489-500.

49. Olaf B. RADER, *Wie Blitz und Donnerschlag. Die Kaiserkrönung Karls IV. nach den Berichten des Johannes Porta de Annoniaco*, Berlin, 2016.

50. Anton LEGNER (dir.), *Die Parler und der schöne Stil 1350-1400. Europäische Kunst unter den Luxemburgern*, Cologne, 1978-1980, 4 vol.

51. Jiří FAJT, Jan ROYT, *Magister Theodoricus. Hofmaler Kaiser Karls IV.*, Prague, 1998.

52. Benno BAUMBAUER, Jiří FAJT, « Nürnberg – Die Metropole wird carolinisch », dans : Jiří FAJT, Markus Hörsch, Kaiser Karl IV. 1316-2016, Prague/Nuremberg, 2016, p. 111-122.

53. Jiří FAJT, Andrea LANGER (dir.), *Kunst als Herrschaftsinstrument. Böhmen und das Heilige Römische Reich unter den Luxemburgern im europäischen Kontext*, Berlin/ Munich, 2006.

54. Ellen WIDDER, *Itinerar und Politik. Studien zur Reiseherrschaft Karls IV. südlich der Alpen*, Cologne, 1993. Roland PAULER, *Die deutschen Könige und Italien im 14. Jahrhundert. Von Heinrich VII. bis Karl IV.*, Darmstadt, 1997.

55. Jean-Marie MOEGLIN, Stéphane PÉQUIGNOT (dir.), *Diplomatie et « relations internationales » au Moyen Âge (IXe-XVe siècle)*, Paris, 2017.

CHAPITRE IX

Charles IV en ses portraits

1. Gottfried BOEHM, *Bildnis und Individuum*, Munich, 1985.

2. Enrico CASTELNUOVO, *Portrait et société dans la peinture italienne*, Paris, 1993. Dominic OLARIU, *La Genèse de la représentation ressemblante de l'homme. Reconsidérations du portrait à partir du XIIIe siècle*, Berne, 2014.

3. Édouard POMMIER, *Théories du portrait*, Paris, 1998. Andreas BEYER, *L'Art du portrait*, Paris, 2003. HANS BELTING, *Faces. Eine Geschichte des Gesichts*, Munich, 2013.

4. Peter VON MOOS (dir.), *Unverwechselbarkeit. Persönliche Identität und Identifikation in der vormodernen Gesellschaft*, Cologne/Weimar/Vienne, 2004. Dominique IOGNA-PRAT, Myriam BEDOS-REZAK (dir.), *L'Individu au Moyen Âge*, Paris, 2005. Agostino PARAVICINI-BAGLIANI, Jean-Michel SPIESER, Jean WIRTH (dir.), *Le Portrait. La représentation de l'individu*, Florence, 2007. BRIGITTE MIRIAM BEDOS-REZAK, *When Ego was Imago : Signs of Identity in the Middle Ages*, Leyde, 2010. Jérôme BASCHET, *Corps et âmes. Une histoire de la personne au Moyen Âge*, Paris, 2016.

5. Jérôme BASCHET, *L'Iconographie médiévale*, Paris, 2008. Jean WIRTH, *L'Image à la fin du Moyen Âge*, Paris, 2011. Jérôme BASCHET, Pierre-Olivier DITTMAR (dir.), *Les Images dans l'Occident médiéval*, Turnhout, 2015.

6. Martin BÜCHSEL, Peter SCHMIDT (dir.), *Das Porträt vor der Erfindung des Porträts*, Mayence, 2003.

7. Dominic OLARIU (dir.), *Le Portrait individuel. Réflexions autour d'une forme de représentation, XIIIe-XVe siècles*, Francfort-sur-le-Main, 2009.

8. Louis MARIN, *Le Portrait du roi*, Paris, 1981. Stephen PERKINSON, *The Likeness of the King*, Chicago, 2009.

9. Hans BELTING, *Faces. Eine Geschichte des Gesichts*, Munich, 2013.

10. Jean-Claude SCHMITT, *La Raison des gestes dans l'Occident médiéval*, Paris, 1990.

11. Marc BLOCH, *Les Rois thaumaturges. Étude sur le caractère surnaturel attribué à la puissance royale particulièrement en France et en Angleterre*, Paris, 1924.

12. Gilles LECUPPRE, *L'Imposture politique au Moyen Âge : la seconde vie des rois*, Paris, 2005.

13. Jean BOUTIER, Alain DEWERPE, Daniel NORDMAN, *Un Tour de France royal. Le Voyage de Charles IX (1564-1566)*, Paris, 1984. Sylvain DESTEPHEN, Josiane BARBIER, François CHAUSSON (dir.), *Le Gouvernement en déplacement. Pouvoir et mobilité de l'Antiquité à nos jours*, Rennes, 2019.

14. L'original est conservé au Musée du Louvre.

15. Exemplaire seulement retrouvé en 2005 en France et acquis depuis par la Bibliothèque de Prague.

16. Éloïse ADDE-VOMÁČKA, *La Chronique de Dalimil. Les débuts de l'historiographie nationale tchèque en langue vulgaire au XIVᵉ siècle*, Paris, Publications de la Sorbonne, 2016.

17. Anton LEGNER (dir.), *Die Parler und der schöne Stil 1350-1450*, 4 vol., Cologne, 1978. Jiří FAJT (dir.), *Karl IV. Kaiser von Gottes Gnaden. Kunst und Repräsentation des Hauses Luxemburg 1310-1437*, Munich, 2006. Jiří FAJT, Andrea LANGER (dir.), *Kunst als Herrschaftsinstrument. Böhmen und das Heilige Römische Reich unter den Luxemburgern im europäischen Kontext*, Munich, 2009.

18. Marco BOGADE, *Karl IV. Ikonographie und Ikonologie*, Stuttgart, 2005.

19. Pierre MONNET, Jean-Claude SCHMITT (éd., trad., comm.), *Vie de Charles IV de Luxembourg*, Paris, 2010.

20. Giovanni PORTA (éd.), *Nuova Cronica di Giovanni Villani*, Parma, 1991.

21. Harald ZIMMERMANN (éd.), *Thomas Ebendorfer, Chronica regum Romanorum* (Scriptores rerum Germanicarum, Nova series 18,1), Hanovre, 2003, p. 537.

22. Nadezda KUBU, *Le Château fort de Karlstein*, Prague, 1998.

23. Gabor KLANICZAY, *Holy Rulers and Blessed Princesses. Dynastic Cults in Medieval Central Europe*, Cambridge, 2007.

24. Martin NEJEDLÝ, « L'idéal du roi en Bohême à la fin du XIVᵉ siècle », dans : Dominique BOUTET, Jacques VERGER (dir.), *Penser le pouvoir au Moyen Âge (VIIIᵉ-XVᵉ siècle)*, Paris, 2000, p. 247-260.

25. De tous les rois de son temps, Charles IV fut celui qui put disposer de l'éventail le plus large de modèles et de traditions à la fois bibliques, chrétiennes, carolingiennes, luxembourgeoises, lotharingiennes, bohémiennes, mais aussi impériales, royales et ducales…

26. Andrew MARTINDALE, *Heroes, Ancestors, Relatives and the Birth of the Portrait*, La Haye, 1988 Friedrich B. POLLEROSS., *Das sakrale Identifikationsporträt. Ein höfischer Bildtypus von 13. bis 20. Jahrhundert*, Worms, 1988.

27. Iva ROSARIO, *Art and Propaganda: Charles IV of Bohemia, 1346-1378*, Woodbridge/Rochester, 2001.

28. Paul CROSSLEY, Zoë OPAČIČ, « Prag. Die Krone des böhmischen Königtums », dans : Jiří FAJT (dir.), *Karl IV. Kaiser von Gottes Gnaden : Kunst und Repräsentation des Hauses Luxemburg 1310-1437*, Munich/Berlin, 2006, p. 196-236. « Prag », dans : Jiří FAJT, Andrea LANGER (dir.), *Kunst als Herrschaftsinstrument. Böhmen und das Heilige Römische Reich unter den Luxemburgern im europäischen Kontext*, Munich/Berlin, 2006, p. 117-193.

29. Pavel KALINA, « Architecture and Memory. St. Vitus' Cathedral Prague and the Problem of the Presence of History », dans : Jiří FAJT, Andrea LANGER (dir.), *Kunst als Herrschaftsinstrument. Böhmen und das Heilige Römische Reich unter den Luxemburgern im europäischen Kontext*, Munich/Berlin, 2006, p. 150-157.

30. Josef EMLER (éd.), *Cronica ecclesiae Pragensis Benessii Krabice de Weitmile – Kronika Beneše Krabice z Weitmile*, Prague, 1884.

31. Dominique IOGNA-PRAT, *La Maison Dieu. Une histoire monumentale de l'Église au Moyen Âge (v. 800-v. 1200)*, Paris, 2006.

32. On rappellera que la pratique est connue dès le XIIIᵉ siècle : l'architecte de l'ancienne abbatiale Saint-Nicaise de Reims, Hugues Libergier, s'y est fait enterrer et sa pierre tombale datant de 1263, aujourd'hui transférée dans la cathédrale, le montre en pied, le visage très travaillé, portant sa réalisation sur le bras, tenant une règle dans sa main et frôlant un compas et une équerre à ses pieds.

33. Jana FANTYSOVÁ-MATĚJKOVÁ, *Wenceslas de Bohême. Un prince au carrefour de l'Europe*, Paris, 2013.

34. Johann LOSERTH (éd.), *Die Königsaaler Geschichts quellen. Mit den Zusätzen und der Fortsetzung des Domherrn Franz von Prag*, Vienne, 1875. Jana ZACHOVÁ, *Die Chronik des Franz von Prag. Inhaltliche und stilistische Analyse*, Prague, 1977.

35. Ralf LÜTZELSCHWAB, « Prag – Das neue Paris? Der französische Einfluss auf die Reliquienpolitik Karls IV. », dans : Daniel DOLEŽAL, Hartmut KÜHNE (dir.), *Wallfahrten in der europäischen Kultur*, Francfort-sur-le-Main, 2006, p. 201-219. Bernd CARQUÉ, « Leitbilder in Paris? Stilmerkmale und der Grad an Öffentlichkeit unter den letzten Kapetingern », dans : Jiří FAJT, Andrea LANGER (dir.), *Kunst als Herrschaftsinstrument. Böhmen und das Heilige Römische Reich unter den Luxemburgern im europäischen Kontext*, Munich/Berlin, 2006, p. 56-67.

36. Françoise AUTRAND, *Charles V le Sage*, Paris, 1994. Mary WHITELEY, « Le Louvre de Charles V : dispositions et fonctions d'une résidence royale », *Revue de l'Art*, 92 (1997), p. 60-71.

37. Jiří FAJT, Jan ROYT, Libor GOTTFRIED, *Geheiligte Räumlichkeiten der Burg Karlstein*, Prague, 1998.

38. Christian HECK, *L'Échelle céleste. Une histoire de la quête du ciel*, Paris, 1997.

39. František ŠMAHEL, *The Parisian Summit 1377-78*, Prague, 2014.

40. Voir le programme scientifique des « vecteurs de l'idéel » sous la direction de Jean-Philippe Genet, et les actes à paraître du colloque « Les mutations des sociétés politiques (XIIIᵉ-XVIIᵉ siècle) » de Rome (16-18 décembre 2013).

41. Jiří FAJT, Jan ROYT, *Magister Theodoricus. Hofmaler Kaiser Karls IV. Die künstlerische Ausstattung der Sakralräume auf Burg Karlstein*, Prague, 1998.

42. Colette BEAUNE, *Naissance de la nation France*, Paris, 1985. Jacques LE GOFF, *Saint Louis*, Paris, 1996.

43. Ulrike HOHENSEE, Mathias LAWO, Michael LINDNER, Michael MENZEL, Olaf B. RADER (dir.), *Die Goldene Bulle. Politik – Wahrnehmung – Rezeption*, Berlin, 2 vol., 2009.

44. Jean-Michel LENIAUD, Françoise PERROT, *La Sainte-Chapelle*, Paris, 2007.

45. Louis VAN TONGEREN, Exaltatio crucis, *het feest van kruisverheffing en de zingeving van het kruis in het westen tijdens de vroege middeleeuwen een liturgie-historische studies*, Tilburg, 1995.

46. Martin BAUCH, *Divina favente clemencia. Auserwählung, Frömmigkeit und Heilsvermittlung in der Herrschaftspraxis Kaiser Karls IV.*, Cologne/Weimar/Vienne, 2015.

47. Rainer BUDDE (dir.), *Die Heiligen Drei Könige. Darstellung und Verehrung*, Cologne, 1982.

48. Conservé depuis 1932 à la Pierpont-Morgan Library de New York, dont il tire son appellation d'usage.

49. Élisabeth ANTOINE-KÖNIG (dir.), *Le Trésor de l'abbaye de Saint-Maurice d'Agaune*, Paris, 2014.

50. Jan KEUPP, Hans REITHER, Peter POHLIT, Katharina SCHOBER, Stefan WEINFURTER (dir.), „*... die keyserlichen zeychen ... " Die Reichskleinodien – Herrschaftszeichen des Heiligen Römischen Reiches*, Ratisbonne, 2009.

51. Franz MACHILEK, Karlheinz SCHLAGER, Theodor WOHNHAAS, « *O felix lancea*. Beiträge zum Fest der Heiligen Lanze und der Nägel », *Jahrbuch des historischen Vereins für Mitttelfranken*, 92 (1984/85), p. 43-107. Franz KIRCHWEGER (dir.), *Die Heilige Lanze in Wien. Insignie – Reliquie – Schicksalsspeer*, Vienne, 2005. Mechthild SCHULZE-DÖRRLAMM, « Heilige Nägel und heilige Lanzen », dans : Falko DAIM, Jörg DRAUSCHKE (dir.), *Byzanz – das Römerreich im Mittelalter. Teil 1 : Welt der Ideen, Welt der Dinge*, Mayence, 2010, p. 97–171.

52. Michel MARGUE, Éloïse ADDE, « Luxembourg, Brabant und die Karolinger. Zur Selbstdarstellung der beiden ersten Kaiser aus dem Hause Luxemburg, Heinrich VII. und Karl IV. », dans : Actes du colloque organisé par l'Académie des sciences et l'université Charles de Prague en septembre 2016, à paraître.

53. C'est-à-dire autant que d'images des rois de France dont la série, achevée en 1315, ornait la Grand'Salle du Palais de la Cité.

54. Roderich SCHMIDT, « Brandenburg und Pommern in der Politik Kaiser Karls IV. », dans : Ferdinand SEIBT (dir.), *Kaiser Karl IV. Staatsmann und Mäzen...*, Munich, 1978, p. 203-208. Evelin WETTER, « Die Lausitz und die Mark Brandenburg », dans : Jiří FAJT (dir.), *Karl IV. Kaiser von Gottes Gnaden : Kunst und Repräsentation des Hauses Luxemburg 1310-1437*, Munich/Berlin, 2006, p. 341-349.

55. Pierre MONNET, « De l'honneur de l'Empire à l'honneur urbain : la Bulle d'Or de 1356 et les villes dans l'Empire médiéval et moderne », dans : Julie CLAUSTRE, Olivier MATTÉONI, Nicolas OFFENSTADT (dir.), *Un Moyen Âge pour aujourd'hui. Mélanges offerts à Claude Gauvard*, Paris, 2010, p. 152-160.

56. Zdeňka HLEDÍKOVÁ, « Johann Ocko von Vlasim († 1380). 1351–1364 Bischof von Olmütz. 1364-1378 Erzbischof von Prag. 1378 Kardinal », dans : Erwin GATZ (dir.), *Die Bischöfe des Heiligen Römischen Reiches 1198 bis 1448. Ein biographisches Lexikon*, Berlin, 2001, vol. 1, p. 589-590. Barbara DRAKE BOEHM, Jiří FAJT (dir.), *Prague : The Crown of Bohemia, 1347-1437*, New York, 2005, p. 93. Marco BOGADE, *Karl IV. Ikonographie und Ikonologie*, Stuttgart, 2005, p. 101-103. Voir le détail du visage de Charles IV en couverture du présent livre.

57. Jean-Claude SCHMITT, *Penser par figure. Du compas divin aux diagrammes magiques*, Paris, 2019.

58. Günther BRÄUTIGAM, « Nürnberg als Kaiserstadt », dans : Ferdinand SEIBT (dir.), *Kaiser Karl IV. Staatsmann und Mäzen...*, Munich, 1978, p. 339-344. « Nürnberg – Ein Zentrum karolinischer Macht und Kunstpolitik im Reich », dans : Jiří FAJT, Andrea LANGER (dir.), *Kunst als Herrschaftsinstrument. Böhmen und das Heilige Römische Reich unter den Luxemburgern im europäischen Kontext*, Munich/Berlin, 2006, p. 193-247.

59. (BNF, fr. 2813). Jean-Claude SCHMITT, *Les Rythmes au Moyen Âge*, Paris, 2016, p. 449-469.

60. Lucca, Archivio di Stato, Bibl. Manoscr. Q 602/1.

61. François AVRIL (dir.), *Jean Fouquet, peintre et enlumineur du xve siècle*, Paris, 2003, cat. N° 26 = *Grandes Chroniques de France*, Tours, v. 1455-1460, BNF fr. 6465, p. 219-248, ill. aux p. 244-246.

62. Österreichische Nationalbibliothek Wien, Cod. 2618.

63. Österreichische Nationalbibliothek, Wien, Cod. 581.

64. On en retrouve le modèle pour un autre portrait de l'empereur sur une statue de l'église Notre-Dame de Sulzbach dans le Haut-Palatinat.

65. Pierre MONNET, « Charles IV de Luxembourg et ses portraits », dans : Gabriel ANNAS, Jessika NOWAK (dir.), *Et l'homme dans tout cela ? Von Menschen, Mächten und Motiven. Festschrift für Heribert Müller zum 70. Geburtstag*, Stuttgart, 2017, p. 351-378.

66. Louis MARIN, *Le Portrait du roi*, Paris, 1981. Naïma GHERMANI, *Le Prince et son portrait. Incarner le pouvoir dans l'Allemagne du xvie siècle*, Rennes, 2009. Diane H. BODART, *Pouvoirs du portrait sous les Habsbourg d'Espagne*, Paris, 2011.

CHAPITRE X
Le roi des autres

1. Hans LEMBERG, « Der Kaiser und König im tcheschichen Geschichtsbild seit 1945 », dans : Ferdinand SEIBT (dir.), *Kaiser Karl IV. Staatsmann und Mäzen*, Munich, 1978, p. 414-418.

2. Robert FOSSIER, *Le Moyen Âge. Le temps des crises 1250-1520*, Paris, 1983. Jean FAVIER, *xive et xve siècles. Crises et genèses*, Paris, 1996. Ulf DIRLMEIER, Gerhard FOUQUET, Bernd FUHRMANN, *Europa im Spätmittelalter 1215-1378*, Munich, 2003. Patrick BOUCHERON (dir.), *Histoire du monde au xve siècle*, Paris, 2009. Bernd SCHNEIDMÜLLER, *Grenzerfahrung und monarchische Ordnung. Europa 1200-1500*, Munich, 2011.

3. Beat FREY, Pater Bohemiae – Vitricus imperii. *Böhmens Vater, Stiefvater des Reichs. Kaiser Karl IV. in der Geschichtsschreibung*, Berne/Francfort-sur-le-Main, 1978.

4. Olivier GUYOTJEANNIN, *Les Sources de l'histoire médiévale*, Paris, 1998.

5. Bernard GUENÉE, *Histoire et culture historique dans l'Occident médiéval*, Paris, 1980. Jean-Marie SANSTERRE (dir.), *L'Autorité du passé dans les sociétés médiévales*, Bruxelles/Rome, 2004. *L'Autorité de l'écrit au Moyen Âge (Orient-Occident). XXXIXe Congrès de la SHMESP*, Paris, 2009.

6. Jörg K. HOENSCH, *Die Luxemburger. Eine spätmittelalterliche Dynastie gesamteuropäischer Bedeutung 1308-1437*, Stuttgart/Berlin/Cologne, 2000.

7. Heinz THOMAS, *Ludwig der Bayer (1282-1347). Kaiser und Ketzer*, Ratisbonne, 1993.

8. Claude GAUVARD, *La France au Moyen Âge du ve au xve siècle*, Paris, 1996, rééd. 2010. Boris BOVE, *Le Temps de la guerre de Cent Ans : 1328-1453*, Paris, 2009.

9. Václav ŽŮREK, « Der Weise auf dem Thron. Zu einem wichtigen Aspekt des Herrschaftstils Karls IV. », dans : Martin BAUCH, Julia BURKHARDT, Tomáš GAUDEK, Václav ŽŮREK (dir.), *Heilige, Helden, Wüteriche. Herrschaftsstile der Luxemburger (1308-1437)*, Cologne/Weimar/Vienne, 2017, p. 325-341.

10. Heinrich NEUREUTHER, *Das Bild Kaiser Karls IV. in der zeitgenössischen französischen Geschichtsschreibung*, Heidelberg, 1964.

11. Jacques KRYNEN, *Idéal du prince et pouvoir royal en France à la fin du Moyen Âge (1380-1440)*, Paris, 1981. Jacques KRYNEN, *L'Empire du roi. Idées et croyances politiques en France (xie-xve siècles)*, Paris, 1993. Colette Beaune, « Roi », dans : Claude GAUVARD, Alain DE LIBERA, Michel ZINK (dir.), *Dictionnaire du Moyen Âge*, Paris, 2002, p. 1232-1234.

12. Alain BOUREAU, Claudio-Serge INGERFLOM (dir.), *La Royauté sacrée dans le monde chrétien*, Paris, 1992. Jacques LE GOFF, « Roi », dans : Jacques LE GOFF, Jean-Claude SCHMITT (dir.), *Dictionnaire raisonné de l'Occident médiéval*, Paris, 1999, p. 985-1004. Bernhard JUSSEN (dir.), *Die Macht des Königs. Herrschaft in Europa vom Frühmittelalter bis in die Neuzeit*, Munich, 2005. Jean-Patrice BOUDET, « Le modèle du roi sage aux XIIIe et XIVe siècles : Salomon, Alphonse X et Charles V », *Revue Historique*, 647 (2008), p. 545-566.

13. Jean BARBEY, *Être roi : le roi et son gouvernement en France de Clovis à Louis XVI*, Paris, 1992. Joël BLANCHARD (dir.), *Représentation, pouvoir et royauté à la fin du Moyen Âge*, Paris, 1995.

14. Claude GAUVARD, *Violence et ordre public au Moyen Âge*, Paris, 2005.

15. Reinhard SCHNEIDER (dir.), *Das spätmittelalterliche Königtum im europäischen Vergleich*, Sigmaringen, 1987.

16. Robert FOLZ, *Les Saints Rois du Moyen Âge en Occident (VIe-XIIIe siècle)*, Bruxelles, 1984.

17. Jacques LE GOFF, *Saint Louis*, Paris, 1996.

18. Irena RAITHEL-ŽIVSA, « Karl IV. – Ein Fremder in der deutschen Literatur », dans : Ferdinand SEIBT (dir.), *Kaiser Karl IV. Staatsmann und Mäzen*, Munich, 1978, p. 411-413.

19. Ernst KANTOROWICZ, *L'Empereur Frédéric II*, Paris, 1987 (original de 1927). Olaf B. RADER, *Friedrich II.*, Munich, 2010.

20. Peter F. AINSWORTH, Georges T. DILLER (éds.), *Jean Froissart. Chroniques, Livre I et Livre II. Deuxième Livre*, § 27 (fol. 285r), Paris, 2001, p. 773.

21. Klaus VOIGT (éd.), *Italienische Berichte aus dem spätmittelalterlichen Deutschland. Von Francesco Petrarca zu Andrea de' Franceschi (1333-1492)*, Stuttgart, 1973.

22. Adrianus VAN HECK (éd.), *Pius II., Enee Silvii Piccolominei postea Pii PP. II De Europa*, Cité du Vatican, 2001. Günter FRANK, Paul METZGER, Albrecht HARTMANN (éds.), *Enea Silvio Piccolomini : Europa*, Heidelberg, 2005.

23. Jan ROYT, « Das Nachleben Karls IV. », dans : Jiří FAJT, Markus HÖRSCH (dir.), *Kaiser Karl IV. 1316-2016*, Prague/Nuremberg, 2016, p. 259-266 et catalogue p. 614-623.

24. Michel MARGUE (dir.), *Un itinéraire européen. Jean l'Aveugle, comte de Luxembourg et roi de Bohême 1296-1346*, Bruxelles, 1996. Michel PAULY, *Johann der Blinde. Graf von Luxemburg, König von Böhmen, 1296-1346*, Luxembourg, 1997. Michel PAULY (dir.), *Johann und Élisabeth. Jean et Élisabeth. Die Erbtochter, der fremde Fürst und das Land. L'héritière, le prince étranger et le pays*, Luxembourg, 2013.

25. Peter MORAW, « Kaiser Karl IV. im deutschen Mittelalter », *Historische Zeitschrift*, 229 (1979), p. 1-24.

26. Karl MÜLLER (éd.), *Occams Traktat gegen die Unterwerfungsformel Clemens VI.*, Gießen, 1888, p. 5-26. Richard SCHOLZ (éd.), *Unbekannte kirchenpolitische Streitschriften aus der Zeit Ludwigs des Bayern*, vol. II, Rome, 1914, p. 349-363.

27. Alain DE LIBERA, *La Philosophie médiévale*, Paris, 1993. Jürgen MIETHKE, *Die Anfänge des säkularisierten Staates in der politischen Theorie des späteren Mittelalters*, Berlin, 1996. Volker LEPPIN, *Wilhelm von Ockham. Gelehrter, Streiter, Bettelmönch*, Darmstadt, 2003.

28. Beat FREY, « Karl IV. in der älteren Historiographie », dans : Ferdinand SEIBT (dir.), *Kaiser Karl IV. Staatsmann und Mäzen*, Munich, 1978, p. 399-404.

29. Konrad von Megenberg, *Tractatus contra Wilhelmum Occam de coronatione Caroli Quarti*, dans : Richard SCHOLZ (éd.), *Unbekannte kirchenpolitische Streitschriften aus der Zeit Ludwigs des Bayern*, vol. II, Rome, 1914, p. 346-391, ici p. 360. Jürgen MIETHKE, « Konrads von Megenberg Kampf mit dem Drachen : Der 'Tractatus contra Occam' im Kontext », dans : Claudia MÄRTL, Gisela DROSSBACH, Martin KINTZINGER (dir.), *Konrad von Megenberg (1309-1374) und sein Werk. Das Wissen der Zeit*, Munich, 2006, p. 73-97.

30. Konrad von Megenberg, *Tractatus de translatione imperii*, dans : Richard Scholz (éd.), *Unbekannte kirchenpolitische Streitschriften aus der Zeit Ludwigs des Bayern*, vol. II, Rome, 1914, p. 249-345. Werner Goez, *Translatio imperii. Ein Beitrag zur Geschichte des Geschichtsdenkens und der politischen Theorie im Mittelalter und in der frühen Neuzeit*, Tübingen, 1958. Karl Ubl, « Die Rechte des Kaisers in der Theorie deutscher Gelehrter des 14. Jahrhunderts (Engelbert von Admont, Lupold von Bebenburg, Konrad von Megenberg) », dans : Claudia Märtl, Gisela Drossbach, Martin Kintzinger (dir.), *Konrad von Megenberg (1309-1374) und sein Werk. Das Wissen der Zeit*, Munich, 2006, p. 353-387.

31. Adolf Hofmeister (éd.), *Die Chronik des Mathias von Neuenburg*, Berlin, 1924/1940, chapitre 69, p. 194. Hans-Dieter Mück, *Matthias von Neuenburg: Ein Chronist des Spätmittelalters am Oberrhein. Seine Zeit, sein Leben, sein Werk*, Neuenburg, 1995.

32. Adolf Hofmeister (éd.), *Die Chronik des Mathias von Neuenburg*, Berlin, 1924/1940, chapitre 123, p. 281.

33. Karl von Hegel (éd.), *Jakob Twinger von Königshofen. Chronik*, Leipzig, 1870-1871, ici p. 473 et 482.

34. On retrouve l'argument sous la plume de Froissart, dans son quatrième Livre, § 50, fol. 68r., p. 561, à propos de l'année 1396 et de Wenceslas, avec un retour au temps de Charles : Peter F. Ainsworth, Alberto Varvaro (éds.), *Jean Froissart. Chroniques, Livre I et Livre II*, Paris, 2004, p. 561.

35. Friedrich Baethgen, avec Carl Brun (éds.), *Die Chronik Johanns von Winterthur*, Berlin, 1924.

36. August Potthast (éd.), *Liber de rebus memorabilioribus, sive Chronicon Henrici de Hervordia*, Göttingen, 1859. Klaus Peter Schumann, *Heinrich von Herford. Enzyklopädische Gelehrsamkeit und universalhistorische Konzeption im Dienste dominikanischer Studienbedürfnisse*, Münster, 1996. Peter Johanek, « Karl IV. und Heinrich von Herford », dans : Franz J. Felten, Annette Kehnel, Stefan Weinfurter (dir.), *Institution und Charisma. Festschrift für Gert Melville zum 65. Geburtstag*, Cologne/Weimar/Vienne, 2009, p. 229-244.

37. Harry Bresslau (éd.), *Die Chronik Heinrichs Taube von Selbach/Chronica Heinrici Surdi de Selbach*, Berlin, 1922.

38. Joseph Emler (éd.), *Kronika Janaz Marignoly*, Prague, 1882, p. 485-604. Christine Gadrat, *Jean de Marignolli. Au jardin d'Eden*, Toulouse, 2009. Xenja von Ertzdorff, « *Et transivi per principaliores mundi provincias* : Johannes Marignoli als weitgereister Erzähler der *Böhmenchronik* », *Wolfram-Studien*, 13 (1994), p. 142-173.

39. Jean Richard, *La papauté et les missions d'Orient au Moyen Âge (XIIIᵉ-XVᵉ siècles)*, Rome, 1998. Norbert Kersken, *Geschichtsschreibung im Europa der „nationes". Nationalgeschichtliche Gesamtdarstellungen im Mittelalter*, Cologne/Weimar/Vienne, 1995, p. 589-594.

40. Giovanni Porta (éd.), *Nuova Cronica, di Giovanni Villani*, Parme, 1991.

41. Giorgio Chittolini (dir.), *Statuten, Städte und Territorien zwischen Mittelalter und Neuzeit in Italien und Deutschland*, Berlin, 1992. Roland Pauler, *Die deutschen Könige und Italien im 14. Jahrhundert: von Heinrich VII. bis Karl IV.*, Darmstadt, 1997. Elena Taddei, Matthias Schnettger, Robert Rebitsch (dir.), *«Reichsitalien» in Mittelalter und Neuzeit*, Innsbruck, 2017.

42. Matteo Villani, Filippo Villani, *Cronica. Lib. I-VIII*, Bologne, 2009. Franca Ragone, *Giovanni Villani e i suoi continuatori : la scrittura delle cronache a Firenze nel Trecento*, Rome, 1998.

43. Enrico Fenzi, *Pétrarque*, Paris, 2015.

44. Jana NECHUTOVÁ, *Die lateinische Literatur des Mittelalters in Böhmen*, Cologne/Weimar/Vienne, 2007. Martin NEJEDLÝ, Jaroslav SVÁTEK, Marilyn NICOUD (dir.), *Histoires de Bohême. Nouveaux regards sur les sources (XIVe-XVe siècles)*, Numéro spécial de la revue *Médiévales* 67 (2014).

45. Berthold BRETHOLZ (éd.), *Die Chronik der Böhmen des Kosmas von Prag*, Berlin, 1923.

46. Josef JIREČEK (éd.), *Dalimili Bohemiae Chronicon* (Fontes rerum bohemicarum, 3), Prague, 1882. Éloïse ADDE-VOMÁČKA, *La Chronique de Dalimil. Les débuts de l'historiographie tchèque en langue vulgaire au XIVe siècle*, Paris, 2016.

47. Josef EMLER (éd.), *Kronika Beneš z Veitmile*, Prague, 1884, p. 457-548.

48. Josef EMLER (éd.), *Kronika Františka Pražského*, Prague, 1884, p. 347-456. Jana ZACHOVÁ (éd.), *Kronika Františka Pražského*, Prague, 1998. Jana ZACHOVÁ, *Die Chronik des Franz von Prag. Inhaltliche und stilistische Analyse*, Prague, 1977. Josef EMLER (éd.), *Petra Žitavského Kronika zbraslavská*, Prague, 1884, p. 1-337. Stefan ALBRECHT (dir.), *Die Königsaaler Chronik. Eine Bestandsaufnahme*, Francfort-sur-le-Main, 2013. Běla MARANI-MORAROVÁ, *Peter von Zittau. Abt, Diplomat und Chronist der Luxemburger*, Ostfildern, 2019.

49. *Neplacha, opatova Opatovského, krátká Kronika římská a česká*, Prague, 1882, p. 443-484.

50. Alphons LHOTSKY, Karl PIVEC (éds.), *Historisch-politische Schriften des Dietrich von Nieheim. Teil 1 : Viridarium imperatorum et regum Romanorum* (Monumenta Germaniae Historica, Staatsschriften des späteren Mittelalters 5), Stuttgart, 1956.

51. Harald ZIMMERMANN, *Thomas Ebendorfer, ein Universalhistoriker der konziliaren Epoche*, Vienne, 1998.

52. Ulrich ANDERMANN, *Albert Krantz. Wissenschaft und Historiographie um 1500*, Weimar, 1999.

53. Joël BLANCHARD (éd.), *Philippe de Mézières. Songe du vieux pèlerin*, Paris, 2008, p. 193-194.

54. Jörg K. HOENSCH, *Kaiser Sigismund. Herrscher an der Schwelle zur Neuzeit 1368-1437*, Darmstadt, 1996. Michel PAULY, François REINERT (dir.), *Sigismund von Luxemburg. Ein Kaiser in Europa*, Mayence, 2006. Karel HRUZA, Alexandra KAAR (dir.), *Kaiser Sigismund (1368-1437). Zur Herrschaftspraxis eines europäischen Monarchen*, Vienne, 2012.

55. Gary IANZITI, *Writing History in Renaissance Italy : Leonardo Bruni and the Uses of the Past*, Cambridge/Londres, 2012.

56. Stefan BAUER, *The Censorship and Fortuna of Platina's Lives of the Popes in the Sixteenth Century*, Turnhout, 2006. On pourrait ajouter à cette liste Flavio Biondo dans ses *Décennies historiques depuis le déclin de l'Empire romain* ; Élisabeth CROUZET-PAVAN, *Renaissances italiennes 1380-1500*, Paris, 2007.

57. Joseph HEJNIC, Hans ROTHE (éds.), *Aeneas Silvius Piccolomini : Historia Bohemica*, Cologne/Weimar/Vienne, 2005. Maria Antonietta TERZOLI (dir.), *Enea Silvio Piccolomini. Uomo di lettere e mediatore di culture – Gelehrter und Vermittler der Kulturen*, Bâle, 2006. Volker REINHARDT, *Pius II. Piccolomini. Der Papst, mit dem die Renaissance begann. Eine Biographie*, Munich, 2013.

58. Il fut de manière intéressante le premier traducteur en allemand des chroniques de Philippe de Commynes.

59. Helmut SLPANICKA, « Karl IV. als Gesetzgeber in der Legende des 16. und 17. Jahrhunderts », dans : Ferdinand SEIBT (dir.), *Kaiser Karl IV. Staatsmann und Mäzen*, Munich, 1978, p. 404-407.

60. Michael MATTHÄUS, « ‚Reichsgrundgesetz' oder nur ‚ein nichtsnützig Stück Pergament'? Die Rezeption der Frankfurter Goldenen Bulle in Wissenschaft unf

Literatur », dans : Evelyn Brockhoff, Michael Matthäus (dir.), *Die Kaisermacher. Frankfurt und die Goldene Bulle 1356-1806*, Francfort-sur-le-Main, 2006, p. 170-200. Arno Buschmann, « Die Rezeption der Goldenen Bulle in der Reichspublizistik des Alten Reiches », dans : Ulrike Hohensee, Mathias Lawo, Michael Lindner, Michael Menzel, Olaf B. Rader (dir.), *Die Goldene Bulle. Politik – Wahrnehmung – Rezeption*, Berlin, 2009, vol. 2, p. 1071-1120.

61. Franck Collard, *Un historien au travail à la fin du XVᵉ siècle : Robert Gaguin*, Genève, 1996.

62. Léonard Dauphant, *Le Royaume des quatre rivières. L'espace politique français (1380-1515)*, Paris, 2012.

63. Johann Daniel Olenschlager, *Neue Erläuterung der Güldenen Bulle Kaysers Carl IV.*, Francfort-sur-le-Main/Leipzig, 1766.

64. Anne-Marie Thiesse, *La Création des identités nationales. Europe XVIIIᵉ-XIXᵉ siècle*, Paris, 1999.

65. Jiří Kořalka, *František Palacký (1798–1876), der Historiker der Tschechen im österreichischen Vielvölkerstaat, Studien zur Geschichte der österreichisch-ungarischen Monarchie*, Vienne, 2007.

66. Pierre Monnet, « Le projet de paix et d'union chrétiennes de Georges de Podiebrad », dans : Patrick Boucheron (dir.), *Histoire du monde au XVᵉ siècle*, Paris, 2009, p. 527-532.

67. Otto Gerhard Oexle, « Das entzweite Mittelalter », dans : Gerd Althoff (dir.), *Die Deutschen und ihr Mittelalter. Themen und Funktionen moderner Geschichtsbilder vom Mittelalter*, Darmstadt, 1992, p. 7-28.

68. Heinz Stoob, *Kaiser Karl IV. und seine Zeit*, Graz/Vienne/Cologne, 1990, p. 398-406.

69. Walter Schamschula, « Tschechische Dichtung um Karl IV. », dans : Ferdinand Seibt (dir.), *Kaiser Karl IV. Staatsmann und Mäzen*, Munich, 1978, p. 407-411.

70. René Küpper, « Grösster Tchesche aller Zeiten, Deutscher, grosser Europäer? Das Bild Karls IV. in Geschichtsschreibung und Öffentlichkeit », dans : Jiří Fajt, Markus Hörsch (dir.), *Kaiser Karl IV. 1316-2016*, Prague/Nuremberg, 2016, p. 267-275.

71. Johann Gustav Droysen, *Précis de théorie de l'histoire*, traduit et présenté par Alexandre Escudier, Paris, 2002.

72. Otto Gerhard Oexle, *L'Historisme en débat. De Nietzsche à Kantorowicz*, Paris, 2001.

73. *Der Zug nach dem Osten. Die kolonisatorische Großtat des deutschen Volkes im Mittelalter*, Leipzig, 1921.

74. Ferdinand Seibt (dir.), *Kaiser Karl IV. Staatsmann und Mäzen*, Munich, 1978.

75. Ferdinand Seibt, *Karl IV. Ein Kaiser in Europa 1346 bis 1378*, Munich, 1978.

76. Ulrike Hohensee, Mathias Lawo, Michael Lindner, Michael Menzel, Olaf B. Rader (dir.), *Die Goldene Bulle. Politik – Wahrnehmung – Rezeption*, Berlin, 2009, 2 vol.

77. Jiří Fajt (dir.), *Karl IV. Kaiser von Gottes Gnaden : Kunst und Repräsentation des Hauses Luxemburg 1310-1437*, Munich/Berlin, 2006. Jiří Fajt, Andrea Langer (dir.), *Kunst als Herrschaftsinstrument. Böhmen und das Heilige Römische Reich unter den Luxemburgern im europäischen Kontext*, Munich/Berlin, 2006.

78. Jiří Fajt, Markus Hörsch (dir.), *Kaiser Karl IV. 1316-2016*, Prague/Nuremberg, 2016.

CONCLUSION

1. Jörg K. HOENSCH, *Die Luxemburger. Eine spätmittelalterliche Dynastie gesamteuropäischer Bedeutung 1308-1437*, Stuttgart/Berlin/Cologne, 2000. Martin KINTZINGER, « Wenzel (1376-1400) », dans : Bernd SCHNEIDMÜLLER, Stefan WEINFURTER (dir.), *Die deutsche Herrscher des Mittelalters*, Munich, 2003, p. 433-445.

2. Georg WOLFRAM (éd.), *Die Metzer Chronique des Jaique Dex über die Kaiser und Könige aus dem Luxemburger Hause*, Metz, 1906, p. 315.

3. Eberhard HOLZ, *Reichsstädte und Zentralgewalt unter König Wenzel : 1376-1400*, Warendorf, 1993.

4. Josef KRASA, *Die Handschriften König Wenzels IV*, Prag, 1971. Jiří FAJT, Andrea LANGER (dir.), *Kunst als Herrschaftsinstrument. Böhmen und das Heilige Römische Reich unter den Luxemburgern im europäischen Kontext*, Prag, 2006. Ulrike JENNI, Maria THEISEN, *Mitteleuropäische Schulen. IV (ca. 1380–1400): Hofwerkstätten König Wenzels IV. und deren Umkreis*, Wien, 2014.

5. Jiří FAJT, Barbara DRAKE BOEHM, « Wenzel IV. 1361-1419: Herrscherrepräsentation in den Fussstapfen des Vaters », dans : Jiří FAJT, Markus HÖRSCH, Andrea LANGER (dir.), *Karl IV. Kaiser von Gottes Gnaden. Kunst und Repräsentation des Hauses Luxemburg 1310-1437*, Munich/Berlin, 2006, p. 460-540. Chapitre « Söhne eines grossen Herrschers in bewegten Zeitläuften. Wenzel IV. und Sigismund », dans : Jiří FAJT, Andrea LANGER (dir.), *Kunst als Herrschaftsinstrument. Böhmen und das Heilige Römische Reich unter den Luxemburgern im europäischen Kontext*, Munich/Berlin, 2006, p. 365-440.

6. Françoise AUTRAND, *Charles VI*, Paris, 1986, p. 345.

7. František GRAUS, « Das Scheitern von Königen : Karl VI., Richard II., Wenzel IV. », dans : Reinhard SCHNEIDER (dir.), *Das spätmittelalterliche Königtum im europäischen Vergleich*, Sigmaringen, 1987, p. 17-40. Ernst SCHUBERT, *Königsabsetzung im deutschen Mittelalter. Eine Studie zum Werden der Reichsverfassung*, Göttingen, 2005.

8. František ŠMAHEL, *La Révolution hussite, une anomalie historique*, Paris, 1985. František ŠMAHEL – *Die Hussitische Revolution*, Hanovre, 2002, 3 vol. Pavel SOUKUP, *Jan Hus. Prediger–Reformator–Märtyr*, Stuttgart, 2014.

9. Jörg K. HOENSCH, *Kaiser Sigismund. Herrscher an der Schwelle zur Neuzeit (1368-1437)*, Munich, 1996. Michel PAULY, François REINERT (dir.), *Sigismund von Luxemburg. Ein Kaiser in Europa*, Mayence, 2006. Imre TAKÁCS (dir.), *Sigismundus Rex et Imperator. Kunst und Kultur zur Zeit Sigismunds von Luxemburg (1387-1437)*, Mayence, 2006. Karel HRUZA, Alexandra KAAR (dir.), *Kaiser Sigismund (1368-1437). Zur Herrschaftspraxis eines europäischen Monarchen*, Vienne/Cologne/Weimar, 2012.

10. Heinz-Dieter HEIMANN, « Die luxemburgisch-habsburgischen Erbverbrüderungen von 1364 und 1366. Ein inner- und interdynastisches Rechtswerk », dans : Mario MÜLLER, Karl-Heinz SPIESS, Uwe TRESP (dir.), *Erbeinigungen und Erbverbrüderungen in Spätmittelalter und Früher Neuzeit. Generationsübergreifende Verträge und Strategien im europäischen Vergleich*, Berlin, 2014, p. 133-149.

11. Luisa Secchi TARUGI (dir.), *Pio II umanista europeo*, Florence, 2007. Volker REINHARDT, *Pius II. Piccolomini. Der Papst, mit dem die Renaissance begann. Eine Biographie*, Munich, 2013.

12. Pierre MONNET, « 1378-2018 : Charles IV un Européen ? », *Francia*, 46 (2019), p. 105-120.

13. Robert FOLZ, *Les Saints Rois du Moyen Âge en Occident (VIᵉ-XIIIᵉ siècle)*, Bruxelles, 1984.

14. « *Omne regnum in se divisum desolabitur* ».

Bibliographie indicative

Sources citées

Éloïse Adde-Vomáčka (éd., trad.), *La Chronique de Dalimil. Les débuts de l'historiographie nationale tchèque en langue vulgaire au XIVᵉ siècle*, Paris, 2016.

Stefan Albrecht, Josef Bujnoch (éd., trad.), *Die Königsaaler Chronik*, Francfort-sur-le-Main, 2014.

Berthold Bretholz (éd.), *Die Chronik der Böhmen des Cosmas von Prag*, Berlin, 1923.

Roland Delachenal (éd.), *Les Grandes Chroniques de France : Chronique des règnes de Jean II et de Charles V*, Paris, 1910-1920.

Joseph Emler (éd.), *Johanes von Marignola. Chronik*, Prague, 1882 (Fontes rerum Bohemicarum III).

– *Cronica ecclesiae Pragensis Benessii Krabice de Weitmile – Kronika Beneše Krabice z Weitmile*, Prague, 1884 (Fontes rerum Bohemicarum, IV).

Wolfgang D. Fritz (éd., trad.), *Bulla aurea Karoli IV. imperatoris anno MCCCLVI promulgata*, Leipzig, 1972 (Monumenta Germaniae Historica, Fontes iuris Germanici antiqui, 11).

Joseph Hejnic, Hans Rothe (éds.), *Aeneas Silvius Piccolomini : Historia Bohemica*, Cologne/Weimar/Vienne, 2005.

Bernd-Ulrich Hergemöller, *Maiestas Carolina. Der Kodifikationsentwurf Karls IV. für das Königreich Böhmen von 1355*, Munich, 1995.

Alfons Huber (éd.), *Die Regesten des Kaiserreiches unter Kaiser Karl IV. 1346-1378*, Hildesheim, 1968.

Johann Loserth (éd.), Die Krönungsordnung der Könige von Böhmen, *Archiv für österreichische Geschichte*, 54 (1876), p. 9-36.

Michel Margue, Michel Pauly, Wolfgang Schmid (éd., dir.), *Der Weg zur Krone. Der Romzug Heinrichs VII. in der Darstellung Erzbischof Balduins von Trier*, Trèves, 2009.

Johannes Mötsch, *Die Balduineen. Aufbau, Entstehung und Inhalt der Urkundensammlung des Erzbischofs Balduin von Trier*, Coblence, 1980.

Pierre Monnet, Jean-Claude Schmitt (éd., trad., comm.), *Vie de Charles IV de Luxembourg*, Paris, 2010.

Balázs Nagy, Frank Schaer (éds.), *Karoli Imperatoris Romanorum Vita ab eo ipso conscripta et Historia Nova de Sancto Wenceslao Martyre*, Budapest, 2001.

Olaf B. Rader (trad. comm.), *Wie Blitz und Donnerschlag. Die Kaiserkrönung Karls IV. nach den Berichten des Johannes Porta de Annoniaco*, Berlin, 2016.

Fritz Schnelbögl (éd.), *«Das Böhmische Salbüchlein» Kaiser Karls IV. über die nördliche Oberpfalz 1366/68*, Munich, 1973.

Johannes Schultze (éd.), *Das Landbuch der Mark Brandenburg von 1375*, Berlin, 1940.

Samuel Steinherz (éd.), *Ein Fürstenspiegel Karls IV.*, Prague, 1925 (Quellen und Forschungen aus dem Gebiet der Geschichte, 3).

Lorenz Weinrich (éd.), *Quellen zur Verfassungsgeschichte des römisch-deutschen Reiches im Spätmittelalter (1250-1500)*, Darmstadt, 1983.

Georg Wolfram (éd.), *Die Metzer Chronik des Jaique Dex (Jacques d'Esch) über die Kaiser und Könige aus dem Luxemburger Hause (1307-1435)*, Metz, 1906.

Jana Zachová (éd.), *Cronicon Francisci Pragensis/Kronika Františka Pražského*, Prague, 1997 (Fontes rerum Bohemicarum, Series nova 1).

Études

Présentations générales

Ulf Dirlmeier, Gerhard Fouquet, Bernd Fuhrmann, *Europa im Spätmittelalter 1215-1378*, Munich, 2003.

Collectif, *L'Europe des Anjous. Aventure des princes angevins du XIIIᵉ au XVᵉ siècle*, Paris, 2001.

Jean Favier (dir.), *XIVᵉ et XVᵉ siècles. Crises et genèses*, Paris, 1996.

Christian Hesse, Peter Moraw, Rainer Chr. Schwinges (dir.), *Europa im Spätmittelalter. Politik – Gesellschaft – Kultur*, Munich, 2006.

Werner Maleczek (dir.), *Fragen der politischen Integration in Europa*, Ostfildern, 2005.

Klaus Oschema, *Bilder von Europa im Mittelalter*, Ostfildern, 2013.

Reinhard Schneider (dir.), *Das spätmittelalterliche Königtum im europäischen Vergleich*, Sigmaringen, 1987.

Bernd Schneidmüller, *Grenzerfahrung und monarchische Ordnung. Europa 1200-1500*, Munich, 2011.

Noël-Yves Tonnerre, Élisabeth Verry (dir.), *Les Princes angevins du XIIIe au XVe siècle. Un destin européen*, Rennes, 2003.

Royaumes de France et d'Angleterre

Christopher Allmand, *La Guerre de Cent Ans*, Paris, 1989.

Françoise Autrand, *Charles V*, Paris, 1994.

– *Christine de Pizan*, Paris, 2009.

Colette Beaune, *Naissance de la nation France*, Paris, 1985.

Boris Bove, *Le Temps de la Guerre de Cent Ans 1328-1453*, Paris, 2009.

Bruno Donzet, Christian Sire (dir.), *Les Fastes du gothique. Le siècle de Charles V*, Paris, 1981.

Christian Freigang, Jean-Claude Schmitt (dir.), *Hofkultur in Frankreich und Europa im Spätmittelalter. La culture de cour en France et en Europe à la fin du Moyen Âge*, Berlin, 2005.

Anne D. Hedeman, *The Royal Image: Illustrations of the « Grandes Chroniques de France » (1274-1422)*, Berkeley, 1991.

Jacques Le Goff, *Saint Louis*, Paris, 1996.

Italie

Elisabeth Crouzet-Pavan, *Enfers et paradis. L'Italie de Dante et de Giotto*, Paris, 2001.

Jean-Pierre Delumeau, Isabelle Heullant-Donat, *L'Italie au Moyen Âge. V^e-XVe siècles*, Paris, 2000.

Roland Pauler, *Die deutschen Könige und Italien im 14. Jahrhundert*, Darmstadt, 1997.

Volker Reinhardt, *Pius II. Piccolomini. Der Papst, mit dem die Renaissance begann. Eine Biographie*, Munich, 2013.

Saint-Empire

Gabriele Annas, *Hoftag – Gemeiner Tag – Reichstag. Studien zur strukturellen Entwicklung deutscher Reichsversammlungen des späten Mittelalters (1349-1471)*, Göttingen, 2004.

Hartmut Boockmann, *Stauferzeit und spätes Mittelalter 1125-1517*, Berlin, 1994.

Evelyn Brockhoff, Michael Matthäus (dir.), *Die Kaisermacher. Frankfurt am Main und die Goldene Bulle 1356-1806*, Francfort-sur-le-Main, 2006.

Andreas Büttner, *Der Weg zur Krone. Rituale der Herrschererhebung im spätmittelalterlichen Reich*, Ostfildern, 2012.

Martin Clauss, *Ludwig IV. der Bayer. Herzog, König, Kaiser*, Ratisbonne, 2014.

Robert Folz, *Le Souvenir et la légende de Charlemagne dans l'Empire germanique*, Paris, 1950.

Amalie Fössel, *Die Königin im mittelalterlichen Reich*, Stuttgart, 2000.

Christian Hesse, *Synthese und Aufbruch (1346-1410)* (Gebhardt : Handbuch der deutschen Geschichte. Band 7b), Stuttgart, 2017.

Charles Higounet, *Les Allemands en Europe centrale et orientale au Moyen Âge*, Paris, 1989.

Eberhard Isenmann, *Die deutsche Stadt im Mittelalter 1150-1550. Stadtgestalt, Recht, Verfassung, Stadtregiment, Kirche, Gesellschaft, Wirtschaft*, Cologne/Weimar/Vienne, 2012.

Mario Kramp (dir.), *Krönungen. Könige in Aachen. Geschichte und Mythos*, Mayence, 2000.

Karl-Friedrich Krieger, *Die Habsburger im Mittelalter. Von Rudolf I. bis Friedrich III.*, Stuttgart, 2004.

Jean-Marie Moeglin, *L'Empire et le royaume. Entre différence et fascination 1214-1500*, Lille, 2011.

Pierre Monnet, *Villes d'Allemagne au Moyen Âge*, Paris, 2004.

Peter Moraw, *Von offener Verfassung zu gestalteter Verdichtung. Das Reich im späten Mittelalter 1250 bis 1490*, Berlin, 1985.

Werner Paravicini, *Die ritterlich-höfische Kultur des Mittelalters*, Munich, 2011.

Francis Rapp, *Les Origines médiévales de l'Allemagne moderne. De Charles IV à Charles Quint (1346-1519)*, Paris, 1989.

Gerrit Jasper Schenk, *Zeremoniell und Politik. Herrschereinzüge im spätmittelalterlichen Reich*, Cologne/Weimar/Vienne, 2002.

Bernd Schneidmüller, Stefan Weinfurter (dir.), *Heilig – Römisch – Deutsch. Das Reich im spätmittelalterlichen Europa*, Dresde, 2006.

Heinz Thomas, *Deutsche Geschichte des Spätmittelalters. 1250–1500*, Stuttgart, 1983.

– *Ludwig der Bayer (1282-1347). Kaiser und Ketzer*, Ratisbonne, 1993.

Stefan Weiss (dir.), *Regnum et imperium. Die französisch-deutschen Beziehungen im 14. und 15. Jahrhundert. Les relations franco-allemandes au XIVe et XVe siècles*, Munich, 2008.

Bohême et Europe centrale

Martin Bauch, Julia Burkhardt, Tomáš Gaudek, Václav Zurek (dir.), *Heilige, Helden, Wüteriche. Herrschaftsstile der Luxemburger (1308-1437)*, Vienne/Cologne/Weimar, 2017.

Marie-Madeleine de Cevins, *L'Europe centrale au Moyen Âge*, Rennes, 2013.

Barbara Drake Boehm, Jiří Fajt (dir.), *Prague : The Crown of Bohemia, 1347-1437*, New York, 2005.

Pál Engel, Gyula Kristó et András Kubinyi, *Histoire de la Hongrie Médiévale*, tome 2 : « Des Angevins aux Habsbourgs », Rennes, 2008.

Jörg K. Hoensch, *Histoire de la Bohême. Des origines à la Révolution de velours*, Paris, 1995.

Jeizy Ktoczowski (dir.) *et al.*, *Histoire de l'Europe du Centre-Est*, Paris, 2004.

Josef Macek, Robert Mandrou, *Histoire de la Bohême. Des origines à 1918*, Paris, 1984.

Jana Nechutová, *Die lateinische Literatur des Mittelalters in Böhmen*, Cologne/Weimar/Vienne, 2007.

Martin Nejedlý, Jaroslav Svátek, Marilyn Nicoud (dir.), *Histoires de Bohême. Nouveaux regards sur les sources (XIVe-XVe siècles)*, *Médiévales 67* (2014).

Friedrich Prinz (dir.), *Deutsche Geschichte im Osten Europas. Böhmen und Mähren*, Berlin, 1993.

Eva Schlotheuber, Hubertus Seibert (dir.), *Böhmen und das Deutsche Reich. Ideen- und Kulturtransfer im Vergleich (13.-16. Jahrhundert)*, Prague, 2009.

Histoire du et des Luxembourg

Raymond Cazelles, *Jean l'Aveugle, comte de Luxembourg, roi de Bohême*, Paris, 1947.

Jiří Fajt, Andrea Langer (dir.), *Kunst als Herrschaftsinstrument. Böhmen und das Heilige Römische Reich unter den Luxemburgern im europäischen Kontext*, Munich/Berlin, 2006.

Franziska Heidemann, *Die Luxemburger in der Mark. Brandenburg unter Kaiser Karl IV. und Sigismund von Luxemburg (1373-1415)*, Warendorf, 2014.

Jörg K. Hoensch, *Die Luxemburger - Eine spätmittelalterliche Dynastie gesamteuropäischer Bedeutung 1308-1437*, Stuttgart, 2000.

Verena Kessel, *Balduin von Trier (1285-1354). Kunst, Herrschaft und Spiritualität im Mittelalter*, Trèves, 2012.

Anton Legner (dir.), *Die Parler und der schöne Stil 1350-1400. Europäische Kunst unter den Luxemburgern*, Cologne, 1978, 4 vol.

Běla Marani-Morarová, *Peter von Zittau. Abt, Diplomat und Chronist der Luxemburger*, Ostfildern, 2019.

Michel Margue (dir.), *Un itinéraire européen. Jean l'Aveugle, comte de Luxembourg et roi de Bohême (1296-1346)*, Luxembourg, 1996.

Reiner Nolden (dir.), *Balduin von Luxemburg. Erzbischof und Kurfürst von Trier (1308-1354)*, Trèves, 2010.

Michel Pauly (dir.), *Johann der Blinde. Graf von Luxemburg, König von Böhmen. 1296-1346*, Luxembourg, 1997.

– *Johann und Elisabeth. Jean et Elisabeth. Die Erbtochter, der fremde Fürst und das Land. Die Ehe Johanns des Blinden und Elisabeths von Böhmen in vergleichender europäischer Perspektive = L'héritière, le prince étranger et le pays. Le mariage de Jean l'Aveugle et d'Élisabeth de Bohême dans une perspective comparative européenne*, Luxembourg, 2013.

– *Histoire du Luxembourg*, Bruxelles, 2013.

– *Die Erbtochter, der fremde Fürst und das Land. Die Ehe Johanns des Blinden und Elisabeths von Böhmen in vergleichender europäischer Perspektive*, Luxembourg, 2013.

Sabine Penth, Peter Thorau (dir.) : *Rom 1312. Die Kaiserkrönung Heinrichs VII. und die Folgen. Die Luxemburger als Herrscherdynastie von gesamteuropäischer Bedeutung*, Cologne/Weimar/Vienne, 2016.

Michael Viktor Schwarz (dir.), *Grabmäler der Luxemburger. Image und Memoria eines Kaiserhauses*, Luxembourg, 1997.

Ellen Widder (dir.), *Vom luxemburgischen Grafen zum europäischen Herrscher. Neue Forschungen zu Heinrich VII.*, Luxembourg, 2008.

Charles IV

Martin Bauch, *Divina favente clemencia. Auserwählung, Frömmigkeit und Heilsvermittlung in der Herrschaftspraxis Kaiser Karls IV.*, Cologne, 2015.

Marco Bogade, *Karl IV. Ikonographie und Ikonologie*, Stuttgart, 2005.

Daniela Břízová, Jiří Kuthan, Jana Peroutková, Stefan Scholz (dir.), *Kaiser Karl IV. Die böhmischen Länder und Europa. Emperor Charles IV. Lands oft he Bohemian Crown and Europe*, Prague, 2017.

Jiří Fajt, Jan Royt, *Magister Theodoricus. Hofmaler Kaiser Karls IV.*, Prague, 1998.

Jiří Fajt, Markus Hörsch, Andrea Langer (dir.), *Karl IV. Kaiser von Gottes Gnaden. Kunst und Repräsentation des Hauses Luxemburg 1310-1437*, Munich/Berlin, 2006.

Jiří Fajt, Markus Hörsch (dir.), *Kaiser Karl IV. 1316-2016*, Prague/Nuremberg, 2016.

Jiří Fajt, Jan Šícha (dir.), *Weiser Herrscher in einer Zeit der Katastrophen. Auf den Spuren Kaiser Karls IV. zwischen Prag und Nürnberg*, Prague, 2017.

Beat Frey, *Pater Bohemiae – Vitricus imperii. Böhmens Vater, Stiefvater des Reichs. Kaiser Karl IV. in der Geschichtsschreibung*, Francfort-sur-le-Main/Berne, 1978.

Bernd-Ulrich Hergemöller. *Fürsten, Herren und Städte zu Nürnberg 1355/56. Die Entstehung der "Goldenen Bulle" Karls IV.*, Cologne/Vienne, 1983.

– *Cogor adversum te. Drei Studien zum literarisch-theologischen Profil Karls IV. und seiner Kanzlei*, Warendorf, 1999.

Ulrike Hohensee, Mathias Lawo, Michael Lindner, Michael Menzel, Olaf B. Rader (dir.), *Die Goldene Bulle. Politik – Wahrnehmung – Rezeption*, Berlin, 2009.

Pierre Monnet, « Le roi d'un rêve, le rêve d'un roi : Charles IV à Terenzo en 1333 », dans : Jean-Christophe Cassard, Yves Coativy, Alain Gallicé, Dominique Le Page (dir.), *Le Prince, l'argent, les hommes au Moyen Âge. Mélanges offerts à Jean Kerhervé*, Rennes, 2008, p. 181-193.

– « De l'honneur de l'Empire à l'honneur urbain : la Bulle d'Or de 1356 et les villes dans l'Empire médiéval et moderne », dans : Julie Claustre, Olivier Mattéoni, Nicolas Offenstadt (dir.), *Un Moyen Âge pour aujourd'hui. Mélanges offerts à Claude Gauvard*, Paris, 2010, p. 152-160.

– « Charles IV de Luxembourg et ses portraits », dans : Gabriele Annas, Jessika Nowak (dir.), *Et l'homme dans tout cela ? Von Menschen, Mächten und Motiven. Festschrift für Heribert Müller zum 70. Geburtstag*, Stuttgart, 2017, p. 351-378.

– « La Bulle d'or de 1356, une «constitution» pour l'Empire ? », dans : François Foronda, Jean-Philippe Genet (dir.), *Des chartes aux constitutions. Autour de l'idée constitutionnelle en Europe (XIIe-XVIIe siècles)*, Paris/Rome, 2019, p. 149-188.

– « 1378-2018 : Charles IV un Européen ? », *Francia*, 46 (2019), p. 105-120.

Hans Patze (dir.), *Kaiser Karl IV. 1316-1378. Forschungen über Kaiser und Reich*, Neustadt/Aisch, 1978.

Iva Rosario, *Art and Propaganda. Charles IV of Bohemia*, Woodbridge, 2000.

Ferdinand Seibt (dir.), *Kaiser Karl IV. Staatsmann und Mäzen*, Munich, 1978.

– *Karl IV. Ein Kaiser in Europa 1346 bis 1378*, Munich, 1978.

František Šmahel, *The Parisian Summit 1377-78. Emperor Charles IV and King Charles V of France*, Prague, 2014.

Heinz Stoob, *Kaiser Karl IV. und seine Zeit*, Graz/Vienne/Cologne, 1990.

Dieter Veldtrup, *Zwischen Eherecht und Familienpolitik. Studien zu den dynastischen Heiratsprojekten Karls IV.*, Warendorf, 1988.

Ellen Widder, *Itinerar und Politik. Studien zur Reiseherrschaft Karls IV. südlich der Alpen*, Cologne/Weimar/Vienne, 1993.

Václav Žůrek, *Karel IV. Portét středověkého vládce*, Prague, 2018.

Index des noms de personne

La version usuelle des noms de rois, de princes, de papes… est donnée en français ou en allemand, avec leur équivalent tchèque entre parenthèses en tant que de besoin. Les noms des rois, reines, princes et princesses sont classées à l'initiale de leur prénom.

Index des noms de lieu

La forme française des toponymes a été retenue quand elle est usuelle (Munich, Nuremberg, Cologne). Les noms de villes situées aujourd'hui en Pologne, en Hongrie, en Slovaquie et en République Tchèque ont été cités dans la version allemande alors en usage au Moyen Âge et aux Temps modernes, leur appellation actuelle a été indiquée entre parenthèses.

Remerciements

Charles IV m'accompagne depuis des années, notamment depuis un séjour de sept ans passés au *Max-Planck Institut für Geschichte* de Göttingen, alors dirigé par le regretté Otto Gerhard Oexle, où je lus pour la première fois, en 1999, le récit autobiographique de sa *Vita*. Il n'a pas ensuite cessé de croiser ma route au cours de recherches sur les villes d'Allemagne ou le système politique impérial tardo-médiéval, un travail guidé en permanence par mon maître et ami, Philippe Braunstein, qui m'a appris l'Empire, sa langue, sa culture, ses indissociables marges orientales, et l'indivisibilité de la science historique. L'intérêt pour ce texte, et pour son auteur, s'est ensuite trouvé doublement ravivé lorsque nous avons entrepris avec Jean-Claude Schmitt la traduction de cette « Vie » en français, suivie d'une rencontre sur ce que nous avons appelé « Les autobiographies souveraines ». Ce livre doit beaucoup à ces deux entreprises, chaque fois conduites et mûries avec lui, auquel je dois une grande partie de ma carrière et de mon éveil à tout ce que l'anthropologie historique nous apprend sur le rêve, le corps, le rite, l'image, le temps, la mort, le sacré, bref sur tout ce qui fait de l'homme, dans la longue durée, un individu conscient et historique. C'est pourquoi mes premiers mots de reconnaissance et de gratitude s'adressent à lui, le collègue et l'ami, qui a lu ce manuscrit avec l'exigence, l'inspiration et la générosité qu'on lui connaît et sans lequel Charles IV ne serait tout simplement pas « incarné ».

J'ai eu l'occasion, à travers séminaires, conférences et colloques, de revenir sur ce grand roi du XIVe siècle. Je pense plus spécialement à l'université de Luxembourg où Michel Margue et Michel Pauly m'ont donné plusieurs fois l'occasion d'en parler. Je pense aussi à l'université de Prague, où Martin Nejedly et mon ancien doctorant, Varek Zurek, auteur d'une biographie récente sur Charles IV en tchèque, ont été des interlocuteurs à la fois amicaux, bienveillants, curieux et stimulants, et avec lesquels j'ai découvert les faces cachées de Prague et connu l'éblouissement d'une visite à Karlstein. Je pense à un colloque à Rome sur l'avènement d'Henri VII où Sabine Penth et Peter Thorau ont voulu que le petit-fils de l'empereur, qui je crois n'a jamais vraiment aimé la Ville éternelle, soit tout de même présent. Je pense à un colloque de Madrid sur les constitutions médiévales au cours duquel François Foronda et Jean-Philippe Genet souhaitaient que l'on parlât de la Bulle d'Or de 1356. Je songe à l'Institut historique allemand de Paris dont le directeur, Thomas Maissen, m'avait demandé de prononcer une conférence annuelle sur cet empereur européen, ainsi qu'à une table ronde lors du *Historikertag* de Hambourg dirigée par Eva Schlotheuber, grande spécialiste du souverain Luxembourg. Je pense aussi à mes échanges avec Werner Paravicini, qui sait si bien dire ce que c'est que régner, dominer et construire dans le Saint-Empire médiéval, ainsi qu'avec son épouse Anke qui a suivi nos séminaires sur la *Vita* et sur les autobiographies à l'EHESS. Qu'ils soient tous ici remerciés pour leurs commentaires, leurs questions, leurs suggestions dont j'espère qu'ils retrouveront quelque écho au fil de ces pages.

J'ai également traité de Charles IV dans un volume de *Mélanges* offert par ses collègues à Claude Gauvard. Qu'il me soit permis de redire, bien au-delà de cette petite contribution, toute ma dette envers elle : sans ses analyses sur le gouvernement royal, l'État médiéval, le gouvernement par la grâce et par l'honneur, sans surtout sa présence et son attention aussi amicales que constantes, ce livre serait plus pauvre et plus court.

Ma gratitude s'adresse également à mes collègues et amis de Francfort, puisqu'aussi bien cette biographie y a été rédigée : Heribert Müller auquel j'ai dédié un article sur les portraits de Charles IV, Bernhard Jussen devant lequel j'ai présenté un exposé sur ce qui l'intéresse depuis longtemps, le pouvoir du roi, sans oublier mes collègues de travail de l'Institut franco-allemand de sciences historiques et sociales, que j'ai l'honneur de diriger, et qui ont parfois dû subir l'accouchement de ce volume.

Je ne saurais oublier mes collègues de l'*Arbeitskreis für mittelalterliche Geschichte* de Constance qui m'ont donné la chance d'organiser un colloque sur la personne au Moyen Âge au cours duquel s'est plusieurs fois étendue l'ombre de Charles IV. Je n'oublie pas non plus mes collègues de l'École des hautes études en sciences sociales, Antoine Lilti avec lequel le projet de cette biographie a été pour la première fois évoqué, mais aussi Étienne Anheim et Christophe Duhamelle, qui ont à leur manière, discrète et efficace, surveillé de loin la construction de ce personnage et de sa mise en livre. La remarque vaut également pour Patrick Boucheron, auquel bien des complicités m'unissent, et qui m'a toujours encouragé à faire le pari de la biographie.

Je n'omets pas non plus, comment le pourrais-je, la relecture et l'accompagnement patients, scrupuleux, précieux et rigoureux de Pauline Labey, qui a encadré et structuré de bout en bout le manuscrit, dans toutes les étapes de sa fabrication parfois laborieuse. Il n'est de bon éditeur scientifique que par le travail qu'y accomplissent les lecteurs de son envergure et par le dialogue qu'ils engagent avec les auteurs : Pauline Labey en est le meilleur exemple, et la preuve si besoin était que cette profession est non seulement utile et indispensable, mais qu'il faut la défendre.

Enfin, je ne tairai pas combien ce livre, comme tout le reste de ce que j'entreprends, est inséparable de Karin, mon épouse, native d'une ville, Francfort, qui revient si souvent ici et ailleurs, et qui est tout simplement ma *Vita*. Elle sait tout ce que je lui dois.

Francfort-sur-le-Main, le 30 septembre 2019

Crédits

Fig. I. Banquet de l'Épiphanie © Bridgeman Images

Fig. II. Enluminure de Charles IV © BPK, Berlin, Dist. RMN-Grand Palais / Jörg P. Anders

Fig. III. Buste de Charles IV © Prague Castle Administration, photo : Jan Gloc

Fig. IV. La *Porta Aurea* © Jean Bernard / Bridgeman Images

Fig. V. Chapelle de la Passion © akg-images / Erich Lessing

Fig. VI. Bustes des parents et épouses de Charles IV © Prague Castle Administration, photo : Jan Gloc

Fig. VII. Charte de fondation de l'Université de Charles © Lubomir Synek / Bridgeman Images

Fig. VIII. Bulle d'Or de 1356 © BayHStA, Kurpfalz Urkunden 1 / Bayerisches Hauptstaatsarchiv

Table des matières

DEUXIÈME PARTIE
RÉGNER

TROISIÈME PARTIE
DURER

Composition réalisée par Belle Page

Fayard s'engage pour
l'environnement en réduisant
l'empreinte carbone de ses livres.
Celle de cet exemplaire est de :

PAPIER À BASE DE FIBRES CERTIFIÉES

2,100 kg éq. CO_2
Rendez-vous sur
www.fayard-durable.fr

Imprimé en France par Dupli-Print
2 rue Descartes – 95330 Domont
en septembre 2020

23-8388-7/02
Dépôt légal : août 2020
N° d'impression : 2020081726